KB163191

일곱 박공의 집

The House of the Seven Gables

세계문학전집 282

일곱 박공의 집

The House of the Seven Gables

너새니얼 호손

정소영 옮김

민음사

차례

서문

작가가 자신의 작품을 로맨스라고 부를 때는, 그 양식이나 소재에 있어서 소설을 쓴다고 인정할 경우에 누릴 자격이 없다고 느끼는 어떤 자유를 주장하고 싶어 한다는 것을 굳이 말할 필요도 없을 것이다. 소설이라는 글쓰기 형식은, 가능할 뿐 아니라 일상적이고 그럴듯한 인간 경험의 과정에 아주 세세한 부분까지 충실할 것을 목표로 삼을 것으로 간주된다. 로맨스도 물론 하나의 예술 작품으로서 법칙들을 엄격히 따라야만 하고 인간 마음의 진실에서 벗어난다면 용서받을 수 없는 죄를 저지르는 것일 테지만, 로맨스는 상당한 정도까지는 그 진실을 작가 자신이 선택하거나 창조한 상황 속에서 제시할 권리를 가진다. 또한 적절하다고 생각될 때는 빛을 밝게 하거나 부드럽게 한다든지 그림의 음영을 깊고 풍부하게 하는 식으로 분위기를 만드는 매체를 쓸 수도 있다. 말할 것도 없이 작가는 현명함을 발휘해 위에 언급한 특권을 적절하게 사용해야 하며, 특히 초자연적인 것을 대중에게 주어지는 요리의 실제 재료로서가 아니라 아주 섬세하면서 곧 사라지는 약간의 향미료로서 섞어야 한다. 하지만 이러한 주의 사항을 등한시한다 하더라도 문학과 관련된 죄를 저질렀다고는 얘기할 수 없다.

이 작품에서 나는 내내 이 면책 범위를 벗어나지 않으려 했다. 그것이 얼마만큼의 성공을 거두었는지는 다행히도 내가 판단할 일은 아니다. 이 이야기를 로맨스적이라고 정의 내리는 시각은 우리에게서 빠르게 지나가 버리는 바로 이 현재를 지나간 시대와 연결하려는 시도에 놓여 있다. 그것은 이제는 저 멀리 희뿌옇게 보이는 시대에서부터 길게 이어져 전설적인 연무를 얼마간 지닌 채 우리의 백주대낮으로 전해 내려오는 전설인데, 독자들은 내키는 대로 이를 그냥 무시해 버려도 되고 거의 알아차리지 못하게 인물들과 사건들 주변을 떠다니도록 그냥 놓아두어도 될 것이다. 어쩌면 이야기가 너무 소박한 직물로 짜인 탓에 이러한 장점을 이용하지 않을 수 없으면서도 동시에 그 효과를 성취하기가 더욱 어렵게 된다.

어떤 명확한 도덕적 목적을 매우 강조하면서 실제 작품이 그것을 목표로 한다고 선언하는 작가들이 많이 있다. 나 역시 이 특정한 부분에서 부족한 면이 없도록 어떤 도덕을 스스로 부여했다. 즉 한 세대의 잘못이 그 이후 세대로 계속 이어져, 일시적으로 지닐 수 있는 모든 장점을 상실하면서 통제 불가능한 순전한 해악이 된다는 진실 말이다. 그래서 만일 이 로맨스를 통해, 부정하게 얻어진 재물이나 부동산을 불행한 후손의 머리 위로 산더미처럼 쏟아부어서 그들을 망쳐 놓거나 완전히 망가뜨리는 어리석음을 인류가(아니, 진정 단 한 사람이라도) 효과적으로 깨달아 종국에는 쌓아 올린 그 더미가 원래대로 조각조각 널리 흩어질 수 있다면 그 무엇에 비할 바 없는 만족을 느끼게 될 것이다. 하지만 진심으로 말하자면 나는 이런 종류의 희망을 조금이라도 품을 만하다고 으스댈 만큼 상상력이 뛰어나지는 못하다. 로맨스가 진정 무언가를 가르치거나 어떤 효과적인 작용을 해낼 수 있다면 그것은 대개 겉으로 확연히 드러나기보다는 오히려 훨씬 미묘한 과정을 통해서이다. 그래서 나는 마치 쇠꼬챙이로 찌르듯이, 아니, 나비를 핀으로 박아 놓듯이 도덕으로 이야기를 무자비하게 꿰찔러서 바로 생명을 빼앗아, 볼품없고 부자연스러운 모습으로 뻣뻣하게 경직되도록 하는 것은 거의 할 일이 못 된다고 보았다. 정말이지 똑바르고 훌륭하게, 그리고 솜씨 있게 빚어져 매 발자국마다 앞길을 밝히며 소설이 전개되는 최종 단계에서 절정을 이루게 될 고귀한 진실이 예술적 영광을 더할 수는 있지만, 마지막 장이 첫 장보다 결코 더 진실할 수 없고 더 명백한 경우도 거의 없다.

독자들은 혹 이 이야기 속 상상의 사건들에 실제 지역을 대입해 보려 할지도 모르겠다. 미약하긴 하지만 내 초안에서 핵심적이었던 역사적 연관 관계가 허락한다 할지라도 나는 아주 기꺼이 이런 종류의 것은 무엇이든 피할 것이다. 그에 반대하는 다른 이유는 차치하고라도 그렇게 되면 상상에 의한 묘사를 당시의 현실과 거의 실제적으로 접촉하게 함으로써 로맨스가 완고하고 극히 위험한 종류의 비판을 받게 될 것이다. 하지만 지역적 풍습을 묘사하거나, 내가 합당한 존경심과 자연스러운 호감을 가지는 사회의 특성을 어떤 방식으로든 어깃대는 것은 전혀 내 목적이 아니었다. 어느 누구의 사적인 권리도 침해하지 않는 도로를 깔고, 눈에 띄는 어떤 소유자도 없는 땅을 전유하고, 공중누각을 짓기 위해 오랫동안 사용되어 온 재료로 집을 짓는 이 일이 용서할 수 없는 죄를 저지른 것으로 여겨지지 않기를 바란다. 이 이야기의 인물들은 비록 자신들이 자고이래의 영속성과 상당한 특출함을 지니고 있다고 공언하고는 있지만, 진정으로 나 자신이 만들어 낸 것이거나 좌우간 이것저것 섞어서 만든 것이다. 그들의 미덕은 어떤 광채를 낼 수 없고, 그들의 결점 역시 그들이 거주한다고 하는 유서 깊고 훌륭한 마을에 터럭만큼이라도 폐가 되는 결과를 초래하지 않을 것이다. 그러므로 특히 지금 암시되는 지역에서 이 책이 에식스 카운티의 어떤 실제 땅덩이가 아니라 머리 위의 구름과 훨씬 더 관련이 있는 엄격한 의미의 로맨스로 읽힌다면 기쁘겠다.

1851년 1월 27일 레녹스에서

1
유서 깊은 핀천 가문

우리 뉴잉글랜드의 어느 마을 뒷골목을 따라 반쯤 내려가다 보면, 그 주변의 여러 방향을 향하는 일곱 개의 뾰족한 박공이 있고 그 중간에 한 무더기의 거대한 굴뚝이 솟아 있는 빛바랜 목조 가옥이 서 있다. 그 거리는 핀천 길이고 집은 유서 깊은 핀천 가문의 것이다. 그리고 문 앞에 뿌리박고 선 굵은 느릅나무는 그 마을에서 태어난 아이들 누구에게나 핀천 느릅나무라는 이름으로 친숙하다. 이 마을을 가끔씩 찾아올 때면 나는 거대한 느릅나무와 세월에 씻긴 건물, 이 고색창연한 두 존재의 그늘 밑을 지나가기 위해 꼭 핀천 길 쪽으로 돌아 내려간다.

나는 이 고색창연한 저택의 면모가 인간의 표정 같다는 느낌을 항상 받는데, 그것은 외적인 태풍이나 햇빛의 흔적을 지니고 있을 뿐 아니라 그 안에서 살아간, 부침을 거듭한 인간 삶의 오랜 과정 또한 나타내기 때문이다. 그것을 그에 걸맞은 이야기로 잘 풀어 나갈 수 있다면 적잖이 흥미롭고도 교훈적인 이야기가 될 것이고, 무엇보다 거의 예술적으로 각색한 것처럼 보일 정도로 놀랄 만한 통일성을 지닐 것이다. 하지만 그 이야기가 거의 두 세기에 걸쳐 이어지는 일련의 사건들을 담고 있으므로 그에 합당한 규모로 쓴다면 비슷한 기간 동안 뉴잉글랜드 전체의 연보에 엄선해 실을 수 있는 것보다 더 방대한 양의 2절판 장서나 더 긴 12절판 시리즈를 채울 정도일 것이다. 따라서 일곱 박공의 집이라는 이름으로도 알려진 오랜 핀천가의 저택을 주제 삼아 전해 내려오는 전설 대부분에 대해서는 짧게 처리하지 않을 수 없겠다. 그러니 이 집의 토대가 놓인 상황을 짧게 설명하고 이 지역에 주로 불어오는 동풍을 맞으며 검게 변해 버린 고풍스러운 외양을, 그보다 푸릇푸릇한 지붕과 벽의 이끼들도 군데군데 짚어 주며, 재빨리 훑어보면서 지금으로부터 그리 멀지 않은 시대에 벌어진 우리 이야기의 본 사건을 시작하도록 하자. 그렇더라도 그것은 잊힌 사건들이나 인물들, 거의 혹은 완전히 퇴물이 되어 버린 관습들이나 감정, 생각들을 언급하는 식으로 오래된 과거와 연결되어 있을 것인데, 그 내용이 적절하게 옮겨지기만 한다면 얼마나 많은 오래된 재료들이 인간 삶의 아주 새로운 진기함을 이루는지를 독자들에게 구체적으로 보여 주는 데 도움이 될 것이다. 그렇게 해서 또한 지나간 세대의 행동이 아주 먼 훗날에 좋은 결실이나 나쁜 결실을 맺을 수도 있는 씨앗이라는, 그리고 사람들이 편의적인 것이라고 부르는, 한때 일시적으로 수

확한 씨앗들과 함께 이후 계속해서 자라날 열매를 심고 그것이 후손에게 어두운 그림자를 드리우게 될 것이라는 중요한 교훈을 별로 주목받지 못하는 진실로부터 끌어낼 수도 있는 것이다.

지금은 아주 옛날 가옥으로 보이지만, 일곱 박공의 집은 바로 그 자리에 문명화된 인간이 처음 세운 가옥은 아니었다. 그 전에 핀천 길은 원래 그곳에 살던 사람의 이름을 따서 몰의 골목이라는 소박한 이름으로 불리고 있었다. 그 오두막의 문 앞은 소가 다니는 길이었다. 청교도들이 정착지를 이룬, 바다로 둘러싸인 반도에서는 아주 찾아보기 어려운 상쾌하고 맛좋은 천연 샘물이 있어서, 일찍이 매슈 몰은 이곳이 마을 중심부에서 다소 떨어져 있음에도 여기에 짚을 엮어 오두막을 지었다. 그런데 삼사십 년이 지나 마을이 점점 커지면서 조잡한 오두막이 차지하고 앉은 이 자리가 어느 저명하고 권세 있는 사람의 눈에 너무나도 탐나는 곳이 되었다. 그래서 그는 법의 인가(認可)라는 힘을 등에 업고 이 자리와 그 일대의 넓은 땅에 대해서 그럴 듯한 소유권을 주장했다. 아직 남아 있는 그의 특성으로 추측하건대 소유권 신청인인 핀천 대령은 목적한 바에 대해서는 강철 같은 힘을 보이는 인물이었다. 다른 한편 매슈 몰은 비록 보잘것없는 인물이었지만 자신이 옳다고 생각하는 것을 지키는 데 있어 아주 완고했다. 그래서 자신이 땀 흘려 원시림을 갈아 마당과 농가로 바꿔 놓은 한두 에이커의 땅을 몇 년 동안은 지켜 낼 수 있었다. 이 분쟁에 대해 기록한 문서 중 남아 있다고 알려진 것은 없다. 이 모든 이야기에 대해 내가 알고 있는 것은 주로 전해 내려오는 이야기에 근거한 것이다. 따라서 그 시시비비에 대해 결정적인 견해를 내놓는 것은 무모할 뿐 아니라 또한 부당한 일이 될 것이다. 비록 매슈 몰이 가진 얼마 안 되는 영역의 토지를 빼앗기 위한 핀천 대령의 소유권 주장이 너무 부당하게 확대되지는 않았나 의심할 여지가 있긴 했지만 말이다. 그러한 의심을 특히나 뒷받침하던 것은, 대적이 안 되는 이 두 적수 — 더구나 예찬할 부분은 예찬하더라도 어쨌든 개인적인 영향력이 지금보다 훨씬 더 큰 세력을 가지고 있던 시기에 — 사이의 분쟁이 수년간 해결되지 않은 채로 있다가 그 문제의 땅에 살던 사람이 죽음으로써만 종결되었다는 사실이다. 또한 그 죽음의 방식이 한 세기 반 전의 사람들에게 끼친 영향은 지금 우리 시대와는 다르다. 그 죽음은 오두막에 살던 사람의 소박한 이름을 이상야릇한 공포로 휩쓸어, 사람들은 거의 종교적인 행위처럼 그가 살던 작은 땅덩어리를 갈아엎어 그 장소와 그에 대한 기억을 완전히 지워 버렸다.

한마디로 매슈 몰은 마법을 부렸다는 죄명으로 처형당했다. 그는 그 모든 도덕적 가르침 중에서도, 스스로 민중의 지도자라고 자임하는 사람들과 세력가 계층 역시 광기에 사로잡힌 군중들을 규정하는 감정적인 실수에 완전히 휘둘릴 수 있음을 우리에게 가르쳐 주는 그 끔찍한 망상의 희생자였던 것이다. 당시 가장 현명하고 냉정하며 성스러운 사람들이었던 성직자와 판사, 행정가 들이 단두대의 가장 가까운 주변을 둘러싸고 서서 피비린내 나는 사건을 보면서 가장 크게 박수치며 환호해 놓고는, 자신들이 끔찍한 잘못을 했다고 고백하는 일에는 가장 더뎠다. 만약 그 과정에서 어느 한 부분이라도 다른 부분에 비해 덜 비난받을 구석이 있다면 그것은 그들의 처형이 전무후무할 정도로 무차별적이었다는 점일 텐데, 그 이전의 사법적 학살에서처럼 단지 가난하고 나이 든 사람들만이 아니라 자신과 같은 계층이나 같은 신도들, 부녀자를 가릴 것 없이 모든 계층을 망라했던 것이다. 그렇게 기준도 없이 마구 몰락하는 마당에 몰처럼 하잘것없는 인물이 처형당하는 무리에 섞여 눈에 띄지도 않게 단두대를 향한 순교자의 길을 걸어갔다 해도 놀라울 것도 없다. 그러나 훗날 그 끔찍스러운 시대의 광기가 잦아들자 핀천 대령이 이 땅에서 마녀를 완전히 제거하기 위한 대열에서 얼마나 목소리 높이며 나섰는지를 떠올리게 되었다. 또한 그가 그렇게 열렬하게 매슈 몰을 처단하고자 할 때 부당한 악감정이 있었다는 소문 역시 쉬쉬하면서도 당연히 돌게 되었다. 희생자가 자신에 대한 처형자의 태도에 사적인 원한이 있음을 알아차렸고, 땅 때문에 자신이 죽음에 몰렸다고 대중 앞에서 밝혔음은 잘 알려진 일이다. 몰의 목에 밧줄이 걸리고 핀천 대령이 말을 탄 채 냉혹하게 그 장면을 지켜보던 처형의 순간에 몰은 처형대에서 그를 불러 예언을 하는데, 그에 대해서는 화롯가에서 전해 내려오는 이야기만이 아니라 역사에도 글자 그대로 보존되어 있다. 죽어가는 몰은 유령같이 창백한 얼굴로, 태연한 적의 면상을 손가락으로 가리키며 "신이 그에게 피를 마시도록 할 것이다!"라고 했다는 것이다.

마법사로 알려진 몰이 죽고 난 후 그의 보잘것없는 농가는 손쉬운 전리품으로 핀천의 수중에 떨어졌다. 하지만 매슈 몰의 통나무집이 처음 자리 잡았던 그 자리에 대령이 가문의 저택, 이후 몇 세대에 걸쳐 후손들이 살 수 있도록 떡갈나무 재목으로 육중하게 뼈대를 지은 널찍한 저택을 지으려 한다는 사실이 알려지자 남 얘기 하기 좋아하는 마을 사람들은 대부분 고개를 절레절레 흔들었다. 위에서 간략히 얘기한 사건이 진행되는 내내 이 불굴의 청교도인이 양심 있고 고결한 사람답게 행동했는가에 대한 의심을 딱 부러지게 표현하지는 않으면서도, 어쨌든 사람들은 그게 영혼이 편히 잠들지 않은 무덤 위에 집을 짓는 일임을 넌지시 내비쳤다. 그의 집이 죽어서 묻힌 마법사의 집까지 아우르게 되므로 미래의 신랑이 신부들을 데리고 들어올 침실이라든지 핀천 혈통의 아이들이 태어나게 될 방 등 새로 지은 집의 이 방 저 방에 그 마법사의 혼령이 출몰할 일종의 특권을 주게 되리라는 것이다. 몰이 저지른 범죄의 추악함과 공포, 그리고 그에 대한 처벌의 처참함으로 새로 바른 벽이 시커메지고 낡고 우울한 집의 냄새가 일찌감치 배어들게 되리라는 것이다. 그런데 도대체 왜, 처녀림의 잎으로 덮인 땅이 주변에 널려 있는데 도대체 왜 핀천 대령은 이미 저주받은 터를 더 좋아한단 말인가?

그러나 청교도 군인이자 치안판사인 그는 마법사의 혼령이 두려워서라거나, 아무리 그럴듯하더라도 어떤 얄팍한 감상 때문에 신중하게 세운 계획에서 물러날 사람이 아니었다. 혹시 공기가 안 좋다는 말을 들었다면 마음이 좀 움직였을지도 모르겠다. 하지만 사악한 혼령이라면 자기 입장에서 대면할 준비가 되어 있었다. 상식을 갖췄고, 화강암처럼 육중하고 단단하며, 강철 꺾쇠로 죈 듯이 목적에 대한 엄격한 확고함으로 꽉 조인 그는 아마 그에 대해 어떤 반대가 있으리라는 것을 상상조차 못 한 채 원래의 계획을 밀고 나갔다. 그가 좀 더 섬세한 감수성을 가졌다면 터득할 수도 있었을 민감함이나 어떤 주저함이라는 문제에 있어서는 모든 세대를 걸쳐 그 가문의 사람들 대부분이 그러하듯이 난공불락이었다. 따라서 그는 매슈 몰이 사십 년 전에 처음 나뭇잎을 쓸어 낸 터에 지하실을 파고 저택의 기초를 놓았다. 일꾼들이 일을 시작하자마자 위에서 언급한 곳의 샘물에서 애초의 좋은 물맛이 완전히 사라졌다는 것은 불가사의하면서도 몇몇 사람들에게는 불길한 사실이었다. 새로 지하실을 깊이 파는 바람에 수원(水源)을 건드렸든지, 아니면 그 깊숙이 더 미묘한 원인이 숨어 있든지 간에 여전히 몰의 우물이라고 불리는 그곳의 물이 거무스름한 센물이 되었음은 확실했다. 그 샘물은 아직도 그러하며 동네의 나이 든 아낙들이 증언하는 바에 따르면 그곳에서 목을 축이는 사람들의 내장에 해를 입힌다고 한다.

그 집을 지은 수석 목수가 다른 사람도 아닌, 핀천 대령이 빼앗은 땅의 소유권을 손에 움켜쥐었던 죽은 이의 아들이라는 사실이 독자들에게는 이상야릇하게 생각될지도 모르겠다. 그가 당시 가장 뛰어난 일꾼이었을 수도 있다. 아니면 혹시 대령이 선한 감정에 이끌렸든지, 정략적 차원에서 몰락한 적수의 종족들에 대한 적대감을 공개적으로 떨쳐 버리고자 한 것일지도 모른다. 그 아들이 기꺼이 아버지를 죽인 적의 지갑에서 푼돈을, 아니, 상당한 액수의 은화를 정당하게 받아내려고 한 것이 당대의 일반적인 조야함이나 사업적 특성과 어울리지 않는 것도 아니다. 어쨌든 토머스 몰은 일곱 박공의 집을 짓는 목수가 되었고 그의 임무를 아주 충실히 수행했으므로 그의 손으로 조여 붙인 목재 뼈대는 아직도 견고하다.

그렇게 대저택은 지어졌다. 아주 오래 전 시대의 가장 웅장한 최고 건축의 표본이자 아마도 잿빛의 중세 고성보다 더 인간적인 흥미로 가득 찬 사건들의 현장으로서 어렸을 때부터 호기심에 차서 바라보았기 때문에 그것은 내 기억 속에서 아주 친숙한데, 빛바랜 노년기의 모습으로 친숙하기 때문에 그것이 처음 햇빛을 받았을 때의 밝게 빛나는 새로움은 더욱 상상하기 어렵다. 청교도 거물이 모든 마을 사람들을 손님으로 초대했던 그날 아침의 모습대로 그려 보이고 싶은 그 외관의 그림 여기저기가 백육십 년쯤 지난 지금의 실제 모습에 대한 인상으로 인해 어쩔 수 없이 음침해질 수밖에 없는 것이다. 종교적이면서 축제 같은 축성 의식이 이제 거행될 참이었다. 에일 맥주와 사과주, 와인, 브랜디, 그리고 어떤 소식통이 확언한 바에 따르면 통째로 구운 소 한 마리, 아니면 적어도 그보다 다루기 쉽게 뼈마디를 자른 고기 덩어리나 등심 형태로 소 한 마리의 대부분을 풍족하게 제공하는 덕에 비천한 사람들에게도 히긴슨 목사의 기도와 설교, 그리고 마을 전체가 함께 우렁차게 부르게 될 찬송가가 참을 만한 게 될 것이었다. 32킬로미터 내에서 쏘아 잡은 사슴 고기는 엄청난 양의 고기 파이를 만들 재료가 되었다. 만(灣)에서 잡은 27킬로그램짜리 대구로는 진한 차우더 국물을 만들었다. 한마디로 새로 지은 이 집의 굴뚝이 부엌의 연기를 뿜어내면서 향이 강한 허브와 매콤하게 섞이고 양파도 푸짐하게 들어간 고기와 날짐승, 물고기 냄새가 동네의 공기에 온통 퍼져 나갔던 것이다. 모든 사람들의 콧속으로 스며든 그런 잔치 냄새만으로도 초대받은 것이나 진배없었고 식욕을 돋우었다.

정해진 시간에 몰의 골목은, 이제는 핀천 길이라고 부르는 것이 좀 더 예의에 맞겠지만, 무리 지어 교회에 가는 듯한 사람들로 북적였다. 사람들은 모두 가까이 다가오면서 위압적인 건물을 올려다보았는데, 그것은 이후 사람들의 주택들 중에서 그만한 지위를 점하게 될 것이었다. 건물은 거리에서 조금 물러나 앉았지만 겸손해서가 아니라 자신만만함 때문이었다. 눈에 보이는 외벽은 전부 고딕 취향의 그로테스크 양식으로 고안된 기묘한 문양으로 장식되었는데, 석회와 자갈, 그리고 약간의 유리 가루로 만든 반짝거리는 회반죽으로 그리거나 찍은 것이었다. 벽의 목조부에도 그러한 회반죽을 발랐다. 어느 쪽에서 보든 일곱 개의 박공이 하늘을 찌를 듯이 솟아올라 하나의 거대한 굴뚝을 숨구멍 삼아 숨을 쉬며 그 건물 전체의 동질성을 나타냈다. 다이아몬드 모양의 작은 창유리로 이루어진 많은 격자창을 통해 홀과 방마다 햇빛이 들어오지만, 그럼에도 2층이 기단 위로 상당히 튀어나온 데다 3층의 아래쪽으로 밀려 들어가 있어서 아래쪽 방들에는 생각에 잠긴 듯한 어두어둑함과 그림자가 드리웠다. 튀어나온 층의 아래에는 조각된 목조 구체가 붙어 있었고, 나선 모양의 작은 쇠막대가 일곱 개의 뾰족탑을 수놓았다. 거리를 바로 면하는 박공의 삼각형 부분에는 그날 아침에 단 해시계가 있었는데, 태양은 여전히 그 일생에서 최초의 눈부신 시기를 가리키고 있었지만 앞으로의 그 운명이 그렇게 밝지만은 않을 것이었다. 주변에는 온통 대팻밥과 나무 조각, 판자와 반으로 잘린 벽돌 등이 어지럽게 널려 있었다. 그 모습은 파헤쳐진 지 얼마 안 되어 아직 풀 한 포기 없는 땅과 어울려 낯설고도 색다른 인상을 주었는데, 아직 사람들의 일상에 자리 잡지 않은 집이었으니 그럴 법도 했다. 앞쪽의 두 박공이 이루는 모서리에 거의 교회 출입문만큼 널찍한 중앙 출입문이 있고 그 앞의 트인 현관 아래에 의자들이 놓여 있었다. 아치를 이룬 이 출입구 아래로, 사람의 발길에 아직 쓸리지 않은 문턱 위로 발을 끌면서 성직자들과 원로들, 치안판사와 집사를 비롯한 그 마을과 인근의 귀족들이 걸어 들어갔다. 또한 많은 수의 평민들도 귀족 계층 사람들만큼 자유롭게 무리 지어 그리로 들어갔다. 그러나 입구를 들어서자마자 두 명의 하인들이 서서 어떤 손님들에게는 주방 가까운 곳을 가리키며 그리로 가라 하고 다른 손님들은 품위 있는 방으로 안내했다. 모두를 환대하기는 하지만 각자의 높고 낮은 지위를 꼼꼼하게 챙기는 것이었다. 당시에는 벨벳 의상을 입었다든지, 빛깔은 수수하지만 빳빳하게 세운 아주 화려한 주름 깃과 밴드, 자수 장식이 달린 장갑, 덕망 있는 턱수염이나 권세 있는 사람의 태도와 표정 등을 지닌 존경할 만한 지위의 사람들을, 지쳐 보이는 발걸음의 상인들이나 아마도 그것을 짓는 일에 자신들도 한몫했을 집으로 눈을 휘둥그레 뜨고 살금살금 들어오는 노동자들과 구별하기란 쉬웠다.

몇몇 깐깐한 사람들이 거의 숨기려고도 하지 않는 마음속 불쾌함을 새삼 일깨우는 상서롭지 못한 상황이 하나 있었다. 이 장엄한 저택의 설립자이자 그 행동거지가 반듯하고 진중하기로 이름난 신사는 응당 직접 홀에 서서 자신의 장엄한 잔치를 축하하고자 여기에 내방한 그 많은 저명한 인사들을 가장 먼저 환영했어야 했다. 그런데 그가 아직 모습을 드러내지 않았으며 손님 중에서 그와 가장 각별한 사람들조차 그를 보지 못했다. 그 지역의 2인자가 나타났는데도 역시 그에 합당한 접대를 받지 못하자 핀천 대령의 이러한 나태함은 더욱 이해할 수 없는 일이 되었다. 부지사의 방문은 그날의 영예로운 일로 예상되었던 바였는데, 그가 말에서 내려 부인이 여성용 안장에서 내려오도록 도와준 뒤 대령의 집 문턱을 넘었는데도 상급 하인이 그들을 맞이할 뿐이었던 것이다.

과묵하고 행동거지가 무척 공손한 백발의 하인은 그에 대해 설명해야 할 필요를 느꼈으므로, 주인님이 아직 서재 혹은 사저에서 나오지 않고 있고 한 시간 전에 들어갈 때 어떤 경우에도 방해하지 말라고 했다고 전했다.

보안관은 그 하인을 옆으로 불러 말했다. "이보게, 이분이 다른 누구도 아닌 부지사님이란 걸 모르겠나? 당장 핀천 대령을 모셔 오게! 내가 알기로 대령은 오늘 아침에 영국에서 편지를 받았고 그것을 꼼꼼히 읽고 생각하느라 자신도 모르는 새 한 시간이 지나가 버렸을 걸세. 하지만 내 생각에는, 주지사께서 부재할 경우에 윌리엄 왕*을 대변한다고 할 수 있는 우리 주요 지도자 중 한 분을 자네 때문에 합당한 예를 갖춰 맞이하지 못했다고 하면 대령은 아주 불쾌해할 걸세. 당장 대령을 부르게!"

"송구스럽습니다만 안 됩니다." 하인은 무척 당황하면서도 핀천 대령네 하인들의 혹독하고 엄격한 규칙을 확연히 보여 주듯이 몸을 사리며 대답했다. "주인님의 명령은 매우 엄격합니다. 보안관님도 아시다시피 명령에 따르는 데 있어서 시중을 드는 사람들이 알아서 결정한다든지 하는 일은 추호도 용납하지 않으십니다. 원하신다면 누구든 직접 저 문을 여십시오! 설령 주지사님이 직접 명령하신다 해도 저는 못합니다."

"쯧, 쯧, 보안관!" 앞선 대화를 옆에서 들은 부지사가 소리쳤다. 그는 자신의 지위가 워낙 높기 때문에 약간 위엄이 떨어지는 일을 해도 무방하다고 느꼈다. "내가 직접 그 일을 해결하리다. 이제는 훌륭한 대령이 나와서 친구들을 맞이할 시간이 아니오. 안 그러면 이 날을 기념하기 위해 어떤 병을 내놓는 게 좋을까 너무 고심하면서 대령이 카나리 와인**을 너무 많이 홀짝거린 것은 아닌지 의심하게 될 거요. 그러나 그가 이미 너무 지체하고 있으니 내가 직접 기억을 환기시켜 줘야겠소!"

그러면서 그는 육중한 승마용 부츠로 일곱 박공의 집 안 멀리 떨어진 어느 구석에서도 들을 수 있을 만큼 크게 발자국 소

---

* 윌리엄 3세(1650~1702). 1689년부터 사망할 때까지 영국을 통치했다.

** 카나리아(카나리) 제도의 주요 수출품이었던 달콤한 백포도주.

리를 내며 하인이 가리킨 문을 향해 뚜벅뚜벅 걸어가서는 새 나무판자가 울리도록 거리낌 없이 크게 문을 한 번 두드렸다. 그러고는 웃음 띤 얼굴로 주변 사람들을 둘러보면서 대답을 기다렸다. 그러나 아무 대답이 없자 그는 한 번 더 문을 두드렸는데, 결과는 첫 번째와 마찬가지였다. 그러자 이제 부지사는 약간 성질이 나기 시작하면서 자신의 묵직한 칼자루를 들어 문을 내려치기 시작했는데, 옆에 서 있던 사람들 중에는 그 엄청난 소리가 죽은 사람을 깨울 정도였다고 소곤거리는 사람도 있었다. 그 정도였을지는 모르겠으나 그 큰 소리도 핀천 대령을 깨우는 데는 소용이 없었다. 소리가 잦아들자 집 전체에 깊고 음울하고 숨 막힐 듯한 고요가 내려앉았다. 많은 손님들이 이미 와인이나 독주를 몰래 한두 잔씩 마셔서 조금 풀어진 상태였는데도 말이다.

"정말이지 이상하군! 아주 이상해!" 얼굴에서 웃음이 가신 부지사가 이제 얼굴을 찡그린 채 소리쳤다. "하지만 주인이 먼저 축하 예식을 잊는 좋은 모범을 보여 주었으니 마찬가지로 나도 그런 건 치워 버리고 마음대로 그의 사저에 들어가 봐야겠군!"

그가 문고리를 돌리자 문은 그의 뜻에 따라 스르르 열리더니, 갑작스럽게 바람이 불어와 문을 활짝 열고는 크게 한숨을 쉬듯이 가장 바깥쪽 현관부터 시작해 새집의 통로와 방을 구석구석 쓸며 지나갔다. 바람은 귀부인들의 실크 드레스를 펄럭이고 신사들의 가발의 긴 곱슬머리를 일렁이게 하고는 침실의 창문 걸개와 커튼을 흔드는 등 어디에서나 특이한 살랑거림을 일으키면서도 오히려 숨죽인 침묵처럼 느껴졌다. 무엇인지, 혹은 무엇 때문인지 아무도 알지 못한 채 경이감과 얼마간 무시무시한 예감의 그림자가 거기 모인 사람들에게 갑자기 드리웠다.

하지만 그들은 솟구치는 호기심으로 열린 문 쪽으로 몰려가, 부지사를 밀어 먼저 방 안에 들어서게 했다. 첫눈에는 별다른 이상한 점이 눈에 띄지 않았다. 커튼을 쳐서 다소 어둑어둑한, 멋지게 꾸며진 적당한 크기의 방에 책장마다 책이 정리되어 있었고 벽에는 커다란 지도와 함께 핀천 대령의 초상화가 걸려 있었는데, 그 아래 대령 본인이 손에 펜을 쥔 채 떡갈나무 안락의자에 앉아 있었다. 그 앞의 탁자에는 편지와 양피지 문서들, 백지 등이 놓여 있었다. 그는 마치 부지사가 맨 선두를 이룬 호기심에 가득 찬 군중들을 응시하는 듯했는데, 마치 홀로 있는 자신의 사저에 그렇게 몰려온 무례함에 무섭게 분개한 듯이 그늘지고 옹골찬 안면을 찡그리고 있었다.

감히 대령을 허물없이 대할 수 있는 유일한 사람인 대령의 어린 손자가 손님들을 헤치며 나아가 의자에 앉은 인물에게 달려갔다. 그러나 반쯤 가다가 멈춰서는 공포에 질린 비명을 지르기 시작했다. 마치 나뭇잎이 한꺼번에 와르르 흔들리듯 사람들은 한꺼번에 떨면서 가까이 다가갔고, 꼼짝도 않고 쳐다보는 핀천 대령의 모습이 부자연스럽게 일그러져 있음을 알았다. 그의 주름 깃에는 핏자국이 있었고 백발이 성성한 턱수염도 피로 물들어 있었다. 뭘 어떻게 해 보기에는 너무 늦었다. 무자비한 박해자였던 냉혹한 청교도인, 불굴의 의지를 가진 그악스러운 대령이 죽은 것이다! 그것도 새로 지은 집에서! 이미 너무나 음산한 장면이지만 거기에 약간의 미신적인 두려움을 덧붙이기 위해 간단히 언급만 하자면, 손님들 중 누군가가 큰 목소리로 "신이 그에게 피를 마시도록 했다!"라고 말했는데 그 어조가 처형당한 마법사인 옛 매슈 몰의 어조와 같았다는 얘기가 전해 내려온다.

그런 식으로 단 하나의 손님이, 어느 때건 모든 인간의 거주지에 확실히 마음대로 드나들 수 있는 단 하나의 손님인 죽음이 일곱 박공의 집 문턱을 먼저 넘었던 것이다!

갑작스럽고도 불가사의한 핀천 대령의 죽음은 당시 엄청난 파장을 일으켰다. 어떻게 그 모습에 폭행의 흔적이 남아 있었는지에 대한 소문도 무성했는데 그중 어떤 것은 지금까지 흘러 내려와 어렴풋이 남아 있다. 예를 들어 그의 목에 손자국이 있었고 주름 깃에도 피 묻은 손자국이 있었다고도 했고, 마치 격하게 그러잡혀 끌어당겨지기라도 한 것처럼 끝이 뾰족한 턱수염이 마구 헝클어져 있었다고도 했다. 마찬가지로 대령이 앉아 있던 의자 가까운 곳의 격자 창문이 열려 있었고 그 충격적인 사건이 벌어지기 직전에 어떤 남자가 집 뒤쪽에서 정원 울타리를 넘어가는 것이 목격되었다고도 했다. 그러나 이런 종류의 이야기를 강조하는 것은 어리석은 일일 것이다. 그런 이야기들이란 지금 얘기하는 종류의 사건을 둘러싸고 틀림없이 생겨나게 마련이며, 지금의 경우가 그렇듯이 쓰러져 묻힌 나뭇등걸이 오랫동안 썩어서 흙이 된 장소를 표시하는 독버섯처럼 그 후로도 수십 년을 이어져 내려오기도 한다. 우리로서는 그 얘기들이, 부지사가 대령의 목에서 뼈만 있는 손을 보았으나 방 안으로 더 들어서자 사라져 버렸다는 얘기만큼이나 신빙성이 없다고 본다. 하지만 시신을 놓고 의사들 사이에서 상당한 토의와 논란이 있었던 것은 분명하다. 저명한 사람이었던 것으로 보이는 존 스위너튼이라는 의사는, 그의 의학 용어를 제대로 이해한 것이라면, 사인이 뇌졸중이라고 주장했다. 다른 의사들도 각자 서로 다른 가설을 내세웠는데 어느 정도 그럴듯하긴 했지만 모두 무척이나 알 수 없는 용어들로 포장이 되어 있어서, 박식한 의사들 사이에서야 그렇지 않겠지만 못 배운 사람들로서는 그 의견을 탐독해 봐야 분명 혼란만 느낄 법한 것이었다. 검시 배심원들은 시신을 놓고 심리를 열어서는, 분별 있는 사람들답게 '돌연사'라는 논란의 여지가 없는 판결을 내렸다.

심각하게 살인으로 의심할 만한 여지가 있다거나 범인으로 특정한 사람을 지목할 만한 조금의 근거라도 있었다고 상상하기란 진정 어려웠다. 죽은 이의 지위나 재산, 두드러진 명성으로 보았을 때 애매모호한 상황이 있었다면 모두 철두철미하게 조사하도록 했을 것임이 분명했다. 그에 대한 기록이 전혀 없는 것을 보면 그런 상황은 없었다고 봐도 무방할 것이다. 그 반대의 주장들은 구전된 얘기에서 나온 것이다. 구전되는 이야기는 때로 역사에서는 지나쳐 버리는 진실을 전승하기도 하지만, 예전에는 화롯가에서 얘기되고 요즘이라면 신문에 주로 실리는 당대의 허무맹랑한 잡소리인 경우가 더 많다. 당시 인쇄되어 지금도 남아 있는 핀천 대령의 장례식 설교에서 히긴슨 목사는 이 뛰어난 교구민이 지금까지 누린 많은 행복들 중 하나로 그 죽음이 아주 시기적절했다는 사실을 들었다. 자신의 임무는 모두 완수했고 최고의 번영을 누렸으며, 앞으로 몇 세기 동안 그의 가문과 후손들이 웅장한 가옥을 안식처 삼아 안정된 기반에 자리 잡게 되었으니 이 땅에서 천상의 황금 문을 향해 나아가는 마지막 발걸음 외에 이 훌륭한 인물이 더 이상 올라가야 할 계단이 무엇이 있단 말인가! 대령이 혹시라도 무지막지하게 목이 졸려 저세상으로 내던져진 것이 아닌가 하는 의심이 조금이라도 있었다면 그 경건한 목회자가 그런 식의 말을 하는 일은 절대 없었을 것이다.

핀천 대령이 사망했을 당시 그의 집안은 인간사의 내재적인 불안정성과 어쨌든 양립할 수 있는 만큼에서 가장 복 받은 안정성을 누리게 된 듯이 보였다. 시간이 지날수록 그들의 번영은 줄어들거나 완전히 없어져 버리는 대신 점점 무르익고 더해질 것임을 충분히 예상할 수 있었다. 왜냐하면 그의 아들과 상속자가 풍요로운 토지에 대한 소유권을 즉각 누릴 수 있었을 뿐 아니라 아메리카 원주민 권리증과 이후 주 의회의 승인을 통해 아직 측정조차 안 된 미답의 동쪽 땅에 대한 소유권도 확보하게 되었기 때문이다. 소유한 그 토지는(그들이 자신의 소유물이라고 거의 확신했기 때문에) 지금 메인 주의 왈도 카운티로 알려진 곳의 대부분을 이루는 것으로, 유럽의 경우라면 대다수 군주의 영토에 비해서는 물론 통치권을 가진 왕의 영토보다도 더 광대한 것이었다. 이 야생의 공국(公國)을 아직까지 뒤덮고 있는 인적 없는 숲이 개척되어 인간 문명의 비옥한 금싸라기 땅이 된다면, 아마 앞으로 몇 세대는 지나야겠지만 어쨌든 그렇게 될 것임이 분명하므로, 그것은 핀천 가문에게는 헤아릴 수도 없이 엄청난 부의 원천이 될 것이었다. 만약 대령이 단 몇 주라도 더 살았다면 자신의 엄청난 정치적 영향력과 국내외의 강력한 연줄을 통해 그 소유권을 확보하기 위해 필요한 모든 것을 다 끝낼 수 있었을 것이다. 하지만 히긴슨 목사의 축하 설교가 무색하게도, 선견지명이 있고 현명하다는 핀천 대령이 그 일 하나만은 제대로 끝내지 않고 내버려 둔 것 같았다. 미래가 창창한 그 땅에 관해서만은 분명 대령은 너무 일찍 죽은 것이었다. 그의 아들은 아버지의 높은 지위도 갖지 못했을 뿐 아니라 그것을 이룰 만한 재능이나 강한 성격도 없었다. 따라서 그가 정치적 이해관계를 통해 이룰 수 있는 것은 아무것도 없었고, 대령이 죽고 나자 오직 정당성이나 적법성만으로 보자면 그 소유권은 대령이 살아 있을 때 주장한 것만큼 명백하지 않았다. 그것을 증명할 수 있는 것에서 뭔가 연결 고리가 빠져나갔고 어디서도 그것을 찾을 수 없었다.

사실 핀천 가문은 당시만이 아니라 그 후로 백 년이 지나도록 여러 번에 걸쳐서 고집스럽게 자신들의 권리라고 주장한 것을 얻기 위해 많은 노력을 했다. 그러나 시간이 흐르면서 그 영토의 일부는 좀 더 혜택 받은 사람들에게 재인가가 되었고 또 일부는 실제 정착민이 개간해서 점유하게 되었다. 이 정착민들의 입장에서는 설사 핀천 가문의 권리에 대해 들었다 하더라도, 이미 한참 전에 죽어 잊힌 주지사와 의회 의원의 빛바랜 자필 서명이 있는 곰팡내 나는 문서를 근거로 자신과 자신의 조상들이 땀 흘려 일해 거친 자연의 손에서 빼앗아 차지한 땅의 소유권을 다른 누군가가 주장할 수 있다는 생각 자체를 비웃을 것이었다. 따라서 실제 손에 쥘 수 없는 소유권은 기껏해야 지금까지 내내 핀천가를 특징지어 온 대단한 가문이라는 터무니없는 망상만을 간직하게끔 하는 결과를 낳았을 뿐이다. 가문의 가장 가난한 사람도 자신이 마치 일종의 귀족 신분을 물려받았고 그것을 뒷받침할 만한 장대한 유산도 곧 수중에 넣을 것처럼 생각하는 것이었다. 그 가문에서 좀 나은 사람들의 경우 이 독특함은 진정으로 귀중한 자질을 앗아 가지는 않고 인간 삶의 고된 내용에 상상적인 품위를 입혔다. 그러나 좀 열등한 사람들의 경우 쉽게 태만하고 의존적인 습성에 빠지고, 막연한 희망의 희생자가 되어 꿈이 실현되기만을 기다리면서 자신의 모든 노력을 미루는 결과를 초래했다. 그들의 소유권 주장이 사람들의 기억 속에서 완전히 사라진 지 한참 지난 후에도 핀천 가문의 사람들은 왈도 카운티가 아직 개간되지 않은 황야였을 때 설계된 대령의 오랜 지도를 살펴보곤 했다. 그들은 종국에는 그곳을 자신들의 공국으로 만들 수 있는 전망이 아직도 있다는 듯이, 옛날 토지 측량사가 나무와 호수, 강을 그려 넣은 지도에 개간된 지역을 표시하고 마을과 읍내를 점으로 찍고 갈수록 커져 가는 그 지역의 자본 가치를 셈하곤 했던 것이다.

그럼에도 처음 가문을 세운 사람들의 아주 두드러진 특징이었던 냉철하고 예리한 감각과 현실적인 에너지를 부여받은 후손이 거의 매 세대마다 한 사람은 나타나기 마련이었다.

그 성격의 근원은 실로 아주 분명하게 초기까지 거슬러 올라가서, 약간 희석되기는 했지만 마치 대령 자신이 지상에서 간헐적으로 일종의 불멸성을 부여받은 듯이 보일 지경이었다. 가문의 운이 아주 쇠했던 두세 시기에 가문을 대표하는 유전적 형질이 등장했고, 말하기 좋아하는 마을 사람들은 끼리끼리 모여 이렇게 수군거리곤 했다. "옛날 핀천이 다시 돌아왔네! 이제 일곱 박공의 집도 지붕을 새로 올리겠는걸!" 그들은 자손 대대로 집에 대해 유난히 집요한 애착심을 보이며 조상의 집을 절대 떠나지 않았다. 하지만 나는 대부분은 아니더라도 이후 그 집을 차지한 많은 후손들이 그에 대한 도덕적 권리가 과연 자신들에게 있는가 하는 의문에 시달렸다고 믿는데, 그것은 보통 근거가 너무 모호해서 지면에 옮길 수 없는 어떤 인상 때문이기도 하고 여러 다른 이유 때문이기도 하다. 법적인 토지 소유권에 대해서는 의심의 여지가 없다. 하지만 아무래도 그 옛날 매슈 몰이 당대는 물론 이후로도 줄곧 핀천 사람들의 양심 위에 육중한 발자국을 찍으며 지금까지 걸어 내려온 것이 아닌가 싶다. 그렇다면 잘못을 의식하고 있지만 그것을 교정할 수는 없는 그 집의 상속자들이 조상의 엄청난 죄를 매번 새로 저질러 본래의 모든 책임을 계속 지는 셈이 아닌가 하는 무시무시한 의혹을 처리하는 일은 우리에게 남겨져 있다. 또한 상황이 그러하다면 핀천 가문이 엄청난 행운이 아니라 엄청난 불행을 상속받았다고 말하는 것이 핀천 가문에 대한 훨씬 진실한 설명이 아닐까?

일곱 박공의 집과 인연을 끊지 않고 이어 온 핀천 가문의 역사를 죽 따라 내려오거나 당시의 촌스러움과 결점이 어떻게 유서 깊은 저택 위로 모여들었는지를 마법 같은 그림으로 그려 보여 주는 것이 나의 목적이 아니라는 얘기는 이미 했다. 그 안에서 벌어진 삶에 대해서라면, 방에 크고 뿌연 거울이 하나 걸려 있어서 거기에 비치던 모습들이 모두 그 깊숙한 곳에 담겨 있다는 얘기도 있었다. 핀천 대령 자신은 물론이고 그의 후손들 모두가 말이다. 구식 아기 옷을 입은 사람들이라든지, 한창 아름다울 때의 여성이나 한창 멋질 때의 남성, 혹은 서리 내린 노년의 주름살과 함께 슬픔에 젖은 사람들이. 그 거울의 비밀을 알 수 있다면 기꺼이 그 앞에 앉아 거기 나타나는 것을 이 지면에 옮겨 적을 수 있을 것이다. 그런데 근거를 찾기 어려운 어느 이야기에 따르면 매슈 몰의 후손이 그 거울의 비밀과 모종의 관계가 있어서 어떤 최면술과도 같은 과정을 통해 세상을 떠난 핀천 가문 사람들을 그 집 안에 다시 불러 모을 수 있다고 한다. 하지만 세상에 드러난 모습이나 행복하고 잘 살던 때의 모습이 아니라, 과거의 어떤 죄를 다시 저지르거나 인생의 가장 쓰디쓴 슬픔에 쌓인 위기의 순간에 처한 모습으로 말이다. 실로 사람들의 상상력은 오랫동안 그 옛날 청교도인 핀천과 마법사 몰의 사건에 지치지도 않고 관심을 쏟았다. 몰이 처형대에서 내뱉은 저주는 의미심장한 단어 하나를 덧붙여 핀천 가문이 상속받은 재산의 일부가 되었다. 그 가문의 누군가가 혹시 목에서 꼴깍거리는 소리를 내면 옆에 있는 사람은 십중팔구 농담 반 진담 반으로 "저 사람은 몰의 피를 마시게 되었군!"이라고 수군대는 식이다. 한 백 년 전에 핀천 가문의 한 사람이 위에서 얘기한 핀천 대령의 경우와 비슷한 상황에서 갑자기 죽자 이 화젯거리와 관련하여 공인된 의견은 더욱 그럴듯한 것으로 생각되었다. 더구나 핀천 대령의 유언에 따라 그의 초상화가 여전히 그가 죽은 방 벽에 딱 붙어 있다는 것도 흉측하면서 불길한 상황이라고들 여겼다. 누그러지지 않는 그 냉엄한 모습은 악의 기운을 상징하면서 지나가는 시간의 햇빛마다 그 존재의 그림자를 너무나 어둡고 음산하게 섞어 넣어 그곳에서는 도무지 선한 생각이나 선한 목적이 생겨날 수도 피어날 수도 없다는 것이다. 생각 있는 사람들이라면, 죽은 선조의 영혼이 아마 자신에게 내려진 벌의 일부로서 그 가문의 악한 정령이 되고 마는 경우가 종종 있다고 비유적으로 표현한다고 해도 여기에 미신의 기미는 조금도 없음을 알 것이다.

요컨대 핀천 가문은 같은 기간 다른 뉴잉글랜드의 가문들 대다수가 겪은 것보다 외적인 변천을 덜 겪으면서 두 세기의 대부분을 살아갔다. 자신들만의 아주 뚜렷한 특성들이 있지만 어쨌든 자신들이 거주하는 작은 공동체의 일반적인 특징도 지니게 되었다. 이 마을 주민들은 동정심을 보이는 범위가 좀 한정되어 있긴 해도 검소하고 분별 있으며 질서 정연하고 가정을 사랑하기로 이름나 있다. 또한 이 마을에서는 좀 색다른 사람들이나 기이한 사건들을 다른 곳에서보다 더 자주 마주치게 된다고 한다. 독립전쟁 당시 핀천 가문은 왕의 편에 섰다가 피난을 갔는데, 이후 그 일을 후회하고는 일곱 박공의 집이 몰수되기 직전에 다시 나타났다. 최근 칠십 년 동안 핀천 가문의 연보에서 가장 유명한 사건은 동시에 그 가문이 지금껏 겪은 가장 심각한 재난이었는데, 그것은 다름 아닌 가문 내에서 한 사람이 다른 사람의 범죄 행위로 인해 폭력적인 죽임을 당한(판결에 따르면 그러하다.) 일이다. 이 치명적인 사건에 수반된 어떤 정황으로 인해 불가피하게 그 행위는 사망한 핀천의 조카가 저지른 일임이 확실해졌다. 그 청년은 재판을 통해 유죄 판결을 받았는데, 증거가 정황적이었기 때문이었든지 혹은 행정관의 마음속에 어떤 의심이 숨어 있었기 때문이었든지, 아니면 마지막으로, 왕국보다 공화국에서 더 비중 있는 주장이 되겠지만, 죄인의 연고가 지니는 사회적 지위와 정치적 영향력 덕분이었든지 그의 형은 사형에서 종신형으로 완화되었다. 이 불행한 사건은 우리의 주요 이야기가 시작되기 삼십 년 전에 일어났다. 최근 들어 오랫동안 잊힌 이 인물이 어떤 이유에서건 생매장된 그의 무덤에서 불려 나올 것이라는 소문이(믿는 사람은 거의 없고 그저 한두 사람만이 관심을 가질 뿐이지만) 있었다.

지금은 거의 잊힌 이 살인 사건의 희생자와 관련해 몇 마디 할 필요가 있겠다. 나이 든 독신자였던 그는 원래 핀천 가문의 재산에서 남아 있던 집과 토지 외에도 상당한 재산을 소유하고 있었다. 괴팍하고 침울한 성격인 데다 오래된 기록들을 뒤지고 전해 내려오는 옛 이야기들을 듣는 일에 아주 심취해서는, 마법사 매슈 몰이 부당하게 죽음을 맞은 것까지는 모르겠지만 어쨌든 부당하게 자신의 집을 빼앗긴 것이라는 결론에 이르렀다고 한다. 상황이 그러하자, 불길한 핏자국이 깊이 스며들어 있어서 양심적인 사람들이라면 아직도 그 냄새를 맡을 수 있을 정도의 부정한 약탈품을 소유한 나이 많은 독신자인 그는, 이미 늦긴 했지만 몰의 후손들에게 보상을 하는 것이 긴요한 일이 아닌가 하는 의문을 갖게 되었다. 골동품 애호가에 은둔자인 나이 많은 독신자로서, 현재에 산다기보다 오히려 과거에 묻혀 산다고 할 수 있는 사람에게 백오십 년이라는 세월은 잘못을 바로잡는 일을 부적절하게 만들 만큼 그렇게 긴 시간은 아닌 듯했다. 이 노신사가 세운 계획의 낌새를 알아챈 핀천 가문의 친족들이 야단법석을 떨지만 않았더라면 그가 정말로 일곱 박공의 집을 매슈 몰의 대리자에게 넘겨주는 정말 특이한 조치를 취했으리라고 그를 가장 잘 아는 사람들은 믿고 있다. 친족들이 애를 쓴 덕에 그가 하고자 한 바는 중지되었다. 그러나 그들은 그가 살아 있을 때 겨우 막을까 말까 한 그 일을 죽은 뒤에 유언 행사를 통해 이룰 것을 우려했다. 하지만 분개를 해서든 꼬임을 받았든, 세습 재산을 자기 혈통이 아닌 다른 곳에 줘 버리는 것은 거의 일어나지 않는 일이다. 친척들보다 다른 사람들을 훨씬 더 좋아할 수도 있고 친척들을 싫어하거나 아예 증오할 수도 있는 일이지만, 죽음을 앞에 두고는 혈통에 대한 강한 편애가 되살아나 유언자는 까마득히 오래되어 거의 천성처럼 보이는 관습이 정해 준 대로 자신의 재산을 물려주게 되어 있는 것이다. 핀천 가문의 사람들 모두에게 이 감정은 병적인 강렬함을 지니고 있었다. 나이 많은 독신자의 양심적인 주저함에 비하면 그것이 훨씬 더 강력했으므로 그가 죽자 저택은 다른 재산들 대부분과 함께 그다음 법적 상속자의 수중으로 넘어갔다.

그것이 바로 그의 조카이자, 삼촌을 살해했다는 판결을 받은 청년의 사촌이었다. 그는 상속을 받기 전까지는 좀 방탕한 청년으로 여겨졌으나 곧 개심해 아주 훌륭한 사회의 일원이 되었다. 사실 그는 초창기 청교도 핀천 대령의 시대 이래 그 어떤 핀천보다도 더 핀천 가문의 특성을 두드러지게 나타내며 가장 높은 사회적 지위에 이르렀다. 젊은 시절 법 공부에 힘을 쏟고 천성적으로 공직을 원하더니 수년 전 어느 하급 법원에서 재판관 자리를 얻었고, 판사라는 아주 바람직하고 인상적인 직함을 평생 가지게 되었다. 후에 정치에 뛰어들어 의회에서 두 번의 임기 동안 일하면서 주 의회의 양쪽에서 유력한 인물이 되었다. 핀천 판사는 말할 것도 없이 그 가문의 영광이었다. 그는 고향에서 몇 킬로미터 떨어진 시골에 저택을 지어 공직에 종사하지 않을 때는 가능한 한 그곳에 머물면서, 선거 전날 신문에 적힌 바에 따르면, 기독교인이자 훌륭한 시민, 원예가이자 신사에 걸맞은 덕목과 품위를 지닌 삶을 살고 있다고 했다.

판사의 재산 덕을 본 핀천 일가는 거의 남아 있지 않았다. 자연적인 번식에 있어서도 그 자손들은 번성하지 않았다. 오히려 멸족해 가는 듯이 보였다. 그 가문에서 아직 남아 있는 것으로 알려진 사람들로는 우선 판사가 있고, 하나 남은 아들은 지금 유럽 여행 중이라고 했다. 다음으로 앞에서 말한 대로 삼십 년째 감옥살이 중인 사람과, 지금 일곱 박공의 집에서 완전히 칩거해 생활하는 그의 여동생이 있다. 그녀는 나이 많은 독신자의 유언에 따라 자신의 생애 동안만 그 집을 소유하게 되었다. 그녀는 찢어지게 가난하다고 알려져 있는데 스스로 그렇게 살기로 한 듯했다. 부유한 사촌인 판사가 오래된 저택에서든 그 자신의 현대식 저택에서든 사는 데 필요한 모든 편의를 계속 제공해 주는 한에서는 말이다. 마지막으로 핀천의 친족으로는 가장 어린 열일곱 살의 시골 처녀가 있다. 판사의 사촌 중 한 명의 딸인데, 그 사촌은 가족도 없고 재산도 없는 어린 여자와 결혼해 가난하게 살다가 일찍 죽었고, 미망인은 최근에 재혼했다.

매슈 몰의 경우에는 이제 후손이 남아 있지 않은 것으로 추측된다. 하지만 마녀사냥 이후에도 한동안 몰의 집안은 선조가 너무나 부당하게 죽음을 맞은 그 마을에 줄곧 살았다. 어느 면을 보나 그들은 선의를 지닌 조용하고 솔직한 사람들이었고 자신들에게 행해진 잘못에 대해 어느 개인이나 사회를 향해 악의를 품지 않았다. 설사 그들의 화롯가에서는 마법사로 몰린 조상의 운명과 잃어버린 세습 재산에 대한 원한에 찬 기억을 대대손손 계속 들려주었을지 몰라도 그에 따라 어떤 행동을 한다거나 밖으로 표출한 적은 없었다. 또한 일곱 박공의 집이 정당한 권리에 있어서 자신들의 소유인 기초 위에 육중한 뼈대를 두고 있음을 그들이 더 이상 기억하지 못한다 해도 그리 이상한 일도 아닐 것이다. 왜냐하면 확고한 지위와 거대한 재산을 나타내는 그 집의 외양에는 너무나 거대하고 안정적이며 거의 거부할 수 없이 위압적인 무언가가 있기 때문에 그 자체만으로도 스스로 존재할 권리를 부여받은 듯했던 것이다. 적어도 너무나 훌륭하게 그 권리를 흉내 내고 있었으므로 불쌍하고 보잘것없는 사람들로서 심지어 마음속에서 비밀스럽게라도 그 권리를 의심할 정도의 도덕적 힘을 지닌 사람은 거의 없는 것이다. 오래된 편견들을 많이 벗어던진 지금에도 상황이 이러할진대, 귀족들은 멋대로 거만을 떨 수 있었고 평민들은 모욕을 감수했던 독립전쟁 이전 시기에는 더욱 그러했을 것이다. 그래서 몰의 집안은 여하튼 자신들의 원한을 가슴속에 담아 두었다. 그들은 대개 가난에 찌들었고 항상 평민이자 별 볼일 없는 신분이었다. 수공업 분야에서 부지런히 일해도 별 성공을 못 거두었고 부두에서 일하거나 선원으로 바다에 나가기도 했다. 마을의 이 집 저 집에 세를 들어 살다가 결국 노년에는 자연스럽게 구빈원으로 들어갔다. 오랜 기간 동안을, 말하자면 낮은 신분이라는 칙칙한 물웅덩이의 바로 가장자리를 더듬으며 기어가다가 결국 그 속으로 곧바로 떨어져 버린 것인데, 귀족이건 평민이건 그것이 아마 모든 집안이 조만간 맞게 될 운명이 아닌가 싶다. 지난 삼십 년간 마을 기록이나 묘비, 인명부를 비롯해 그 사람을 알거나 기억하는 경우로라도 매슈 몰 후손의 흔적은 전혀 찾을 수 없었다. 그 후손들이 혹시 다른 곳에서 살고 있을 수는 있지만, 그 초라한 삶의 흐름을 좇아 올라갈 수 있는 이곳에서는 이후의 삶의 경로가 끊겼다고 할 수 있다.

그 집안의 누구든 찾을 수 있었다면 그는 말없고 신중하다는 유전적 특성으로, 눈에 확 띈다든지 할 정도로 뚜렷하게는 아니고 말로 할 수 있다기보다는 느낄 수 있는 어떤 효과로,

다른 사람들과 구별되었을 것이다. 그들의 친구들이나, 친구가 되고 싶어 하는 사람들은 몰의 집안사람들 주변을 둘러싼 어떤 원환(圓環)을 의식하게 되었다. 겉으로는 아주 숨김없고 친목이 두터워도 그 원환의 신성한 마력 안으로는 절대 누구도 들어갈 수 없는 것이었다. 어쩌면 그들이 인간적인 도움으로부터 고립되어 항상 불행한 삶을 살 수밖에 없었던 것도 정의할 수 없는 이 특이함 때문이었을 수도 있다. 분명 그 점이 작용하여, 마을 사람들이 광기에서 깨어난 이후에도 이름난 마법사에 대한 기억을 떠올릴 때 항상 느꼈던 혐오감과 미신적 공포가 그 후손에게 계속 이어지면서 그것이 그들의 유일한 유산임을 확인시켜 주었을 것이다. 매슈 몰의 망토, 아니, 너덜너덜한 외투가 후손에게 들씌워진 것이다. 사람들은 그들이 신비로운 특성을 지녔다고 얼마간 믿었고 그 가족들의 눈이 이상한 힘을 가지고 있다고도 했다. 아무짝에도 쓸모없는 자산과 특권 중에서도 특히 그들은 다른 사람들의 꿈을 좌우할 수 있는 능력을 부여받았다고도 했다. 그 모든 얘기가 사실이라면 핀천 가문이 백주대낮에 자기 고향 마을의 거리에서 아무리 도도하게 굴더라도 뒤죽박죽 꿈의 공화국에 들어서기만 하면 평민인 몰의 집안에서 일하는 노예에 불과하다는 것이다. 근대 심리학이라면 근거가 의심스러운 이 심령술을 완전히 황당무계한 것으로 무시해 버리기보다는 체계 안으로 흡수하려 노력할 법도 하다.

한두 문단 정도로 일곱 박공의 집의 다소 최근 모습을 그려 보이면서 이 서문 격의 장을 끝내기로 하자. 이 집이 유서 깊은 뾰족탑을 치켜세우고 있는 거리는 마을의 화려한 중심가가 아니게 된 지 이미 오래였다. 따라서 오래된 이 가옥의 주변을 최근에 지어진 주거지들이 죽 둘러싸고 있지만 그것들은 대부분 완전히 나무로만 지은 작은 건물로서 서민 생활의 단조로운 획일성을 전형적으로 보여 주었다. 그 각각에 모두 눈에 띄지 않게 인간 삶의 이야기가 담겨 있음은 분명하지만, 외적으로는 상상력이나 공감이 찾아들 만한 색다른 생동감은 없다. 그러나 우리 이야기의 고색창연한 건물로 말하자면 그 흰색 떡갈나무 뼈대와 판자, 지붕널과 부서져 가는 회반죽, 심지어는 중앙에 무리 지은 그 거대한 굴뚝들조차 그 실체 중 기껏해야 가장 사소하고 하잘 것 없는 부분을 이루는 듯했다. 그렇게도 많은 인간의 다양한 경험들이, 그렇게 많은 고통과 또한 즐거움이 그곳을 거쳐 갔기 때문에 마치 심장의 습기처럼 목재들 자체에 그것이 축축이 배어 있었다. 그 건물 자체가 마치 화려하고 음울한 회상들로 가득 찬, 자기 생명을 가진 거대한 인간의 심장과도 같았다.

상당히 튀어나온 2층으로 인해 집은 무척 사색적인 표정을 지니고 있어서 그 앞을 지나갈 때면 지켜야 할 비밀과 교훈이 될 만한 파란만장한 역사가 그 집에 담겨 있다는 생각을 하지 않을 수 없다. 앞쪽으로 포장되지 않은 보도의 바로 끄트머리에 핀천 느릅나무가 자라고 있었는데 흔히 보이는 나무들과 비교해 보면 거대하다고 할 수 있다. 그것은 1대조 핀천의 증손자가 심었는데, 이제 팔십 년이 되었거나 어쩌면 백 년 가까이 되어 갈 텐데도 여전히 굵고 단단한 한창때의 모습으로 거리 이쪽에서 저쪽까지 그늘을 드리우고 일곱 박공 위를 모두 덮으면서 그 늘어진 잎들로 검은 지붕 전체를 쓸어 댄다. 그 나무 덕에 오래된 가옥은 더 아름다워 보였고 자연의 일부인 듯 보였다. 약 사십 년 전에 길이 확장되었기 때문에 앞쪽의 박공은 이제 길과 정확히 열이 맞았다. 양쪽으로는 허물어져 가는 뚫린 격자무늬 나무 울타리가 뻗어 있다. 그 틈으로 잔디 깔린 마당이 보이는데, 특히 건물 모퉁이에는 거짓말 안 보태고 길이가 70~80센티미터는 되는 잎들을 단 우엉이 엄청나게 무성하게 자라 있었다. 집 뒤쪽으로는 정원이 있었던 듯한데, 한때는 분명 무척 넓었겠지만 지금은 다른 사유지가 치고 들어왔거나 다른 쪽 거리에 세워진 가옥이나 헛간으로 막혀 버렸다. 튀어나온 창문 위와 지붕의 경사면에 오랜 세월에 걸쳐 낀 초록 이끼를 깜빡하고 빠뜨린다면 그것은 사소하지만 용서받을 수 없는 일이 될 것이다. 또한 굴뚝에서 그리 떨어지지 않은, 두 개의 박공 사이 쑥 들어간 곳에 공중으로 높이 자라고 있는, 한 무리의 잡초가 아닌 꽃나무들에게로 독자들의 시선을 돌리는 일도 잊지 말아야겠다. 그것들은 '앨리스의 꽃다발'이라고 불린다. 전해 내려오는 얘기에 따르면 앨리스 핀천이라는 여성이 재미 삼아 씨를 밖으로 던졌는데 거리의 먼지와 썩어 가는 지붕이 일종의 흙 역할을 해서 앨리스는 죽어 무덤에 묻힌 지 오래인데 거기에서 꽃나무가 자라났다고 한다. 그 꽃이 어떻게 거기에서 자라게 되었든, 어떻게 자연이 이렇게 무너져 가는, 황량하고 색 바랜, 돌풍이 몰아치는 오래된 핀천 가문의 집을 자신의 자리로 삼았는지, 그리고 늘 돌아오는 여름이 어떻게 부드러운 아름다움으로 그 집을 기분 좋게 하려고 애를 쓰다가는 그 와중에 우울해졌는지를 확인하는 것은 슬프면서도 또한 즐거운 일이다.

반드시 짚고 넘어가야 할 또 하나의 특징이 있는데, 이것이 지금까지 우리가 유서 깊은 가옥을 그려 보이면서 그에 입히고자 했던 색다르고 낭만적인 인상을 손상할 수도 있겠다는 걱정이 든다. 앞쪽의 박공에는 2층 돌출부 아래쪽에 길과 면해 약간 옛날식 건물에서 종종 찾아 볼 수 있는, 중간이 수평으로 나뉘고 위쪽 부분은 창문으로 되어 있는 가게 출입문이 있었다. 이 가게 입구야말로 지금 장엄한 핀천 가옥에 살고 있는 사람뿐 아니라 그녀의 몇몇 선조들에게도 상당히 모욕적인 것이었다. 그 문제는 불쾌한 부분이라 다루기가 까다롭다. 그러나 독자들이 그 비밀을 알 필요가 있으므로, 약 한 세기 전에 핀천가의 수장이 심각한 재정난에 빠지게 되었음을 이해해 주길 바란다. 그는 스스로를 신사라고 불렀음에도 사실은 허울 좋은 무면허 상인일 뿐이었다. 왜냐하면 왕이나 왕을 섬기는 주지사에게서 공직을 얻는다든지 동쪽 땅에 대해 상속권을 주장하는 대신, 조상 대대로 내려오는 저택 옆에 가게 출입문을 다는 것이 돈 벌기에 제일 좋은 방법이라고 생각했기 때문이다. 사실 당시 상인들은 으레 자신들의 집에 물건을 쌓아 놓고 거래를 하곤 했다. 하지만 이 나이 많은 핀천이 자신의 가게 운영을 시작한 방식에는 딱할 정도로 쪼잔한 뭔가가 있었다. 사람들이 수군대는 얘기로는, 온통 주름 장식이 된 소매를 나풀거리며 자신의 손으로 직접 1실링에 대한 거스름돈을 주고 반페니 동전도 진짜가 맞는지 확실히 하기 위해 두 번씩 뒤집어 보곤 했다고 한다. 의심할 바 없이 그의 피에는 어떤 경로로 그리 들어가게 되었든지 도붓장수의 피가 흐르고 있었을 것이다.

그가 세상을 뜨자마자 가게 문은 굳게 잠겨 빗장과 가로장이 쳐졌고, 아마 우리 이야기의 배경이 되는 시기에 이르도록 한 번도 열린 적이 없었다. 낡은 계산대와 선반, 그 외 구멍가게의 다른 비품들은 그가 만들어 놓은 그대로 남아 있다. 사람들은 어느 밤중이든 죽은 가게 주인이 하얀 가발을 쓰고 빛바랜 벨벳 외투를 입고 허리에는 앞치마를 두르고 소매 주름은 꼼꼼하게 손목 위로 걷어 올린 채로 돈궤를 마구 뒤지거나 꾀죄죄한 거래 명부를 뚫어져라 들여다보는 모습을 내려진 셔터 틈새로 볼 수 있다고 단언하곤 했다. 그의 얼굴 표정에 담긴 형언할 수 없는 슬픔을 보면 그는 되지도 않는 수지타산을 맞추기 위해 영원히 애쓸 수밖에 없는 운명인 듯했다.

그러면 이제, 곧 알게 되겠지만 아주 소박하게 우리의 이야기를 시작해 보도록 하자.

2
작은 가게 진열창

아직 해가 뜨려면 반시간은 더 있어야 하는 때에 헵지바 핀천은 혼자 자던 잠자리에서, 이 가련한 여인이 짧은 한여름 밤에 눈을 감기나 했는지 의심스럽기 때문에 잠에서 깼다고 할 수는 없고, 어쨌든 몸을 일으켜, 몸단장이라고 부르면 비웃음이나 살 일을 시작했다. 행여 상상으로라도 시집 안 간 숙녀가 화장하는 장면에 함께하는 무례를 저지를 수는 없다! 따라서 헵지바가 방문 앞에 나설 때까지 기다려야겠다. 그동안 그녀의 가슴속에서 힘겹게 나온 깊은 한숨을 들었을 뿐이라고 하자. 그 한숨은 우리처럼 형체 없는 관객을 빼고는 아무도 듣지 못하기 때문에 거의 거리낌 없이 매우 크고 처량한 것이었다. 연로한 노처녀는 낡은 집에 혼자였다. 점잖고 단정한 어떤 젊은이를 빼면 혼자였는데, 은판 사진술 계열의 예술가인 이 젊은이는 중간의 모든 문은 굳게 잠그고 그 위에 빗장과 가로장을 채운 채로, 그 자체만으로도 기실 하나의 집이라 할 수 있는 가장 끝 쪽 박공 방에서 약 세 달 전부터 하숙을 하고 있었다. 따라서 가련한 헵지바의 땅이 꺼질 듯한 한숨은 거기까지 들리지 않았다. 그녀가 침대 옆에 무릎을 꿇을 때 뻣뻣한 무릎의 관절이 뚝뚝거리는 소리도 들리지 않았다. 그 하루도 신께서 굽어살피시기를 바라는 거의 고통에 가까운 기도, 때로는 속삭임으로, 때로는 신음처럼, 또 때로는 말이 되어 나오지 않는 침묵으로 하는 기도 역시 모든 것을 이해하는 사랑과 연민이 있는 저 머나먼 천국에서나 들릴 뿐 사람의 귀에는 들리지 않았던 것이다! 지난 사반세기가 넘도록 완전히 은둔해 살아온 헵지바에게 분명 이날은 보통 때보다 더 심한 시련의 날이 될 것이다. 그동안 그녀는 먹고사는 일에는 전혀 종사한 바가 없고 그로 인한 사람들과의 교제나 기쁨도 거의 갖지 못했다. 끝도 없이 반복되어 온 어제와 마찬가지로, 햇빛도 들지 않는 냉랭하고 침체된 하루를 앞에 둔 굼뜬 은둔자라기에는 얼마나 열정적으로 기도를 드리는지!

나이 든 처녀의 기도가 끝이 났다. 그녀는 이제 우리 이야기가 시작될 문지방으로 나올 것인가? 아직은 한참 더 있어야 한다. 우선 높다란 구식 옷장의 서랍을 하나하나 계속해서 덜커덕거리며 어렵사리 열어야 하니까. 그러고는 역시 마찬가지로 안절부절못하며 마지못해 다시 다 닫아야 한다. 뻣뻣한 실크 옷이 부스럭거리는 소리가 나고 방을 가로질러 앞걸음 뒷걸음질로 이리저리 왔다 갔다 하는 소리도 난다. 게다가 헵지바가 혹시 탁자 위에 걸려 있는 꾀죄죄한 테두리의 타원형 거울에 자신의 온몸을 앞뒤 좌우 모두 비춰 보기 위해 의자 위로 올라간 것이 아닌가 싶다. 진짜로! 이런, 정말이군! 누가 상상이나 했겠는가! 외국에 나가 본 적도 없고, 찾아오는 사람도 하나 없고, 그녀가 할 수 있는 만큼 다 했더라도 그로부터 눈을 돌리는 편이 가장 자비로운 일이라 할 늙은이가 아침 단장을 하고 꾸미는 데 이 모든 귀중한 시간을 낭비해야 한단 말인가!

이제 거의 준비가 되었다. 그 전에 단 하나의 감정, 아니, 그보다는 지금까지 그랬듯이 슬픔과 은둔으로 증대해지고 강렬해진 그녀의 삶에 대한 강렬한 애착을 위해 한 번 더 멈춰 서는 일을 허용해 주도록 하자. 작은 열쇠구멍에서 열쇠가 돌아가는 소리가 들린다. 그녀는 뚜껑을 접어 넣는 책상의 비밀스러운 서랍을 열었고, 아마도 맬본*의 가장 완벽한 스타일로, 그 정도로 섬세한 화가의 붓으로 그리기에 알맞은 얼굴이 그려진 작은 초상화를 바라보고 있을 것이다. 운 좋게도 이 그림을 볼 기회가 있었다. 그것은 구식 실크 실내복을 입은 청년을 그린 것이었는데, 그 부드럽고 화려한 복장은 볼록하고 섬세한 입술과 아름다운 눈을 가진 얼굴의 사색에 잠긴 표정과 잘 어울렸고 그 표정은 사고 능력보다는 온화하면서도 관능적인 정서를 표현하는 듯했다. 그런 용모를 가진 사람에게는 거친 세상을 편하게 받아들이며 행복하게 살리라는 사실 외에는 달리 궁금할 것이 없어 보였다. 그 사람은 헵지바의 옛 사랑일

---

* 에드워드 그린 맬본(1777~1807). 미국의 세밀화가.

까? 아니, 그녀는 애인이 있었던 적도 없고(안됐지만 당연하지 않은가?) 실제 사랑이 무엇인지 경험으로 알 수도 없었다. 하지만 그 초상화의 주인공에 대한 마르지 않는 믿음과 신뢰, 항상 생생한 기억과 끝없는 헌신은 그녀의 마음이 가질 수 있었던 유일한 자양분이었다.

그녀는 아마 초상화를 치우고 다시 화장 거울 앞에 서는 모양이다. 눈물을 닦아 내야 하는 것이다. 앞뒤로 몇 번 더 왔다 갔다 하더니, 오랫동안 닫혀 있던 지하실 문이 우연히 빼꼼 열렸을 때 휙 빠져나오는 차갑고 축축한 바람 같은 처량한 한숨을 또 한 번 내뱉으면서 드디어 헵지바 핀천이 나타났다! 세월에 찌들어 어둑어둑한 복도로 걸어 나온다. 키가 크고 검은 실크 옷을 입었는데, 긴 허리는 구부러진 채 근시인 듯(사실 그렇다.) 더듬거리며 계단을 내려온다.

그동안 태양은 아직 지평선 위로 모습을 드러내지는 않았지만 거의 모습을 드러내기 직전까지 와 있다. 하늘 높이 떠다니는 약간의 구름이 채 뜨지 않은 태양의 빛을 받아 거리의 집들 창문마다 황금빛을 쏘아 내렸다. 일곱 박공의 집도 빼놓지 말자. 그 집도 지금까지 수많은 일출을 맞이했던 대로 이날 아침의 떠오르는 태양 역시 유쾌하게 맞이했다. 헵지바가 계단을 내려와 들어선 방의 면모와 배치가 반사된 햇빛에 비쳐 아주 뚜렷하게 보였다. 낮은 샛기둥이 있는 그 방 천장에는 들보가 가로질러 있고 어두운 색 나무로 판벽을 붙였으며, 그림 타일을 붙여 만든 큰 벽난로가 있는데 지금은 철제 덮개로 막았고 그 중간으로 현대식 스토브의 통풍구가 지나가고 있다. 바닥에는 카펫이 깔려 있는데, 원래는 아주 화려한 짜임새였겠으나 최근 들어 닳고 빛이 바래서 한때 다채로웠을 문양은 다 지워져 이제는 구분도 되지 않는 한 가지 색깔로 보였다. 가구로는 탁자 두 개가 있는데, 하나는 정신없을 만큼 복잡하게 만들어진, 지네처럼 다리가 많이 달린 탁자이고, 다른 하나는 너무나 섬세하게 제작된 것으로 가늘고 긴 네 개의 다리가 한눈에도 너무나 연약해 보여서 그 고풍스러운 차 탁자가 어떻게 긴 세월을 그 다리로 견뎌 왔는지 거의 믿을 수 없을 정도였다. 여기저기 놓인, 뻣뻣하게 곧추선 대여섯 개의 의자들은 사람에게 불편하도록 어찌나 정교하게 고안되었는지 심지어 보기만 해도 넌더리가 나는 데다 그런 의자가 사용되어 온 사회의 형세에 대해 아주 부정적인 생각을 갖게 만들 지경이었다. 하지만 딱 하나의 예외가 있었다. 떡갈나무에 공들여 조각해서 만든 아주 오래된 팔걸이의자는 등받이가 높고 앉는 곳이 넉넉하고 깊어서 여유롭게 감싸안아 주는 품이, 현대 의자에서 많이 볼 수 있는 예술적인 곡선미가 없다는 점을 상쇄할 만했다.

장식용 소품이라면 두 가지 정도가 기억에 남는다. 그것들을 장식용 소품이라고 할 수 있다면 말이다. 하나는 동쪽에 있다는 핀천 토지의 지도인데, 목판으로 찍은 것이 아니라 솜씨 좋은 늙은 도안가가 만든 수공품으로 인디언과 맹수들(그중엔 사자도 있었다.)의 모습이 기괴하게 그려져 있다. 터무니없이 잘못 그려진 그 지역의 지리만큼이나 자연사의 생태도 알려진 바가 없는 것이다. 또 다른 하나는 실물의 3분의 2 크기만

한 핀천 대령 초상화로, 머리에 붙는 작은 모자를 쓰고 레이스 달린 밴드를 차고 회색 턱수염을 기른, 청교도다워 보이는 엄한 모습을 담고 있다. 한 손에는 성경을 들고 다른 손에는 쇠로 된 칼자루를 치켜들고 있다. 화가가 그 칼자루를 더 성공적으로 묘사했기 때문에 그것이 성스러운 책보다 훨씬 도드라져 보였다. 방 안에 들어서다 이 그림과 마주치자 헵지바 핀천은 멈춰 섰다. 이마를 이상하게 뒤트는 식으로 특이하게 인상을 쓰면서 그림을 바라봤는데, 그녀를 잘 모르는 사람들이라면 아마도 원한에 찬 분노와 악의가 담긴 표정이라고 생각했을 것이다. 하지만 그런 게 아니었다. 사실 그녀는 초상화의 인물에 대해, 세월에 시달린 먼 후대의 처녀만이 가질 수 있을 법한 경외감을 가졌다. 험상궂게 보이는 찡그린 인상은 근시 때문으로, 흐릿하게만 보이는 물체를 좀 뚜렷한 윤곽으로 보기 위해 시력을 최대한 모으려는 노력이었다.

가련한 헵지바의 이마에 자리 잡은 이 불행한 표정에 대해 잠깐 언급을 해야겠다. 세상 사람들, 아니, 그중에서 가끔 지나가다가 창문가에 있는 그녀를 잠깐 본 사람들이 심술궂게도 계속 일컫는바 그녀의 오만상은 헵지바를 성질 더러운 노처녀로 확정 짓는 무척 안 좋은 역할을 했다. 또한 스스로도 뿌연 거울 속에서 종종 자신을 보거나 귀신 나올 법한 공간에서 계속 자신의 찌푸린 얼굴을 마주하다 보면 세상 사람들과 마찬가지로 그 표정을 부당하게 안 좋은 쪽으로 여기게 되었고("난 어쩌면 이렇게 강팍해 보일까!" 틀림없이 이렇게 자주 혼잣말을 하곤 했을 것이다.) 종국에는 그것이 벗어날 수 없는 일종의 운명과도 같다고 상상하게 되었다 해도 터무니없는 말은 아닐 것이다. 그러나 그녀가 마음을 찡그리는 일은 결코 없었다. 그 마음은 선천적으로 상냥하고 다감하며, 미세한 떨림과 박동으로 가득했다. 그녀의 인상이 갈수록 빙퉁그러져 보이게 모질고 사나워지는 동안에도 그 마음은 그 연약함을 유지하고 있었다. 또한 그녀가 보인 모든 대담함도 애정이 가득한 가장 따뜻한 구석에서 나온 것이었다.

그런데 지금까지 우리는 이야기의 문턱에서 소심하게 어슬렁거리고 있을 뿐이다. 사실을 말하자면 헵지바 핀천이 이제 막 하려는 일을 들추어내기가 도무지 싫은 것이다.

거의 반세기 전에 쓸모없는 조상 중 한 사람이 거리로 향한 박공 아래층에 가게를 만들었다는 얘기는 이미 앞에서 했다. 그 옛날의 신사가 장사를 접고 관 뚜껑 아래 잠이 든 이래로 가게는 출입구만이 아니라 내부 시설도 바뀌지 않은 채 줄곧 그대로 남아 있었다. 그사이 선반과 계산대에는 수십 년의 먼지가 더께로 쌓였고, 마치 무게를 달아 볼 가치라도 있다는 듯이 낡은 저울 위도 얼마간 채웠다. 가짜 6펜스 동전이 여전히 굴러다니는 반쯤 열린 돈궤에도 먼지는 소중히 담겨 있었는데, 그 동전은 더도 덜도 아닌 대대로 내려오다가 여기서 체면을 구기고 만 자존심, 딱 그만큼의 가치였다. 그것이 바로 헵지바가 어릴 적 작은 가게의 상태였다. 헵지바와 그녀의 오빠는 버려진 그 경내에서 숨바꼭질을 하곤 했다. 그리고 불과 며칠 전까지만 해도 가게는 그 상태 그대로 있었다.

그러나 지금은 비록 사람들이 볼 수 없도록 가게 진열창에 아직 커튼을 꼭꼭 쳐 놓았지만 그 안에서는 놀라운 변화가 일어났다. 오랫동안 대대로 내려오며 거미들이 열심히 일해서 쳐 놓은 빽빽한 거미줄을 천장에서 조심스럽게 털어 냈다. 계산대와 선반들, 그리고 바닥은 박박 문질러 닦았고 바닥에는 새로 파란 모래를 깔았다. 분명 갈색 저울 역시 녹을 문질러 없애려는 부질없는 노력으로 호되게 단련되었는데, 아아, 그러나 그 녹은 속까지 깊이깊이 파고 들어가 있었던 것이다. 또한 오래된 작은 가게는 이제 팔 수 있는 물건도 없이 비어 있지 않았다. 재고 물품을 조사하고 계산대 뒤를 뒤져 볼 자격이 있는 호기심 많은 사람이라면 통을, 그러니까 160리터짜리 두어 개와 80리터짜리 하나를 발견할 수 있었을 텐데, 하나에는 밀가루, 다른 하나에는 사과, 그리고 세 번째에는 아마도 옥수숫가루가 담겼을 것이다. 마찬가지로 네모난 비누가 가득한, 소나무로 만든 네모진 상자도 있었고, 역시 같은 크기의 상자에는 450그램짜리 열 개들이 수지 양초가 담겨 있다. 판매용 상품 대부분은 약간의 갈색 설탕이라든지 흰 완두콩 약간과 말려 쪼갠 완두콩, 그리고 다른 값싼 물건들과 사람들이 계속 필요로 하는 그런 물건들이었다. 그것은 옛날 가게 주인이었던 핀천의 빈약한 선반을 유령처럼, 혹은 환영처럼 반영해 놓은 것으로 여겨질 만도 했다. 몇몇 물건의 경우 품목상으로나 외형상으로 그 당시에는 거의 알려지지 않았던 것이라는 점을 빼고는 말이다. 예를 들어 '지브롤터 바위'의 조각들로 가득 찬 유리 피클 병이 있었는데, 그 유명한 요새의 진짜 돌 기단 조각은 아니고 흰 종이에 말끔하게 쌓인 맛난 사탕들 말이다. 게

다가 생강 과자로 만들어진 짐 크로*도 세계적으로 유명한 춤을 추고 있었다. 어느 선반 위에는 납 용기병(龍騎兵) 한 무리가 현대적인 장비와 복장을 갖추고 말을 달리고 있었다. 어느 시대의 인류와도 별로 닮은 바가 없는 설탕 인물들도 있었는데 백 년 전보다는 지금 우리의 모습을 재현한다고 보는 편이 그나마 낫지 싶었다. 훨씬 두드러지게 현대적인 또 다른 현상은 흰인 성냥 상자였는데, 옛날 같았으면 즉석에서 붙는 그 불이 저 아래 지옥 불에서 빌려 온 것이라고 생각했을 것이다.

한마디로 말하자면, 오래전에 장사를 접고 기억에서 사라진 핀천 씨의 가게와 내부 시설을 넘겨받아, 다른 종류의 고객들을 상대로 고인이 된 양반의 사업을 새로 시작하려고 한다는 점이 누가 봐도 분명하다는 것이다. 과연 누가 이렇게 대담한 모험을 시작했단 말인가? 그리고 사업적 투기를 할 장소로 무엇 때문에 세상천지를 다 두고 굳이 일곱 박공의 집을 골랐단 말인가?

연로한 노처녀에게로 다시 돌아가 보자. 그녀는 드디어 대령의 음산한 얼굴에서 시선을 거두고는 한숨을 한 번 크게 쉬고(그날 아침 그녀의 가슴은 실로 아이올로스**의 동굴 그 자체였다.) 중년의 여성들이 으레 그러하듯이 발뒤꿈치를 들고 방을 가로질러 갔다. 중간 통로를 지나, 지금 막 상세하게 그려 보인 가게와 연결되는 문을 열었다. 위층이 튀어나온 데다 박공

* '춤추는 흑인'을 관례적으로 부르는 이름. 19세기 초의 유명한 흑인 민요인 '점프 짐 크로'에서 유래.

** 그리스 신화에 나오는 바람의 신.

앞에 붙어 서 있는 느릅나무의 짙은 그림자 때문에 해 뜰 무렵 이곳은 아직도 아침이라기보다 밤에 가까웠다. 헵지바에게서 또 땅이 꺼질 듯한 한숨이! 마치 지독한 적에게 눈살을 찌푸리듯이 그녀는 근시로 인해 오만상을 찌푸린 채 창문 쪽을 뚫어지게 보며 잠깐 문지방에서 머뭇거리다가 불쑥 가게 안으로 들어섰다. 그 서두르는 모양이, 말하자면 전기라도 통한 듯이 경련하는 움직임이 정말로 깜짝 놀랄 만했다.

정신 사납게, 약간 정신이 나갔다고 말할 수도 있을 정도로 그녀는 선반과 가게 진열창에 아이들의 장난감과 다른 소소한 물건들을 분주하게 진열하기 시작했다. 어두운 색깔로 차려입은, 창백한 얼굴의 귀부인 같은 이 연로한 인물에게는 지금 하는 일의 우스꽝스러울 정도의 시시함과는 도저히 어울리지 않을 만큼 대조되는 심오한 비극적 분위기가 있었다. 그렇게 수척하고 음울한 인물이 손에 장난감을 들어야 한다는 사실은 괴상할 정도로 예외적인 일로 보였다. 그 손아귀에서 장난감이 사라지지 않는 것이 기적 같고, 그녀가 어린아이들을 가게 안으로 어떻게 불러들일까 하는 생각으로 뻣뻣하고 침침한 머리를 골치 아프도록 굴려야 한다는 것도 말할 수 없이 터무니없는 생각 같았다. 그러나 의심할 바 없이 그것이 그녀의 목표인 것이다! 이제 그녀는 코끼리 모양 생강 과자를 진열창에 기대어 놓는데, 너무 손을 떠는 바람에 바닥으로 굴러 떨어져 다리 세 개와 코가 떨어져 나가 버렸다. 그것은 이제 코끼리가 아니라 곰팡내 나는 생강 과자 조각일 뿐이었다. 그 다음에는 또 공깃돌이 담긴 그릇을 엎는 바람에, 공깃돌들은 몽땅 이리저리로 굴러가 악마라도 씐 듯 가장 찾기 어려운 구석진 곳으로 사라졌다. 하늘이시여, 부디 늙고 가련한 헵지바를 도와주시고, 그녀의 상태를 우스꽝스럽게 바라보는 우리를 용서하시길! 그녀가 도망가 버린 공깃돌을 찾아 녹슬고 뻣뻣하게 굳은 몸으로 엉금엉금 기어 다닐 때, 우리가 얼굴을 돌려 그녀를 비웃을 것이 분명하다는 바로 그 사실 때문에 단연코 더욱 동정의 눈물을 흘리고픈 느낌이 드는 것이다. 왜냐하면 바로 여기에 — 독자들의 마음이 이 부분에서 합당하게 움직이지 않는다면 그것은 주제의 문제가 아니라 나 자신의 잘못이다 — 일상의 삶에서 관심을 보일 만한 우울한 대상이 지니는 가장 진정한 중요성이 있기 때문이다. 그것은 스스로 옛날 귀족층이라 칭했던 것의 최후 단계였다. 숙녀의 손으로 먹고살기 위해 일을 하면 돌이킬 수 없이 타락하고 만다는 귀족 시절의 덧없는 회상을 어렸을 적부터 내내 먹고 살았고 그것을 종교 삼아 살아온 숙녀, 이 타고난 숙녀가 육십 년의 세월에 점점 살림살이가 빠듯해진 끝에 상상 속의 높은 지위에서 내려오지 않을 수 없게 되었다. 일생동안 그녀를 바투 쫓아온 가난이 드디어 그녀를 따라잡고 만 것이다! 그리고 우리는 귀족 부인이 평민 아낙네로 변신하는 바로 그 순간의 헵지바 핀천을 불경스럽게도 훔쳐보게 된 것이다.

이 공화주의 나라에서는 요동치는 사회적인 삶의 격랑 속에 항상 누군가는 빠져 죽기 직전의 처지에 놓인다. 그래서 인기 많은 휴일 드라마만큼이나 비극이 계속 반복적으로 재연되고, 그럼에도 세습된 귀족이 그 지위 아래로 몰락할 때만큼 비극적으로 느껴질 것이다. 아니, 그보다 더할 텐데, 왜냐하면 내가 보기에 지위란 재산과 멋진 주거지라는 천한 내용에 불과하므로 그것들이 사라지고 나면 무력하게 따라 없어질 뿐 어떤 정신적 실체도 지니지 못하기 때문이다. 그러므로 안됐지만 이렇게 불운한 시점에 놓인 여주인공을 소개하게 되었으므로, 그녀의 운명을 지켜보면서 그에 걸맞은 엄숙함의 기분을 가져 주기 바란다. 오래된 초상화와 족보, 문장(紋章)과 기록들과 구비 전통, 그리고 공동 상속인으로서 동쪽의 땅, 이제는 미개간지가 아니라 비옥한 토지인 땅에 대한 권리 등을 지니고 있는, 또한 핀천 길의 핀천 느릅나무 아래, 지금 온종일을 지내는 핀천 가택에서 태어났으나 이제 바로 그 집에서 구멍가게의 상인으로 전락하고 만 태고의 귀부인, 미국 대륙에서 이백 년을 지냈고 저쪽 유럽 대륙에서 그 세 배를 지낸 귀부인의 모습을 가련한 헵지바에게서 찾아보도록 하자!

이렇게 구멍가게를 내는 일은 우리 불운한 은둔자의 경우와 유사한 상황에 놓인 여성들에게 주어진 거의 유일한 방책이다. 근시에다가, 섬세하지만 뻣뻣하고 게다가 떨기까지 하는 손으로 바느질은 할 수 없을 것이다. 비록 오십 년이 지난 그 옛날 그녀의 견본은 가장 심오한 종류의 장식용 바느질 유형을 보여 주기는 했지만 말이다. 어린아이들을 위한 학교를 해 볼까 하는 생각도 있었다. 그래서 한번은 교사가 될 준비를 하기 위해 예전에 공부했던 『뉴잉글랜드 입문서』를 다시 복습해 보기도 했다. 그러나 헵지바의 마음속에 아이들에 대한 사랑이 팔딱거렸던 적은 전혀 없었고, 이젠 완전히 없어지지는 않았더라도 무감각해져 있었다. 침실 창문으로 이웃의 아이들을 바라보다 보면 그 애들과 친하게 지내는 일을 과연 견뎌 낼 수 있을지 의심스러웠다. 게다가 우리 시대에는 에이비시 철자마저, 그저 하나하나 글자를 짚어 가며 가르치기에는 너무나 심원한 하나의 과학이 되었다. 늙은 헵지바가 아이들을 가르치느니 차라리 아이들이 늙은 헵지바를 가르치는 편이 나을 것이다. 그래서 은둔의 날이 하루하루 지날 때마다 굴속 같은 암자 문 앞에 돌이 하나씩 쌓여 가는 그 오랜 세월 동안 멀찍이 떨어져 지내 왔던 세상과 접촉해야 하는 지저분한 일을 결국 시작할 수밖에 없다는 생각에 가슴이 저 깊숙이 수없이 철렁철렁 내려앉으면서, 불쌍한 그녀는 오래된 가게 진열장과 녹슨 저울, 그리고 먼지 쌓인 돈궤를 생각해 냈다. 조금 더 버텨 볼 수는 있었을 것이다. 그러나 아직 언급하지 않은 어떤 상황 때문에 결정을 좀 서두르게 되었다. 따라서 소박한 준비가 제때 다 되었고 이제 장사를 시작하려는 참이었다. 하지만 이러한 운명에 뭐 그리 유별난 점이 있다고 불평할 자격은 없었다. 왜냐하면 그녀가 태어난 이 마을에는 비슷한 경우의 작은 가게들이 여럿 있기 때문이다. 그중 일곱 박공의 집만큼이나 오래된 집에서 하는 가게도 좀 있고, 아마 한두 가게에서는 헵지바 핀천과 마찬가지로 엄격한 가문의 자존심을 나타내는 진형으로 쇠약해진 상류층 부인이 계산대 뒤에 서 있을 것이다.

솔직히 얘기해서 대중들의 눈앞에 내놓기 위해 가게를 차리는 이 독신 숙녀의 행동거지는 어떻게 해 볼 수 없이 우스꽝스러웠다. 그녀는 마치 어떤 잔인한 괴한이 자신을 죽일 목적으로 느릅나무 뒤에 숨어서 지켜본다고 생각이라도 하는 듯이 발뒤꿈치를 들고 조심스럽게 창문 쪽으로 갔다. 길고 야윈 팔을 뻗어 종이로 싼 진주 단추와 구금(口琴), 혹은 뭔지 모를 작은 물건들을 정해진 자리에 놓고는, 세상 사람들이 그녀를 다시 보기를 원할 일도 없다는 듯이 곧바로 어둠 속으로 재빨리 사라졌다. 정말이지 그녀가 위압당한 경건한 구매자들에게 보이지 않는 손으로 상품을 내놓음으로써 육체 없는 천사나 마법사처럼 눈에 띄지 않게 마을의 필요를 충족시키기를 원한다고 상상할 수도 있을 것이다. 그러나 헵지바는 그런 낙관적인 꿈 같은 건 꾸지 않았다. 결국에는 직접 나서서 자기 고유의 개성을 그대로 내보일 수밖에 없음을 잘 알았던 것이다. 하지만 다른 예민한 사람들과 마찬가지로 조금씩 조금씩 사람들의 눈에 띄는 것은 참을 수가 없었다. 차라리 놀라워하는 세상의 시선 앞으로 단 한 번에 뛰쳐나오고자 했다.

피할 수 없는 그 순간이 곧 다가올 것이었다. 이제 햇빛이 건너편 집 앞쪽으로 슬금슬금 내려가는 게 보일 것이고, 그 창문에서 반사된 빛은 느릅나무 가지 사이를 가까스로 뚫고 지나와 조금 전보다 더 뚜렷하게 가게의 내부를 비출 것이다. 마을이 깨어나는 듯했다. 이미 빵집 수레가 딸랑딸랑 어울리지 않는 종소리로 신성한 밤의 마지막 자취까지 쫓아내면서 거리를 덜컹거리며 지나갔다. 우유 배달부는 통에 든 우유를 집집마다 부어 주었고, 생선 장수가 조가비를 울리는 귀에 거슬리는 소리가 모퉁이 너머 저 멀리에서 들렸다. 헵지바는 이러한 징조 중 그 무엇도 놓치지 않았다. 드디어 때가 된 것이다. 더 미뤄 봐야 참담함만 더 강해질 뿐이었다. 가게 문에 걸린 가로대를 내려서 문이 열리게, 아니, 그냥 열리는 정도가 아니라 진열창의 상품들에 시선이 끌려 가게로 들어설 행인들을 마치 모두가 집안의 친구라는 듯이 환영해 마지않는 일 외에 이제 해야 할 일은 없었다. 그래서 헵지바는 가로대를 툭 떨어뜨림으로써 그 마지막 일을 수행했는데 그때 가로대는 기겁할 만큼 요란스러운 소리로 이미 예민할 대로 예민한 그녀의 신경을 후려쳤다. 그러고는 이제 그녀와 세상 사이를 가로막던 유일한 장벽이 치워졌고 그 틈새로 엄청나게 사악한 결과들이 쏟아져 들어오기라도 할 것처럼 그녀는 안쪽 거실로 쏜살같이 들어가 고풍스러운 팔걸이의자에 몸을 던지고는 울기 시작했다.

가련하고 불쌍한 헵지바! 그 다양한 심정이나 상황들과 더불어 자연을 어느 정도 정확한 윤곽과 진실한 색조로 재현해 내고자 애쓰는 작가로서는, 삶이 어디에서든 마련해 주는 가장 순수한 연민의 정이 어찌해 볼 수 없이 천하고 우스꽝스러운 것과 뒤섞여 있다는 사실이 너무나 곤혹스러운 일이 아닐 수 없다. 예를 들어 이러한 장면에 어떤 비극적 위엄이 빚어져 들어가야 한단 말인가! 가장 중요한 인물들 중 하나로 소개해야 하는 사람이 젊고 사랑스러운 여성도 아니고 심한 고통에 시달렸으나 아직 그 아름다움을 당당하게 간직하는 사람조차 아닌, 허리 긴 실크 실내복을 입고 머리에는 놀라 자빠질 정도로 이상한 터번을 감은 수척하고 해쓱하며 관절이 삐걱대는 나이 든 노처녀라면, 아주 오래전의 죄에 대한 응보라는 우리 이야기의 격을 어떻게 높일 수 있단 말인가! 그녀의 얼굴이 못생긴 것은 아니다. 근시 때문에 미간을 좁혀 오만상을 찌푸림으로써 그나마 있는지 없는지도 모르는 존재는 면했다. 그리고 마지막으로 그녀에게 있어 엄청난 삶의 시련이라고 해 봐야 육십 년 동안 하는 일 없이 지내다가 조그맣게 가게를 하나 차리는 게 좋겠다는 생각을 하게 됐다는 정도이다. 하지만 인류의 영웅적인 운명들을 모두 잘 들여다보면 기쁨이든 슬픔이든, 고귀한 것이라면 그 어떤 것이든 마찬가지로 천하고 시시한 것들과 얽혀 있음을 알게 될 것이다. 삶이란 대리석과 진흙으로 이루어진 것이다. 그리고 우리를 넘어서는 포괄적인 공감에 대한 깊은 믿음이 없다면, 운명의 냉혹한 얼굴에 서리는 누그러지지 않는 찌푸린 인상과 모욕적인 비웃음만을 알아차리게 될 수도 있다. 시적 통찰력이라 일컬어지는 것은 이것저것이 뒤죽박죽 섞인 이러한 영역에서, 지저분한 옷을 입을 수밖에 없는 아름다움과 위엄을 선별해 내는 재능인 것이다.

3
첫 손님

헵지바 핀천은 팔걸이의자에 앉아 두 손으로 얼굴을 가린 채, 사업을 시작하기 전날의 불확실하면서도 중대한 순간에 희망의 이미지가 납으로 주조된 듯이 너무나 묵직하게 보일 때 사람들이 대부분 경험하곤 하는 견디기 힘든 낙심의 상태에 몸을 맡기고 있었다. 그러다 갑자기 딸랑거리는 높고 날카로우며 불규칙적인 소리에 소스라쳤다. 그녀는 새벽닭 우는 소리를 들은 유령처럼 얼굴에 핏기가 가신 채 벌떡 일어났다. 왜냐하면 그녀는 노예처럼 매인 영혼이었고 그 소리는 복종해야만 하는 부적이었기 때문이다. 보통 쓰는 용어로 작은 종이라 할 그것은 가게 문에 달려 있어서, 누구라도 손님이 가게 문으로 들어서면 철제 용수철에 의해 딸랑딸랑 울리면서 집 안쪽까지 그 사실을 알릴 수 있도록 고안되었다. 가발을 쓴 헵지바의 조상이 장사를 그만둔 이후 아마 처음으로 울린, 악의에 찬 듯 듣기 싫은 작은 소음에 그녀의 모든 신경은 즉시 반응하며 격렬하게 떨리기 시작했다. 위기가 닥쳤다! 첫 손님이 문 앞에 있는 것이다!

한 번 더 생각할 겨를도 없이 그녀는 창백한 얼굴로 정신없이, 급박한 몸짓과 표정으로, 무시무시하게 인상을 쓰면서 가게 안으로 뛰어 들어갔는데, 계산대 뒤에 서서 미소를 지으며 동전 몇 푼을 받고 소소한 물건들을 내주기보다는 주거 침입자와 격렬하게 싸워야 할 상황에 훨씬 더 어울리는 모습이었다. 정말이지 보통 손님이라면 바로 등을 돌리고 달아났을 법했다. 그러나 불쌍한 헵지바의 마음속에 사납고 격렬한 것이라곤 하나도 없었다. 또한 그때 그녀는 세상 전체에든 개별적인 남녀에게든 조금의 악감정도 가지지 않았다. 그녀는 세상 사람들이 모두 잘되기를 바랐지만, 자신으로 말하자면 세상과의 관계를 끝내고 조용히 무덤에 들어갈 수 있기를 또한 바랐다.

이즈음 종을 울린 손님은 현관 안에 서 있었다. 아침 빛에서 막 빠져나온 그는 활기찬 기운을 가게 안으로 함께 몰고 들어온 것처럼 보였다. 그는 스물두서너 살쯤 된 호리호리한 젊은이로 나이에 비해 생각이 깊고 드레진 표정을 지녔지만 또한 경쾌한 민첩함과 활력도 있었다. 이러한 특성은 육체적으로 그의 체격이나 움직임에서 느껴질 뿐 아니라 그의 품성에서도 거의 바로 느낄 수 있었다. 턱에는 결이 너무 매끈거리지는 않는 수염이 나 있었지만 턱을 아직 완전히 감싸지는 않았다. 짧은 콧수염도 나 있었다. 이러한 자연스러운 꾸밈 덕분에 거무스레하면서 윤곽이 뚜렷한 인상이 더 보기 좋았다. 복장은 아주 단순한 종류로, 값싼 보통 옷감으로 만든 여름용 웃옷과 얇은 체크무늬 바지를 입고 결코 섬세하게 짜였다고 볼 수 없는 밀짚모자를 썼다. 그 모든 것을 아마도 오크홀*에서 샀을 법도 하다. 그가 만약 정말 신사라고 주장한다면 그것은 주로 놀랍도록 하얗고 멋진 깨끗한 셔츠에서 표시가 날 것이었다.

그는 지금까지 계속 봐 왔고 전혀 악의가 없음을 알기 때문에 헵지바의 찌푸린 얼굴을 놀라는 기색 없이 맞았다.

"저기, 헵지바 아주머니." 은판 사진사가 말을 꺼냈는데, 그것이 바로 일곱 박공의 집에 사는 나머지 한 사람의 직업이었다. "아주머니께서 괜히 움츠러들어 그 좋은 결심을 포기하지 않으신 걸 보니 기쁩니다. 행운도 빌 겸, 준비하는 데 제가 더 도와드릴 일은 없는지 확인도 할 겸해서 잠깐 들렀어요."

곤궁과 비탄에 빠져 있거나 어떤 식으로든 세상과 불화하는 사람들은 아무리 계속 모진 대우를 받아도 참을 수 있고 아마 그로 인해 더 강인해질 수도 있지만, 자신들이 느끼기에 아무리 간단한 종류라도 누군가가 진정한 공감을 보이면 바로 무너지고 만다. 가련한 헵지바도 그러했다. 왜냐하면 청년의 사려 깊은 얼굴에서 더욱더 환해 보이는 웃음을 마주하고 상냥한 목소리를 듣자 그녀는 처음에는 히스테릭하게 낄낄대다가 흐느껴 울기 시작한 것이다.

---

* 당시 지위 높은 사람들이 맞춤옷을 입은 데 반해 서민들은 기성복을 사 입었는데, 오크홀은 적당한 가격의 남성 기성복을 살 수 있는 보스턴의 상점이었다.

"아, 홀그레이브 씨." 말을 할 수 있게 되자 그녀는 울부짖었다. "이 일은 절대 해낼 수가 없어! 절대, 절대, 절대로. 차라리 그냥 죽어서 내 모든 선조들과 함께 가족 묘지에 묻혔으면 좋겠어! 아버지랑, 어머니랑, 언니랑 같이 말이야! 그리고 오라버니랑도. 오라버니도 내가 여기 있느니 차라리 땅속에 있는 게 낫다고 여길 거야. 세상은 너무 냉랭하고 모진데, 나는 너무 나이도 많고 너무 나약하고 너무 무력하다고!"

"오, 제가 장담하는데요, 헵지바 아주머니. 이 일을 일단 어느 정도 하고 나면 그런 감정 때문에 괴로워하는 일은 없을 거예요. 지금 이 순간에야 어쩔 수가 없죠. 아주머니께서 그렇게 오랜 칩거를 깨고 나오려는 참이어서 세상이 온갖 추한 모습들로 가득 차 있는 것으로 보이겠지만, 그 모든 것이 아이들 동화책에 나오는 거인이나 도깨비처럼 비현실적이라는 사실을 곧 알게 될 거예요. 실제로 맞붙어 싸우려고만 하면 모든 것이 그 실체가 없어지는 것처럼 보인다는 사실만큼 인생에서 독특한 것은 또 없더라고요. 아주머니한테 지금 그토록 끔찍한 것도 그렇게 될 거예요." 청년이 조용히 말했다.

"하지만 난 여자잖아." 헵지바가 애처롭게 말했다. "귀부인이라고 말할까 했지만, 그건 이제 다 지난 일이니까."

"글쎄요, 그게 지난 일이건 어쨌건!" 예술가가 대답했는데, 미처 다 가려지지 않은 이상한 냉소의 빛이 상냥한 태도 사이로 스치듯 번득였다. "지나가 버리게 놔두세요! 차라리 없는 게 더 나아요. 솔직하게 말씀드리는 거예요, 핀천 아주머니. 우리 친구 아닙니까? 오늘이 아주머니의 인생에서 행운의 날이라고 봐요. 한 시대가 끝나고 다른 시대가 시작하는 거죠. 지금까지는, 그러니까 다른 세상 사람들이 모두 이런저런 필요로 나름대로 고군분투하는 동안 아주머니는 귀족층의 테두리 안에 무심하게 앉아 지내느라 핏줄 속에서 뜨거운 삶의 피가 조금씩 식어 가고 있었잖아요. 앞으로는 적어도 어떤 목적을 위해 건전하고 자연스럽게 노력하고, 하나 된 인류의 분투에 크건 작건 아주머니의 힘을 보탠다는 느낌은 가질 수 있을 거예요. 그게 바로 성공이에요. 사람들이 맞이하는 성공이라고요."

"홀그레이브 씨, 당신이 그런 생각을 가지는 건 물론 당연하지." 위엄을 약간 손상당한 헵지바가 여윈 몸을 곧추세우며 대답했다. "당신은 남자고, 젊은 남자고, 내 생각으로는 요즘 대부분의 사람들처럼 입신출세를 할 수 있도록 길러졌을 거잖아. 하지만 나는 귀족 집안에서 태어나서 항상 귀부인으로 살아왔다오. 아무리 생활이 곤궁하더라도 항상 귀족 부인이었다고!"

"하지만 전 신사로 태어나지도 않았고 그렇게 살지도 않았어요." 홀그레이브가 살짝 미소를 띠며 말했다. "그러니까 마님, 웬만하면 제가 그런 종류의 감수성에 공감하리라고는 기대하지 마세요. 물론 저 스스로를 기만하지 않고서야 제가 귀족층에 대해 제대로 이해한다고 할 순 없지만요. 이미 지나가 버린 옛날에야 신사니 귀부인이니 하는 이름이 의미가 있었고, 그 당사자들에게 싫건 좋건 특권을 부여해 주었지요. 지금 그 이름은 특권이 아니라 제약을 의미할 뿐이고, 앞으로 올 사회에서는 더더욱 그럴 거예요."

"그건 너무나 듣도 보도 못한 얘기라, 난 절대 이해할 수도 없고 이해하고 싶지도 않구먼." 나이 든 부인이 머리를 절레절레 흔들며 말했다. "

"그럼 그 얘기는 그만두죠." 아까보다 더 친근한 미소를 지으며 예술가가 대답했다. "귀부인보다는 진정한 여성이 되는 게 더 나을지 어떤지는 아주머니께서 스스로 알아보시는 게 좋겠네요. 하지만 헵지바 아주머니, 이 집이 지어진 이래 아주머니가 오늘 하는 일보다 더 영웅적인 일을 한 여성이 이 가문에 언제 있었다고 생각하세요? 전혀 없지요. 그리고 핀천 집안의 사람들이 항상 그렇게 고귀하게 행동했더라면 이 집안이 하늘의 미움을 받는 데 있어 아주머니가 언젠가 말해 주신 옛날 마법사 몰의 저주가 그렇게 큰 비중을 차지하지 않았을 거예요."

"아, 아니, 아니야!" 대물림되는 저주의 어두운 명성을 끄집어낸 데 대해 별 불쾌해하는 기색 없이 헵지바가 말했다. "옛날 몰의 유령이든 그 후손이든 내가 오늘 계산대 뒤에 서 있는 걸 본다면 그 저주가 최대한 실현되었다고 말했을걸. 어쨌든 이렇게 와 줘서 고마워, 홀그레이브 씨. 좋은 가게 주인이 되기 위해 최선을 다해 볼게!"

"그렇게 하세요." 홀그레이브가 말했다. "그리고 제가 첫 번째 손님이 되고 싶어요. 방으로 가기 전에 바닷가에 산책을 나가려는 참인데요, 하늘의 축복을 받은 햇빛을 이용해서 그 힘을 통해 인간의 모습을 그려 나갈까 해요. 저 비스킷 몇 개를 바닷물에 담가 먹으면 제게 딱 맞는 아침이 될 듯하네요. 여섯 개에 얼만가요?"

"내가 조금만 더 귀부인 행세를 하지." 헵지바가 그 옛날의 품위 있는 태도로 말했는데, 거기에 울적해 보이는 미소를 덧붙이자 우아함이 더했다. 그녀는 비스킷을 그의 손에 쥐어 주고는 돈은 받지 않으려 했다. "핀천가 사람이라면 집 안에서는 하나 있는 친구에게 빵 한 조각을 주고 돈을 받는 일은 무슨 일이 있어도 하지 않아요!"

홀그레이브는 자리를 떴지만, 그녀는 잠시 동안 침울함을 떨쳐 버릴 수 있었다. 그러나 곧 아까처럼 죽음과도 같이 저 깊숙이 다시 가라앉았다. 가슴을 벌렁거리면서 이제 거리에 빈번해진 행인들의 이른 발소리에 귀를 기울였다. 한두 번쯤 잠시 앞에 멈춰 선 사람들이 있었다. 이 낯선 사람들은, 아니, 정확적으로 봤을 때 이 이웃들은 헵지바의 가게 유리창에 진열된 장난감이나 작은 물건들을 들여다보았다. 그녀는 이중으로 고통을 받았는데, 한편으로는 낯설고 무심한 시선들이 마음대로 들여다볼 수 있다는 데 대한 엄청난 수치심 때문이었고, 다른 한편으로는 진열창이 솜씨 좋게 꾸며지지도 않았고 가능한 만큼 효과적으로 정리되지도 못했다는 생각이 우스꽝스러울 만큼 끈덕지게 머릿속을 맴돌았기 때문이었다. 마치 다른 물건들을 진열한다든지, 흠집이 있는 사과 말고 더 예쁘게 생긴 사과를 진열한다든지 하는 일에 완전히 가게의 사활이 걸려 있는 듯도 했다. 그래서 이곳저곳을 좀 바꿔 보았는데, 그러자마자 곧 그 때문에 모든 게 엉망이 되었다는 생각이 들었다. 그렇게 망쳐진 것처럼 보이는 것이 모두 위기의 순간에 곤두선 신경과 노처녀 특유의 까다로움 때문임을 알아채지 못하고 말이다.

우렁우렁한 목소리로 보아 노동자인 듯한 두 남자가 곧 문간 바로 앞에서 만났다. 각자의 일상사에 대해 간단한 얘기를 나눈 후 한 남자가 문득 가게 진열창을 알아보고는 다른 사람의 주의를 그리로 돌렸다.

"이것 봐!" 그가 소리쳤다. "어떻게 생각해? 핀천 길 경기가 좋은가 보네!"

"그래, 그래, 이거야말로 분명 깜짝 놀랄 일인걸!" 다른 사람이 외쳤다. "유서 깊은 핀천 가옥에, 핀천 느릅나무 바로 아래에 말이야! 누가 생각이나 했겠어! 노처녀 핀천이 구멍가게를 차렸구먼!"

"그녀가 이걸 잘 꾸려 갈 거라고 봐, 딕시?" 친구가 물었다. "그다지 좋은 자리라고는 볼 수 없잖아. 모퉁이만 돌면 가게가 또 하나 있으니 말이야."

"꾸려 간다고!" 상상도 할 수 없는 생각이라는 듯 너무나 경멸적인 표정으로 딕시가 소리쳤다. "전혀 아니지! 아니, 그 얼굴 말이야, 일 년 전쯤 내가 정원을 만들어 주면서 봤는데, 혹여 악마가 용기를 내서 물건을 사러 온다고 해도 아마 악마도 쫓아 버릴 얼굴이라니까. 장담하건대 사람들은 그 얼굴을 못 견디지! 이유가 있어서건 없어서건, 순전히 성질이 더러워서 무지막지하게 인상을 쓴다니까!"

"글쎄, 그게 그리 큰 문제는 아니지." 다른 사람이 말했다.

"성질 나쁜 사람들이 대개 사업 수완이 좋고 어떻게 하면 성공하는지 잘 알거든. 하지만 자네 말대로 이 장사가 잘될 것 같지는 않아. 수공업이라든지 육체노동 같은 다른 돈벌이처럼 이 구멍가게 사업도 너무 포화 상태라서 말이야. 내 경험으로 잘 알지! 우리 마누라가 세 달 전에 구멍가게를 차렸다가 경비만으로 5달러나 날렸잖아!"

"될 리가 없지!" 머리를 설레설레 흔들기라도 하는 듯한 말투로 딕시가 대답했다. "될 리가 없어!"

따져 보기는 어렵지만 이런저런 이유로 그 문제에 있어서 지금까지 헵지바가 겪어 온 비참함 중에서, 위의 대화를 엿들음으로써 마음이 전율한 것만큼 지독하게 아픈 고통은 지금까지 거의 없었다. 그녀의 오만상과 관련된 진술은 엄청나게 중요했다. 그것은 스스로에게는 부분적으로만 비춰 주던 잘못된 빛을 완전히 벗어 던진 그녀의 이미지 전체를 적나라하고 끔찍스럽게 보여 줘서 거의 똑바로 바라보기 힘들 정도였다. 더구나 자신에게는 숨이 막힐 정도로 중대한 관심사였던 가게를 내는 일이, 이 두 남자가 무리 없이 대변하다시피 세상 사람들에게 대수롭지 않은 하찮은 일로 여겨진다는 사실에 어처구니없게도 상처를 받았다. 한번 흘낏 쳐다보거나, 지나가는 말로 한두 마디 정도 던지거나, 상스럽게 비웃거나. 그러고는 모퉁이를 돌기도 전에 분명 잊어버릴 것이 틀림없었다. 그녀의 체면에 대해 조금도 신경 쓰지 않았기 때문에 굴욕에 대해서도 마찬가지였다. 그리고 경험에서 나온 확실한 판단에 따라 장사가 잘 안 될 거라는 예측도 이미 반쯤은 사라진 그녀의 희망 위로 무덤을 덮는 흙덩어리처럼 떨어져 내렸다. 그 남자의 부인도 진작 이 일을 해 봤는데 실패했다지 않은가! 앙칼지고 저속하고, 계산이 빠르고 바지런하며 닳고 닳은 뉴잉글랜드 여성이 별 것 아닌 가게 경비로 5달러나 날렸다는데, 나이는 환갑에 반평생을 칩거해서 지낸 데다 세상사에는 완전히 깜깜한 귀족 가문의 여성이 성공하기를 어디 꿈이나 꿀 수 있단 말인가? 성공이란 불가능의 면모를 띠고 성공을 바란다는 건 한갓 말도 안 되는 환상에 불과한 것이다.

헵지바가 정신이 나가기를 바라듯 어떤 악의에 찬 기운이 온 힘을 다해 그녀의 상상 속에 일종의 파노라마처럼 손님들로 온통 북적거리는 도시의 큰 도로를 펼쳐 놓는 것 같았다. 그곳에는 멋지고 훌륭한 가게들이 너무 많았다! 돈을 엄청나게 들여서 거대한 판유리를 붙이고 번쩍거리는 설비들을 갖추고 엄청난 양의 완벽한 상품을 모아다가 쌓아 놓은 식품점과 장난감 가게, 포목점들. 그리고 건물 한쪽 끝에는 멋진 거울을 달아 번쩍번쩍 빛나는 비현실적 조망으로 이 모든 부유함을 배가하는 것이다! 이 호사스러운 저잣거리의 한쪽에서는 좋은 향을 풍기는 수많은 말쑥한 점원들이 빙긋 미소를 지으며 인사를 하고 물건을 재고 나누는 것이 아닌가! 그런데 그 맞은편 거무스레한 낡은 일곱 박공의 집에는 툭 튀어나온 2층 아래 구식 가게 진열창이 있고, 계산대 뒤에 앉은 헵지바 자신은 낡아 빠진 검은 실크 가운을 입고 잘 굴러가는 세상에 대고 오만상을 찌푸리고 있는 것이다! 이 막강한 대비는 그 자체로 그녀가 먹고살기 위해 몸부림치기 시작했을 때 마주치게 될 어려움을 확실히 보여 주며 코앞에 나타났다. 성공이라고? 터무니없는 소리! 앞으로 다시는 그런 생각을 안 할 테다! 마찬가지로 다른 집들에는 다 햇빛이 비추는데 이 집만 끝이 보이지 않는 안개에 묻혀 있는 거나 진배없을 것이다. 이 문지방을 넘는 발 하나 없을 테고 문고리를 잡는 손 하나 없을 테니!

그러나 바로 이 순간, 그녀의 머리 바로 위에 있는 종이 마법에라도 걸린 듯 딸랑거렸다. 나이 든 귀족 부인의 가슴은 종과 같은 스프링에 연결되어 있기라도 한 듯했다. 그 가슴도 종소리와 하나가 되어 일련의 날카로운 경련이 뚫고 지나갔으니까. 반쪽짜리 유리창의 바깥쪽에 사람의 모습이라고는 보이지 않았는데도 문이 홱 열렸다. 어쨌든 헵지바는 손을 깍지 낀 채 서서 뚫어지게 쳐다보았는데, 마치 악령을 불러 놓고 그와 대면해 보겠다고 마음은 먹었으나 아직은 두려움이 가시지 않은 듯했다.

'하늘이여, 도와주소서!' 그녀는 속으로 신음하듯 말했다. '드디어 내 고난의 시간이 왔구나!'

녹이 슬어 삐걱거리는 경첩 때문에 잘 움직이지 않는 문이 어렵사리 활짝 열리자, 사과처럼 빨간 볼을 가진 탄탄하고 씩씩한 어린 소년이 눈에 보였다. 옷차림은 좀 누추했지만 아버지가 돈이 없어서라기보다는 엄마가 신경을 쓰지 않아서 그런 듯했다. 파란 앞치마와 아주 통이 넓고 길이가 짧은 바지를 입고, 발끝이 좀 닳은 신발을 신고 짚이나 잎으로 엮은 싸구려 모자를 썼는데 그 틈으로 곱슬머리 가닥이 삐져나와 있었다. 겨드랑이에 책 한 권과 작은 석판을 끼고 있는 것으로 보아 학교에 가는 길인 듯했다. 그는 자기보다는 나이가 많은 손님들이 할 법하게 잠시 헵지바를 쳐다보았는데, 그를 보는 그녀의 비통한 자세와 이상스러운 오만상에 어찌할 바를 모르는 것 같았다.

"그래, 얘야!" 별로 무섭지 않은 인물임을 알고 그녀가 용기를 내어 말했다. "그래, 아가. 뭘 줄까?"

"저기 창문에 있는 짐 크로요!" 어린아이는 어슬렁어슬렁 학교로 걸어가던 그의 눈길을 끈 사람 모양 생강 과자를 가리키며 1센트 동전을 내밀었다. "다리 안 부러진 걸로 주세요!"

그래서 헵지바는 가느다란 팔을 뻗어 진열창에서 과자 인형을 꺼내 첫 번째 손님에게 그것을 건넸다.

"돈은 안 줘도 된다!" 아이를 문 쪽으로 살짝 밀면서 그녀가 말했다. 오랜 귀족적 특성 탓에 그녀는 구리 동전이 계속 신경에 거슬렸던 것이다. 게다가 눅눅해진 생강 과자 한 조각을 주고 아이의 코 묻은 돈을 받는다는 게 말할 수 없이 치사한 일로 여겨졌다. "돈은 안 줘도 돼! 짐 크로는 그냥 가지렴."

아이는 그렇게 많은 구멍가게를 다녀 봤어도 한 번도 겪은 적 없는 이러한 관대함에 놀라 동그래진 눈으로 쳐다보면서 생강 과자를 받아 건물을 나섰다. 인도에 발을 내딛는가 싶더니 (얼마나 먹성이 좋은지!) 짐 크로의 머리는 이미 아이의 입안에 들어갔다. 아이가 문을 다시 닫지 않은 채 가 버렸기 때문에, 헵지바는 일어나서 젊은이들, 특히 어린 사내 녀석들은 성가시기 이를 데 없다고 퉁명스럽게 한두 마디를 던지며 아이의 등 뒤로 문을 닫았다. 이름난 짐 크로를 새로 진열창에 놓기가 무섭게 현관의 종이 다시 요란스럽게 울렸다. 그리고 문이 특유의 방식으로 덜컥거리고 삐걱거리며 홱 열리자 정확히 이 분 전에 가게를 나간 바로 그 탄탄한 아이가 모습을 드러냈다. 아까 과자로 벌인 잔치에서 아직 다 먹어 치우지 못한 부스러기와 얼룩이 입가에 너무나 선명하게 남아 있는 채로!

"또 뭐니, 얘야?" 노처녀 부인이 약간 성마르게 물었다. "문을 닫으려고 온 거니?"

"아니요!" 아이는 대답하더니 막 올려놓은 인형 과자를 손가락으로 가리켰다. "저 짐 크로 주세요!"

"자, 여기 있다." 헵지바는 그것을 내려 주며 말했다. 하지만 이 끈덕진 손님은 이 가게에 생강 과자가 남아 있는 한 절대 그녀를 가만 내버려 두지 않을 것임을 깨닫고는 그녀는 내민 손을 약간 움츠리며 말했다. "동전을 줘야지?"

어린아이는 동전을 준비하고 있었지만, 순수 양키 혈통답게 자신에게 이득이 되는 거래를 더 좋아했을 것이다. 아이는 약간 섭섭해 보이는 표정으로 헵지바의 손에 동전을 건네주고는 가게를 나섰고, 두 번째 짐 크로도 첫 번째 짐 크로의 전철을 밟게 되었다. 새내기 가게 주인은 장사를 해서 번 첫 번째 진짜 결과물을 돈궤 안에 넣었다. 일은 벌어졌다! 구리 동전의 더러운 얼룩이 손에서 영영 지워지지 않을 것이다! 춤추는 장난꾸러기 흑인 인형의 도움을 받아 어린아이가 그녀를 돌이킬 수 없는 파멸로 몰아넣은 것이다. 그로 인해 유서 깊은 귀족 가문의 구조가 완전히 붕괴되었으니, 마치 그 어린 손아귀로 일곱 박공의 집 자체를 무너뜨린 것 같지 않은가!

이제 헵지바가 오랜 핀천 가문의 초상화를 벽 쪽으로 돌려놓고, 동쪽 지역의 지도를 부엌 아궁이에 불쏘시개로 던져 넣고 지금은 빈껍데기뿐인 조상 전래의 전통적인 입김으로 불꽃을 일으키기를! 조상이 그녀에게 무슨 소용이 있단 말인가? 전혀! 후손이 소용없듯이 말이다! 이제는 귀족 부인이 아니라 의지가지없는 노처녀이자 구멍가게 주인인 그냥 헵지바 핀천일 뿐!

그렇지만 그녀가 마음속으로 이와 같은 생각을 다소 과장되게 쭉 펼쳐 보이는 동안에도 그녀 자신은 얼마나 차분해졌는지 정말 놀라울 정도였다. 그녀의 계획이 정말 실현에 옮겨지기 시작한 이래 잠이 들어서든 깨어서 우울한 공상을 할 때든 그녀를 고통스럽게 했던 불안과 온갖 우려들이 이젠 완전히 사라져 버렸다. 자신이 처한 상황이 새롭다고는 느꼈으나 정말이지 마음의 동요나 두려움은 더 이상 없었다. 이따금 거의 젊은 시절의 즐거움이 몸을 전율케 했다. 오랫동안 무감각하고 단조로운 칩거 생활을 하다가 맛보게 된 신선한 바깥 공기가 기운을 북돋우는 것이었다. 자신의 노력이란 얼마나 유익한지! 우리가 알지 못하는 그 힘이 얼마나 기적 같은지! 헵지바가 수십 년 동안 알아 온 것 중 가장 건강한 만족감이 평생 처음으로 자립하기 위해 손을 내민 두려운 위기의 순간에 찾아왔다. 온 세상 여기저기에서 하찮은 임무를 수행하느라 뿌얘지고 광택도 없어졌지만 아이의 동그란 작은 구리 동전은 결국 선(善)의 향기를 풍기는 부적과도 같아서, 금으로 테를 둘러 그녀의 가슴 바로 가까이에 둘 만큼의 가치가 있었다.

그것은 마치 자기(磁氣) 반지만큼 강력하고 어쩌면 그와 마찬가지의 효력을 부여받았는지도 모르는 것이다! 어쨌든 헵지바의 몸과 마음이 모두 그 미묘한 작용에 은혜를 입었다. 어느 정도냐 하면 그녀가 아침을 좀 먹어야겠다고 기운을 냈을 뿐 아니라, 그 기운을 더욱 잘 지키기 위해 홍차를 우려낼 때 한 스푼을 더 넣기까지 했다.

하지만 가게를 연 첫날에는 이렇게 기분 좋은 활력의 분위기가 의미심장하게 여러 번 찾아오지 않았다. 일반적으로 하늘은 인간에게 그들이 어느 정도 충분히 스스로의 힘을 발휘할 수 있을 만큼만 용기를 북돋워 주는 것이다. 우리 나이 많은 부인의 경우, 새로운 노력의 흥분이 잦아들자 평생을 지니고 살았던 낙담이 곧 다시 찾아올 기세였다. 마치 우리가 종종 목격하듯이 거대한 구름이 하늘을 가려 온통 희끄무레한 어스름으로 가득하다가 밤이 내리기 직전 잠깐 동안의 햇빛이 그 사이로 나타나는 것처럼 말이다. 그러나 언제나 그렇듯 시기하는 구름은 살짝 드러난 푸른 하늘로 다시 밀고 들어오는 것이다.

아침나절이 지나가면서 손님들이 오기는 했지만 드문드문했다. 게다가 몇몇 경우 손님 편에서나 헵지바에게나 만족스럽지 못했음을 인정해야겠다. 또한 전반적으로 돈궤에 돈이 많이 쌓였다고도 볼 수 없다. 아주 특이한 색깔의 면실 한 타래를 사오라는 엄마의 심부름을 왔던 한 소녀는 근시에 나이 든 헵지바가 아주 똑같은 색이라고 주장한 실을 사들고 갔다가, 곧 다시 뛰어와서는 색깔이 맞지 않을 뿐 아니라 심지어 좀이 먹었다는 퉁명스럽고 언짢은 말을 전해 주었다. 그다음에는 걱정으로 얼굴이 짜글짜글한 창백한 여인이 왔는데, 나이는 많지 않았지만 비쩍 마른 데다 벌써 흰머리가 은색 리본처럼 머리 군데군데 있었다. 한눈에 보기에도 천성적으로 섬세하지만, 야만스러운(아마 주정뱅이에 야만스러운) 남편과 적어도 아홉은 될 아이들 때문에 죽을 만큼 지쳐 빠진 그런 종류의 여성임을 알아차릴 수 있었다. 그녀는 밀가루 몇 파운드를 달라며 돈을 건넸는데, 나이 많은 귀족 부인은 그 돈을 조용히 거절하고는 그 불쌍한 영혼에게 혹시 그녀 자신이 달았을 때 담을 양보다 더 많이 담아 주었다. 곧바로 아주 더러워진 푸른 면 작업복을 입은 남자가 와서 파이프를 샀는데, 그동안 뜨거운 그의 숨에서 뿜어져 나올 뿐 아니라 마치 인화성 가스처럼 몸 전체에서 줄줄 새어 나오는 독주(毒酒)의 강한 냄새가 가게 안에 가득했다. 이 남자가 걱정으로 짜글짜글해진 그 여성의 남편이 아닌가 하는 인상이 헵지바의 마음에 강하게 박혔다. 그는 담배 한 꾸러미를 원했는데, 헵지바가 미처 그것을 가게에 들여놓지 않았다고 하자 무지막지한 그 손님은 새로 산 파이프를 내동댕이치더니 뭔가 알아들을 수는 없지만 저주와도 같은 어조로 악의를 품은 말들을 중얼거리면서 가게를 나가 버렸다. 이에 헵지바는 눈을 들어 올려 자기도 모르게 신의 면전에 대고 눈살을 찌푸렸다!

아침나절에만 적어도 다섯 명이 진저비어나 루트비어, 아니면 그와 비슷한 종류의 음료수를 달라고 했는데 그런 종류는 없었으므로 무척 기분 나빠 하면서 가게를 나갔다. 그중

세 명은 문을 열어 두고 갔고, 두 명은 나갈 때 너무 성깔을 부리며 문을 잡아당겨서 작은 종이 마구 울려 대는 통에 헵지바는 정신이 나갈 지경이었다. 퉁퉁하고 부산스럽고, 타는 듯이 붉은 혈색을 가진 이웃의 주부가 헐떡거리며 가게 안으로 뛰어 들어와 이스트를 달라고 사납게 말했다. 가련한 헵지바가 차분하고 소심하게 그 물건이 없음을 열난 손님에게 이해시키자 이 매우 유능한 주부는 으레 하는 비난을 쏟아붓기 시작했다.

"구멍가게에 이스트가 없다고요! 말도 안 되는 소리지! 누가 그런 경우를 들어나 봤나? 오늘 내 빵을 부풀릴 수 없는 것처럼 당신 빵도 부풀지 않을 거라고요. 차라리 당장 가게 문을 닫아요!" 그녀가 말했다.

"글쎄요." 헵지바가 깊은 한숨을 내쉬며 말했다. "아무래도 그래야 할까 봐요!"

더구나 사람들이 무례하다고는 할 수 없지만 너무 격의 없이 그녀를 대하는 바람에 그녀의 상류층다운 감수성은 지금까지 얘기한 경우 말고도 여러 번 심각하게 상처를 입었다. 그들은 분명 자신들이 헵지바와 동등할 뿐 아니라 심지어 우월한 보호자격이라고 여기는 듯했다. 사실 헵지바는 그녀의 몸 주위에 어떤 식으로든 후광이랄까 그런 빛이 있어서 자신의 진짜배기 귀족성에 사람들이 경의를 표하거나 적어도 암묵적으로 그것을 인정하지 않을까 하는 생각을 무의식적으로 하고 있었다. 다른 한편으로는 너무 드러내 놓고 그것을 인정한다고 표시할 때는 또 그것만큼 참을 수 없이 괴로운 것도 없었다. 한두 번인가 약간 주제넘게 동정을 보인 경우가 있었는데, 그에 대한 그녀의 반응은 거의 표독스러웠다. 게다가 안된 말이지만 헵지바는 손님 중 한 사람이 그가 찾는 물건이 진짜로 필요해서가 아니라 그녀를 뚫어지게 쳐다보려는 사악한 바람으로 가게에 들어오게 된 것이 아닌가 하는 의심 때문에 확실히 기독교인답지 않은 마음 상태에 빠져들었다. 그 상스러운 인물은, 세상에서 따로 떨어져 모든 한창 때를 다 지나고 노쇠의 길에 들어선 지도 한참 된 곰팡내 나는 귀족 나부랭이가 계산대 뒤에서 어떤 모습을 하고 있을지 직접 보겠다고 결심을 했다. 헵지바의 찌푸린 인상은, 다른 때는 반사적이고 악의 없는 것일지 모르지만 이 특정한 경우에는 그녀가 원하는 바를 제대로 대신해 주었다.

"내 평생 그렇게 겁을 먹은 적은 없었다니까!" 호기심 많던 그 손님은 아는 사람들에게 그 일을 설명하면서 말했다. "진짜 늙은 암여우야, 내 장담한다니까. 물론 별말은 하지 않았지. 하지만 그 눈에 담긴 악의를 한번 보기만 해 보라고!"

그러므로 전체적으로 보아 노쇠한 귀족 부인은 새로운 경험을 통해 스스로 하층 계급이라 불렀던 사람들의 성격과 행동거지에 대해서 매우 좋지 않은 결론에 이르렀다. 지금까지는 스스로 의심할 바 없이 우월한 자리를 차지하고 앉아, 자기만족으로 그들을 상냥하게 불쌍히 여기며 내려다보았던 것이다. 그러나 불행하게도 그녀는 마찬가지로 완전히 반대되는 종류의 사나운 감정에 휘둘리지 않으려 애써야만 했다. 그러니까 아주 최근까지만 해도 스스로가 자랑스러운 일원이었던 쓸데없는 귀족 계급에 대한 적의의 감정 말이다. 곱고 값비싼 여름옷에 날아갈 듯한 베일과 우아하게 나풀거리는 가운을 입고, 요컨대 흙을 밟고는 있는 건지 아니면 공중을 떠가는 건지 확인하기 위해 곱게 슬리퍼를 신은 발을 쳐다보게 될 정도로 천상의 존재처럼 가뿐한 귀부인의 모습, 그런 환영이 어쩌다 이 궁벽한 거리를 지나며 마치 한 묶음의 월계화를 안고 지나간 듯이 부드럽고 미혹하는 향내를 길목마다 남겨 놓을 때, 예상컨대 그때는 아마도 또다시 헵지바의 찌푸린 눈살이 완전히 근시 때문이라고 둘러댈 수는 없을 것이다.

'도대체 무엇 때문에, 도대체 지혜로운 신의 섭리 안의 어떤 목적을 위해 저 여자는 살고 있단 말인가! 그래, 저 여자의 손바닥을 하얗고 섬세하게 지키려고 전 세계가 땀 흘려 노동한단 말인가?' 그녀는 부자를 앞에 둔 가난한 사람들을 정말로 타락하게 만드는 유일한 감정인 적대감을 표출하며 생각했다.

그러다가는 후회하고 부끄러워하며 얼굴을 가렸다.

"신이여, 절 용서하소서!" 그녀는 말했다.

확실히 신은 그녀를 용서하셨다. 그러나 헵지바는 첫날의 반나절에 안팎으로 일어난 일을 고려하건데, 이 가게가 잠깐 동안이라도 그녀의 후생에 본질적인 도움은 되지 못한 채 도덕적, 종교적 관점에서 보았을 때 자신의 파멸로 귀결되지 않을까 우려하기 시작했다.

4
계산대 뒤에서 보낸 하루

정오 무렵에 헵지바는 행동거지가 눈에 띄게 위엄 있는, 몸집 크고 풍채 좋은 나이 지긋한 신사가 하얗게 먼지 낀 거리의 반대편으로 천천히 걸어가는 것을 보았다. 핀천 느릅나무의 그림자 안으로 들어오자 그는 걸음을 멈춘 채 모자를 벗고 이마에서 땀을 닦아 내면서 특별한 관심으로 색이 바랜 외양에 쇠락한 일곱 박공의 집을 유심히 바라보는 듯했다. 아주 다른 방식으로 그 자신이 집만큼이나 볼만했다. 지체 높은 인물임을 이보다 더 잘 나타내는 모범은 다른 데서 찾을 필요도 없고 아마 찾을 수도 없을 것이었는데, 그 품위가 설명할 수 없는 어떤 마법에 의해 단지 표정과 몸짓에서 나타날 뿐 아니라 차려입은 의복까지 다스려 모든 것이 그에게 아주 적합하고 꼭 어울리게 했다. 딱 꼬집어서 다른 사람들의 옷과 다르다고 말할 수 없으면서도 그의 옷에는 폭넓고 풍부한 진지함이 있었는데, 그것이 의복의 모양이나 옷감 때문이라고는 할 수 없으므로 옷을 입은 사람의 특성임에 틀림없었다. 윗부분에 금 장식이 된 단장(短杖), 즉 윤이 나는 짙은 색의 나무로 된 아주 쓸모 있는 지팡이 역시 비슷한 특성을 지녀서, 만약 그것이 저 혼자 산책이라도 나서자고 친다면 어디에서든 무리 없이 그 주인을 대신할 수도 있다고 생각될 것이었다. 지금 독자들에게 전달하려고 애쓰는바, 그를 둘러싼 모든 것에서 너무나 두드러지게 나타나는 이 특성은 그저 그의 사회적 지위와 생활 습관, 그리고 외적인 상황에 한정된 얘기일 뿐이다. 그가 저명하고 영향력 있으며 권위 있는 사람이라는 것은 딱 보면 알 수 있었다. 그리고 특히 그가 부유하다는 사실은 마치 은행 계좌를 드러내 놓고 다니기라도 하듯이 확실히 느낄 수 있었다. 아니면 그가 핀천 느릅나무의 나뭇가지를 건드릴 때 마치 미다스의 손이 스친 듯 그것이 금으로 변해 버릴 것처럼 말이다.

젊었을 때 그는 분명 잘생긴 축에 들었을 것이다. 지금 나이에는 단순히 사람이 아름답다고 얘기하기에는 눈썹은 너무 두껍고 이마는 너무 벗어졌으며 남아 있는 머리는 이미 백발이었고, 눈매는 너무 차갑고 입술은 너무 꽉 다물고 있었다. 초상화로 그린다면 훌륭하고 중후한 모습이 될 텐데, 화판에 그려지는 과정에서 그의 인상이 분명 점점 모지락스러워졌겠지만 그래도 과거의 어떤 때보다도 지금이 초상화로 그리기에 더 낫지 싶다. 예술가는 아마 그의 얼굴이 연구해 보고 싶은 얼굴이고, 눈살을 찌푸려 그늘진 표정을 만들거나 미소로 밝게 빛나게 하는 등 다양한 표현 능력을 증명하기에 좋은 얼굴이라고 여길 것이었다.

노신사가 핀천 가옥을 보며 서 있는 동안에도 찌푸린 인상과 미소가 번갈아 얼굴에 나타났다가는 사라졌다. 그의 눈이 가게 진열창에 머물자, 그는 손에 들고 있던 금테 안경을 쓰고는 헵지바가 늘어놓은 장난감이랑 다른 물건들을 유심히 살펴보았다. 처음에는 마음에 들어 하지 않는 듯하더니, 아니, 심히 불쾌해하는 듯하더니 곧바로 미소를 지었다. 여전히 입에는 미소를 매달고 있는 그의 눈에 자기도 모르게 창문 쪽으로 몸을 숙인 헵지바가 흘끗 보였다. 그러자 불쾌해하는 쓴웃음이 순식간에 눈이 부실만큼 사근사근하고 자비로운 미소로 바뀌었다. 그는 위엄과 예의 바른 상냥함이 아주 적절히 조화된 인사를 보내고는 가던 길을 계속 갔다.

"저기 있군!" 헵지바는 쓰디쓴 감정을 눌러 삼키며 혼잣말을 했는데, 그 감정을 완전히 없앨 수는 없었기 때문에 다시 가슴속에 밀어 넣으려 했다. "무슨 생각을 하려나 몰라. 이게 마음에 들려나? 아! 돌아보는군!"

신사는 거리에 멈춰 서서 눈은 여전히 가게 진열창에 고정한 채로 반쯤 몸을 돌렸다. 사실은 아예 완전히 돌아서서 마치 가게 안으로 들어가려는 듯이 한두 걸음을 내디뎠다. 그러나 우연히도 짐 크로를 먹어 치웠던 헵지바의 첫 번째 어린 손님이 선수를 쳤는데, 그는 창문을 계속 들여다보다가 도저히 참지 못하고 코끼리 생강 과자에 이끌렸던 것이다. 이 어린 녀석은 얼마나 엄청난 식욕을 지녔는지! 아침을 먹자마자 두 명의 짐 크로를 먹어 치우더니, 이젠 저녁 전에 식욕을 돋우려는 듯이 코끼리를! 코끼리를 사는 일이 거의 끝날 무렵 노신사는 가던 길을 다시 가 길모퉁이를 돌아서 가 버렸다.

"마음대로 생각하라지, 재프리 사촌!" 노처녀 부인은 조심스럽게 머리를 내밀어 거리를 좌우로 살펴보다가 다시 끌어당기면서 중얼거렸다. "마음대로 생각하라고! 내 작은 가게 진열창 봤지? 그래, 뭐라고 하겠어? 내가 살아 있는 동안에는 핀천 가옥이 내 것 아니냐고?"

이 일이 있은 후 헵지바는 가게 뒤쪽의 거실로 물러나, 반쯤 뜨다 만 양말이 바로 눈에 띄자 신경질적으로 손을 홱홱 움직이며 뜨개질을 하기 시작했다. 그러나 곧 바늘땀이 엉망이 되는 것을 깨닫고는 뜨개질거리를 집어던지고 방 안을 바삐 돌아다니기 시작했다. 마침내 그녀는 자신의 조상이자 처음 그 집을 지은 엄한 옛 청교도인의 초상화 앞에 멈춰 섰다. 이 그림은 한편으로는 화폭 속으로 거의 지워져 들어가 퇴색된 세월 뒤로 모습을 감추는 듯했지만, 다른 한편으로는 그녀가 어린 시절 처음 그것을 본 이래로 갈수록 점점 뚜렷해지고 놀랍도록 그 표정이 풍부해진다는 생각을 떨칠 수가 없었다. 왜냐하면 물리적인 테두리와 그 실체는 거무스레해져 점점 잘 보이지 않게 되었지만, 정신적인 면은 부각되어 대담하면서도 냉혹한, 또한 동시에 분명치 않은 그 인물됨이 도드라지는 듯했기 때문이다. 아주 오래된 그림에서 종종 그런 현상을 볼 수 있다. 그런 인물들은 예술가가(그가 요즘처럼 고분고분한 예술가라면) 자신의 특징적인 표현 방식으로 초상화 속 당사자를 그려 보여 주겠다고 스스로는 상상도 하지 않았음에도, 인간 영혼의 추한 진실을 반영하고 있음을 바로 알아차릴 수 있는 그런 표정을 띠게 된다. 그런 경우 예술가는 자기 모델의 내적인 특성을 속내 깊이 인식해 그림의 정수 속으로 그려 넣는데 세월에 의해 겉 색깔이 마모되고 퇴색되면서 그것이 드러나는 것이다. 헵지바는 초상화를 바라보면서 그 눈빛 아래에서 부들부들 떨었다. 그 진실이 느껴져 어쩔 수 없음에도 대대로 물려받은 경외심 때문에 초상화 속의 인물에 대해 그렇게 가혹한 판단을 내리기가 두려웠던 것이다. 하지만 초상화 속의 얼굴을 보면 그녀가 지금 막 거리에서 보았던 얼굴을 좀 더 정확하게 깊숙이까지 읽을 수 있었기 때문에(적어도 그녀가 생각하기로는 그랬다.) 그녀는 여전히 거기서 눈을 떼지 않았다.

"바로 이 사람이야!" 그녀는 중얼거렸다. "아무리 웃음을 지어 봐야 그 아래에는 바로 저 표정이라고! 머리에 붙는 작은 모자와 밴드를 씌우고 검은 외투를 입힌 후 한 손에는 성경책, 다른 한 손에는 칼을 들리면, 재프리가 제 아무리 만면에 웃음을 띠어도 그 옛날 핀천이 다시 살아 돌아왔음을 누구도 의심치 않을걸! 새로 집을 지은 당사자임을 스스로도 증명했잖아! 아마 저주도 새로 받을지 모르지!"

그렇게 헵지바는 스스로도 당황스럽게 오래전 일에 대해 이런 상상들을 했다. 그녀는 너무나 오랜 시간을 혼자, 그것도 핀천 가옥 안에서 혼자 지냈기 때문에 그 썩은 목재가 머릿속에 스며들 정도가 되었다. 제정신을 지키려면 밖에 나가 정오의 거리에서 산책을 해야 했다.

이제는 그와 반대되는 또 다른 초상화가 그녀 앞에 떠올랐는데, 그 어느 예술가가 감히 시도했을 것보다 훨씬 대담하게 실제보다 낫게 그렸지만 그것이 아주 섬세하게 이루어져서 완벽하게 실제 대상과 닮아 보이는 그림이었다. 같은 사람을 그린 맬본의 작은 초상화도 헵지바가 공중에 그린 그림보다 훨씬 못했는데, 그것은 애정과 슬픔 가득한 회상이 함께 만들어 낸 것이기 때문이다. 부드럽고, 온화하면서도 쾌활하게 사색에 잠긴 표정과, 눈매를 부드럽게 밝히며 눈에서 먼저 나타나는 미소가 막 번져 가려는 도톰한 빨간 입술! 남성의 특성과 함께 하나로 잘 반죽된 여성적 특성! 마찬가지로 작은 초상화도 그러한 특성을 가지고 있어서 어쩔 수 없이 그 인물이 어머니를 닮았다는 생각을 하게 되는데, 사랑스럽고 사랑이 넘치는 여성이었던 어머니는 그 품성에 어떤 고운 연약함을 지녀서 그녀를 아는 일이 더 즐겁고 또한 그녀를 쉽게 사랑할 수 있었다.

'그래, 그들은 그가 가진 어머니의 모습을 박해한 거야! 그는 절대 핀천가 사람 같지 않았으니까!' 가슴속에서 눈가로 차오르는 것이 그나마 감당할 만한 몫인 슬픔을 느끼며 헵지바는 생각했다.

그런데 이때 가게 종이 울렸다. 헵지바가 무덤 속 같은 회상의 저 아래로 한참 내려가 있었기 때문에 그 종소리는 마치 저 멀리에서 들리는 소리 같았다. 가게로 나서자 핀천 길에 사는 소박한 노인이 있었는데, 그는 오랜 세월 동안 일종의 친구로 이 집을 드나드는 사람이었다. 그는 마치 흰머리와 주름살을 항상 가지고 있었고 위쪽에 단 한 개의 이, 그것도 반쯤은 썩은 하나의 이밖에 가진 적이 없는 듯한 아주 태곳적 사람처럼 보였다. 헵지바도 나이를 꽤 먹었지만 마을 사람들이 베너 아저씨라고 부르는 이 사람이 구부정하게 자갈길이나 포장도로 위로 발을 무겁게 끌면서 거리를 오르락내리락하는 모습 외에는 다른 모습을 본 기억이 없었다. 그러나 그에게는 여전히 강인하고 원기 왕성한 무언가가 있어서 그가 하루하루 숨을 쉬며 살아갈 수 있게 해 줄 뿐 아니라, 겉으로 봐서는 꽉 들어찬 세상에서도 그가 없다면 비게 될 자리를 찾을 수 있었다. 도대체 어딘가에 과연 도달할 수는 있을지 의심스러울 만큼 느리게 발을 질질 끌면서 심부름을 간다거나, 소가족용 30센티미터 내지 1미터짜리 땔나무를 톱질하거나 낡은 통을 잘게 부수거나 소나무 판자를 쪼개 불쏘시개를 만들고, 여름이면 집세가 싼 건물에 딸린 몇 평 안 되는 땅을 파 텃밭을 만들어 거기서 나오는 것을 나눈다거나, 겨울이면 인도나 장작을 쌓아 놓은 헛간으로 가는 길의 눈을 치우거나 빨랫줄을 따라 눈을 치우는 등의 일이 베너 아저씨가 적어도 스무 집가량의 가족들에게 해 주는 아주 중요한 일들이었다. 그는 그 집안들 사이에서 마치 목사가 교구민들과의 관계에서 누리는 것 같은 특권을 누렸고 아마도 그와 마찬가지의 따뜻한 관심을 받았다. 그렇다고 그가 십일조 삼아 뭔가를 요구했다는 건 아니다. 하지만 그와 비슷한 존경심을 통해 그는 아침마다 동네를 돌면서 먹고 남은 빵부스러기와 남는 저녁 식사를 모아서 자신의 돼지 여물로 쓸 수 있었다.

베너 아저씨가 지금보다 젊었을 때, 그가 진짜 젊었을 때는 아니더라도 어쨌든 지금보다 젊었을 때에 대한 어렴풋한 기억은 있으니까, 보통 그를 두고 머리가 좋다기보다 오히려 좀 모자란다고들 했다. 사실 다른 남자들이 추구하는 그런 성공을 거의 목표로 삼지 않고 사람들이 살아가는 일 중에서 좀 모자라 보이는 사람들이나 하는 소박하고 변변찮은 일만 하며 살았기 때문에 스스로 그 말이 옳다고 증명한 것이나 다름없었다. 그러나 고된 노동을 오래 해 실제로 그가 정신이 맑아졌든지 판단력이 흐려져서 스스로를 제대로 평가할 수 없게 되었든지 간에, 이 덕망 있는 노인은 극도로 나이를 먹은 지금에 와서는 상당한 지혜로움을 자처했고 그러한 신망을 실제로 즐기기도 했다. 마찬가지로 때때로 그에게는 어떤 시적인 분위기도 있었다. 그것은 그의 마음의 약간 퇴락한 이끼나 꽃무와 같아서 젊은 시절이나 중년이라면 흔해 빠지고 비천할 수도 있을 것이 매력을 부여했다. 그의 이름이 그 마을에서 아주 오래되었고 이전에는 존경을 받았기 때문에 헵지바는 그를 존중했다. 일곱 박공의 집과 아마도 그 집 위로 늘어진 핀천 느릅나무를 제외한다면, 사람과 사물을 막론하고 베너 아저씨가 핀천 길에서 가장 오래된 존재라는 사실이 아마 그에게 가족과도 같은 경의를 표하는 더 적절한 이유일 것이다.

멋쟁이 사무원이 버린 옷에서 나왔을 것이 분명한 화려한 스타일의 오래된 푸른 외투를 입고 이 원로가 지금 헵지바 앞에 모습을 나타냈다. 삼베로 만든 그의 바지는 길이가 매우 짧았고 뒤쪽이 불룩하게 처졌지만 전혀 몸에 맞지 않던 다른 옷과 달리 그에게 잘 어울렸다. 모자는 그가 입은 옷과 전혀 안 어울릴 뿐 아니라 머리에도 잘 맞지 않았다. 그렇게 베너 아저씨는 잡다하게 모인 노신사였는데 얼마간은 자기 자신이 그러했지만 대부분은 다른 사람에게서 왔을 뿐 아니라, 서로 다른 시대를 모아 기웠기 때문에 시대와 유행의 집약본이었다.

"정말로 장사를 시작했구먼. 정말로 시작했어! 그래, 이걸 보니 난 기분이 좋소. 젊은 사람들은 절대 빈둥거리며 세상을 살아선 안 되고 나이 든 사람들도 관절염에 시달린다면 모를까 빈둥거려서는 안 되는 법이지. 나는 이미 관절염이 시작될 조짐이 보여서 이삼 년 더 있다가 일을 그만두고 내 농장으로 내려갈까 해. 저쪽에 있는 그 커다란 벽돌집으로 말이야, 알지? 사람들이 구빈원이라 부르는. 하지만 일단은 내 일을 하고 그다음에 그곳으로 가서 아무 일도 안 하며 즐길 생각이오. 자네도 자네 일을 시작했다니 기분이 좋아, 헵지바!" 그가 말했다.

"고마워요, 베너 아저씨." 헵지바가 미소를 지으며 말했다. 그녀는 꾸밈없고 말하기 좋아하는 이 노인에게 항상 상냥히 대했기 때문이다. 그가 노파였다면 그녀가 지금처럼 상당히 무람없이 행동하지는 않았을 것이다. "진짜로 제가 일을 시작해야 할 때잖아요! 아니, 사실은 이제 막 시작했는데 그만둬야 하는 게 아닌가 싶어요."

"오, 그런 소릴랑 하지 마요, 헵지바." 노인이 대답했다. "아직 젊잖아. 아주 어린애인 자네가 집 문 앞에서 노는 걸 보던 그때, 여전히 엊그제 같은데 말이야, 그때 이래로 내가 지금보다 젊다고 생각을 해 본 적이 없어! 자네는 문간에 걸터앉아 수심에 찬 얼굴로 거리를 내려다보는 적이 더 많긴 했지. 키가 내 무릎밖에 안 오는 어린애였을 때도 꼭 어른처럼 항상 뭔가 수심 어린 분위기가 있었거든. 지금 모습이랑 비슷해. 그리고 자네 할아버지는 붉은 외투를 입고 하얀 가발에 모자를 위로 젖힌 채 지팡이를 짚고 집을 나와 얼마나 위풍당당하게 거리로 나섰는지! 독립전쟁 이전에 태어나 자란 나이 든 신사들은 그렇게 엄청 점잔을 빼고 다녔어. 내가 젊었을 적에 마을의 지체 높은 남자들은 보통 왕이라고 불렸고 그 부인은, 물론 왕비는 아니고, 마나님이라고 불렸더랬지. 요즘에야 누구든 감히 왕이라고 불릴 수가 있나. 자신이 보통 사람들보다 조금 잘났다고 생각하면 오히려 그들 앞에서 더욱 자기를 낮추지. 십 분 전에 당신 사촌인 판사를 만났는데, 보다시피 이런 삼베 바지를 입고 있는 나에게 모자를 벗어 인사하더라고, 정말로! 어쨌든 판사가 웃으면서 인사를 했다니까!"

"그래요. 재프리 사촌이 아주 기분 좋은 미소를 가졌다고들 하지요!" 헵지바가 자기도 모르게 신랄한 뭔가가 스며든 말투로 말했다.

"정말 그래!" 베너 아저씨가 대답했다. "핀천 가문에서는 좀 눈에 띄는 것이지. 왜냐하면, 이런 말해서 미안하지만, 핀천가 사람들이 너그럽고 호감 있는 집안이라는 얘기를 들은 적은 전혀 없었잖아. 도대체가 친근해질 수 없는 사람들이었지. 그런데 헵지바, 내가 이런 걸 물어도 되는지 모르겠지만, 도대체 가진 것도 많은 핀천 판사가 사촌인 자네에게 구멍가게를 당장 그만두라고 왜 나서서 말리지 않는 거야? 뭔가 일을 하는 게 자네에게야 좋은 일이지만, 자네가 일을 하게 내버려 두는 건 그에게는 좋지 않을 텐데 말이야!"

"괜찮다면 그 얘기는 더 이상 하지 않았으면 해요, 베너 아저씨." 헵지바가 냉담하게 말했다. "하지만 내가 내 밥벌이를 하기로 한 것이 핀천 판사의 잘못이 아니라는 얘기는 해야겠네요. 내가 곧 아저씨와 함께 아저씨 농장으로 내려가는 게 나은 상황이 된다 해서 그가 비난받을 이유도 없고요." 그 연배나 소박한 친근함을 생각해서 베너 아저씨를 특별히 대해야 한다는 것을 기억하며 헵지바가 좀 상냥하게 말했다.

"나쁜 데는 아니야, 내 농장 말일세!" 앞날에 뭔가 분명히 기분 좋은 것이 있기라도 한 듯 노인이 쾌활하게 외쳤다. "특히 내 경우처럼 거기서 아주 많은 옛 친구를 만날 수 있는 사람들에게는 그 커다란 벽돌 농가가 나쁜 곳이 아니지. 겨울 저녁에는 때때로 정말 그들과 같이 있기를 바란다니까. 나처럼 나이 들고 외로운 사람에게는 밀폐된 난로 말고는 곁에 아무도 없이 끄덕끄덕 졸면서 시간을 죽이는 게 정말 따분한 일이거든. 여름이든 겨울이든 내 농장에 대해 자랑할 얘기는 많지! 그리고 가을로 치자면, 볕이 잘 드는 헛간이나 나뭇단 옆에서 나만큼 나이 지긋한 사람과 얘기를 나누며 하루를 보내는 일보다 더 즐거운 일이 뭐가 있겠어. 아니면 부산스러운 우리 양키들도 어떻게 써먹어야 할지 절대 알아내지 못한, 빈둥거릴 줄 아는 타고난 바보랑 같이 빈둥거리며 시간을 보내는 건 어떨까? 정말이지, 헵지바, 사람들 대부분이 구빈원이라 부르는 내 농장에서 내가 누리려는 만큼의 편안함을 가졌던 적이 지금까지 있었는지 의심스러워. 하지만 자넨, 아직은 젊은 여성인 자네는 거기 갈 필요가 없지! 자네에겐 뭔가 더 근사한 일이 나타날 거야! 내 장담하지!"

헵지바는 덕망 있는 친구의 표정과 말투에 뭔가 특이한 것이 있다는 생각이 들어서, 어떤 비밀스러운 의미가 거기 숨어 있다면 그것이 뭔지 알아내기 위해 정말로 진지하게 그의 얼굴을 뚫어지게 살펴보기까지 했다. 모든 상황이 완전히 절망적인 위기에 처한 개인은 거의 예외 없이, 좋은 일에 대한 어떤 분별 있고 적당한 기대를 지어낼 만한 실질적인 내용을 가지지 못할수록 훨씬 더 허황되게 장대한 희망으로 스스로에게 삶의 의지를 부여한다. 그렇게 헵지바도 작은 가게를 차릴 계획을 세우는 내내 스스로 인정하지는 않았지만 어릿광대의 놀이 같은 운명의 장난이 자신에게 유리하게 끼어들지도 모른다는 생각을 품고 있었다. 예를 들어 오십 년 전에 인도로 배를 타고 떠났다가 이후 소식이 없는 어떤 아저씨가 돌아와서 너무 나이 들고 노쇠한 말년의 위로로 삼고자 그녀를 입양해 진주며 다이아몬드, 동양의 숄과 터번으로 그녀를 꾸며 주고 종국에는 헤아릴 수도 없이 막대한 재산을 그녀에게 물려주지 않을까. 아니면 지난 두 세기 동안 대서양 이편의 조상들과는 서로 교통한 적이 거의 없거나 전혀 없지만, 지금 영국에 있는 핀천 가문의 가장 상위에 있는 국회의원인 저명한 신사가 헵지바에게 무너져 가는 일곱 박공의 집을 떠나 그리로 와서 그녀의 친척과 함께 핀천 저택에서 살자고 초대하지는 않을까. 하지만 너무나 절박한 이유로 그녀는 그 초대에 응할 수 없을 것이다. 그러므로 버지니아로 이주했던 어떤 핀천가 사람의 후손이 헵지바의 곤궁한 처지를 듣고는 버지니아에 사는 동안 뉴잉글랜드의 피에 섞이게 된 멋지고 관대한 품성으로 천 달러를 부쳐 주지 않을까. 그것도 앞으로 매년 보내 주겠다는 암시와 함께. 아니면, 부정할 수 없이 정당한 것은 무엇이든 분명히 합리적인 예상의 한계를 벗어날 수는 없을 테니까, 왈도 카운티의 세습재산에 대한 소유권 분쟁이 결국 핀천 집안에 유리하게 판결이 난다든지. 그래서 헵지바는 구멍가게나 지키는 대신 궁전 같은 저택을 짓고 가장 높은 탑 위에서 조상 대대로 내려오는 땅의 자기 몫인 언덕이니 골짜기, 숲이니 들판과 마을 등을 내려다보게 되지 않을까.

이와 같은 것들이 그녀가 오랫동안 꿈꿔 온 환상이었다. 그래서 그 환상들에 힘입어, 베너 아저씨가 무심하게 던진 격려의 말에 내면세계가 갑자기 가스 불로 밝혀지기라도 한 듯 가련하고 헐벗은 우울한 머릿속에 기이하도록 흥겨운 기쁨이 타올랐던 것이다. 그러나 그녀의 이러한 사상누각에 대해 그가 전혀 아는 바가 없었거나(어찌 알겠는가?) 아니면 그녀가 진지하게 미간을 좁히는 바람에 더 대담한 사람도 아마 그러하듯이 그의 회상이 방해를 받은 듯했다. 베너 아저씨는 더 중요한 주제에 대한 이야기는 더 이상 이어 가지 않고 헵지바의 가게 운영 능력에 대해 기꺼이 슬기로운 조언을 하기 시작했다.

"외상은 주면 안 돼!" 이것이 그의 귀중한 좌우명이었다. "절대 지폐도 받지 마! 잔돈은 잘 챙기고. 은화는 2킬로그램 분동(分銅)에 올려서 진짜인지 확인해 보고! 마을에 쌔고 쌘 영국 반페니 동전이나 가짜 구리 동전은 받지 말고 치워 버려! 시간이 날 때면 아이들 모 양말과 장갑을 짜라고! 이스트는 직접 발효하고 진저비어도 만들어야 해!"

헵지바가 이미 주어진 이러한 금언의 작고 딱딱한 알약을 소화하기 위해 무진장 애쓰고 있는데, 그는 마지막으로 단연 무엇보다 가장 중요한 충고라 할 만한 얘기를 다음과 같이 했다.

"손님들이 들어오면 밝은 얼굴로 대하고 그들이 원하는 것을 내줄 때는 기분 좋은 미소를 지어야 해! 오래되어 퀴퀴한 물건이라도 따뜻하고 친절한 밝은 미소를 담뿍 담아 주면 오만상을 쓰면서 주는 신선한 새 물건보다 잘 나갈 수 있다고!"

이 마지막 금언에 불쌍한 헵지바는 한숨으로 응대했는데, 그 한숨이 어찌나 깊고 무거운지 바짝 마른 잎이(실제 그가 그것과 비슷하니) 가을 질풍을 맞으면 그러하듯이 베너 아저씨를 거의 날려 버릴 뻔했다. 하지만 그는 정신을 차리고서 몸을 앞으로 기울이더니, 그 연로한 얼굴에 감정을 가득 담아 그녀를 가까이 손짓해 불렀다.

"그가 언제 집에 올 예정인가?" 그가 속삭이듯이 물었다.

"누구 말인가요?" 얼굴에 핏기가 가시며 헵지바가 되물었다.

"아! 그 얘기는 별로 안 하고 싶은 모양이군." 베너 아저씨가 말했다. "그래, 그래, 그 얘기는 온 마을이 알고 있지만 우리는 하지 말기로 하지. 헵지바, 나는 혼자서 뛰어다니기 전의 그가 기억이 난다네!"

그 후로 온종일 가련한 헵지바는 이전에 노력한 것과 달리 가게 주인의 역할을 더욱더 제대로 할 수 없었다. 몽유병자처럼 잠결에 왔다 갔다 하는 듯했다. 아니, 그보다는 그녀의 감정이 너무나 생생하게 살아 현실을 이루는 바람에 외부에서 벌어지는 모든 일은 마치 가수면 상태의 환영처럼 비현실적으로 느껴졌다고 할까. 여전히 줄기차게 울리는 가게 종소리에 기계적으로 반응하고 손님들이 달라는 물건을 찾아 흐리멍덩한 눈으로 가게 안을 찾아다니기는 했다. 대부분의 손님들이 보기에는 일부러 심술궂게 굴려는 듯이 손님들이 원하는 물건은 치워 버리고 다른 물건만 연이어 들이대기도 했다. 정말이지 정신이 그렇게 과거로, 혹은 더 끔찍한 미래로 날아가 버리든가, 아니면 어떤 방식으로든 자기 본래의 영역과 실제 현실 세계를 갈라놓는 정해지지 않은 경계를 넘어가 버리면 그렇게 안쓰러운 혼란이 발생하는 것이다. 몸만 남아 동물적 삶의 기제 정도로 어떻게든 해 보려 안간힘을 쓸 뿐이다. 죽음과 같으면서도, 인간사의 근심에서 해방될 수 있다는 죽음이 주는 특전은 없는 셈이다. 게다가 실제 처리해야 할 일이 지금 생각에 잠긴 연로한 숙녀의 영혼을 괴롭히는 그런 하찮고 사소한 일들일 때는 상황이 가장 안 좋다. 운명이 적대감이라도 품었는지 오후 나절 동안 손님들이 물밀듯이 밀려들었다. 헵지바는 지금껏 듣도 보도 못한 실수들을 저지르면서 좁은 가게 안을 어정버정하며 다녔다. 1파운드에 열 개 하는 수지 양초를 열두 개 묶어 주었다가 그다음에는 일곱 개를 묶어 주는가 하면, 스카치 코담배를 달라는데 생강을 주고, 바늘 대신에 핀을, 핀 대신에 바늘을 주는 식이었다. 잔돈 계산도 잘못했는데, 손님에게 덜 주는 경우도 있었지만 대부분 더 많이 거슬러 주었다. 그렇게 혼돈을 어떻게든 다잡아 보려고 무진장 애를 쓰면서 계속해 나갔는데, 하루의 일이 끝나갈 무렵이 되자 놀랍게도 돈궤에는 동전이 거의 남아 있지 않았다. 그렇게 힘겹게 장사를 했는데도 남은 것이라고는 예닐곱 개의 구리 동전과 좀 의심스러운 1실링짜리 동전 하나뿐이었는데, 알고 보니 그것 역시 구리 동전이었다.

이 정도 벌이에도, 아니, 벌이가 어찌되었던 간에 그녀는 그 하루가 끝났다는 게 기쁠 뿐이었다. 생전에 해가 떠서 지기까지의 하루 시간이 이렇게 참을 수 없이 길다고 느껴 본 적이 없었고, 뭔가 해야 할 일이 있다는 비참하고 지겨운 느낌도 몰랐으며, 만사가 귀찮은 듯이 그냥 바로 자리에 누워, 드러누운 이 몸을 삶과 그 노고와 고민거리 모두가 원하는 대로 아무렇게나 밟고 지나가도록 내버려 두는 게 낫겠다고 생각해 본 적도 없었다. 헵지바가 마지막으로 맞은 손님은 짐 크로와 코끼리를 먹어 치운 꼬마였는데, 그 꼬마는 이번에는 낙타를 먹겠다고 했다. 당황스럽게도 그녀는 처음에는 나무로 만든 용을 주었고 그다음에는 한 줌의 공깃돌을 주었는데, 그런 것 말고는 아무거나 먹어 치울 수 있는 꼬마의 식성에는 그 어느 것도 맞지 않았으므로, 황급히 남아 있는 자연사 생물 모양의 생강과자를 모두 떠안기고는 꼬마 손님을 가게에서 떠밀어 보냈다. 그러고는 아직 뜨다 만 양말로 종을 싸고 문에는 떡갈나무 가로대를 질러 버렸다.

그 일을 하는 중에 승합마차 한 대가 느릅나무 가지 아래에 멈춰 섰다. 헵지바는 너무 놀라 숨이 턱 막혔다. 저 과거의 영역은 어둑어둑하고 동떨어져 있었고, 그사이에 햇빛이 내린 적이라고는 한 번도 없었는데, 이제 거기에서 온 그녀의 유일한 손님이 도착하려는 것이다! 그를 지금 만나게 될 것인가?

어쨌든 누군가 승합마차의 저 맨 구석에서 문 쪽으로 나오고 있었다. 신사 하나가 내렸다. 하지만 그는 어린 소녀를 붙잡아 주려 했을 뿐이었는데, 호리호리한 몸을 가진 소녀는 사실 그런 도움은 필요치 않은 듯 가볍게 계단을 내려와 마지막 계단에서 인도로 발랄하게 폴짝 뛰어내렸다. 그녀는 도와준 신사에게 미소를 지어 보였고, 유쾌한 그 미소가 버스를 다시 오르는 그의 얼굴에도 떠오르는 게 보였다. 그러자 소녀는 일곱 박공의 집 쪽으로 몸을 돌렸고, 그동안 승합마차 마부가 가게 문이 아닌 그 옛날 현관 앞으로 가벼운 여행 가방과 판지 상자를 옮겨 주었다. 그는 오래된 철문의 문고리 쇠를 세게 한 번 울리더니 소녀 승객과 짐을 문간에 두고 가 버렸다.

'대체 누굴까?' 가능한 한 잘 볼 수 있도록 두 눈을 무지막지하게 찡그리면서 헵지바가 생각했다. '분명 집을 잘못 찾았을 거야!'

그녀는 살짝 거실로 들어가 몸을 숨긴 채로, 어둑어둑한 오래된 저택 안으로 들어가기를 기다리고 선, 활짝 피어난 기분 좋은 젊은 얼굴을 현관의 먼지 낀 옆 들창으로 바라보았다. 그 얼굴은 어떤 문이든 저절로 열리게 할 만한 얼굴이었다.

무척 상큼하고 인습에 얽매이지 않으면서도 정돈되고 상식적인 규칙을 따르는 인물임을 한번에 알아볼 수 있는 그 어린 소녀는 그 순간에는 주변의 모든 것과 너무나 대조되었다. 집

모서리에 무성하게 자라난 지저분하고 추한 거대한 잡풀들과 그녀 위를 가리는 툭 튀어나온 거대한 건물, 그리고 세월에 닳고 닳은 문틀하며 그 어느 것도 그녀의 영역에 속하지 않는 것이었다. 그러나 아무리 칙칙한 장소라도 한 줄기 햇빛이 비치면 그곳에 존재할 자신만의 적합성을 즉각 만들어 내는 것처럼, 그 소녀가 문간에 그렇게 서 있는 것이 완전히 적합해 보였다. 문이 활짝 열려 그녀를 맞아들이는 것도 그만큼이나 적합해 보였다. 처음 생각에는 절대 맞아들일 태세가 아니었던 헵지바 자신도 빗장을 풀고 잘 안 돌아가는 자물쇠 안에 열쇠를 넣어 돌려야 하는 게 아닐까 하고 생각하기 시작했다.

"저게 혹시 피비인가?" 그녀는 혼잣말로 물었다. "틀림없이 어린 피비야. 딴 사람이라고는 없고, 게다가 제 아비 표정이 있잖아! 그런데 여기 왜 온 거지? 심지어 하루 정도의 말미도 없이, 하다못해 보내도 되느냐고 물어보지도 않고 저 불쌍한 것을 이렇게 내려보내다니 시골뜨기 사촌답군! 그래, 하룻밤 정도는 묵게 해 주자. 내일은 제 엄마에게 가라고 해야지."

확실히 하자면, 피비는 우리가 이미 얘기한 바 있는 핀천 집안의 한 가족, 관계에 대한 옛날식 습관과 감정이 여전히 어느 정도 지켜지는 뉴잉글랜드의 시골에서 태어난 그 가족의 유일한 혈육이었다. 그 동네식으로 치자면 초대를 받거나 미리 격식을 갖춰 알리지 않고도 친척끼리 서로를 방문하는 것은 절대 예의에 벗어나는 일이 아니었다. 그러나 사실은 헵지바가 워낙 혼자 은둔해 사는 것을 생각해서, 피비가 곧 도착할 것임을 알리는 편지를 써서 부쳤다. 이 편지가 삼사 일 전에 지역 우편배달부의 주머니 속으로 들어갔는데, 그가 핀천 길에 딱히 볼일이 없었기 때문에 제멋대로 아직까지 일곱 박공의 집에 찾아오지 않은 것이었다.

"안 되지, 그럼! 딱 하룻밤만이야." 헵지바가 문 걸쇠를 벗기며 말했다. "클리퍼드 오라버니가 와서 재를 보면 불편해할 테니까!"

5
5월과 11월

피비 핀천은 고택의 정원이 내려다보이는 방에서 도착한 날 밤을 보냈다. 그 방은 동향이었으므로 적당한 시간에 진홍빛이 창문을 통해 쏟아져 들어와 거무스름한 천장과 종이 벽지를 붉은색으로 물들였다. 피비의 침대에는 휘장이 있었는데, 고대풍의 어두운 덮개에 굉장히 화려한 직물로 만든 꽃술이 달려 있었다. 그것이 당시에는 장엄하기까지 했겠지만 지금은 마치 구름이 낀 듯 소녀를 덮어, 다른 쪽에는 볕이 들기 시작했는데도 소녀가 있는 그 구석은 아직 밤인 듯 보였다. 하지만 곧 아침 해가 침대 발치의 색 바랜 커튼 틈새로 살그머니 들어왔다. 거기에서 두 뺨에 아침의 색조와도 같은 홍조를 띠고, 이른 아침의 산들바람이 나뭇잎을 살살 흔들듯이 잠에서 깨어나면서 팔다리를 부드럽게 움직이는 새로운 손님을 발견하고는 새벽빛이 그 이마에 입을 맞추었다. 그것은 이슬 맺힌

처녀(새벽은 영원히 그러한 처녀이니까)가 한편으로는 참을 수 없이 솟아나는 애정으로, 다른 한편으로는 이제 눈을 떠야 할 시간임을 애교스럽게 알려 주기 위해 아직 잠에서 깨지 않은 여동생에게 하는 그런 입맞춤이었다.

피비는 햇빛의 입맞춤에 조용히 눈을 떴는데, 잠깐 동안은 자신이 어디에 있는 건지, 어떻게 두꺼운 휘장이 꽃술로 그 주변을 두르고 있는지 알지 못했다. 정말 그 무엇도 분명한 것은 없었지만, 지금이 이른 아침이고 그다음에 무슨 일이 일어나든 무엇보다 먼저 일어나 기도를 올려야 한다는 것만은 아주 분명했다. 방과 가구, 특히 높고 꼿꼿한 의자의 엄격한 모습을 보니 더욱 경건한 마음이 들었다. 의자 중 하나는 그녀의 침대 옆 가까이 있었고, 마치 어떤 고풍스러운 인물이 밤새도록 거기 앉아 있다가 눈에 띄지 않게 지금 막 사라져 버린 듯이 보였다.

피비는 옷을 다 입자 창문을 빠끔히 내다보았는데, 거기 정원에 장미 관목이 하나 있었다. 키가 꽤 큰 관목인 데다 소담스럽게 자라서 집의 옆 벽에 기대어져 있었고 드문 종자인 아름다운 하얀 장미꽃으로 말 그대로 완전히 뒤덮여 있었다. 그녀가 나중에 알게 된 것이지만, 그중 대부분이 말랐거나 가운데가 썩어 있었다. 하지만 웬만큼 멀리서 보면 그것이 원래 자라던 흙도 함께 에덴동산에서 바로 그 여름에 가져온 것처럼 보였다. 어쨌든 사실을 말하자면 그 장미는 피비의 4대조 할머니쯤 되는 앨리스 핀천이 심은 것으로, 정원 땅에 맞게 배양하는 일만 생각한 그 흙은 거의 이백 년간 야채들이 썩어 묻혀 지금은 아주 기름진 땅이 되었다. 하지만 그렇게 옛날 토양에서 자라나면서도 꽃들은 여전히 그 조물주에게 신선하고 향긋한 향을 보내 주었다. 그 향기가 떠올라서 창문으로 흘러 들어와 피비의 젊은 숨이 거기에 섞인다고 덜 기껍거나 덜 순수해지지도 않았다. 피비는 카펫이 깔려 있지 않은 삐걱거리는 계단을 순식간에 내려와 정원을 찾아 나갔고, 가장 온전하고 아름다운 장미들을 꺾어 방으로 가져왔다.

어린 피비는 온전히 집안 내력으로 실제적인 정돈 재능을 가진 그런 종류의 사람이었다. 이 혜택 받은 사람들이 주변의 온갖 물건들이 가진 숨은 가능성을 끌어내고, 특히 아무리 잠깐이라도 어쩌다 자신이 집으로 삼게 된 장소라면 어디든 안락하고 살 만한 곳의 분위기를 선사하는 재능은 일종의 타고난 마법에 가까웠다. 원시림을 뚫고 지나간 여행자들이 관목 덤불로 아무렇게나 만든 거친 오두막도 그러한 여성이 하룻밤만 묵으면 가정적인 면을 얻게 될 것이고, 그녀의 조용한 모습이 주변의 그늘 속으로 사라지고 난 뒤에도 오랫동안 그 면모를 지닐 것이다. 지금 피비가 있는 황량하고 우울하고 음침한 방을, 말하자면 다시 회복시키기 위해서는 그에 못지않은 가정적 마법이 필요했다. 그 방은 거미와 생쥐, 시궁쥐, 그리고 유령 외에는 오랫동안 아무도 살지 않아 황량함이 방 안을 온통 뒤덮어 행복했던 인간의 시간을 흔적조차 깡그리 지워버리려 하기 때문이다. 정확히 피비가 뭘 어떻게 했는지는 설명할 수 없다. 미리 계획한 바도 없이 여길 한번 고쳐 보고 저길 한번 바꿔 보는 것처럼 보였다. 어떤 가구는 빛이 드는 쪽으로 끄집어내고 또 어떤 건 그늘진 곳으로 옮기기도 하고, 창문의 커튼을 잡아 올리기도 하고 내리기도 하더니, 반시간 만에 방 안을 쾌적하고 안락한 분위기로 바꾸는 데 완전히 성공했다. 바로 어젯밤만 해도 그 방은 노처녀 헵지바의 마음과 다를 바 없었다. 왜냐하면 햇빛이 들거나 화롯불을 지피는 적도 없었고, 유령들이나 유령과도 같은 옛날의 회상들 말고는 지난 수십 년 동안 그 마음이나 방에 손님을 들인 적이 한 번도 없었기 때문이다.

이 불가사의한 매력에는 또한 다른 특이함도 있었다. 침실은 분명 인간 삶이 펼쳐지는 장으로서 아주 다양한 많은 경험들이 가득 찬 방이다. 신혼부부가 여기서 가슴 뛰는 밤을 보냈고, 새로운 생명이 여기서 태어나 처음 숨을 쉬었으며 나이 든 사람들이 여기서 세상을 떴다. 그런데 하얀 장미 때문이었든지, 아니면 뭔가 미묘한 작용이 있었든지, 이제 이 방이 처녀의 방이 되어 그 향기로운 숨결과 즐거운 생각들로 이전의 모든 악과 슬픔을 씻어 냈음을, 섬세한 직감을 가진 사람이라면 금세 알 수 있을 것이다. 간밤에 꾸었던 즐거운 꿈이 침울함을 몰아내고 이제 그 대신 이 방을 떠다니고 있었다.

마음에 들게 방 배치를 마치고 나서 피비는 다시 정원으로 내려가려고 방에서 나왔다. 피비는 그곳에서 장미 덤불 말고 다른 종류의 꽃들도 보았는데, 아무도 돌보지 않아서 제멋대로 자라 방향을 갖지 못한 채 마구 엉키고 뒤섞여, 인간 사회에서도 종종 마찬가지의 일이 벌어지듯이 제대로 자라는 것을 서로가 막고 있었다. 하지만 그녀는 층계 위에서 헵지바를 만났고, 아직 시간이 이르므로 헵지바는, 프랑스 단어를 알 만한 교육을 받았다면 아마 부드아르*라고 불렀을 곳으로 피비를 불러들였다. 거기에는 오래된 책 몇 권이 여기저기 흩어져 있었고 도구 바구니와 먼지 쌓인 작은 책상이 있었으며, 한쪽에는 아주 이상하게 생긴 크고 검은 가구가 하나 있었는데, 나이 든 부인은 그것이 하프시코드라고 피비에게 말해 주었다. 그것은 무엇보다도 관처럼 보였는데, 사실 수년 동안 연주는 고사하고 열어 본 적도 없었기 때문에 그 안에는 공기가 부족해 질식사한 음악들이 아주 많이 들어 있을 것이었다. 유럽에서 멋진 연주를 배워 온 앨리스 핀천 이후로는 그 건반에 손을 댄 사람이 거의 없었다.

헵지바는 어린 손님에게 앉으라고 한 후 자신도 가까이에 있는 의자에 앉아, 그 근원과 비밀스러운 동기를 곧바로 찾아보려는 듯 군살 없는 피비의 작은 몸을 찬찬히 쳐다보았다.

"피비야." 그녀가 드디어 입을 열었다. "네가 여기서 어떻게 나와 머물 수 있을지 정말 모르겠다."

하지만 이 말은 독자들이 예상할 만한 불친절한 무뚝뚝함을 담고 있지는 않았다. 왜냐하면 그 둘은 잠자리에 들기 전 대화를 통해 어느 정도 서로에 대해 이해하게 되었기 때문이다. 그래서 헵지바는 피비가 집을 떠나 머물 만한 다른 집을 찾게 된(피비 엄마의 재혼으로 인한) 상황을 충분히 이해하고 있었다. 피비의 됨됨이와 거기서 주로 나타나는 다정한 행동들,

---

* boudoir. 프랑스어로 '규방', '안방'이라는 뜻.

진짜 뉴잉글랜드 여성의 가장 소중한 특성 중 하나로서, 출세를 위해 집을 나서는 것이라고 말할 수도 있겠지만 또한 어떤 식으로든 자신이 받은 이득만큼은 베풀려는 자존적 목적을 가지는 행동들을 오해하는 것도 아니었다. 그녀는 당연히 가장 가까운 친척 중 한 명인 헵지바에게로 오게 되었지만, 헵지바에게 자신을 맡아 달라고 강요하려는 것은 아니었고 단지 한두 주 머물 심산이었는데, 둘 다 마음에 든다면 그 기간은 무한정 길어질 수도 있을 것이었다.

따라서 헵지바가 단도직입적으로 던진 말에 피비는 솔직하고 아주 쾌활하게 대답했다.

"아주머니, 어떤 방식이 될지는 저도 모르겠어요. 하지만 우리는 아주머니가 생각하시는 것보다 훨씬 잘 맞을 것 같은데요."

"넌 상냥하고 착해, 확실히 알 수 있어." 헵지바가 말을 이었다. "내가 망설이는 건 그 점에 어떤 의문이 있어서가 아니야. 하지만 피비, 이 집은 젊은 사람이 기거하기에는 너무 침울한 곳이란다. 바람도 들어오고 비도 들이치고, 그리고 겨울에 다락방과 위층으로는 눈도 들이치지만 절대 햇빛은 들어오질 않아! 그리고 나로 말할 것 같으면, 너도 보면 알잖니, 안됐지만 성질도 좋은 편이 아니고 기분은 비할 바 없이 안 좋은 음울하고 외로운 늙은(나도 스스로를 늙었다고 말하게 되었거든, 피비.) 노인네 아니냐! 네가 즐겁게 살도록 해 줄 수 없어, 피비. 먹여 살리는 일도 할 수 없고."

"제가 발랄한 청년이란 걸 아시게 될 거예요." 피비가 미소를 지으면서도 부드러운 위엄을 보이며 대답했다. "그리고 제 밥벌이는 제가 할 거예요. 아시겠지만 전 핀천 가문 사람으로 길러지지 않았어요. 뉴잉글랜드에서는 여자들도 많은 것을 배워요."

"아, 피비. 네가 아는 게 여기서 별 소용이 안 될 거다! 게다가 네 젊은 날을 이런 데서 날려 버린다는 건 정말 참담한 일이야. 한두 달만 지나면 뺨의 그 홍조도 사라질 거다. 내 얼굴을 봐!" 헵지바가 한숨을 쉬며 말했다. 정말이지 그 둘은 엄청나게 대조되었다. "이 얼굴이 얼마나 창백한지 너도 보이잖아. 이 낡은 가옥이 계속 썩어 가면서 생기는 먼지가 폐에 정말 나쁘다는 생각이 들어."

"정원도 있고 꽃도 가꿀 수 있잖아요. 밖에서 몸을 움직이면서 건강을 유지하면 돼요." 피비가 말했다.

"그리고, 어쨌든 얘야." 이 문제를 치워 버리려는 듯이 헵지바가 갑자기 벌떡 일어나며 소리쳤다. "이 유서 깊은 핀천 저택에 누가 손님으로 오고 누가 머물게 될지는 내가 결정할 수 없다. 주인이 곧 올 거야!"

"핀천 판사님 말씀이세요?" 피비가 놀라서 물었다.

"핀천 판사!" 그녀의 사촌이 성을 내며 대답했다. "내 눈에 흙이 들어가기 전까지 그가 이 집 문지방을 넘는 일은 없을 거다. 아니야, 아니라고! 하지만, 피비, 내가 말하는 사람이 누군지 보여 주마."

헵지바는 앞에서 말한 작은 초상화를 찾으러 나가더니 그것을 손에 들고 다시 돌아왔다. 그것을 피비에게 건네주고는,

소녀가 그림에서 어떤 식의 인상을 받을지 모종의 시기심을 가지고 그녀의 모습을 유심히 살펴보았다.

"그 얼굴이 어떠냐?" 헵지바가 물었다.

"잘생겼어요, 정말 아름다워요!" 피비가 감탄하며 말했다. "남자 얼굴 치고는, 아니, 남자 얼굴로서 비할 바 없이 상냥한 얼굴이에요. 뭔가 아이의 표정이 있는데요, 유치한 건 아니고요, 그냥 다정하게 대하게 되는 그런 거요! 절대 고통을 받아서는 안 될 사람이에요. 그가 고되게 일하거나 슬퍼하지 않게 하기 위해서라면 다 견뎌 낼 수 있을 것 같아요. 누구예요? 헵지바 아주머니?"

"클리퍼드 핀천에 대해" 하고 헵지바가 그녀에게로 몸을 기울이며 작은 소리로 물었다. "들어 본 적이 없단 말이냐?"

"전혀요! 아주머니하고 재프리 아저씨 말고 핀천 집안에 남은 사람은 없다고 생각했는데요." 피비가 대답했다. "하지만 클리퍼드 핀천이라는 이름을 들어 본 것도 같아요. 맞아요! 엄마든가 아빠가 얘기한 적이 있어요. 하지만 오래전에 돌아가시지 않았나요?"

"그래, 그래, 얘야. 죽었다고도 할 수 있지!" 헵지바가 공허하고 슬프게 웃으며 말했다. "하지만 말이다, 이렇게 오래된 집에서는 죽은 사람이 다시 돌아올 수도 있단다. 곧 알게 되겠지! 그리고 피비, 내가 그렇게 얘기했는데도 여전히 용기를 잃지 않으니, 우리가 곧 헤어지게 되지는 않겠구나. 네 친척이 제공할 수 있는 변변치 못한 집이라도 당분간은 환영한다, 얘야."

미리 생각해 놓긴 했지만 딱히 환대의 목적을 냉담하게 이

행한다고는 할 수 없는 이 말과 함께 헵지바는 피비의 뺨에 입을 맞췄다.

그들은 이제 계단을 내려갔고, 거기서 피비는 일을 맡는다기보다 딱 맞게 타고난 자력(磁力)에 의해서 일을 끌어오듯이 아주 적극적으로 아침을 장만했다. 그동안 집의 여주인은 뻣뻣해서 잘 구부러지지 않는 몸을 가진 사람들이 으레 그렇듯이 대부분 옆에 서 있기만 했다. 도와주고는 싶었지만, 천성적으로 서툴러서 하고 있는 일에 오히려 방해만 될 것임을 알았다. 찻주전자를 끓이는 불과 피비는 둘 다 각각의 일을 수행함에 있어서 똑같이 밝고 쾌활하고 능률적이었다. 헵지바는 마치 다른 세계에 있는 듯이, 혼자 오래 살아서 어쩔 수 없이 생긴 습관적인 굼뜬 세계에서 그 모습을 넘겨다볼 뿐이었다. 하지만 새로 머물게 된 피비가 그 상황에 착착 적응해 가면서 집과 심지어 녹슨 낡은 기구들까지 자신의 목적에 맞춰 놓는 모습을 흥미를 갖고 지켜보며 놀라워하지 않을 수 없었다. 또한 그녀는 무슨 일을 하든지 의식적으로 노력하지 않았으며 종종 말할 수 없이 듣기 좋은 노래를 갑자기 흥얼거리기도 했다. 이렇게 천성적으로 음악적인 피비는 마치 그늘진 나무에 앉은 한 마리 새 같았다. 아니면 시냇물이 상쾌한 작은 골짜기를 따라 노래하며 흘러가듯이 삶의 시냇물이 그녀의 마음속을 따라 졸졸 흘러가는 건 아닐까 하는 생각이 들게 했다. 그것은 무언가를 하는 데서 기쁨을 찾고 그렇게 그 일을 아름답게 꾸미는 활동적인 기질의 쾌활함을 나타냈다. 그것은 뉴잉글랜드의 특성으로, 그 옛날 엄격한 청교도주의의 성분에 황금 거미줄을 단 것이라고도 할 수 있다.

헵지바는 집안의 문장이 있는 오래된 은숟가락과, 기이한 형태의 사람과 새와 짐승이 역시 기이한 풍경을 배경으로 그려진 중국 도자기 찻잔 세트를 꺼냈다. 그림에 있는 사람들은 자기들의 세계에 있는 옛날 익살꾼들인데, 찻주전자와 작은 잔이 차 마시는 전통만큼이나 오래되었음에도 적어도 그 색깔에 있어서만큼은 바래지 않은 선명하고 화려한 세계였다.

"네 6대조 할머니께서 결혼하실 때 이 찻잔을 가져오셨단다. 대븐포트라고, 좋은 집안이셨지. 이것이 식민지 미국에 거의 처음 들어온 찻잔이었단다. 하나라도 깨지면 내 마음도 찢어질 거야. 하지만 깨지기 쉬운 한갓 찻잔을 가지고 이런 말을 하다니, 말도 안 되지. 내 마음이 깨지기까지야 했겠냐만 그래도 그동안 겪어 온 것이 얼만데!" 헵지바가 피비에게 말했다.

아마 헵지바가 젊었을 때 이후로는 한 번도 쓰지 않았을 잔에는 적지 않은 먼지가 끼어 있었기 때문에 피비는 이 소중한 도자기의 소유자까지 만족할 만큼 아주 조심해서 공들여 찻잔을 닦았다.

"넌 어린데도 정말 살림을 잘하는구나!" 헵지바가 미소를 지으면서 큰 소리로 말했는데, 동시에 아주 심하게 인상을 찌푸렸기 때문에 그 미소가 마치 폭풍우를 몰고 오는 구름 아래의 햇빛과 같았다. "다른 일도 잘하니? 찻잔 닦는 일만큼 공부도 잘해?"

"그건 별로예요." 피비는 헵지바가 질문하는 방식에 웃으며 대꾸했다. "하지만 지난여름에는 저희 구역에서 어린 아이들을 가르쳤고 아마 지금도 하고 있었겠죠."

"아, 그 정도면 아주 괜찮은 편이지!" 노부인이 자세를 꼿꼿이 하며 말했다. "그런데 네 이런 능력은 엄마 쪽을 닮은 게 틀림없어. 핀천 집안에서 이런 일에 능숙한 사람은 본 적이 없거든."

사람들이 일반적으로 자신들의 쓸 만한 재능보다는 부족한 점에 대해 우쭐대거나 허영심을 보인다는 사실은 아주 이상한 일이긴 하지만 사실이다. 핀천 집안이 어떤 쓸모 있는 목적에 소위 태생적으로 무능한 것에 대한 헵지바의 태도도 마찬가지였다. 그녀는 그것을 유전적 특성으로 여겼지만, 어쩌면 불행하게도 그것은 사회의 표면에서만 너무 오랫동안 살아온 집안에서 왕왕 생겨나는 병적인 특성인지도 몰랐다.

그들이 아침 식사를 끝내기도 전에 가게 종이 시끄럽게 울렸다. 그러자 헵지바는 보기에도 정말 불쌍할 정도로 얼굴이 흙빛으로 변하면서 마지막으로 마시던 찻잔을 참담하게 내려놓았다. 정말로 하기 싫은 생업의 경우 보통 첫째 날보다 둘째 날이 더 끔찍한 법이다. 사지를 쑤셔 대던 이전의 통증과 더불어 다시 고통 속으로 들어가야 하는 것이다. 좌우간 헵지바는 이 성마르게 소란을 떠는 작은 종에 익숙해진다는 게 불가능하다는 사실을 완전히 받아들였다. 아무리 그 소리를 자주 들어도 그것은 항상 갑작스럽고 거칠게 그녀의 신경을 베어 버리는 것이었다. 특히 지금처럼 문장이 새겨진 티스푼과 오래된 도자기와 함께 자신이 귀족 집안 출신이라는 사실에 기분 좋게 빠져 있는 와중에 손님을 마주해야 한다니 말할 수 없이 싫었다.

"그냥 두세요, 아주머니." 피비가 가볍게 벌떡 일어나며 외쳤다. "오늘은 제가 가게를 볼게요."

"네가, 얘야!" 헵지바가 소리쳤다. "너처럼 어린 시골 소녀가 그런 일에 대해 뭘 안단 말이냐?"

"아, 저희 동네 가게에서 가족들 장 보는 일은 제가 다 했어요." 피비가 말했다. "그리고 방물 자선 시장에서 한자리 맡아 판 적이 있는데, 제가 누구보다도 많이 팔았어요. 그런 건 배워서 되는 건 아니에요. 제 생각에는" 하고 미소를 지으며 그녀가 덧붙였다. "엄마 쪽에서 물려받은 요령이 좌우하는 거죠. 제가 집안일만큼이나 물건 파는 일도 잘한다는 걸 아시게 될 거예요."

노부인은 피비의 뒤를 따라가 피비가 그 일을 얼마나 잘해 내는지 보기 위해 복도에서 가게를 살짝 들여다보았다. 약간 골치 아픈 경우였다. 짧은 흰색 웃옷과 녹색 페티코트를 입고 목에는 금색 구슬 목걸이를 차고 머리에는 잠잘 때 쓰는 모자처럼 보이는 것을 쓴 아주 나이 많은 여자가 꾸러미 실을 잔뜩 들고 와서 가게 물건과 바꿔 달라고 했다. 그녀는 아마도 끊임없는 격변의 와중에도 마을에서 마지막까지 구닥다리 물레를 가지고 있는 유일한 사람일 것이었다. 노파의 공허한 쉰 소리와 피비의 기분 좋은 목소리가 함께 섞여 한 가닥의 이야기 실타래를 자아 가는 것은 아주 들을 만했다. 어떤 의미에서는 계산대 하나만을 사이에 두고 있지만 다른 의미에서는 육십 년의 세월을 사이에 두고, 너무나 민첩하고 젊음이 넘치는 인물과 너무나 노쇠하고 음침한 인물 둘이 대조를 이루는 것이 더욱 볼만했다. 거래에 있어서는 주름이 자글자글한 노회함과 교활함이 타고난 진실함과 명민함에 맞서고 있었다.

"잘 처리하지 않았나요?" 손님이 나가자 피비가 웃으며 물었다.

"정말 잘했구나, 얘야." 헵지바가 대답했다. "나라면 그렇게 잘 처리하지 못했을 거다. 네 말대로 엄마 쪽에서 물려받은 요령이 있는 모양이구나."

그것은 너무나 소심하고 서툴러 분주하게 돌아가는 세상에 합당하게 참여하지 못하는 사람이 역동하는 삶의 현장에 진정으로 참여하는 사람을 보면서 느끼는 진심에서 우러난 찬탄이었다. 너무 진심이다 못해 사실은 그러한 활동적이고 힘찬 자질이 자신들이 좀 더 고귀하고 중요하다고 여기는 다른 자질들과 양립 불가능하다고 가정함으로써, 으레 그 사실을 자기애의 입맛에 맞게 만들고자 하는 것이었다. 그렇게 헵지바는 피비가 가게 주인으로서 훨씬 더 낫다는 사실을 흡족하게 인정했다. 그래서 피비가 위험하게 비용을 더 들이지 않고서도 거래량이 더 많아지고 이윤도 많이 남을 만한 여러 방법들을 제안할 때 고분고분 경청했다. 액체 형태와 고체 형태의 이스트를 만들어야 하며, 맛이 아주 좋으면서도 흔하지 않지만 위에도 좋은 그런 종류의 술도 제조해야 한다는 시골뜨기 처녀의 말에 동의했다. 또한 누구든 한번 맛을 보면 또 먹고 싶어지는 작은 향신료 케이크도 구워서 진열해야 한다고 했다. 그녀가 준비되어 있을 뿐 아니라 손재주도 좋다는 이러한 증거들은 귀족 출신 가게 주인의 마음에 몹시 들어서, 쓴웃음을 짓고 거의 자신도 모르게 한숨을 쉬면서, 그리고 경이로움과 불쌍한 마음에 점차 생겨난 애정까지 뒤섞인 감정으로 혼잣말처럼 중얼거렸다.

"얼마나 상냥하고 훌륭한 애인지! 좋은 집안 출신이기만 했다면 좋았을 텐데. 아니, 그건 불가능해! 피비는 핀천 집안 사람이 아니야. 모든 게 다 제 엄마한테서 왔다고!"

피비가 귀족 가문 출신이 아니었다고 한다든지 귀족 가문 출신이냐 아니냐 하는 것은 결정하기 어려운 문제였지만, 또한 정당하고 건전한 정신을 가진 사람이라면 그리 왈가왈부할 필요도 없는 문제일 것이다. 뉴잉글랜드 출신으로서 그렇게 많은 상류층의 특성과, 품성을 이루는 데 있어서 그와 양립할 수는 있을지라도 꼭 필요하지는 않은 그렇게 많은 다른 특성이 합해진 사람을 만나기란 거의 불가능하다. 그녀는 고상한 취향을 거스르지 않으면서도 놀랄 만큼 자기다운 모습을 유지하면서 주변의 상황과 불화하는 적이 없었다. 너무 작아서 거의 아이 같고 너무 유연해서 가만히 있는 것보다 움직이는 것이 더 편안해 보이는 그녀의 몸은 확실히 상상 속 백작부인의 모습에는 거의 맞지 않았다. 얼굴 양쪽으로 갈색 고수머리가 있고 약간 뾰족한 코에 건강한 혈색, 그리고 4월의 햇볕과 산들바람을 친근하게 떠올릴 수 있는 보기 좋게 그을린 피부에 예닐곱 개의 주근깨가 박힌 얼굴 또한 아무래도 아름답다고는 할 수 없는 얼굴이었다. 그러나 눈에는 반짝이는 빛도 있고 깊이도 있었다. 그녀는 아주 예뻤다. 한 마리 새가 단아하다면 그런 식으로 단아하고, 집 안의 것으로 치자면 팔랑거리는 잎의 그늘 사이를 뚫고 들어와 마루로 쏟아지는 한 줄기 햇빛이나 저녁이 다가올 무렵 벽에서 춤을 추는 화덕의 불빛처럼 경쾌했다. 그녀가 상류층에 속할 권리가 있는지를 따지기보다는 귀족 가문의 숙녀가 더 이상 존재하지 않는 상태의 사회(그런 사회가 있다면)에서 여성적 품위와 유용성이 결합된 예로 피비를 간주하는 편이 나을 것이다. 그 사회에서는 실제로 해야 할 일상적인 일들을 하면서도, 주전자와 냄비를 문질러 닦는 등의 집안일지라도 그 모든 일을 사랑스러움과 기쁨의 분위기로 꾸미는 일, 그것이 여성의 일일 것이기 때문이다.

피비의 세계가 그러했다. 그와 달리 교육받은 타고난 귀부인을 찾는다면 멀리 갈 것 없이 헵지바를 보면 된다. 유서 깊은 가계에 대한 우스꽝스러운 의식을 깊이 간직하고 왕국같이 넓은 영토에 대한 어렴풋한 권리를 주장하며, 기억할 만한 공적이라고는 아마 예전에 하프시코드를 좀 두들겼다거나 미뉴에트 춤을 췄다거나 견본(絹本)에 고풍스러운 태피스트리를 놓았다는 정도일 뿐인, 오래된 실크 드레스를 펄럭이며 끌고 다니는 우리의 쓸쓸한 노부인 말이다. 신생 평민과 오래된 상류층의 확연한 대비가 아니겠는가!

분명 여전히 시커멓고 미간을 찡그린 듯한 모습이긴 하지만, 피비가 집 안 여기저기를 왔다 갔다 할 때마다 일곱 박공의 집의 닳아 망가진 얼굴이 어둑어둑한 창문을 통해 일종의 활기찬 빛을 반짝 보여 주었음에 틀림없다. 그렇지 않고서야 어떻게 이웃 사람들이 그렇게 금세 피비의 존재를 알게 되었겠는가. 10시경에서 정오까지는 꾸준하게 손님들이 많이 찾아왔다. 점심때쯤 되어 좀 줄었다가 오후에 다시 몰려들기 시작해, 긴 하루가 끝나고 해가 지기 반시간쯤 전에 드디어 손님이 끊겼다. 아주 꾸준한 단골손님 중 하나가 짐 크로와 코끼리를 먹어 치웠던 어린 네드 히긴스였는데, 오늘은 낙타 두 마리와 기관차 한 대를 먹어 치움으로써 잡식성의 대단한 식성을 자랑했다. 피비는 웃으면서 그녀의 총 매상을 칠판에 셈해 보았다. 헵지바는 처음으로 실크 장갑을 끼고는 돈궤에서 딸그랑거렸던 지저분한 구리 동전과 간혹 섞인 은화를 세었다.

"물건을 새로 들여놔야겠어요, 헵지바 아주머니!" 어린 점원이 큰소리로 말했다. "생강 과자는 다 팔렸고요, 나무로 만든 네덜란드 목장 처녀도 그렇고, 다른 장난감도 거의 없어요. 싼 건포도를 계속 찾았고요, 호루라기랑 나팔, 작은 구금도 많이들 찾았고요, 당밀 사탕을 찾는 애들이 적어도 여남은 명은 되었어요. 그리고 때가 좀 늦긴 했지만 러셋 사과를 한 펙* 들여놔야 될까 봐요. 그런데 헵지바 아주머니, 구리 동전이 엄청 쌓였네요! 완전 구리 동전 산이에요!"

"잘했다! 잘했어! 아주 좋아!" 기회만 되면 하루에도 몇 번씩이나 발을 끌며 가게를 드나들던 베너 아저씨가 말했다. "마지막까지 내 농장에는 절대 오지 않을 아이가 여기 있구먼! 정말이지, 얼마나 활달한 어린아이인지!"

"맞아요! 피비는 좋은 아이에요." 엄격하게 인정하듯 헵지

* 미국에서 주로 쓰는 건량(乾量) 단위. 1펙은 약 9리터(다섯 되)이다.

바가 말했다. "그런데 베너 아저씨는 우리 집안을 아주 오랫동안 알고 지냈잖아요. 핀천가 사람 중에 그녀가 닮은 사람이 있었나요?"

"그런 사람은 없었다고 봐." 덕망 있는 노인이 대답했다. "어쨌든 그들 중에서도 그렇고 그 점에 있어서는 다른 어느 곳에서도 그녀 같은 사람을 본 적이 없어. 내가 세상 구경을 많이 했잖아. 사람들 사는 주방과 뒷마당뿐 아니라 거리 모퉁이든 부둣가든 일이 있는 곳이면 어디든 말이야. 그런데 헵지바, 내가 거리낌 없이 말하지만 이 피비라는 아이가 하듯이 하느님의 천사들처럼 일하는 사람은 전혀 보질 못했어!"

베너 아저씨의 칭찬은 대상이 되는 사람과 경우에 비해 좀 심하게 과장된 듯하긴 했지만 어쨌든 미묘하면서도 동시에 진실한 의미를 담고 있었다. 피비의 활동에는 정신적인 자질이 있었다. 쉽게 지저분하고 추한 면모를 띨 수 있는 일을 하며 바쁘고 긴 하루를 보내는 생활이, 이런 가정적 의무가 마치 그녀의 품성에서부터 피어나는 것처럼 보일 만큼 저절로 우러나는 품위에 의해 유쾌하고 사랑스러워지는 것이다. 그래서 노동조차도 그녀가 하는 동안에는 놀이와 같은 편하고 탄력적인 매력을 지녔다. 천사들은 고되게 일하는 것이 아니라 그들의 선한 일이 저절로 자라나도록 한다. 피비도 마찬가지였다.

젊은 처녀와 나이 든 처녀, 두 친척지간은 날이 저물기 전에 장사를 하면서 애정과 신뢰를 향해 성큼 나아갈 수 있는 짬을 내었다. 헵지바와 같은 은둔자는 완전히 빠져나갈 구석이 없이 사적인 친교를 가질 수밖에 없는 상황이 되면 대개 놀랍도록 솔직함을 보이거나 적어도 일시적으로 사근사근해진다. 야곱이 드잡이했던 천사처럼 일단 굴복하게 되면 기꺼이 당신을 축복하는 것이다.*

나이 든 부인은 피비를 그 집의 이 방 저 방으로 데리고 다니며, 말하자면 애처롭게 그 벽을 프레스코로 장식하고 있는 옛이야기들을 다시 들려주며 처량하면서도 뿌듯한 만족감을 느꼈다. 그녀는 집주인인 옛날 핀천 대령이 끔찍하게 인상을 쓰고 죽은 채 겁에 질린 손님들을 맞았던 그 방 문짝에 부지사가 칼자루를 내리쳐 생긴 움푹 팬 자국을 보여 주었다. 헵지바가 말하기를 그 찌푸린 인상의 으스스한 공포가 그 이후로 내내 복도를 떠돈다는 것이었다. 그녀는 피비에게 높은 의자에 올라가 동쪽에 있다는 핀천 토지의 오래된 지도를 살펴보게 했다. 그녀가 손가락으로 짚은 장소에는 은광이 있었는데 그 정확한 위치가 핀천 대령 자신의 어떤 수첩에 적혀 있었지만, 그 집안의 소유권을 정부가 인정해야만 알려 주게 되어 있었다. 따라서 핀천 가문이 정당한 대가를 받는 것이 뉴잉글랜드 전체의 이해에 부합한다는 것이었다. 또한 엄청난 양의 영국 금화가 집 주변 어딘가에, 혹은 지하실이나 아마도 정원에 분명 묻혀 있을 거라고도 했다.

"혹시라도 그것을 발견한다면 말이다, 피비. 우린 영원히 가게 종을 붙들어 매도 될 거다!" 헵지바가 엄격하지만 상냥

* 「창세기」 32장 24~32절 참조.

한 미소를 띠고 피비를 곁눈질로 보며 말했다.

"그렇겠죠, 아주머니. 하지만 지금은 누군가 종을 울리고 있는걸요!" 피비가 대답했다. 그 손님이 가고 난 후 헵지바는 평생 무척이나 아름답고 세련되었던 한 백 년 전쯤의 앨리스 핀천이라는 인물에 대해 다소 모호하면서도 아주 장황하게 얘기했다. 마른 장미의 향기가 꽃잎이 시들어 말라 버린 서랍에 배어들듯이, 그녀의 풍부하면서도 쾌활한 성품의 향기가 그녀가 살던 장소에 아직까지 남아 있었다. 이 사랑스러운 앨리스는 어떤 엄청나고도 불가사의한 재난을 만나 창백해지고 여위어 가더니 점차로 세상에서 사라져 버리고 말았다. 그러나 지금도 그녀는 일곱 박공의 집에, 그것도 아주 여러 번 나타났다고 하는데, 특히 핀천 가문의 누군가가 세상을 떠나려 할 때 슬프고도 아름답게 하프시코드를 연주한다고 한다. 어느 아마추어 음악가가 그 영혼의 소리대로 음률을 따라 적었다는데, 그것이 너무나 절미하게 애처로워서 엄청난 슬픔이 닥쳐 더 심원한 아름다움을 이해할 때가 아니라면 지금까지 누구도 그 연주를 차마 들을 수가 없었다고 한다.

"아주머니께서 제게 보여 주신 하프시코드가 그 하프시코드인가요?" 피비가 물었다.

"바로 그거야. 그게 앨리스 핀천의 하프시코드지. 내가 음악 공부를 할 때 아버지는 절대 그것을 열지 못하게 하셨어. 그래서 선생님의 악기로만 연주를 해야 했기 때문에 치는 법을 오래전에 다 잊어버렸지." 헵지바가 말했다.

이 오래된 주제들을 이쯤에서 접고, 나이 든 부인은 은판 사진사 얘기를 하기 시작했다. 그는 행동거지가 바른 호인처럼 보이는데 경제적 형편이 좋지 않은 듯해서 일곱 박공 중의 하나를 그에게 세 내주어 살도록 했다는 것이다. 하지만 홀그레이브 씨를 보면 볼수록 그가 어떤 사람인지 알 수 없다고 했다. 그는 상상할 수 있는 가장 괴상한 무리들과 어울렸는데, 턱수염을 길게 기르고 린넨 블라우스나 잘 어울리지도 않는 다른 최신식의 옷을 입고 다니는 사람들이며, 개혁가이면서 금주(禁酒) 연설가에 갖가지 성마른 인상의 박애주의자들, 법을 인정하지 않을 뿐 아니라 제대로 된 식사를 하지 않고 다른 사람들이 요리하는 냄새만 맡을 뿐 음식 자체는 경멸하는 사람들이라고 헵지바가 믿어 의심치 않는 공동체주의자이자 배교자 같은 사람들 말이다. 은판 사진가 자신으로 말하자면, 그가 산적 떼 같은 자신의 회원들 모임에서 말도 안 되고 횡설수설하는 연설을 했다고 비난하는 글을 헵지바가 싸구려 부정기 신문에서 본 적이 있다고 했다. 헵지바 자신은 그가 최면술을 연습한다고 믿을 만한 이유가 있었고, 그런 것이 만약 요즘 유행한다면 그가 다락방에 혼자 박혀서 마법을 연구한다고 의심하기 딱 좋았을 것이다.

"그런데 아주머니, 그 청년이 그렇게 위험하다면 왜 여기 머물게 두세요? 더 나쁜 짓은 하지 않을지 모르지만 집에 불을 낼 수도 있잖아요!" 피비가 말했다.

"글쎄다. 가끔은, 그를 내보내야 하는 것이 아닐까 심각하게 고민을 하기도 했지. 하지만 그렇게 괴상한 면이 많아도 조용한 사람이고 사람의 마음을 그러쥐는 능력이 있어서, 딱히 그를 좋아하는 건 아니지만(그 젊은이에 대해 내가 잘 아는 것도 아니니까) 그를 아주 못 보게 되면 애석할 것 같아. 여자는 나처럼 아주 오래 혼자 살다 보면 작은 인연에도 애착을 갖게 되지." 헵지바가 대답했다.

"그렇지만 홀그레이브 씨가 무법적인 사람이라면요!" 피비가 항의했다. 법의 한계 안에 머무는 것이 그녀의 본질적 특성 중 한 부분이었기 때문이다.

"아." 헵지바가 무심하게 말했다. 그녀가 격식을 중시하기는 했지만, 살면서 겪어 온 일들이 있어서 여전히 인간의 법에 대해서는 이를 갈기 때문이었다. "자기 나름의 법이 있겠지!"

6
몰의 우물

어린 시골 소녀는 이른 차를 마신 후 정원에 머물렀다. 경내는 예전에는 매우 넓었지만 지금은 둘레가 줄어들어, 일부는 높은 나무 울타리로, 일부는 다른 거리에 있는 집 헛간으로 둘러싸여 있었다. 가운데는 잔디가 심어진 땅이 다 쓰러져 가는 작은 건물을 둘러싸고 있는데, 그 건물이 한때 정자였음을 간신히 알 수 있을 정도의 골격만을 유지하고 있었다. 작년의 뿌리에서 자라난 홉 덩굴이 그 위로 기어오르기 시작했는데 푸른 잎으로 지붕을 다 덮으려면 한참 지나야 할 것이었다. 일곱 박공 중 세 개의 박공이 앞쪽으로든 옆쪽으로든 어둑하고 위엄 있는 모습으로 정원을 내려다보고 있었다.

낙엽이라든지 꽃잎, 아무렇게나 무성하게 자라나는 풀 줄기나 과피처럼, 태양 아래에서 우쭐하는 동안보다 오히려 죽은 후에 더 쓸모 있는 것들이 오랜 시간에 걸쳐 썩어 가면서 땅은 거무스레하고 기름져졌다. 지나간 시절의 악행이 인간들이 사는 지역 주변에 항상 뿌리내리기 마련인(후세에 전해 내려지는 사회의 악에 대한 상징인) 그런 무성한 잡초로 자연스럽게 다시 돋아나는 것이다. 하지만 피비는 매일, 체계적으로 꼼꼼하게 정원 일을 해서 잡초가 더 자라나는 것을 막아야 한다는 것을 알았다. 봄이 시작되면서 흰 겹장미 덤불이 집 벽을 버팀목 삼아 새로 자라고 있던 것이 분명했다. 한 줄로 늘어선 까치밥나무 관목을 제외하면 그나마 과일나무에 속하는 배나무 한 그루와 서양자두나무 세 그루는 불필요하게 자라났거나 썩은 가지들을 최근에 잘라 낸 흔적이 있었다. 아주 옛날부터 계속 자라 온 꽃들도 몇 종류 있었는데 건강하고 화려한 상태는 아니었지만 꼼꼼하게 잡풀이 뽑혀 있었다. 마치 사랑스러워서 혹은 호기심에서 누군가 그 꽃들이 지닐 수 있는 가장 완벽한 상태로 만들어 놓기를 원하기라도 하는 듯했다. 정원의 나머지에는 엄선된 채소 종류들이 훌륭하게 잘 자라 있었다. 여름 호박은 황금빛 꽃이 거의 만발했고, 이제 큰 줄기에서 뻗어 나가기 시작한 오이는 여기저기 마구 퍼져 가고 있었다. 두세 줄의 깍지콩과 또한 장대를 따라 줄줄이 꽃을 달고 있는 그만큼의 깍지콩이 있었고 아주 볕이 잘 들고 안락한 자리를 차지하고 앉은 토마토는 이미 거대한 열매를 매달아 일찍부터 풍부한 수확을 할 수 있을 것이었다.

피비는 이 채소들을 다 심고 땅을 그렇게 깔끔하게 정돈하기 위해 관심을 기울이고 애쓰는 사람이 누구일까 의아해했다. 당연히 헵지바일 리는 없었는데, 그녀는 꽃 가꾸기처럼 숙녀다운 일에 대한 취향도 없고 그럴 기운도 없을뿐더러, 저택의 적적한 그림자 안에 몸을 숨기는 은둔자적 경향과 습관 때문에 조금이라도 열린 하늘 아래로 나와 콩과 호박 등이 어울리는 마당에서 잡초를 뽑고 호미질을 할 리 없는 것이다.

그날이 시골에서 익숙한 것들과 완전히 떨어져 지낸 첫날이었기 때문에 피비는 풀과 나무, 귀한 꽃들과 평범한 채소들이 어우러진 이 아담한 장소에 뜻밖으로 매료되었다. 하늘의 눈이 기분 좋게, 그리고 특유의 미소를 띤 채 이곳을 내려다보고 있었다. 마치 다른 곳에서는 힘에 눌려 먼지 날리는 마을에서 쫓겨난 자연이 여기에서는 숨 쉴 만한 곳을 발견한 것을 알고 기뻐하듯이 말이다. 개똥지빠귀 한 쌍이 배나무에 둥지를 짓고는 빽빽하게 자라 빛이 잘 안 드는 가지 사이에서 무척이나 행복하고 분주하게 돌아다닌다는 사실로 인해 이 장소는 약간 야생적이면서도 또한 아주 온화한 매력을 풍겼다. 좀 이상하긴 하지만 꿀벌들 역시 아마도 몇 킬로미터는 떨어진 농가 옆에 늘어선 벌통에서부터 여기까지 날아올 만하다고 생각한 모양이었다. 꿀이나 혹은 꿀이 달린 꽃을 찾아 새벽부터 해질녘까지 그들이 얼마나 여러 번 그 길을 날아 다녔겠는가! 시간이 늦었는데도 아직 호박꽃 한두 송이에서 벌들이 깊숙이 꿀을 찾아 경쾌하게 윙윙거리며 날아다니는 소리가 들렸다. 정원에는 인간이 자신의 것으로 삼으려 아무리 기를 쓴들 자연이 절대 양도할 수 없는 자신의 소유물이라고 정당하게 주장할 만한 것이 또 하나 있었다. 그것은 우물이었는데, 둘레에는 이끼 낀 오래된 돌들이 둘러져 있고 바닥은 가지각색의 자갈들이 마치 모자이크 작품처럼 깔려 있었다. 위로 뿜어져 나오는 물에 우물물이 약간씩 흔들리며 노닐면 이 각양각색의 자갈들과 매혹적으로 어우러져서는, 너무나 순식간에 사라져 어떻다고 말할 수 없는 기묘한 형상들이 환영처럼 끊임없이 나타났다가는 사라졌다. 물은 거기에서 이끼 낀 가장자리 돌을 넘어 수로라기보다는 도랑이라고밖에 할 수 없는 골을 따라 울타리 아래로 흘러갔다.

우물에서 그리 떨어지지 않은 정원의 맨 끝 모퉁이에 서 있는 아주 고색창연한 닭장도 빼먹지 말아야 한다. 그 안에는 이제 수탉 한 마리와 그의 두 아내, 그리고 외로운 병아리 한 마리가 있을 뿐이었다. 그 닭들 모두 핀천 집안에서 조상 전래의 가재(家財)로 상속되어 온 순종 종자로서, 완전히 자라면 크기가 거의 칠면조만 하고 그 맛있는 육질로 말하자면 궁중 요리 재료로도 모자람이 없다고 했다. 이렇게 예로부터 내려온 명성이 진짜임을 증명하기 위해서라면 헵지바는 심지어 타조 알이라고 해도 손색이 없을 만한 달걀을 내보일 수 있을 것이다. 그건 그렇다 해도 이제 암탉들은 비둘기 정도밖에 안 되는 몸집에 이상하고 노쇠한 모습을 하고 있었고 통풍이라도 걸린 듯이 움직였으며, 꼬꼬댁이든 꽥꽥이든 어떤 울음소리를 내든 나른하고 우울한 어조였다. 다른 많은 귀족 계급처럼 순수한 혈통을 유지하려고 너무 경계를 게을리하지 않은 나머지 종족 자체가 퇴화한 것이 분명했다. 이 깃털 달린 종족은 너무 오랫동안 자신들만의 뚜렷한 품종을 지키며 존재했던 것인데, 그들의 애처로운 행동거지로 보건데 현재 남은 종족의 대표들이 그 사실을 알고 있는 듯했다. 의심할 바 없이 그들은 계속 살아남아 이따금씩 알도 낳고 병아리도 깠지만, 스스로 그렇게 하고 싶어서가 아니라 아마도 그렇게 훌륭한 가금(家禽)의 종자가 세상에서 완전히 사라지지 않도록 하기 위해서일 것이다. 암탉들에게서 남다르게 보이는 점은 볏이었는데, 이즈음에는 애처로울 정도로 볼품없었지만 아주 기이하고 심술궂게도 헵지바의 터번과 유사해서, 양심에는 너무 찔리는 일이었지만 피비는 어쩔 수 없이 이 버려진 두 발 짐승과 고귀한 친척이 대체적으로 닮았다는 상상을 하게 되었다.

소녀는 빵 부스러기나 식은 감자, 혹은 아무거나 잘 먹는 닭에게 알맞은 음식 조각을 찾으러 집 안으로 뛰어 들어갔다. 되돌아 나오며, 그녀는 특이한 소리로 닭들을 불렀는데 닭들이 그것을 알아듣는 듯했다. 병아리는 닭장 울타리 사이로 기어 나와 생기를 띠면서 그녀의 발아래로 뛰어왔다. 그동안 수탉과 집안 여인네들은 이상하게 곁눈으로 그녀를 쳐다보더니, 마치 그녀가 어떤 사람인지에 대해 사려 깊게 의견을 나누기라도 하듯이 서로를 보며 꼬꼬댁거렸다. 그 모습이 예스러울 뿐 아니라 얼마나 현명하기까지 한지, 그 닭들이 오랜 전통을 지닌 종족의 후손일 뿐 아니라 일곱 박공의 집이 세워진 이래로 각각 나름의 자격을 가지고 존재해 오면서 어떤 식으로든 그 운명과 함께 해 왔다는 생각이 그럴싸해 보일 정도였다. 그들은 일종의 수호천사나 밴시*였다. 비록 그 깃털이나 날개가

* 아일랜드 민화에 나오는 여자 요정으로 집안의 죽음을 알려 준다고 한다.

대부분의 다른 수호천사들과는 좀 다르지만 말이다.

"자, 요상한 병아리야! 이 맛있는 빵 부스러기를 먹으렴." 피비가 외쳤다.

이에 그 병아리는, 사실 조상들의 고색창연한 모습을 축소판으로 지니고 있어 어미와 마찬가지로 존경스러운 외양을 지니긴 했지만, 생기발랄하게도 앞쪽으로 푸드덕거리며 날아올라 피비의 어깨에 앉았다.

"그 어린 닭이 당신에게 상당한 경의를 표하는군요!" 피비 뒤쪽에서 말하는 소리가 들렸다.

피비는 홱 뒤로 돌아 젊은 청년을 발견하고는 깜짝 놀랐다. 그는 피비가 나온 박공이 아닌 다른 박공에서 문을 열고 정원으로 나왔더랬다. 손에 호미를 들고 있었는데, 피비가 빵 부스러기를 찾아 들어간 사이에 나와서 토마토 뿌리 주변의 흙을 바삐 고르기 시작했던 것이다.

"그 병아리가 당신을 진짜 오랜 친구 대하듯 하네요." 그가 조용하게 말을 이었는데, 웃음을 짓고 있어서 피비가 처음 생각했던 것보다는 유쾌해 보이는 얼굴이었다. "저 닭장 안에 있는 고상한 닭들도 상당히 사근사근하게 구는 것 같네요. 이렇게 금세 저들의 신망을 얻다니 당신은 아주 운이 좋은 걸요! 내가 저들을 훨씬 더 오래 알아 왔고, 거의 매일 음식을 가져다주는데도 내게는 저런 친밀함을 보여 준 적이 없었으니까요. 내 생각에 아마 헵지바 아주머니라면 이 사실을 전해 내려오는 다른 얘기들과 엮어서는 당신이 핀천 가문 사람이란 걸 저 가금이 알아보는 게 분명하다고 하겠는걸요."

"비밀은요, 제가 암탉이랑 병아리들과 말하는 법을 안다는 거예요." 피비가 미소를 띠며 말했다.

"아, 하지만 귀족 혈통을 지닌 이 암탉들은 헛간 문간에 앉아 있는 가금들의 천한 언어 같은 건 이해하려고도 안 할걸요. 헵지바 아주머니도 그렇게 생각하겠지만 나 역시 저 닭들이 한집안임을 알아본다고 생각하고 싶군요. 당신, 핀천가 사람이잖아요?" 청년이 대꾸했다.

"제 이름은 피비 핀천이에요." 피비가 약간 경계하며 말했다. 왜냐하면 처음 만난 이 사람이 바로 은판 사진사일 거란 걸 알았는데, 노부인이 말해 준 그 무법한 성격이 피비의 마음에 들지 않았기 때문이다. "헵지바 아주머니의 정원을 다른 사람이 돌보고 있는 줄은 몰랐어요."

"그래요." 홀그레이브가 말했다. "그렇게 오래도록 사람들이 여기에 씨를 뿌리고 수확을 한 후에 그나마 남아 있는 얼마 안 되는 자연이나 순수함으로 기운을 북돋우려고, 내가 이 거무스레한 마당에서 땅도 파고 호미질도 하고 잡초도 뽑아요. 그냥 기분 전환으로 땅을 파는 거죠. 내 직업이라고 할 수 있는 일은 좀 더 가벼운 재료를 다루는 일이죠. 한마디로 햇빛으로 그림을 만든다고 할까요. 그래서 내 직업에 너무 눈부시게 현혹되지 않으려고 이 어둑어둑한 박공 중 하나에 세를 놓으라고 헵지바 부인을 설득했지요. 여기 들어오면 눈에 띠를 두르는 것 같거든요. 그런데 제 작품 견본을 좀 볼래요?"

"은판 사진 말인가요?" 피비가 경계를 좀 풀며 물었다. 편견을 갖기는 했지만 그녀의 젊음이 솟아올라 그의 젊음을 맞이하게 되었기 때문이다. "그런 종류의 그림은 별로 좋아하지 않아요. 너무 딱딱하고 엄숙하거든요. 게다가 시선을 피해 벗어나서 완전히 도망가 버리려 해요. 아주 무뚝뚝해 보인다는 사실을 의식하기 때문에 누군가 바라보는 걸 싫어하는 것 같아요."

"허락해 주기만 한다면" 하고 예술가가 피비를 보며 말했다. "은판 사진술이 완전히 온화한 얼굴에서 기분 나쁜 특성을 끌어낼 수 있는지 어떤지 시험해 보고 싶군요. 하지만 분명 당신이 말한 것도 일리는 있어요. 내 초상의 대부분은 정말 무뚝뚝해 보이죠. 그러나 내 생각에는 원래 인물이 그렇기 때문이라는 게 충분한 이유가 된다고 봐요. 하늘에서 내려오는 적나라한 햇빛 그대로에는 꿰뚫어 보는 놀라운 통찰력이 있어요. 그저 표면만을 그대로 묘사한다는 인정을 받을 뿐이지만, 사실은 어떤 화가도 감히 시도하지 못하거나 아예 알아채지도 못한 진실성으로 숨겨진 성격을 끌어낸답니다. 내 보잘것없는 예술 분야에는 적어도 실물보다 낫게 그려 주는 법은 없어요. 자, 여기 내가 연속으로 찍은 사진이 있는데 아무리 해도 더 나아지지를 않아요. 그런데 보통 사람들의 눈에 본래 인물은 아주 다른 표정을 지니고 있지요. 이 인물에 대한 판단을 들려준다면 좋겠네요."

그는 모로코가죽 상자에 담긴 소형 은판 사진을 보여 주었다. 피비는 그저 한번 쳐다보고는 다시 돌려주었다.

"이 얼굴을 알아요." 그녀가 대답했다. "그 냉혹한 눈길이 하루 종일 나를 따라다녔거든요. 저기 거실에 걸려 있는 청교도 조상이잖아요. 어떻게 했는지 모르지만 확실히 검은 벨벳 모자와 흰 턱수염을 빼 버린 채, 그리고 망토와 밴드 대신 요즘의 외투와 목도리를 입혀서 초상화를 베꼈나 보네요. 그렇게 바꿔 놓았어도 별로 나아진 것 같지는 않지만요."

"좀 더 오래 봤으면 다른 차이점도 알아챘을 텐데요." 웃음을 짓긴 했지만 분명 상당히 충격을 받은 듯이 홀그레이브가 말했다. "내 확신하건대, 이 얼굴은 현재의 얼굴이고 아마 당신도 곧 만나게 될 겁니다. 자, 놀라운 점은, 세상 사람들 눈에는, 그리고 내가 아는 한 가장 친한 그의 친구들이 보기에도 그는 자애로움과 편견 없는 관대한 마음, 명랑한 유머 감각, 그리고 그러한 종류의 다른 칭찬할 만한 특성들을 나타내는 극히 기분 좋은 표정을 하고 있다는 겁니다. 그런데 보다시피 태양이 보여 주는 모습은 아주 다르고, 내가 아무리 얼러 가며 예닐곱 번에 걸쳐 끈기 있게 계속해 봐도 그렇지 않은 모습이 나오도록 할 수가 없어요. 여기 이 남자는 교활하고 음흉하며 무정하고 위압적이고, 따라서 얼음처럼 차가워요. 저 눈을 봐요! 저 눈에 휘둘리고 싶겠어요? 저 입은 어떻고! 도대체 미소를 지을 수나 있겠느냐고요. 그럼에도 이 당사자의 자애로운 미소를 직접 한번 보기만 한다면! 그가 사회적으로 신분이 높은 사람이어서 초상화를 새겨 그려야 한다는 사실이 더욱 불행할 뿐이지요."

"글쎄요, 그건 더 이상 보고 싶지 않아요." 피비가 눈길을 돌리며 말했다. "확실히 오래된 초상화와 아주 닮았는걸요. 그런데 헵지바 아주머니는 다른 초상화를 가지고 있어요, 작은 초상화요. 만약 그 당사자가 아직 살아 있다면, 그 사람이 엄하고 무정해 보이도록 하려면 태양에 맞서야 할 거예요."

"그럼 그 초상화를 봤어요?" 예술가가 상당한 관심을 보이며 소리쳤다. "한 번도 본 적이 없는데 정말 보고 싶거든요. 그 얼굴은 아주 호감이 간다는 말이죠?"

"그보다 더 사랑스러운 얼굴은 없을 거예요, 남자의 얼굴이라기에는 너무 부드럽고 상냥할 정도니까요." 피비가 말했다.

"그 눈에 뭔가 난폭한 것은 전혀 없던가요?" 홀그레이브가 계속 물었는데, 이제 막 알게 된 사이치고는 그가 너무 거리낌 없이 대하는 것도 그랬지만 무척이나 진지하게 질문을 했기 때문에 피비는 당황했다. "어두침침하거나 불길해 보이는 구석은 어디에도 없던가요? 그 당사자가 엄청난 범죄를 저질렀다고 상상할 수 있겠던가요?"

"당신이 한 번도 본 적이 없는, 그런 초상에 대해 말한다는 게 말이 안 되는 일이에요. 당신이 아마 다른 사람하고 혼동을 한 모양이네요. 범죄라니, 맙소사! 헵지바 아주머니와 잘 아시니까 그 초상화를 보여 달라고 부탁해 보세요." 피비가 약간 성마르게 말했다.

"당사자를 직접 보는 것이 내 목적에는 더 잘 부합할 겁니다." 은판 사진사가 냉담하게 말했다. "그 인물됨에 대해서라면 우리가 왈가왈부할 필요도 없어요. 그 문제는 자격을 갖춘 법정에서, 아니면 스스로 자격을 갖추었다고 주장하는 법정에서 이미 판결을 내렸으니까요. 아, 잠깐! 아직 가지 마요. 제안할 게 하나 있어요."

피비는 막 들어가려다가 약간 머뭇거리며 돌아섰다. 그의 태도를 정확히 파악하기 어려웠기 때문이다. 비록 자세히 살펴보면 그 태도가 불쾌한 무례함에 가깝다기보다는 별로 격식을 차리지 않기 때문인 듯했지만 말이다. 또한 그가 지금 말하려고 하는 것에는 어떤 묘한 권위도 있었다. 마치 그 정원이 헵지바의 호의 덕에 그가 드나들 수 있는 장소가 아니라 그 자신의 것인 듯했다.

"당신이 괜찮다면, 이 꽃들과 저 닭들을 당신이 맡아 주면 좋겠어요. 시골에서 지내다 온 지 얼마 안 되었으니 밖에서 할 만한 그런 일들이 곧 필요해질 거예요. 꽃 돌보는 일은 영 내 영역이 아니라서 말이에요. 그러니까 당신 좋을 대로 가지도 치고 잘 가꿔 봐요. 가끔씩 내가 헵지바 부인의 식탁에 올려 주겠다고 약속한 잘 자란 좋은 야채를 주는 대신 아주 약간의 꽃을 부탁할게요. 그러면 우리는 일종의 공동체에 속한 동료 일꾼이 되는 거지요." 그가 말했다.

피비는 자신이 그렇게 순순히 그의 말을 따르는 데 좀 놀라면서도 그에 따라 조용히 화단의 잡초를 뽑는 일을 맡았다. 그러나 또한 너무 의외로 아주 친숙한 관계를 맺게 된 이 청년에 대해 궁리하는 데 더욱 정신을 쏟았다. 그가 완전히 마음에 들지는 않았다. 좀 더 숙련된 관찰자도 그랬겠지만 그의 됨됨이는 피비를 혼란스럽게 했다. 왜냐하면 얘기를 나눌 때의 말투는 보통 장난스러웠지만 그녀의 마음에는 진중하다는 인상을 남겼고, 그의 젊음이 영향을 주지 않았다면 거의 단호하다는 느낌까지 줄 정도였기 때문이다. 말하자면 그가 아마 자신도 의식하지 못하면서 그녀에게 행사하는, 사람을 끌어들이는 예술가의 본성에 속하는 어떤 요소에 그녀는 저항했다.

얼마 지나자 과일 나무와 그것을 둘러싼 주변의 건물들이 드리운 그림자로 인해 깊어진 어스름 때문에 정원이 어둑어둑해졌다.

"자, 이제 일을 마칠 시간이군! 마지막으로 콩 줄기를 호미로 잘라 냈으니 말이야. 잘 자요, 피비! 어느 화창한 날 그 장미꽃을 머리에 꽂고 센트럴가에 있는 내 방으로 오면 가장 순수한 햇빛을 잡아 꽃과 당신의 모습을 찍어 줄게요." 홀그레이브가 말했다.

그는 자기 혼자 쓰는 박공 쪽으로 물러가다가 문 앞에 이르러서는 고개를 돌려, 분명 장난기가 담겨 있지만 상당히 진지한 말투로 피비를 불러 세웠다.

"몰의 우물물을 마시지 않도록 조심해요! 마시지도 말고 얼굴을 씻지도 마요!" 그가 말했다.

"몰의 우물물이오?" 피비가 되물었다. "이끼 낀 돌로 둘러싸인 저것 말인가요? 그 물을 마실 생각은 하지도 않았지만, 근데 왜요?"

"아, 노파의 차처럼 마법에 걸린 물이니까요." 은판 사진사가 말했다.

그러고는 그는 사라졌다. 피비는 잠시 그대로 있다가 박공의 방 하나에서 램프 빛이 반짝이다가 환하게 밝혀지는 것을 보았다. 헵지바가 있는 집 안으로 돌아와 보니 낮은 샛기둥이 있는 거실이 너무 어둑어둑하고 침침해서 그 안을 제대로 알아볼 수 없었다. 하지만 노부인이 창문에서 약간 떨어져 곧은 등 받침이 달린 의자에 앉아 있는 것을 어렴풋하게 알아차렸는데, 구석 쪽을 향해 비스듬히 돌린 뺨이 핏기 하나 없이 창백해진 것을 창문에서 들어오는 희미한 빛으로 알아보았다.

"램프를 켤까요, 헵지바 아주머니?" 그녀가 물었다.

"원한다면 그렇게 하렴, 얘야. 하지만 불은 복도 구석에 있는 탁자 위에 놓아라. 눈이 약해서 램프 빛을 보면 너무 눈이 부셔서 말이다." 헵지바가 말했다.

인간의 목소리란 얼마나 놀라운 악기인가! 인간 영혼의 감정에 얼마나 놀랍도록 민감하게 반응하는지! 마치 말들이 자체로는 너무나 평범하지만 그녀의 따뜻한 마음속에 담겨졌던 것처럼 그 순간 헵지바의 말투에는 어떤 풍부한 깊이와 촉촉함이 있었다. 부엌에 있는 램프에 불을 붙이며 피비는 아주머니가 다시 자신에게 무슨 말을 했다고 생각했다.

"잠깐만요, 아주머니!" 소녀가 대답했다. "이 성냥불이 깜박이고 있으니까 곧 완전히 꺼질 거예요."

그러나 그녀는 헵지바에게서 어떤 대답을 듣는 대신 모르는 목소리가 중얼거리는 소리를 들었다. 그 소리는 이상하게 불분명했고, 지성에서 나오는 말보다는 감정이나 공감의 말이 아마 그렇듯이 분절된 단어가 아니라 뭉뚱그려진 소리 같았다. 너무나 어렴풋했기 때문에 피비의 마음에 남은 그 인상이나 메아리도 비현실적이었다. 그래서 그녀는 다른 어떤 소리를 사람의 목소리로 착각했거나, 아예 어떤 소리를 들었다고 상상했을 뿐이라고 단정했다.

그녀는 불을 붙인 램프를 통로에 놓고 다시 거실로 들어갔다. 그 검은색 윤곽이 어스름과 섞여 있긴 했지만 이제 헵지바의 형체가 아까보다는 덜 불완전하게 보였다. 그런데 불빛을 반사하기에 그 벽이 영 마땅치 않은 방의 저 맨 구석에 아까처럼 똑같이 어두침침한 형체가 또 있었다.

"아주머니, 방금 저에게 뭐라고 하셨어요?" 피비가 말했다.

"아니다, 얘야!" 헵지바가 대답했다. 아까보다 짤막하게 말했지만 마찬가지로 신비로운 음악이 담겨 있는 것이었다! 감미롭고 처량하지만 슬프지는 않은 그 어조는 모두 헵지바의 깊은 감정에 푹 적셔진 채 마음속 깊은 우물 속에서 용솟음쳐 나오는 듯했다. 그 안에는 어떤 떨림도 있어서, 모든 강렬한 감정이 그렇듯이 얼마간 피비에게 전달되었다. 소녀는 잠시 말없이 앉아 있었다. 그러나 그녀는 감각이 매우 예민했기 때문에 곧 어둑한 방구석 쪽에서 불규칙한 숨소리를 들었다. 더구나 섬세하면서도 건강한 그녀의 육체 자체가 거의 정신적인 매체의 결과라고 할 것과 함께 작용해 누군가가 가까이에 있다는 사실을 감지했다.

"아주머니, 이 방에 우리 말고 또 다른 사람이 있는 건 아니죠?" 왠지 모르게 내키지 않음에도 그녀가 겨우 물었다.

"피비야, 얘야." 잠시 머뭇했다가 헵지바가 말했다. "넌 아침 일찍 일어난 데다 하루 종일 바쁘지 않았니. 이제 자려무나. 아무래도 쉬어야 할 것 같구나. 난 여기 거실에 좀 더 앉아서 생각을 좀 정리해야겠다. 네가 태어나기 훨씬 전부터 해 온 내 습관이란다."

노부인은 그렇게 피비를 보내면서 앞으로 걸어가 피비에게 입을 맞추고 그녀를 가슴에 꼭 껴안았는데, 소녀의 가슴과 닿은 그 가슴은 높고 강한 격랑처럼 마구 뛰고 있었다. 어떻게 이 스산한 늙은 가슴속에, 이렇게 넘치도록 솟아날 정도로 많은 사랑이 담겨 있을 수 있단 말인가!

"안녕히 주무세요, 아주머니." 헵지바의 태도에 이상하게 감명을 받으며 피비가 말했다. "저를 이렇게 사랑하시게 된 거라면 정말 기뻐요!"

그녀는 침실로 왔지만 바로 잠에 들지 않았고 아주 푹 잘 수도 없었다. 정확히 언제인지는 모르지만 한밤중에, 말하자면 비몽사몽처럼, 힘차거나 단호하지는 않지만 육중한 발소리가 계단을 올라오는 것을 의식했다. 내내 숨을 죽인 채 헵지바의 목소리도 발걸음과 함께 올라오고 있었다. 그리고 피비는 다시 헵지바의 목소리에 대답하는, 사람 말의 어렴풋한 그림자와 비슷한 기이하고 희미한 중얼거림을 들었다.

7
손님

아침 일찍부터 배나무에서 개똥지빠귀 한 쌍이 지저귀는 소리에 잠에서 깨었을 때, 피비는 아래층에서 누군가 움직이는 소리를 들었고, 급히 내려가 보니 헵지바가 이미 부엌에 있었다. 그녀는 책 한 권을 거의 코에다 붙이다시피 들이댄 채 창가에 서 있었다. 눈이 나빠서 책 읽는 게 여의치 않아 냄새로라도 그 내용을 알아보고 싶어 그런 것처럼 말이다. 만약 그런 방식으로 본질적인 내용을 나타낼 수 있는 책이 혹 있다면 분명 헵지바의 손에 들린 책이 바로 그것이었을 것이다. 그리고 그런 일이 일어나면 부엌 전체가 그에 따라 온갖 방식으로 공들여 함께 섞고 버무린 사슴 고기와 칠면조, 식용 수탉과 기름 바른 메추라기 등의 냄새로 가득할 것이다. 그 책은 말할 수 없이 오래된 영국의 요리법이 가득한 요리책으로, 귀족이 자기 성의 대연회장에서 베풀 법한 연회 때 내놓는 식탁 차림을 판화 그림과 곁들여 싣고 있었다. 그런데 가련한 헵지바는 이 풍요롭고 강력한 요리법의 기술 중에서(아마 할아버지 세대의 사람들이라도 그중 어떤 요리도 맛본 기억이 없을 것이다.) 보잘것없는 자신의 실력과 지금 가진 재료들로 어떻게든 재빨리 만들어 아침 식탁에 내놓을 만한 간단한 요리를 찾고 있는 것이다!

그녀는 곧 길게 한숨을 쉬면서 맛으로 가득한 책을 내려놓고는, 그녀가 늙은 스페클이라 부르는 암탉이 전날 알을 낳았는지 피비에게 물었다. 피비는 뛰어갔다 왔으나, 기대했던 보물을 손에 들고 있지 않았다. 그런데 바로 그 순간 생선 장수의 고동 소리가 들리면서 그가 가까운 거리로 다가오고 있음을 알려 주었다. 헵지바는 가게 창문을 힘차게 두드려 그 남자를 불러들였고, 아직 철이 좀 이른 걸 감안하면 그가 다루어 본 고등어 중에서 가장 살진, 그가 가진 가장 좋은 고등어라고 주장하는 고등어를 샀다. 그러고 나서 노처녀 부인은 진짜 모카커피인데 너무 오래 묵어서 커피콩 하나하나의 무게가 금과 같을 거라고 아무렇지도 않게 말하면서 피비에게 커피를 볶으라고 한 후, 커다란 오랜 화덕의 안쪽에 장작을 산처럼 쌓아 올려 불을 피웠는데 어찌나 많이 피웠는지 아직 남아 있던 새벽 어스름이 부엌에서 삽시간에 사라졌다. 어떻게든 그녀를 돕고 싶은 시골 처녀는 자기 어머니 특유의 방식대로 만들기 쉬운 인디언 케이크를 굽겠다고 하면서, 자신이 보장하건대 그것이 다른 어떤 아침 케이크와 견줄 수 없을 만큼 아주 부드럽고 제대로 구워지면 정말 맛있다고 말했다. 헵지바가 기꺼이 승낙했기 때문에 부엌에서는 곧 빵을 굽는 맛있는 장면이 펼쳐졌다. 혹시 제대로 지어지지 않은 굴뚝에서 뿜어져 나오는 연기를 마땅히 자신의 영역으로 삼은 죽은 주방 하녀의 유령이 무슨 일인가 하고 구경하거나 아주 넓은 굴뚝을 통해 내려다본다면, 지금 만들려는 그 음식이 별것 아니라고 무시하면서도 막 요리를 시작한 음식에 형태 없는 자신들의 손을 쓸데없이 넣어 보려고 할 것이다. 어쨌든 굶주린 시궁쥐들은 숨어 있던 구석에서 밖으로 살금살금 나와, 증기가 가득한 공기 속에서 킁킁거리면서 앞발을 들고 앉아 주워 먹을 부스러기라도 없나 군침을 흘리며 기다렸다.

헵지바는 요리 실력을 타고나지 못했고, 사실을 말하자면, 꼬치를 계속 돌린다거나 냄비 끓는 것을 지켜보고 서 있느니 차라리 밥을 안 먹는 편을 택한 적이 잦아서 지금처럼 야윈 몸을 갖게 되었다고도 할 수 있다. 따라서 화덕 앞에서 열심을 다하는 것은 실로 정감에 대한 영웅적인 시험이었다. 그녀가 막 타올라 발갛게 빛나는 석탄을 긁어내어 고등어를 구우려고 애쓰는 모습은 정말 감동적이었을 뿐 아니라, 만약 위에서 말한 유령과 쥐들을 제외한 유일한 관객인 피비가 더 가치 있는 다른 일을 하느라 눈물 흘릴 여유가 없지만 않았다면 가히 그녀의 눈물을 자아낼 만했다. 평소에는 창백한 그 볼이 불 가까이에서 분주히 일하느라 발갛게 달아올랐다. 불 위에 올린 생선을 어찌나 애정을 쏟아 꼼꼼하게 살피는지, 달리 뭐라고 표현하기가 어렵지만, 마치 자신의 심장이 석쇠 위에 올라 있어 그것을 아주 정확하게 때맞춰 뒤집는 일에 영원한 행복이 걸려 있는 것처럼 보일 정도였다!

집안 생활에 있어서 넉넉하게 조달되어 깔끔하게 준비된 아침 식탁보다 더 기분 좋은 기대를 갖게 하는 것은 별로 없다. 아직 이슬이 채 가시지 않은 이른 아침에, 즉 우리의 정신적 요소와 감각적 요소가 그 이후보다 더 잘 어울리는 때에 우리는 생기 있는 모습으로 아침 식탁에 앉는다. 그래서 소화와 관련되어서든 양심과 관련되어서든 우리가 조금이라도 과하게 우리의 동물적 본질에 굴복하는 게 아닌가 하며 괴롭게 책망하지 않고 아침 식사가 주는 물질적 만족을 충분히 향유할 수 있는 것이다. 또한 둘러앉은 가족들 사이에 오가는 생각들도 짜릿하고 발랄하며, 격식을 차린 만찬에서 이뤄지는 교제에서는 좀처럼 찾아보기 어려운 생생한 진실을 종종 담게 된다. 화려한 다마스크 식탁보로 덮인, 가늘고 우아한 다리를 가진 헵지바의 작고 고전적인 식탁 역시 그렇게 기분 좋은 식사가 벌어질 장소이자 그 중심이 될 만해 보였다. 구운 생선에서는 마치 미개인이 숭배하는 제단에서 피어오르듯 김이 피어올랐고 모카 향은 부엌을 지키는 라르*나 현대의 아침 식탁을 지배하는 어떤 다른 수호신의 후각이라도 만족시킬 법했다. 피비의 인디언 케이크는 그중 단연 최고였다. 순진무구한 황금시대의 소박한 제단에 어울리면서도, 밝은 노란색이라 마이다스 왕이 먹으려고 손을 대자 황금으로 변해 버린 반짝거리는 황금색 빵을 닮기도 했다. 버터도 빼놓아서는 안 되겠다.

---

* 로마 신화에 나오는 가정의 수호신.

아주머니의 맘에 들기 위해 피비가 시골집에서 직접 우유로 만들어서 선물로 가져온 버터로, 토끼풀 꽃향기를 풍기면서 거무스레한 판자로 둘러싸인 거실 틈새마다 시골 풍경의 아름다움이 스며들게 했다. 이 모두와 함께 고색창연한 도자기 잔과 잔 받침의 눈부신 화려함, 그리고 손잡이 장식이 된 스푼과 은으로 된(아주 부박한 작은 죽 그릇처럼 생긴, 헵지바가 가진 식기 중 유일하게 다른 종류인) 크림 단지가 함께 어울려 그 옛날 핀천 대령의 아주 고귀한 손님들이 자리를 하기에도 부족함이 없는 식탁을 차려 내었다. 그러나 그림 속 청교도인은 식탁 위의 어느 것도 입맛에 맞지 않는다는 듯이 눈살을 잔뜩 찌푸리며 내려다보고 있었다.

피비는 가능한 한 우아하게 꾸미기 위해 장미 몇 송이와 향기가 좋거나 보기에 아름다운 다른 종류의 꽃을 얼마간 꺾어서는, 오래전에 손잡이가 떨어져 나가 화병으로 쓰기에 오히려 더 적합한 유리병에 꽂았다. 아담과 이브가 아침 식사를 하기 위해 앉았던 이브의 정자 안을 살짝 들여다보던 아침 햇살만큼이나 신선한 이른 아침의 햇살이 배나무 가지 사이로 반짝거리며 들어와 식탁 위로 길게 늘어졌다. 이제 모든 준비가 되었다. 세 사람을 위한 의자와 접시가 마련되었다. 헵지바의 것 하나와 피비의 것 하나, 그러면 헵지바는 어떤 다른 손님을 기다리고 있단 말인가?

이 모든 준비를 하는 동안 헵지바의 몸은 내내 떨리고 있었다. 너무나 심하게 떨렸기 때문에 피비는 부엌 벽에 비친 화덕의 불빛으로든 거실 바닥에 떨어진 햇빛으로든 그 야윈 몸의 그림자도 떨고 있는 것을 볼 수 있었다. 나타나는 방식도 서로 너무 다르고 어울리지도 않았기 때문에 피비는 그것을 어떻게 생각해야 할지 몰랐다. 어떤 때는 기쁨과 행복이 넘쳐나기 때문인 듯했는데, 그런 때는 팔을 활짝 벌려 피비를 안고는 마치 엄마가 하듯이 정말 다정하게 볼에 입을 맞추었다. 헵지바가 그렇게 하는 것은 마치 가슴속이 다정함으로 너무나 벅차올라서 숨을 쉬기 위해서는 그것을 얼마간 쏟아내야 하는, 어쩔 수 없는 어떤 충동 때문인 것처럼 보였다. 그러다가는 다음 순간 그렇게 바뀔 만한 눈에 띄는 어떤 이유도 없는데 평소답지 않은 그녀의 기쁨은 갑자기 움츠러들어 겁을 먹은 채, 말하자면 슬픔에 잠긴 복장으로 갈아입었다. 아니면 너무나 오랫동안 쇠사슬에 묶인 채 갇혀 있던 소위 지하 감옥 같은 그녀의 마음속으로 기쁨이 다시 달아나 숨어 버렸다고나 할까. 그와 함께 유령 같은 차가운 슬픔이, 풀려나기를 두려워하는 갇힌 기쁨의 자리를 대신했다. 너무나 선명한 만큼 암담하기도 한 슬픔이. 불안하면서도 과도하게 흥분한 짧은 웃음을 갑자기 터뜨리는 경우도 자주 있었는데, 눈물 흘리는 모습보다 더 애처로웠다. 그러고는 어느 쪽이 더 애처로운지 시합이라도 하듯이 눈물을 쏟기도 했다. 또는 웃음과 눈물이 한꺼번에 터져 나와 정신적 의미에서 보자면 청백하고 흐릿한 무지개랄 만한 것이 가련한 헵지바를 둘러싸기도 했다. 이미 말했듯이 피비에게는 넘치는 애정을 보여 줘서, 전날 밤 입맞춤을 한 것을 제외하면 함께 지낸 얼마 안 되는 기간 중 그 어느 때보다 다정다감했지만, 사이사이 계속해서 토라지거나 신경질을 부렸다. 사납게 쏘아붙이다가는 곧 평소의 말없이 뻣뻣한 태도를 벗어던지고 용서를 구했다가, 바로 다음 순간 방금 용서를 구했던 그 잘못을 또 저지르는 것이었다.

드디어 함께 도와 모든 준비를 끝마친 후, 헵지바는 떨리는 손으로 피비의 손을 모아 쥐었다.

"그냥 참아 주렴, 피비." 그녀가 크게 말했다. "내 마음이 정말 터져 버릴 것 같아서 그러는 거거든! 날 좀 봐줘. 내가 말은 이렇게 퉁명스럽게 해도 너를 사랑한단다. 마음에 두지 마렴, 얘야! 이제 곧 다정해질 거야, 다정하게만 너를 대해 줄게."

"아주머니, 무슨 일이 있는 건지 말해 주시면 안 될까요?" 눈물이 그렁하면서도 환한 동정심으로 피비가 물었다. "왜 이렇게 흥분해 있으신 거예요?"

"쉬! 쉬! 저기 오신다!" 헵지바가 황급히 눈물을 훔치며 속삭였다. "너를 먼저 볼 수 있게 앞으로 서라, 피비. 너는 젊고 홍안이니 너를 보면 좋든 싫든 미소를 짓게 될 거야. 오라버니는 항상 밝은 얼굴을 좋아했어! 내 얼굴은 이제 늙었고, 눈물이 마를 날이 없으니. 눈물은 정말 싫어했는데. 자, 그분이 앉을 자리에 그늘이 지도록 커튼을 좀 쳐라. 하지만 햇빛이 아주 많이 들어오기도 해야 해. 오라버니는 그 누구와는 달리 어둑어둑함을 좋아한 적이 절대 없으니까. 그런데 살아가면서 햇빛을 본 적이 너무 없었지, 불쌍한 클리퍼드 오라버니, 아, 얼마나 어두컴컴한 운명이었는지! 불쌍하고 가련한 클리퍼드 오라버니!"

피비에게라기보다는 자신의 마음에게 말하듯 낮은 목소리

로 그렇게 중얼거리며 노부인은 발꿈치를 들고 방 안을 걸어 다니면서 중대한 국면에 보통 눈에 띄는 필요한 정리를 했다.

그동안 위층 복도에서 발소리가 들렸다. 피비는 그것이 간밤에 잠결인 듯 계단을 올라오는 것을 들었던 그 발소리임을 알아차렸다. 그가 누구든 그 손님은 층계참에서 잠깐 멈춰 선 듯했다. 내려오면서도 두세 번을 멈춰 섰다. 다 내려와서도 역시 걸음을 멈췄다. 딱히 어떤 목적이 있어서 매번 그렇게 머뭇거린다기보다 오히려 자신이 왜 움직이고 있는지 그 목적을 잊었기 때문인 듯했다. 혹은 그 동기가 그를 계속 나아가게 하기에는 힘이 약해서 발이 자기도 모르게 멈춰 서는 듯했다. 마지막으로 그는 거실 문턱에서 한참을 움직이지 않고 서 있었다. 문손잡이를 잡았다가는 열지 않고 다시 놓았다. 헵지바는 갑자기 두 손을 모아 잡고는 입구를 뚫어지게 보면서 서 있었다.

"헵지바 아주머니, 제발 그렇게 보지 마세요!" 피비가 떨면서 말했다. 왜냐하면 아주머니의 감정 상태나 들어오기 싫어하는 저 정체 모를 발소리로 보면 방 안으로 유령이 들어서기라도 할 것 같았기 때문이다. "아주머니 때문에 정말 무서워요! 무시무시한 일이 일어나려는 건가요?"

"쉬!" 헵지바가 속삭였다. "명랑한 모습을 보여라! 무슨 일이 일어나더라도 명랑한 모습을 보여야 해!"

문 앞에 멈춰선 걸음은 너무나 오래 그 상태로 있었기 때문에 헵지바는 긴장을 견디지 못하고 앞으로 뛰어나가 문을 활짝 열더니 낯선 사람의 손을 붙잡아 안으로 들였다. 첫눈에 피비는 빛바랜 다마스크 직물의 구식 실내복을 입고 거의 완전히 백발이 된 머리를 유난히 기른 나이 든 사람을 보았다. 그가 머리를 뒤로 쓸어 넘기고 넋 나간 듯 방 안을 둘러볼 때가 아니면 머리는 거의 그의 이마를 덮고 있었다. 그의 얼굴을 잠깐만 보아도 그의 걸음걸이가 처음으로 거실을 가로질러 걷는 아이의 첫걸음처럼 무엇을 위한 것인지 모른 채 천천히 그를 지금 막 여기로 이끈 그런 것일 수밖에 없었을 거란 걸 쉽게 이해할 수 있었다. 하지만 대담하고 단호하게 걷기에는 그가 육체적으로 힘이 모자랄 것 같다는 징후는 없었다. 걷지 못하는 것은 그 사람의 정신이었다. 그의 얼굴 표정은, 물론 그 안에 이성의 빛이 있기는 했지만, 흔들리고 깜박거리며 거의 꺼질 듯하다가 겨우 다시 살아나곤 하는 것이었다. 그것은 반쯤 꺼진 깜부기불 사이에서 희미하게 깜박거리는 불꽃 같았다. 활활 솟구치며 타오르는 불꽃을 볼 때보다는 더 열중해서 그것을 보게 되면서도, 만족스럽게 다시 타오르든 완전히 꺼져 버리든 양단간에 결정을 보기를 조바심 내며 기다리게 되는 것이다.

손님은 방에 들어선 후 잠시 동안, 아이가 자신을 이끄는 어른의 손을 붙잡듯이 본능적으로 헵지바의 손을 붙잡은 채로 가만히 서 있었다. 하지만 그는 피비를 보았고 그녀의 젊고 활기찬 면모에서 나오는 빛을 알아챘다. 실로 피비의 면모는 햇빛 아래 놓인 유리 화병의 꽃이 그 주변으로 둥글게 화려함을 뿜어내듯이 거실 분위기를 유쾌하게 만들었다. 그는 인사를 했는데, 좀 더 사실에 가깝게 말하자면 예의를 갖춰 인사를 하려다 제대로 안 되어 뭐가 뭔지 모르게 되었다. 하지만 불완전하나마 그 인사에서는 외적인 예의범절만 연습해서는 나올 수 없는 뭐라 설명할 수 없는 우아함이, 적어도 그 암시만이라도 우러났다. 그 당시에는 너무 희미해서 알아채기 힘들었지만 나중에 다시 떠올려 보면 그 사람의 인물 전체가 다른 사람이 되는 듯했다.

"클리퍼드 오라버니." 제멋대로인 아기를 달래는 말투로 헵지바가 말했다. "얘는 피비 조카예요. 아서의 외동딸인 어린 피비 핀천, 아시죠? 시골에서 올라와서 잠깐 동안 우리와 함께 있을 거예요. 우리 집이 지금은 아주 적적해졌거든요."

"피비? 피비 핀천! 피비?" 손님은 굼뜨면서도 기이하고 분명치 않은 발음으로 반복해서 말했다. "아서의 아이! 아, 깜박했는걸! 상관없어! 대환영이야!"

"이리와요, 오라버니, 이 의자에 앉아요." 헵지바가 그를 자리로 이끌며 말했다. "부탁인데, 피비, 커튼을 조금만 더 내려 주렴. 자, 이제 아침을 먹자!"

손님은 자기에게 주어진 자리에 앉아서 낯설다는 듯이 주위를 둘러보았다. 지금의 광경이 만족스러울 만큼 분명하게 기억나도록 고심하고 있는 것이 분명했다. 적어도 자신이 자신의 오감 속에 고정된 어떤 다른 장소가 아니라 열십자의 들보에 낮은 샛기둥이 있고 떡갈나무 판벽을 바른 이곳에 있음을 확실히 하고 싶은 듯했다. 그러나 그 노력은 너무 힘에 겨워 단편적인 성공밖에는 거두지 못했다. 계속해서 자신의 자리에서 사라져 없어져 버린다고 말할 수 있을지 모르겠다. 아니면 그의 지치고 우울한 잿빛 몸, 그러니까 실질적인 공허이자 물질적인 유령만 그 자리를 차지하고 있도록 남겨 두고 정신과 의식이 떠나 버린다고 해야 할까. 그렇게 멍한 상태로 있다가는 또 눈 속에서 가느다란 빛이 깜박거리는 것이었다. 그것은 그의 영혼이 일부 돌아와 마음속의 벽난로에 불을 피우고, 정신이 홀로 버려진 채 머물 수밖에 없는 어둡고 폐허가 된 저택에 정신적 등불을 켜 보려고 안간힘을 쓴다는 표시였다.

그나마 덜 무감각하지만 여전히 불완전하게 살아난 이런 순간에 피비는 처음에 너무 말도 안 되고 놀라운 생각이어서 스스로 부인했던 것을 확신하게 되었다. 자기 앞에 앉아 있는 그 사람이 바로 헵지바가 지닌 아름다운 작은 초상화의 주인공이 틀림없음을 알게 되었던 것이다. 사실 여성들이 그렇듯이 의상을 보는 눈이 있는 피비는 그를 두르고 있는 다마스크 실내복이 그 모양이나 재질, 스타일로 보건대 그림 속에서 정교하게 표현되었던 바로 그 실내복임을 곧 알아보았다. 낡고 색 바랜 이 옷은 원래의 화려함이 다 사라진 채 뭐라 표현할 수 없는 방식으로, 그 옷을 입고 있는 인물의 말할 수 없는 불행을 해석하여 그를 보는 사람들이 눈으로 확인할 수 있도록 하는 듯했다. 그 영혼을 좀 더 가깝게 싸고 있는 의복이 얼마나 낡고 오래되었는지는 이렇게 외적인 방식으로 더 잘 알아볼 수 있었다. 그 형태와 표정, 그 아름다움과 우아함은 아무리 징교한 솜씨를 가진 예술가의 기술로도 거의 표현할 수 없을 것이었다. 그의 영혼이 이 세상에서 경험한 바에 있어서 참담할 정도의 부당한 대우를 받았음을 더 적절하게 나타낼 수 있을 것이다. 그는 세상과 자신 사이에 망가지고 썩은 흐릿한 베일을 내린 채 그렇게 앉아 있었는데, 맬본이 숨을 멈춘 채 행운의 필치로 작은 초상화에 담아 낼 수 있었던 그렇게 세련되고 부드럽게 상상력 넘치는 표정이 베일을 뚫고 언뜻언뜻 나타났다. 그 표정에는 너무나 천부적인 어떤 특징이 있어서 지금까지의 음산한 세월들과 그에게 지워진 부적절한 재난의 짐조차도 그것을 완전히 지워 버릴 수 없었던 것이다.

헵지바는 이제 좋은 향을 풍기는 커피를 잔에 따라서 손님에게 내밀었다. 그는 헵지바와 눈을 마주치자 당황하고 불안한 듯 보였다.

"너냐, 헵지바?" 애처롭게 그가 중얼거렸다. 그러고는 혼잣말을 하듯이, 아마도 자신의 말을 다른 사람들이 들을 수 있다는 것을 의식하지 못한 채 말했다. "너무 변했어! 너무나 변했다고! 나한테 화가 났나? 왜 저렇게 눈살을 찌푸리고 있는 거냐고!"

가련한 헵지바! 그 불쌍한 오만상은, 오랜 세월 근시에다 마음속 불안으로 안달해 오면서 아주 습관이 되어 버려 감정이 격렬해지기만 하면 어김없이 나타났던 것이다. 그러나 불분명한 그의 중얼거림을 듣자 그녀의 얼굴 전체가 슬픔에 찬 애정으로 부드러워지더니 사랑스럽게 보이기까지 했다. 말하자면 그녀의 얼굴이 눈물에 어린 채 따뜻하게 달아오르면서 사나운 모습이 그 뒤로 사라졌던 것이다.

"화가 나다니!" 그녀가 되풀이해서 말했다. "오라버니한테 화가 나다니요, 클리퍼드 오라버니!"

이렇게 외칠 때 그녀의 말투에는 그 안을 울리며 지나가는 애처로우면서도 정말 아름다운 곡조가 있었지만, 무딘 사람이 들었을 때 여전히 무뚝뚝하다고 잘못 알아볼 무언가가 완전히 눌려 없어지지는 않았다. 마치 어떤 탁월한 음악가가 금이 간 악기로 영혼을 울리는 달콤한 음률을 만들어 낼 때 그 천상의 조화로움 속에서 물리적인 결점이 들리는 것과도 같았다. 헵지바의 목소리를 발성 기관으로 삼은 감수성은 그렇게 깊숙했던 것이다.

"여기에는 사랑뿐이에요, 클리퍼드 오라버니." 헵지바가 덧붙였다. "사랑뿐이라고요. 오라버니는 집에 온 거예요!"

그녀의 말투에 손님은 미소로 대답했는데, 그 미소는 얼굴을 반도 밝혀 주지 못했다. 하지만 그 미소는 어렴풋하고 금방 없어져 버리긴 했지만 놀랄 만큼 아름다운 매력을 지니고 있었다. 그 뒤로 좀 거친 인상이 따라 나왔는데, 잘생긴 얼굴 표정의 윤곽을 조절할 어떤 지적인 면도 없었기 때문에 생겨나는 효과라고 할 수도 있었다. 그는 거의 게걸스럽다고 할 만큼 마구 음식을 먹었고, 풍성하게 차려진 식탁이 제공하는 감각적인 기쁨에 빠져 자신과 헵지바, 어린 소녀를 비롯해 주위의 모든 것을 잊은 듯했다. 그는 천성적으로 섬세하고 아주 세련되었지만 미각의 즐거움에 대한 감수성도 아마 타고난 듯했다. 하지만 정신적인 특성이 그 기운을 유지할 수 있었다면 감수성은 절제되고 방향이 전환되어 수많은 지적인 문화 양식 중 하나로 꽃필 수도 있었을 것이다. 그러나 지금 저렇게 존재하는 모습을 보자니 그 결과는 고통스러웠고 피비는 눈길을 아래로 떨어뜨렸다.

잠깐 후에 손님은 아직 맛보지 않은 커피의 향을 감지했다. 그러고는 굶주린 듯이 그것을 쭉 들이켰다. 그 미묘한 본질이 그에게 마치 마법의 약 같은 효과를 주어, 불투명한 그의 동물적 존재가 투명해졌거나 적어도 반투명해졌다. 그리하여 영혼의 빛이 이전보다 더 맑은 광채를 내며 그 사이를 통해 전해졌다.

"좀 더, 좀 더!" 마치 막 빠져나가려는 것을 붙잡으려고 노심초사하듯이 그가 불안하고 조급한 말투로 외쳤다. "나한테 필요한 게 이거야! 좀 더 줘!"

미묘하면서도 강력한 커피의 영향력으로 그는 좀 더 몸을 곧추세우고 앉아, 눈길이 닿는 것마다 주의를 기울이는 그런 눈빛으로 바라보았다. 그렇다고 그의 표정이 좀 더 지적인 특성을 띠게 될 정도는 아니었다. 그것도 나름의 자리를 차지했지만 가장 특징적인 인상은 아니었다. 보통 도덕적 본성이라고 불리는 것이 두드러지게 모습을 드러낼 만큼 강력하게 깨어났다고도 할 수 없었다. 그러나 누릴 만한 모든 아름다운 것들을 다루는 역할을 하는 어떤 섬세한 기질이 이제 생겨났는데, 완전히 눈에 띄게 끌어내어졌다기보다 불안정하면서 불완전하게 드러났다. 그것을 주요한 특질로 삼는 인성에 있어서는, 그 인성의 소유자에게 아주 세련된 취향과 부러울 정도로 쉽게 행복에 빠지는 특성을 부여할 것이다. 아름다움이 그의 삶일 것이고 모든 열망이 그리로 향할 것이다. 또한 몸체와 신체 기관도 그에 어울리게 된다면 그 자신의 신체적 발전도 마찬가지로 아름다울 것이다. 그러한 사람은 슬픔이라든지 다툼과는 아무 관련도 없을 것이고, 세상과 붙어 싸울 만한 마음과 의지, 양심이 있는 사람들에게 무한히 다양한 모습으로 찾아오는 순교와도 아무 관련이 없을 것이다. 영웅적인 기질의 사람들에게 그러한 순교는 세상이 주는 선물로서 가장 값진 보상일 것이다. 그러나 우리 앞의 이 사람에게 그것은 단지 슬픔일 것이고, 가해지는 고통이 심해질수록 슬픔 역시 강렬해질 것이다. 그는 순교자가 될 권한이 없었다. 그리고 행복하게 살기에만 적합할 뿐 그 외의 다른 목적을 수행하기에는 너무 유약한 그를 본다면, 관대하고 강하며 고귀한 영혼은 아마 자신에게 주어질 얼마 안 되는 즐거움까지 기꺼이 희생하고자 할 것이다. 그렇게 하여 냉혹한 우리 세계의 차디찬 돌풍이 그와 같은 사람에게 조금이라도 완화될 수 있다면 그 자체로는 별것 아닌 희망을 집어 던질 수도 있는 것이다.

심하게 말하는 것이거나 경멸적 의미에서가 아니라, 클리퍼드의 본성은 쾌락주의자인 듯했다. 그것은 그곳, 어둡고 낡은 거실에서조차 느낄 수 있었는데, 그의 눈은 그늘을 드리우는 나뭇잎 사이로 흔들리며 노니는 햇빛 쪽으로 어쩔 수 없이 끌렸던 것이다. 화병에 꽂힌 꽃을 감상하는 그의 태도에서도 알 수 있었는데, 그는 너무나 정교해서 정신적 요소들이 그 안에 함께 주조된 것 같은 육체적 존재의 특징이라 할 만한 흥취로 그 향을 들이마셨다. 그가 피비를 보면서 무의식적으로 미소를 짓는 데서도 또한 이러한 특성이 드러났는데, 피비의 생기 넘치는 처녀다운 모습은 햇빛이며 꽃이자, 더 예쁘고 호감을 주는 방식으로 표현된 그 정수이기도 했던 것이다. 여주인에게서 바로 눈을 돌리고는, 그리로 다시 눈길을 주느니 다른 구석들을 이리저리 둘러보는 본능적인 경계에서도 아름다움에 대한 이러한 사랑과 요구는 마찬가지로 분명하게 나타났다. 그러나 그것은 헵지바의 불행이지 클리퍼드의 잘못이 아니었다. 그녀가 그렇게 누렇게 뜨고 주름이 자글거리는 얼굴에 애처로운 모습을 가진 데다 머리에는 이상하게 에부수수한 터번을 쓰고 너무나 빙퉁그러진 오만상으로 이마가 뒤틀려 있는데 어떻게 그가 그녀를 바라보고 싶어 할 수 있겠는가! 그런데 그녀가 묵묵히 베풀어 온 그 많은 애정에 대해 그가 빚진 게 있지는 않을까? 빚진 건 전혀 없다. 클리퍼드와 같은 이의 본성은 그런 종류의 빚에 묶일 수 없다. 그것은, 비난조도 아니고 다르게 생겨먹은 사람들에 대해 그들이 가지는 거부할 수 없는 권리를 축소해서 하는 얘기도 아닌데, 본성상 이기적이다. 그래서 그러한 사람들은 그렇게 살도록 내버려 둬야 하며, 보상을 바라지 말고 더욱더 영웅적이고 사심 없는 사랑을 그에게 쏟아부어야 하는 것이다. 가련한 헵지바는 이러한 진실을 알았거나 적어도 본능적으로 그에 맞춰 행동했다. 그 자신의 경우처럼 그가 너무 오랫동안 사랑스러운 것을 접하지 못하다가 자신의 늙고 못생긴 모습이 아니라 더 환한 모습을 눈앞에서 보게 된 것을 기뻐했다. 물론 기뻐하면서도 지금은 한숨이 나오고, 나중에 자기 방에 들어가 눈물을 흘리려는 숨은 목적을 가지고 있기는 했지만 말이다. 자신은 아름다운 용모를 가진 적이 없었고, 설사 가졌었다 하더라도 오빠로 인한 슬픔 때문에 오래전에 망가졌을 것이었다.

손님은 의자에 기대어 앉았다. 그 표정에는 꿈을 꾸는 듯한 기쁨과 함께 일부러 애를 쓰고 불편해하는 불안한 기색이 뒤섞여 있었다. 그는 주변 광경을 좀 더 확실히 감지할 수 있도록 애쓰고 있었다. 아니면 그것이 꿈이나 상상이 꾸며 낸 일이 아닐까 두려워하면서 환영이 좀 더 화려하게 지속될 수 있도록 애를 쓰느라 찬란한 이 순간을 흐트러뜨리고 있는지도 몰랐다.

"정말 유쾌하군! 정말 기분 좋아!" 그는 중얼거렸지만 딱히 누군가를 향해 하는 말은 아니었다. "이게 지속되려나? 열린 창문으로 들어오는 공기가 정말 향긋하구나! 열린 창문이라니! 햇빛이 노니는 모습은 또 얼마나 아름다운지! 저 꽃들, 향기롭기도 하지! 저 소녀의 얼굴은 정말 명랑하고 활짝 피어났구나. 이슬을 머금은 꽃과 그 이슬에서 반짝이는 햇빛처럼. 아, 틀림없이 이건 모두 꿈이야! 꿈이라고! 꿈! 그런데도 사면의 돌벽은 정말 잘도 숨겨 놓았네!"

그러더니 동굴이나 지하 감옥의 그림자가 드리워지기라도 한 듯 그의 얼굴이 어두워졌다. 감옥 창문의 철창 사이로 들어올 수 있을 만큼의 빛밖에는 남지 않았다. 아니, 더 깊숙이 내려가기라도 하는 듯 그보다 더 어두워졌다. 진행되는 상황에 어떤 식으로든 오랫동안 참여를, 그것도 보통은 좋은 식으로 하지 않는 경우가 별로 없는 눈치 빠르고 활발한 기질의 소유자인 피비는 이제 자신이 낯선 사람에게 말을 걸어야 할 차례라고 느꼈다.

"이건 제가 오늘 아침에 정원에서 찾은 새로운 종류의 장미예요." 그녀가 화병에서 작은 진홍빛 꽃을 하나 집으며 말했다. "올해는 한 그루에 대여섯 송이밖에 피지 않을 거예요. 이 꽃은 그중에서 제일 깨끗하고 예쁜 거예요. 좀이 먹거나 썩은 데가 하나도 없어요. 얼마나 향기가 좋은지 몰라요. 다른 장미하고는 비교도 안 되거든요. 이 향기는 아마 절대 못 잊을걸요."

"아! 나도 보여 줘! 이리 줘 봐!" 손님은 외치며 꽃을 탐내듯 받아 쥐었다. 기억 속에 간직된 향기가 지니는 특이한 마법으로 인해 그것이 풍기는 향기와 함께 수많은 연상들이 그의 머리에 떠올랐다. "고마워! 이 덕분에 훨씬 나아졌는걸. 이 꽃을 정말 아꼈던 기억이 나는군. 아마 아주 오래 전이었지, 아주 오래! 아니, 겨우 어제였던가? 다시 젊어진 것 같아! 아니, 젊은 건가? 이 기억이 너무나 특이하게 분명한 건지, 아니면 이 의식이 이상하게도 흐릿해진 건지! 어쨌든 예쁜 처자가 친절하기도 하지! 고마워! 고마워!"

이 작은 진홍색 장미로 인해 기분 좋은 흥분을 느낀 것이 클리퍼드가 아침 식탁에서 맛본 가장 환한 순간이었다. 그것은 좀 더 지속될 수도 있었지만, 곧 거무스름한 액자와 광택 없는 캔버스에서 마치 유령처럼, 그것도 무척 성마르고 기분 상한 유령처럼 그 장면을 내려다보는 그 옛날 청교도인의 얼굴에 그의 눈길이 머물렀다. 손님은 조급한 손짓과 함께, 가족에게 총애받는 사람이 보통 그렇듯이 대놓고 짜증을 내며 헵지바에게 말했다.

"헵지바! 헵지바!" 그가 상당히 분명하게 힘을 주어 외쳤다. "왜 저 밉상스러운 그림을 벽에다 계속 붙여 놓는 거지? 그래, 그래, 네 취향이 딱 저렇지! 저게 이 집의 악령이라고 내가 수천 번은 말했잖니! 특히 나에게 악령이라고! 당장 내려!"

"클리퍼드 오라버니, 그럴 수 없다는 거 알잖아요!" 헵지바가 처연하게 말했다.

"그러면, 여하튼" 하고 그가 여전히 어느 정도 기운차게 이어서 말했다. "제발 그것을 진홍색 커튼으로 덮어 버리든가. 주름을 잡아 걸 수 있을 정도로 넓고, 가장자리에 금테가 둘러져 있고 술이 달린 커튼 말이야! 참을 수 없어! 내 얼굴을 뚫어져라 노려보고 있잖아!"

"알았어요, 오라버니, 그림을 덮을게요. 위층 트렁크 안에 진홍색 커튼이 있어요. 아마 색도 좀 바래고 좀도 슬었을 테지만 피비랑 내가 그것으로 멋지게 해 볼게요." 헵지바가 달래듯이 말했다.

"오늘 당장이야, 알았지!" 그가 대답하고는 스스로에게 말하듯이 낮은 목소리로 덧붙였다. "대체 왜 이 음침한 집에서 살아야 하는 거야? 프랑스 남부로 가면 안 되나? 이탈리아나? 파리나 나폴리, 베네치아나 로마 같은 데는? 헵지바는 그럴 돈이 없다고 하겠지. 웃긴 소리지!"

그는 혼자 빙긋 웃더니 예리하고 냉소적인 의미가 담긴 시선을 헵지바에게 던졌다.

그러나 그는 그리 분명하게 인식되지는 않으면서도 너무 짧은 시간 동안 번갈아 겪은 여러 종류의 감정 상태로 인해 분명 지쳐 버린 듯했다. 아마도 그는 아무리 천천히 흘러가더라도 물줄기를 이루어 흘러가기보다는 발 주변의 웅덩이처럼 그저 고여 있는 데 익숙해 있을 것이다. 졸린 듯한 잠의 막이 그의 얼굴에 퍼지더니, 도덕적인 의미로 햇빛은 투과하지 못하는 생각에 잠긴 안개가 풍경 위로 덮이는 것 같은 효과가 천성적으로 섬세하고 우아한 얼굴 윤곽에 자리 잡았다. 그는 투미해지더니 거의 천해 보이기까지 했다. 조금의 흥미나 아름다움이(망가진 아름다움이라도) 그에게서 보이더라도 이제 보는 사람은 그것을 의심할 것이고, 그 얼굴에 조금의 품위가 잠깐 나타났다 사라졌다거나 뭐가 낀 듯한 그 눈에 조금이라도 절묘한 빛이 반짝였다고 자신이 멋대로 상상했을 뿐이라고 여길 것이었다.

하지만 그가 완전히 까라지기 전에 날카로우면서 성마른 가게 종이 울렸다. 그것이 그의 청각과 특별히 민감한 그의 신경을 너무나 긁어 댔기 때문에 클리퍼드는 의자에서 벌떡 일어났다.

"맙소사, 헵지바, 지금 우리 집에 무슨 끔찍한 소동이 일어난 거지?" 오랫동안 습관으로 굳어 당연지사가 되어 버린 대로, 세상에서 자신을 사랑하는 단 한사람에게 성마른 분노를 쏟아부으며 그가 소리쳤다. "저렇게 거슬리는 소음은 난생 처음이군! 왜 저걸 그냥 놔두는 거지? 듣기 싫은 소리도 가지가지지만, 저건 대체 뭐야?"

겉으로 보기에는 아무것도 아닌 이 짜증이, 마치 흐릿하던 그림의 화폭이 갑자기 순식간에 펼쳐지듯이 클리퍼드의 성격을 얼마나 눈에 확 띄게 만들었는지는 놀라울 정도였다. 비밀을 말하자면, 그와 같은 성질을 가진 사람은 마음을 통하기보다는 자신이 가진 미와 조화로움의 감각을 통해서 더 날카롭게 자극을 받는다는 것이다. 비슷한 경우가 종종 일어나다시피, 클리퍼드가 예전에 여러 가지 방법으로 자신의 취향을 완벽에 가깝도록 갈고 닦았다면, 그 미묘한 속성들이 지금에 이르기까지 그의 애정을 완전히 갉아먹었거나 갈아 없애 버렸을 수도 있다. 그렇다면 그가 겪은 암울하고 오랜 불행으로 인해 그에게 구원받을 수 있는 자비의 물방울이 바닥까지 하나도 남지 않았다고 단언할 수도 있을까?

"클리퍼드 오라버니, 나도 그 소리가 오라버니에게 들리지 않게 했으면 좋겠어요." 헵지바는 고통스러운 수치감으로 얼굴이 달아오르면서도 참을성 있게 말했다. "그 소리는 나한테도 아주 고약스러워요. 하지만 오라버니, 있잖아요, 오라버니에게 할 말이 있어요. 이 고약한 소리는, 피비야, 뛰어나가서 누가 온 건지 좀 보겠니? 이 몹쓸 작은 딸랑딸랑 소리는 바로 우리 가게 종소리에요."

"가게 종소리!" 클리퍼드가 황당한 눈초리로 쳐다보며 말했다.

"그래요, 우리 가게 종소리!" 헵지바가 말했는데, 그녀의 태도에서 어떤 천성적인 위엄이 깊은 감정과 뒤섞여 확연히 나타났다. "왜냐하면 오라버니, 우리가 가난하다는 걸 오라버니도 알아야 해요. 배가 고파 죽을 지경일 때라도 그가 빵을 건넨다면 내가 뿌리칠(오빠도 그렇겠지요!) 그 사람에게서 도움을 받든지(그가 아니면 도와줄 사람이 없거든요.) 아니면 내 손으로 먹고 살 돈을 벌든지, 그 두 가지 외에는 다른 어떤 방책도 없었어요. 나 혼자라면 그냥 굶어 죽어도 돼요. 하지만 오라버니가 돌아올 거였잖아요! 그러면 클리퍼드 오라버니," 하고 참혹한 미소를 띠며 그녀가 덧붙였다. "내가 맨 앞쪽 박공 아래 작은 가게를 열어서 이 유서 깊은 저택을 도저히 회복할 수 없을 정도로 치욕스럽게 했다고 생각하나요? 우리에 비하면 그럴 필요도 훨씬 없었는데 우리 고조부님도 이 일을 했잖아요! 내가 창피해요?"

"창피! 치욕! 그런 단어를 나한테 쓰는 거야, 헵지바?" 클리퍼드가 대꾸했지만 역정을 내는 것은 아니었다. 영혼이 철저히 망가졌을 때 사람은 사소하게 상처 주는 일에는 역정을 내지만 큰 문제에는 결코 분개하는 법이 없기 때문이다. 그래서 그는 그저 슬픔에 젖어 말했다. "나한테 그런 말을 하면 안 되지, 헵지바! 이제 와서 내가 창피할 일이 뭐가 있겠니?"

그러더니 즐기며 살 팔자로 태어났으나 너무나 비참한 불운을 맞은 이 무기력한 남자는 여자들이 하듯이 설움에 겨워 울음을 터뜨렸다. 하지만 잠깐 동안의 일이었고, 그는 곧 조용한, 그리고 그의 표정으로 보건대 그다지 불편하지 않은 상태가 되었다. 또한 이러한 상태에서 그는 잠시 얼마간 정신을 차려 미소를 지으며 헵지바를 바라보았는데, 날카로우면서 반쯤 비웃는 듯한 그 표정의 의미가 무엇인지 헵지바는 알 수 없었다.

"우리가 아주 가난한 것이냐, 헵지바?" 그가 말했다.

그 의자가 아주 깊고 푹신했으므로 드디어 클리퍼드는 잠이 들었다. 이제 그의 고른 숨소리(하지만 그때도 원기가 부족한 그 성격에 어울리게 강하고 깊은 숨이라기보다는 떨림이 있는 약한 숨소리였는데)를 들으면서, 깊은 잠에 들었다는 표시로 그 숨소리를 들으면서 헵지바는 지금까지 차마 하지 못했지만 이제 기회를 잡아 그의 얼굴을 찬찬히 들여다보았다. 그녀의 가슴이 슬픔으로 녹아내렸다. 그녀의 가장 깊숙한 영혼이 낮고 부드럽지만 뭐라 표현할 수 없이 슬프게 신음하는 소리를 내었다. 그녀는 그렇게 깊은 슬픔과 동정으로 가득 차, 이제는 변해 버린 늙고 쇠락해 망가진 그의 얼굴을 뚫어지게 본다고 해서 불경스러울 것은 없다고 느꼈다. 그러나 그녀는 조금이나마 안도를 하는가 싶더니 곧 그가 그렇게 변해 버렸기 때문에 오히려 호기심에서 그를 들여다보는 것에 심한 양심의 가책을 느꼈다. 그래서 서둘러 시선을 다른 곳으로 돌리고는 햇빛 가득한 창문 위로 커튼을 내린 뒤 잠에 빠진 클리퍼드를 그곳에 두고 자리를 떴다.

8
오늘날의 펀천

가게에 들어선 피비는 짐 크로와 코끼리, 낙타, 아라비아 낙타, 그리고 기관차(그의 위대한 업적을 제대로 기억하는 거라면)를 먹어 치운, 이제는 낯익은 얼굴과 마주했다. 지난 이틀 동안 위에서 말한 것처럼 전례 없는 사치를 누리느라 자신이 가진 돈을 다 써 버린 어린 신사는 이번에는 달걀 세 개와 건포도 230그램을 사 오라는 엄마의 심부름을 온 것이었다. 피비는 이 물건들을 그에게 건네주고는, 그동안 손님이 되어 준 것에 대한 감사를 표하는 동시에 아침 식사 후 약간의 먹을거리를 더해 주기 위해 그의 손에 고래를 쥐어 주었다. 이 거대한 물고기는 즉시 니네베의 예언자*가 겪은 것과 반대로 그에 앞

* 구약 성경에 등장하는 이스라엘 예언자 요나. 니네베에 파멸의 경고를 하라는 신의 명을 어기고 계속 도망치다가 배에서 폭풍을 만나 고래 배 속에서 사흘을 보냈다.

서 다양한 대상이 지나갔던 대로 운명의 붉은색 길을 따라 내려갔다. 이 놀라운 꼬마는 정말이지 유서 깊은 시간의 상징 그 자체였는데, 사람이든 사물이든 가릴 것 없이 모두 먹어 치운다는 점에서도 그랬고, 시간과 마찬가지로 그 역시 그 많은 피조물을 먹어 치운 후에는 마치 그 순간 바로 태어난 듯이 젊음이 넘쳐 보이는 점에서도 그러했다.

아이는 반쯤 문을 닫다가 돌아서서 피비에게 뭐라고 중얼거렸는데, 고래가 아직 입속에 반쯤 남아 있었던 탓에 그녀는 잘 알아들을 수가 없었다.

"뭐라고 그랬니, 꼬마야?" 그녀가 물었다.

"엄마가요, 핀천 할머니의 오빠가 어떠신지 궁금하다고 하세요. 사람들이 그러는데 그분이 집에 돌아오셨다면서요." 네드 히긴스가 아까보다 분명하게 다시 말했다.

"헵지바 아주머니의 오빠라고!" 이로써 헵지바와 그 손님의 관계를 갑자기 알게 되어 놀라면서 피비가 소리쳤다. "오빠라니! 그럼 지금까지 그분은 어디에 계셨던 거람!"

거리에서 많은 시간을 보낸 아이답게, 일찍부터 습득하게 된 약빠른 표정(아무리 그 자체로는 의미가 없더라도)을 지어 보이며 어린아이는 그저 넓대대하고 뭉툭한 코에 엄지손가락을 갖다 댈 뿐이었다. 그리고 피비가 엄마의 질문에는 대답하지 않은 채 계속 쳐다보고만 있자 그 아이는 가 버렸다.

아이가 계단을 내려갈 때 신사 한 사람이 계단을 올라와 가게로 들어섰다. 풍채가 좋고, 키가 조금만 더 컸더라면 위엄 있게 보일 수도 있었을 나이 지긋한 신사였는데, 질 좋은 나사

천과 아주 근사해 보이는 얇은 천으로 만든 검은 정장을 입고 있었다. 희귀한 동양 나무로 만들고 금으로 머리 장식을 한 지팡이가 그의 외모가 지닌 상당한 사회적 지위를 더 높여 주었다. 말할 수 없이 흰 순백색 목도리와 꼼꼼히 닦아 광을 낸 구두도 역시 그러했다. 각지고 어두운 얼굴 모양은 덥수룩한 눈썹과 함께 그 자체로 강한 인상을 주었고, 너무나 선하고 자애로운 표정으로 매서워 보이는 모습을 완화하기 위해 스스로 부단히 애쓰지 않는다면 아마 다소 준엄해 보일 것이었다. 하지만 얼굴 아래쪽에 동물적 기질이 다소 묵직하게 붙어 있어서 그 표정은 고상하다기보다 기름기가 줄줄 흐르는 듯했고, 소위 참신한 광휘 같은 것을 지니고는 있으나 그가 분명 의도했던 것만큼 그렇게 만족스럽지는 않았다. 어쨌든 예민한 관찰자라면 외적으로는 어떤 인상을 주려고 의도했건 그 모습이 진정으로 선한 영혼에 대한 증명은 거의 되지 못한다고 여길 것이었다. 게다가 그 관찰자가 예리하고 민감할 뿐 아니라 빙퉁그러지기까지 하다면, 그 신사의 얼굴에 떠오른 미소가 구두의 광택과 상당히 유사해서 그것을 끄집어내어 유지하려면 그와 구두닦이가 각각 엄청난 노력을 들여야 하는 게 아닐까 하고 의심의 눈초리를 보낼지도 모른다.

창문에 늘어놓은 진열품뿐 아니라 튀어나온 2층과 빽빽한 느릅나무 잎이 어스레한 회색빛 공간으로 만든 작은 가게로 들어서면서, 낯선 신사는 헵지바와 그녀와 함께 사는 사람들의 도덕적 암흑을 포함한 공기의 음울함 전부에 오직 자기 표정에서 나오는 빛만으로 맞서 보겠다고 마음을 굳게 먹기라도 한 양 더욱 활짝 미소를 지어 보였다. 그런데 나이 든 노처녀의 해쓱한 표정이 아니라 어린 소녀의 피어나는 얼굴을 마주하고는 놀라는 표정이 역력했다. 그는 처음에는 눈살을 찡그렸으나 곧 더욱 기름기가 흐르는 자애로운 미소를 지어 보였다.

"아, 어찌 된 건지 알겠어!" 그가 낮고 굵은 목소리로 말했는데, 그 목소리는 못 배운 평민의 목에서 나왔다면 거칠고 탁하게 들렸겠지만 신경 써서 훈련을 한 탓에 이제는 꽤 듣기 좋았다. "헵지바가 이렇게 훌륭한 도움을 받으며 사업을 시작했는지는 몰랐는걸. 여기 조수인 거지, 아마?"

"물론 그렇습니다만" 하고 대답한 후, 피비는 그 신사가 정중하기는 했지만 자신을 임금을 받고 일하는 젊은이로 여기는 것이 분명했으므로 귀부인의 품위를 약간 취하면서 덧붙였다. "전 헵지바 아주머니를 찾아뵈러 온 조카입니다."

"조카? 그러면 시골에서 온? 그렇다면 말이지." 신사는 피비가 생전 받아 본 적이 없는 방식으로 미소를 짓고 인사를 하며 말했다. "그런 경우라면 우리가 서로 잘 사귀어야지. 왜냐하면 내가 착각하지 않은 다음에야 너는 나의 친척이기도 하니까 말이야. 어디 보자, 메리였나? 돌리? 피비? 그래, 피비구나! 정말 네가 내 사촌이자 급우였던 아서의 외동딸 피비 핀천이란 말이냐? 아, 그래, 입 주변에서 네 아빠 얼굴이 보이는구나! 그래, 그래, 친하게 지내 보자고! 네 친척 아저씨니까, 얘야. 핀천 판사에 대해서는 들어 봤겠지?"

피비가 그에 답해 예를 차리자, 판사는 몸을 기울여 공인된 친척 간의 자연스러운 애정으로 어린 친척에게 입맞춤을 하려 했는데, 가까운 혈족 관계인 데다 둘의 나이차를 고려한다면 기꺼이 받아들일 만할 뿐 아니라 갸륵하기까지 한 일이었다. 그러나 불행하게도 피비는 별 뜻 없이, 혹은 정신적인 면에서는 딱히 설명할 수 없는 일종의 본능적인 의도로, 바로 중요한 순간 뒤로 물러나 버렸다. 그러자 고귀하기 이를 데 없는 친척 아저씨는 계산대 위로 몸을 기울이고 입술을 쭉 내민 채 마치 허공에 대고 입을 맞추는 듯한 좀 우스꽝스러운 상태에 놓이게 되었다. 그것은 구름을 껴안는 익시온*의 현대판이었는데, 판사 자신이 모든 허황된 것들을 피하고 절대 그림자를 실체로 착각하는 법이 없음을 자랑스러워하기 때문에 더욱 우스꽝스러웠다. 사실을 말하자면, 이것이 또한 피비가 댈 만한 유일한 핑계이기도 했는데, 핀천 판사의 타오르는 자애로움이 거리에서나 아니면 보통 크기의 방 안에서 그만큼의 간격을 두었을 때는 마주하는 여성에게 아주 불쾌한 것은 아니었으나, 시커멓고 개기름이 흐르는(어떤 면도날로도 말끔히 깎지 못할 만큼 거친 턱수염이 난) 면상이 자기가 관심을 보이는 대상과 실제로 접촉을 하겠다고 나설 때는 너무나 강렬해졌던 것이다. 판사가 그러한 종류의 표현을 하려 들면 이러나저러나 그의 남자가, 그 남성적 성이 말할 수 없이 두드러졌으니까. 피비는 눈을 내리깔았고, 왠지 모르게 그의 시선 앞에서

* 그리스 신화에 등장하는 인물. 헤라를 유혹하려다 이를 알아챈 제우스가 구름으로 헤라의 형상을 만들어 그 앞에 보여 주었더니 그것을 껴안았다.

자신의 얼굴이 무척 달아오르는 것을 알았다. 그녀는 전에도 눈썹이 짙고 기분 나쁜 턱수염을 지녔으며 흰 목도리를 두른, 기름기가 흐르는 듯한 이 자애로운 판사보다 나이가 많거나 적은 친척들 대여섯 명 정도에게서 입맞춤을 받아 본 적이 있지만 딱히 그것을 꺼려한 적은 없었다. 그런데 왜 그의 입맞춤에는?

눈을 들었을 때 피비는 완전히 달라진 핀천 판사의 얼굴을 보고 깜짝 놀랐다. 규모가 다르기는 하지만 그것은 마치 햇빛이 가득 쏟아지는 풍경과 폭풍이 불어 닥치기 바로 전의 풍경 사이의 차이만큼 현저한 것이었다. 강렬한 열정이 있는 폭풍 전 풍경이 아니라 하루 종일 먹구름이 낮게 깔려 있던 것처럼 냉랭하고 험악하며 누그러지지 않는 그런 경우 말이다.

'맙소사, 이제 어쩌지?' 시골 처자는 속으로 생각했다. '이제 그에겐 바위보다 부드럽고 동풍보다 온화한 것은 아무것도 없는 것 같아! 악의가 있었던 건 아니었는데! 그가 정말 내 친척이니까 웬만하면 입맞춤을 하게 해야 할까 봐!'

그때 피비는 문득 이 핀천 판사가 바로 은판 사진사가 정원에서 보여 준 그 사진의 모델이었고, 지금 그의 얼굴에 떠오른 모질고 엄하며 무자비한 표정이 태양이 완고하게 계속 끄집어낸 바로 그 표정이었음을 깨달았다. 그렇다면 그것은 일시적인 기분이 아니라 솜씨 좋게 숨어 있긴 하지만 고정된 그의 삶의 기질이란 말인가? 그 정도가 아니라, 턱수염 기른 그 조상의 그림에서 이 시대 판사의 표정 뿐 아니라 특이할 정도로 그 특성까지 일종의 예언같이 찾아볼 수 있는 것처럼, 그것은 그 조상에게서 온 귀중한 세습 재산처럼 그에게 유전되어 전해 내려오고 있는 것은 아닐까? 피비보다 좀 더 깊이 사색할 수 있는 사람이라면 아마 이러한 생각에서 무척 끔찍한 무언가를 발견했을지도 모른다. 그것은 후손에게 상속하고자 하는 재산과 명예에 관련해 인간의 법이 확립하고자 했던 계승의 과정보다 훨씬 더 확실한 과정을 통해서 약점과 결점들, 악한 감정들이나 비열한 경향들, 그리고 범죄로 이어지는 도덕적 질병들이 한 세대에서 다음 세대로 전해 내려진다는 사실을 암시한다.

그러나 사실은 피비가 다시 핀천의 얼굴로 시선을 돌리자마자 추하고 엄한 표정은 싹 가셨다. 그래서 그녀는 이 탁월한 사람이 자신의 위대한 심장에서부터 주변의 대기로 뿜어내는, 말하자면 후텁지근한 복날의 무더위 같은 자애로움에 완전히 압도되었음을 알았는데, 그것은 상대방의 정신을 빼앗기 전에 특이한 자신의 냄새로 대기를 가득 채운다는 뱀과 아주 흡사했다.

"마음에 들어, 피비!" 그가 동의한다는 듯이 힘주어 고개를 끄덕이며 소리쳤다. "정말 맘에 든다고! 착한 아이라서 어떻게 자기를 간수하는지 알고 있구나. 젊은 처녀는, 특히 아주 예쁘게 생겼으면 더욱 입술을 쉽게 내주어서는 안 되지."

"정말이지, 무례하게 굴려는 것은 아니었어요." 피비가 그냥 웃어넘기려고 애쓰며 말했다.

그것이 오로지 이렇게 안 좋은 방식으로 서로를 알게 된 탓이든 아니든, 어쨌든 피비는 통상 솔직하고 다정한 성격에 전혀 맞지 않게 좀 자제하면서 행동하게 되었다. 그렇게 수많은 으스스한 전설들을 통해 들어 왔던, 뉴잉글랜드 핀천가의 시조이자 일곱 박공의 집을 지었고 그 집에서 그렇게 기이하게 숨을 거두었다는 그 옛날 청교도 핀천이 지금 가게 안으로 걸어 들어온 것이라는 환상이 떠나지 않았다. 즉석 장비가 발전된 요즘에는 그런 일은 쉽게 처리할 수 있을 것이었다. 저세계에서 와도 이발소에서 십오 분 정도면 옛날 청교도의 수북한 턱수염을 깎아 내고 희끗희끗한 구레나룻으로 다듬어 줄 것이다. 그리고 기성복 가게의 단골이 되어 화려하게 만들어진 턱 아래 밴드와 함께 자신의 벨벳 상의와 모피 외투를 주고 흰색 깃과 목도리, 외투와 조끼, 바지로 바꿔 입은 것이다. 그리고 마지막으로 날이 넓은 강철 손잡이 칼을 치우고 금 머리 장식의 지팡이를 짚고서 두 세기 전의 핀천 대령이 지금 이 순간의 핀천 판사로 나타나는 것이다!

물론 피비는 아주 분별 있는 소녀였기 때문에 이런 생각은 그저 웃자고 할 뿐이었다. 또한 그 두 사람이 정말 그녀 앞에 서 있다면 아마 많은 차이점을 발견하게 되거나, 단지 전체적인 분위기가 닮은 정도임을 알게 될 것이다. 조상인 영국인을 길러 낸 것과는 아주 다른 기후에서 오랜 세월이 흐르면서 그동안 후손들의 신체 기관에도 중대한 변화가 생겨났다. 판사의 근육 양은 대령과 거의 같지 않아서 분명히 살집이 적었다. 동시대 사람들 사이에서는 몸집이 큰 편으로 보이고, 판사직에 잘 어울리도록 기본적인 발달단계를 상당히 잘 거쳐 왔지만 핀천 판사가 그의 조상과 저울에 올라서서 평형을 이루려면 적어도 옛날 단위로 25킬로그램 분동이 더 필요할 것이었다. 그리고 판사의 얼굴에는 햇볕에 그을린 뺨 위로 따뜻함을 보여 주던 불그스레한 영국적 혈색이 사라지고 이 나라 사람들에게 자리 잡은 누르스름한 안색이 자리하게 되었다. 더구나 잘못 본 것이 아니라면, 지금 얘기되고 있는 신사처럼 그렇게 견실한 청교도인의 후손에게조차 어떤 신경과민이 다소간 분명하게 나타났다. 그의 표정이 옛날 영국 선조의 경우보다 재빨리 변한다든지, 아주 활발하기는 하지만 좀 더 우직한 무언가는 상실한 데서 그 점을 확인할 수 있었는데, 이 날카로운 자질은 마치 부식시키는 산(酸)과 같은 역할을 하는 듯했다. 우리가 아는 한 이 과정은 인간의 진보라는 더 큰 체제의 한 부분으로서, 그에 따르면 한 단계씩 올라가면서 동물적 무력의 필요성이 줄어듦에 따라 우리 몸의 좀 더 저급한 특성들이 정제됨으로써 점차 정신적인 특성이 강해지게 되어 있다. 그렇다면 핀천 판사도 다른 대부분의 사람들처럼 그러한 세련화의 과정을 한두 세기 더 겪어도 될 것이다.

판사와 그 조상 간의 지적, 도덕적 유사성은 적어도 행동거지나 생김새의 유사성에서 충분히 예상할 만큼은 있었던 듯하다. 옛날 핀천 대령의 장례식 설교에서 목사는 세상을 뜬 교구민인 그를 완전히 신성화하여, 말하자면 교회 지붕을 뚫고 그 위의 창공을 거쳐 저 멀리로 전경을 열어젖힘으로써 그가 천상 세계의 왕관 쓴 성가대원 중 한 사람으로서 손에 하프를 들고 앉아 있는 모습을 보여 줄 정도였다. 묘비명에 기록된 것도 그에 대한 칭찬 일색이었다. 그가 역사책의 한자리를 차지한다면 역사 역시 일관되고 곧은 그의 품성을 공박하지 않을 것이다. 마찬가지로 오늘날 핀천 판사의 경우에도 성직자나 법조계의 비평가, 비석 새기는 사람, 중앙 정치나 지역 정치의 역사가 등 누구를 막론하고, 기독교인으로서의 신실함이든 한 인간으로서의 품위든, 판사로서의 청렴함이든 자주 시험대에 오르는 자기 정당의 대표자로서의 용기와 충실성이든 어느 모로 보나 그에 대해 한마디라도 비난하는 말을 꺼낼 사람은 없었다. 그러나 이렇게 끌로 새겨진 차갑고 형식적이며 공허한 말과 연설하는 목소리, 그리고 대중의 눈과 먼 미래를 위해 글을 쓰는 펜, 그러니까 자신이 하는 일을 의식한다는 그 치명적 특성으로 진실과 자유로움을 상당히 상실하고 마는 그런 것들 외에, 조상들에 대해 전해 내려오는 이야기들과 판사에 대해 일상적으로 이루어지는 사적인 한담들이 있는데 그것들은 서로 무척 일치되는 증언을 하고 있었다. 사적이고 가정적인 여성들이 공적인 남성들에 대해 가지는 견해를 받아들이는 것이 도움이 될 때가 종종 있다. 게다가 새겨서 남기기 위한 초상화와 그 모델의 등 뒤에서 손에 손을 거쳐 전해지는 연필 스케치가 엄청나게 다르다는 사실만큼 신기한 것도 없을 것이다.

예를 들어, 전해 내려오는 말에 따르면 청교도 조상이 무척 재물을 탐했다고 한다. 판사 역시 아무리 씀씀이가 아주 후한 것처럼 보여도 주먹이 마치 강철로 만들어지기라도 한 듯이 아주 인색했다고 한다. 그 조상은 엄격한 친절함으로 자신을 감쌌고 말이나 행동은 거칠면서도 따뜻했는데, 대부분의 사람들은 그것이 남성적인 성격의 두툼하고 뻣뻣한 가죽을 뚫고 나오는 진정으로 따뜻한 본성이라고 여겼다. 그의 후손은 좀 더 친절해진 시대의 요구에 부합해 이러한 무뚝뚝한 자애로움을 활짝 웃는 자비로운 미소로 세련하여, 거리를 걸어갈 때면 정오의 햇빛처럼 그 미소를 비추고 개인적으로 아는 지인들의 거실에서는 벽난로 불처럼 그 미소를 피워 올렸다. 지금까지도 사람들이 숨죽여 얘기하는 어떤 특이한 이야기가 잘못된 것이 아니라면 청교도 조상은 불순함을 그와 연루된 추잡한 신체적 부분과 함께 없애 버리지 않는 다음에야 그 믿음이나 원칙이 무엇이든 상관없이 그처럼 체격이 잘 발달된 사람들이 저지르기 쉬운 어떤 계율을 위반하기도 했다고 한다. 오늘날 판사에 대해 사람들이 쉬쉬하며 얘기하는 비슷한 내용의 추문을 상술해 이 지면을 더럽히지는 않겠다. 청교도 조상은 또한 집에서도 독재자처럼 군림하여 결혼생활에서 단지 무자비한 몸무게와 냉혹한 성격만으로 부인 세 명의 진을 빼놓았고 그들은 비탄에 잠긴 채 하나씩 차례로 땅에 묻혔다. 이 점에서는 유사성이 약간 떨어진다. 판사는 단 한 번 결혼했고 결혼한 지 삼 년인가 사 년째 되던 해에 부인을 잃었다. 하지만 남편인 그가 그녀에게 군주이자 주인에 대한 충성의 표시로 매일 아침 침대 맡으로 커피를 갖다 바치게 했기 때문에 그녀가 신혼여행 때 이미 치명타를 입고 그 이후로 단 한 번도 미소를 짓지 않았다는 얘기가 있다. 그 사실이 결혼생활에 대한 핀천 판사의 태도의 전형을 보여 준다고 해도 무리는 없을 것이다.

하지만 유전적인 유사성이라는 이 주제는 너무나 풍부한 얘깃거리가 될 것이다. 한두 세기라는 시간에 걸쳐 얼마나 거대한 가계의 축적물이 모든 사람들의 뒤에 쌓여 있는지를 생각하면 그 직계를 따라 그러한 유사성이 자주 나타난다는 사실은 정말이지 불가해한 일이다. 그러므로 적어도 놀랄 만큼 박진(迫眞)하게 성격의 특성을 종종 보유하는 화롯가 얘기가 전하는 바에 따르면, 청교도 조상이 대담하고 오만하며 무자비하고 능란했다는 말만 덧붙이겠다. 은밀한 목적을 세운 후에 양심에 대한 고려나 중단 없이 불굴의 의지로 그것을 좇았고 약한 자를 짓밟았으며 목적을 이루기 위해 꼭 필요하다면 강한 자를 눌러 이기기 위해 최선을 다했다. 이 점에서 판사가 어느 정도 그를 닮았는지는 앞으로 이야기가 전개되면서 밝혀지리라.

시골에서 태어나 자라서 사실 가계의 전통에 대해 딱할 정도로 아는 바가 없는 피비는 위에서 언급한 유사성 중 어떤 부분도 거의 떠올리지 못했다. 그녀에게 그 전통이란 거미줄이라든지 들러붙은 검댕처럼 일곱 박공의 집의 방과 벽난로 구석을 맴돌 뿐이었다. 그러나 그 자체로는 아주 사소하지만 그녀를 이상할 정도로 공포로 몰아넣은 사건이 있었다. 그녀는 사형당한 마법사인 몰이 핀천 대령과 그 후손들에 대해 내렸다는, 신이 그들에게 피를 마시게 할 것이라는 저주를 들은 적이 있고, 마찬가지로 그 불가사의한 피가 가끔 그들의 목에서 꾸르륵거린다는 사람들의 생각도 들어서 알고 있다. 분별 있는 사람이자 특히 핀천 집안의 한 사람으로서 피비는 위의 두 번째 얘기에 대해서는 말도 안 되는 소리라고 일축했는데 사실이 분명 그러했기 때문이었다. 그러나 오래된 미신이 사람들 마음속에 오래 담기고 인간의 숨결로 구체화되어 여러 겹 반복되면서 몇 세대에 걸쳐 입에서 귀로 계속 전해지다 보면 꾸밈없는 진실처럼 물들게 된다. 각 가정의 벽난로 연기가 오롯이 그 냄새를 풍기게 되는 것이다. 그것이 가정사와 함께 오랫동안 전해 내려오게 되면 갈수록 점점 진짜로 그런 듯이 보이게 되고, 너무나 편안하게 자리를 잡아 아주 낯익은 모습을 하게 되면 그것이 가지는 영향력이란 대개 우리가 생각하는 것보다 훨씬 커지기 마련이다. 그래서 피비는 핀천 판사의 목에서 나는 어떤(아주 의식적이라기보다는 좀 습관적인 것이지만, 기관지에 약간의 문제가 있거나 어떤 사람들이 살짝 내비치듯이 중풍의 징후가 아니라면 별다른 의미가 없는) 소리를 들었을 때, 그러니까 필자로서는 전혀 들어 본 적이 없으므로 어떻다고 묘사할 도리가 없는 이 기이하고 야릇한 꾸르륵 소리를 들었을 때 바보같이 아주 깜짝 놀라서 두 손을 꽉 쥐고 말았다.

물론 피비가 그렇게 하찮은 일에 동요한다는 것은 말할 수 없이 우스꽝스러운 일이었고 더구나 그것과 매우 관련이 있는 사람 앞에서 동요하는 모습을 보이기까지 한 것은 더욱 용서받을 수 없는 일이었다. 하지만 그 사건이 핀천 대령과 핀천 판사에 대해 가졌던 바로 앞선 환상과 더불어 너무나 야릇하게 공명하면서 잠시 그 둘의 정체를 뒤섞어 놓는 듯했다.

"왜 그러느냐, 애야?" 핀천 판사가 매서운 표정을 보이며 물었다. "뭐 무서운 거라도 있는 게냐?"

"아닙니다, 정말 아무것도 아니에요!" 자신에게 화를 내듯이 약간 웃으며 피비가 대답했다. "그런데 헵지바 아주머니를 뵈러 오신 거지요? 불러 드릴까요?"

"괜찮다면 잠깐 기다려 봐라!" 판사가 다시 얼굴에 환한 빛을 띠며 말했다. "네가 오늘 아침 좀 예민한 듯하구나. 피비야, 도시 공기가 아무래도 건강하고 건전한 네 시골 습관과는 맞지 않겠지. 아니면 뭔가 마음을 어지럽게 하는 일이 생긴 거냐? 헵지바 가족한테 뭐 놀라운 일이라도? 누가 왔다거나, 응? 그럴 줄 알았어! 네가 약간 정신이 나간 것도 놀랄 일이 아니지. 그런 손님과 함께 살아야 한다니 순진한 어린 소녀가 어떻게 놀라지 않을 수 있겠나!"

"무슨 말씀이신지 모르겠는데요." 피비가 의아한 표정으로 판사를 바라보며 대답했다. "집에 무서운 손님은 안 계세요. 가엾고 상냥하고 아이 같은 분만 계시는데 헵지바 아주머니의 오빠 되시는 것으로 알고 있어요. 아마 더 잘 아시겠지만, 그분 정신이 좀 온전치 못한 것 같아요. 하지만 정말 온화하고 조용하셔서 엄마라면 아기를 맡겨도 될 정도예요. 아마 아기보다 그저 몇 살 정도 더 많은 것처럼 아기랑 잘 놀아 줄걸요. 그분 때문에 제가 놀라다니요! 말도 안 돼요!"

"클리퍼드 사촌에 대해 그렇게 우호적이고 솔직한 얘기를 들으니 기분이 좋구먼." 자상한 판사가 말했다. "수년 전에, 우리가 소년이고 젊은이였을 때 난 그에게 깊은 애정을 가지고 있었고 아직도 오로지 그를 향해 따뜻한 관심을 보이고 있지. 피비, 네가 보기에 그가 정신이 허약해 보인다고 했던가.

과거의 자신의 잘못을 참회할 만큼의 지성은 하늘이 허락했어야 하는데!"

"제 생각에는, 그 아저씨만큼 참회할 일이 없는 사람도 없을 것 같은데요." 피비가 말했다.

"그런데, 얘야." 판사가 딱하다는 표정을 지으며 말했다. "네가 클리퍼드 핀천에 대해 한 번도 들어 본 적이 없다는 게 말이 되니? 그의 과거사에 대해 전혀 모른다는 게? 그래, 상관없어. 네 어머니가 자신이 연결되어 있는 집안의 명성을 지키기 위해 상당히 마음을 쓴 게로구나. 그 불행한 사람에 대해 할 수 있는 한 가장 좋은 것을 믿고 또 바라려무나. 그것이 다른 사람을 판단하는 데 있어서 기독교인들이 항상 따라야 할 규칙이지. 어쩔 수 없이 어느 정도 상호 의존할 수밖에 없는 가까운 친척들 사이에서는 특히나 현명하고 옳은 일이야. 그런데 클리퍼드는 거실에 있나? 들어가서 한번 봐야겠다!"

"아마도 제가 헵지바 아주머니를 먼저 불러 드리는 게 좋을 듯해요." 피비가 말했다. 하지만 이렇게 애정 가득한 친척이 내실로 들어가는 일을 자신이 과연 막아도 되는지 확실히 알 수 없었다. "아저씨께서 아침을 드신 후 막 잠이 드신 것 같거든요. 분명 숙모님은 잠을 깨우는 걸 원치 않으실 거예요. 제발, 제가 먼저 알려 드리게 해 주세요!"

그러나 판사는 이상하게도 부득부득 알리지 않은 채 들어가겠다고 했다. 그러더니 생각하는 대로 무의식적으로 바로 몸을 움직이는 사람이 그렇듯 피비가 재빠르게 문 쪽으로 걸어가자, 그는 거의 거리낌 없이 그녀를 밀쳐 버렸다.

"아냐, 아냐, 피비!" 먹구름처럼 시커멓게 인상을 쓰고 거기서 나오는 천둥이 우르릉거리는 듯한 낮은 목소리로 핀천 판사가 말했다. "그냥 있으라고! 내가 집도 알고 헵지바 사촌도 알고 마찬가지로 클리퍼드도 잘 알고 있으니까 말이야. 내 어린 시골 친척이 굳이 내가 왔다고 먼저 알릴 필요는 없다고!" 이 마지막 말을 할 때쯤엔 금세 갑작스러운 사나움에서 다시 이전의 자상한 태도로 돌아오는 것 같은 낌새가 보였다. "이 집이 내 집이고, 피비, 기억을 되살려 봐, 네가 이방인이야. 그러니까 내가 들어가서 직접 클리퍼드가 어쩌고 있는지 보고 그와 헵지바에게 나의 다정한 마음으로 잘되기를 빌어 줘야지. 내가 얼마나 그들을 돕고 싶은지에 대해 이쯤에서 내 입으로 직접 그들에게 말해 주는 게 옳은 일이니까. 하! 헵지바가 와 버렸군!"

사실이 그러했다. 그녀가 얼굴을 돌린 채 오빠가 잘 자도록 살피며 앉아 있던 거실까지 판사의 우렁우렁한 목소리가 와 닿았던 것이다. 지금 그녀는 마치 출입구를 지키려는 듯이 튀어나왔는데, 마법에 걸린 미녀를 지키곤 하는 동화 속의 용과 놀랄 만큼 비슷해 보였다고 말하지 않을 수 없었다. 습관적으로 찌푸려진 그녀의 오만상은 너무나 사나운 모습이어서 지금 이 순간에는 분명히 근시로 인한 악의 없는 표정이라고 넘길 수 없었다. 핀천 판사를 향한 그 인상은 그를 깜짝 놀라게 할 정도는 아니어도 상당히 당황하게 했다. 그는 뿌리 깊게 박힌 반감의 도덕적 힘을 제대로 평가하지 못했던 것이다. 그녀는 그를 쫓아 버리듯이 손을 휘저으면서 금지 그 자체인 듯한 모습으로 현관의 검은 문틀 앞을 완전히 가로막고 섰다. 하지만 헵지바의 비밀을 말하자면, 그녀의 타고난 소심함이 이 순간에도 순식간에 온몸을 사로잡아 사지가 후들거리는 것을 스스로도 느낄 수 있었다.

가공할 헵지바의 외양 뒤에 정말로 모질고 강한 성격이란 거의 없다는 사실을 판사가 알았을 수도 있다. 어쨌든 배짱 있는 강심장인 그는 곧 정신을 차리고는 팔을 뻗어 사촌에게 다가갔다. 그런데 사려 깊은 예방책 삼아 어찌나 환하고 뜨거운 미소를 지으며 다가갔던지, 보이는 만큼의 반만이라도 실제로 따뜻하다면 덩굴에 달린 포도송이들이 여름빛을 한껏 받은 듯이 단번에 검붉게 익을 정도였다. 헵지바가 황색 밀랍 인형이라도 되는 듯이 가련한 그녀를 그 자리에서 녹여 버리려는 심산인 듯했다.

"사랑스러운 사촌 헵지바, 정말 기쁜 일이야!" 판사가 아주 힘을 주어 큰 소리로 말했다. "이제 드디어 네게 삶의 목적이 생겼군. 그래, 그리고 우리 모두와 네 친구들과 친척들 모두에게도 이전보다 더 많은 삶의 목적이 생긴 거지. 클리퍼드가 편안히 지내도록 힘닿는 한 도와주려고 내 이렇게 부리나케 오지 않았나. 우리 모두 한식구니까. 취향이 워낙 섬세하고 아름다움을 무척 사랑하니까 얼마나 원하는 게 많은지, 그러니까 원하는 게 많았는지 내 알지. 내 집에 있는 그림이나 책, 와인, 식탁 위의 맛난 것들은 무엇이든 그가 원하는 대로 즐겨도 돼! 그를 본다면 얼마나 마음속 깊이 기쁘고 만족스러울까! 지금 잠깐 들어가도 될까?"

"안 돼요." 헵지바가 대답했는데, 목소리가 너무 떨려서 많은 말을 할 수가 없었다. "오라버니는 손님을 맞을 수가 없다고요!"

"손님? 나를 손님이라고 부르는 건가?" 그 냉정한 단어가 감수성에 상처라도 입힌 듯이 판사가 외쳤다. "아니지, 그럼 내가 클리퍼드와 너의 주인이 되어 줄게. 지금 당장 우리 집으로 와. 시골 공기와 내가 주변에 모아 놓은 편리함들, 사치라고도 할 수 있겠지, 그것들이 그에게 정말 놀라운 효과를 줄 거야. 그리고 헵지바, 너와 내가 함께 의논하고 살펴보고 노력해서 우리의 소중한 클리퍼드를 행복하게 해 주자고. 그냥 와! 내 편에서 의무이자 기쁨이기도 한 일에 대해 무슨 말이 더 필요하겠어? 당장 가자고!"

정말 따뜻한 제안과 혈족에 대한 그토록 관대한 태도를 대하자 피비는 핀천 판사에게 뛰어가 바로 직전에 자신이 피했던 입맞춤을 자신이 스스로 해 주고 싶을 정도의 기분이 들었다. 그런데 헵지바의 경우는 전혀 그렇지 않았다. 판사의 웃음은 마치 햇볕이 식초에 내리쬐듯 가시 돋친 그녀의 마음을 오히려 열 배나 더 신랄하게 만들어 놓았다.

"클리퍼드 오라버니는" 하고 그녀가 입을 떼었는데, 여전히 너무나 감정이 격해서 한두 마디만 불쑥불쑥 할 뿐이었다. "오라버니의 집은 여기예요!"

"하늘이 널 용서하시길." 핀천 판사는 눈을 들어 자신이 호소하는 저 높은 공정함의 법정을 우러르며 말했다. "혹시라도 이 문제에서도 해묵은 편견과 원한이 네 마음을 짓누르고 있다면 말이다. 난 여기 정말 열린 마음으로 너와 클리퍼드를 기꺼이 받아들이기를 원하며 서 있는 거다. 내 선한 제안을, 너희들의 편한 삶을 위한 내 진정한 제안을 거절하지 마라. 어느 면에서나 이건 가장 가까운 친척으로서 마땅히 해야 할 일인 게야. 내 시골 별장의 기분 좋은 자유를 마음껏 누릴 수 있는데 네 오빠를 이렇게 음침한 집의 답답한 공기 속에 가둬 놓는다면 심각한 책임이 있는 거다."

"그건 절대 오라버니에게 맞지 않아요." 헵지바가 마찬가지로 짧게 말했다.

"이봐, 이게 다 무슨 소리지? 다른 방책이라도 있는 건가? 아니, 내 그럴 줄 알았어! 조심해라, 헵지바. 조심해! 클리퍼드는 지금까지 겪은 것만큼 불길한 파멸을 곧 맞을 수 있어. 그런데 내가 하찮은 여자인 너와 왜 얘기를 하고 있는 거냐! 길을 비켜! 클리퍼드를 봐야겠다!" 판사가 분노를 내비치며 쏟아부었다.

헵지바는 야윈 몸을 뻗어 문을 막아섰는데 정말로 그 몸이 팽창하는 듯 보였다. 또한 가슴속에 너무나 엄청난 공포와 흥분이 들끓고 있었으므로 더욱 끔찍해 보였다. 하지만 강제로 문을 지나가려는 핀천 판사의 분명한 목적을 중단시킨 것은 안쪽에서 들려 온 목소리였다. 겁에 질린 아기의 자기 방어력 정도밖에 없는, 무력한 불안이 담겨 있는, 구슬프게 울부짖는 떨리고 약한 목소리.

"헵지바, 헵지바." 그 목소리가 외쳤다. "그에게 무릎을 꿇어! 발에 입맞춤이라도 해! 제발 들어오지 말라고 사정을 해!

오, 나를 가엾이 여겨 달라고! 가엾게, 가엾게!"

그 순간 헵지바를 밀치고 문턱을 넘어 비참하고 갈라진 애원의 중얼거림이 들려오는 거실로 들어가려는 것이 판사의 단호한 의도가 아니었는지 의심스러워 보였다. 그를 제지한 것은 동정심이 아니었다. 왜냐하면 처음 힘없는 목소리가 들려오자마자, 그의 눈에서 붉은 불길이 타올랐기 때문이다. 그리고 그가 바로 한 발을 앞으로 내디뎠을 때 뭐라 표현할 수 없이 사납고 냉혹한 무언가가, 말하자면 그라는 인간 전체에서 시커멓게 뿜어져 나오는 듯했다. 핀천 판사를 알려면 바로 그 순간의 그를 보면 되었다. 그렇게 자신의 모습이 드러난 후에는 아무리 뜨거운 미소를 짓는다 해도 목격자의 기억에서 쇠로 낙인찍힌 인상을 녹여 없애기란 포도를 검붉게 익히고 호박을 노랗게 익히는 일보다 어려울 것이었다. 그것이 분노나 증오를 표현하는 것이 아니라, 그 외의 다른 모든 것을 완전히 없애 버리는 어떤 격렬하고 지독한 목적의식을 나타낸다는 사실은 그의 면모를 오히려 더 무시무시하게 만들었다.

하지만 그래도 우리가 훌륭하고 상냥한 사람을 모함하는 것은 아닐까? 지금 판사의 모습을 보라! 그는 사랑에 넘친 자신의 친절한 행동을 그것을 이해할 줄 모르는 사람에게 너무 심하게 강요하는 실수를 범한 것임을 의식한 게 분명했다. 그들의 기분이 나아질 때까지 기다리면서 지금 이 순간처럼 그때도 그들을 도울 수 있도록 마음의 준비를 하리라. 문에서 물러나는 그의 얼굴에는, 헵지바와 어린 피비, 보이지 않는 클리퍼드, 세 사람을 그 밖의 모든 세상과 함께 자신의 광대한 마음속으로 거둬들여 넘치는 애정의 강물로 따뜻하게 감싸고 있음을 보여 주는, 모든 것을 포용하는 자비심이 환히 빛나고 있었다.

"내게 큰 잘못을 한 거야, 헵지바." 그는 말하면서 처음에는 상냥하게 자신의 손을 내밀었다가 그곳을 나서기 위해 장갑을 끼었다. "아주 큰 잘못이지! 하지만 다 용서하고 네가 나를 좀 더 잘 봐주도록 연구를 해 봐야겠다. 물론 클리퍼드의 마음 상태가 너무 안 좋으니 지금 만나겠다고 주장할 생각은 없다. 하지만 내 사랑하는 형제에게 하듯 그의 안위를 위해 맘을 쓰겠다. 또한 그나 네가 부당하다는 사실을 인정하도록 할 수 있다는 생각은 변함이 없다. 그걸 인정하게 되었을 때 내가 할 수 있는 가장 최대의 호의를 네가 받아들여 주는 일 외에 내가 바라는 건 없다."

판사는 헵지바에게 인사를 하고 피비에게는 아버지 같은 인자함으로 머리를 끄덕인 후에 가게를 나서서 미소를 띠고 거리를 따라 내려갔다. 나랏일을 맡는 영예로운 자리를 목표로 삼는 부자들이 으레 그렇듯이 그 역시 자신을 아는 사람들에게 관대하고도 애정 어린 태도를 보임으로써 대중들에게 자신의 부와 번영, 그리고 높은 지위에 대해, 말하자면 미안해하는 내색을 했다. 자신이 만나 인사하는 사람의 누추한 정도에 맞춰 자신의 근엄함을 더욱 떨쳐 버리고, 그럼으로써 마치 한 무리의 종복들을 앞세워 길을 트며 행진하듯이 지치지도 않게 자신의 우월함에 대한 거만한 자각을 증명하는 것이다. 특히 이날 오전 핀천 판사의 친절한 면모가 지닌 따뜻함이 너무 도가 지나쳐, 적어도 마을에 도는 소문에 따르면 지나치게 쏟아지는 햇볕 때문에 생긴 먼지를 가라앉히기 위해 따로 물차가 따라다녀야 할 정도였다는 것이다!

그의 모습이 사라지자마자 헵지바는 시체처럼 창백해져서 피비 쪽으로 비틀거리며 걸어와 어린 소녀의 어깨에 고개를 떨어뜨렸다.

"아, 피비야, 저 사람은 내 인생의 공포야! 잠깐이라도 가만히 못 있고 떨리는 이 목소리로는 절대, 절대 그의 본질을 그에게 말할 용기를 내지 못할 거야!" 그녀가 중얼거렸다.

"그분이 그렇게 악한 사람인가요?" 피비가 물었다. "하지만 정말 친절한 제안을 하셨잖아요!"

"그 얘기는 꺼내지도 마라. 그는 냉혈한이야!" 헵지바가 말했다. "이제 들어가서 클리퍼드 아저씨에게 말을 걸어라! 즐겁게 해 드리고 차분하게 달래 드려. 내가 이렇게 동요한 걸 보면 오라버니도 말할 수 없이 불안해할 게다. 그러니, 얘야, 네가 들어가 보렴. 내가 어떻게든 가게를 볼 테니까."

그 말에 피비는 집 안으로 들어갔지만, 지금 막 목격한 장면의 의미와 관련된 의문들과 또한 판사나 성직자, 특출한 기질과 사회적 지위를 지닌 다른 인물들이 진정 어느 단 한 순간이라도 공정하고 청렴하지 않을 수 있는 건가 하는 의문으로 내내 혼란스러웠다. 이런 종류의 의심은 정말로 마음을 어지럽히는 것이어서 그것이 사실임이 드러난다면 우리의 어린 시골 소녀가 속한 깔끔하고 단정하며 경계를 지키는 부류에게는 무시무시하고 놀라운 결과를 초래하게 된다. 좀 더 대담하게 사색하는 사람이라면, 세상에는 악이 존재함에 틀림없는데 고귀한 사람도 천한 사람들만큼 자신의 몫을 가지게 마련이라는 이 발견에서 냉엄한 즐거움을 끌어낼 수도 있을 것이다. 더 넓은 시각과 깊은 통찰력을 가진 경우라면 신분이라든지 위엄, 사회적 지위 같은 것이 인간적 위엄의 소유라는 측면에서는 모두 환상일 뿐임을 직시하면서도 그 때문에 우주 전체가 한꺼번에 혼란 속으로 굴러떨어진다고는 느끼지 않을 것이다. 그러나 피비는 우주를 기존의 자리에 제대로 두기 위해 어느 정도는 핀천 판사의 됨됨이에 대한 자신의 직관을 눌러 두지 않을 수 없었다. 그리고 그 됨됨이를 폄훼하는 아주머니의 증언에 대해서는, 이미 죽어 버린 변질된 사랑을 증오 본래의 독과 뒤섞음으로써 증오를 더욱 치명적으로 만드는 집안 내의 분쟁으로 인해 헵지바가 부당한 판단을 내리고 있다고 결론을 내렸다.

9

클리퍼드와 피비

정말이지 가련한 헵지바의 타고난 기질에는 고귀하고 관대하며 고결한 무언가가 있었다. 그게 아니라면, 가난으로 풍부해지고 슬픔으로 깊어졌으며 그녀의 삶이 유일하게 지닌 강렬한 애정에 의해 고양된 영웅적인 면모를 갖게 되었다고 하는 편이 아마 더 그럴 듯한 설명일 텐데, 그보다 행복한 상황이었다면 그 영웅적 면모는 결코 그녀의 특성이 되지 못했을 것이다. 그녀는 암울한 세월 내내, 비록 대체로 확실한 희망이라고는 전혀 없이 절망적이었지만, 항상 그것이 자신의 가장 환한 가능성이라는 느낌으로 지금 자신이 놓인 이 상황을 고대해 왔다. 자기 자신을 위해서는 신에게 아무것도 바라지 않았고 다만 자신이 너무나 사랑하는 오라버니, 과거의 모습이든 될 수도 있었을 모습이든 너무나 경탄해 마지않는 오라버니, 그리고 온 세상에서 홀로 전적으로, 전혀 흔들림 없이, 어느 순간에나 평생토록 믿어 왔던 오라버니를 위해 정성을 다할 기회만을 원했다. 그리고 이제 잃어버렸던 그 사람이 노쇠한 말년에 이르러서야 길고도 기이한 불행에서 돌아와, 단지 육체가 생존하기 위한 빵만이 아니라 도덕적으로 살아 있게 만들 수 있다면 그 무엇이든 구하기 위해 그녀의 동정심에 의존하게 된 듯했다. 그리고 헵지바는 그 요청에 응했던 것이다! 비쩍 마른 불쌍한 헵지바는 뻣뻣한 관절과 가련하게도 비틀려 버린 오만상으로 낡아 빠진 비단 옷을 입고, 애정만으로 된다면 그보다 백배는 더 해내고도 남을 애정을 담아서 도움을 주고자 언제라도 힘닿는 데까지 애를 썼다. 그 첫날 오후에 헵지바가 보여 준 것보다 더 눈물을 자아내거나 더 진실한 비애를 담은 광경(그것을 생각할 때면 어쩔 수 없이 미소가 지어지더라도 하늘이 용서하시길!)이란 흔치 않을 것이다.

그녀는 따뜻하고 큰 자신의 사랑으로 클리퍼드를 감쌈으로써 그것이 온 세상이 되어 그가 바깥세계의 냉랭함과 황량함으로 인한 고통스러운 감정을 더 이상 가지지 않도록 얼마나 참을성 있게 애를 썼는지! 그를 즐겁게 하기 위한 보잘것없는 노력들! 애처롭지만 또 얼마나 관대한 노력인지!

그녀는 예전에 그가 시와 소설을 좋아했음을 기억하고 잠긴 책장을 열어 출판 당시 훌륭한 읽을거리였던 몇 권의 책을 꺼냈다. 「머리카락의 약탈」이 수록된 포프의 책과 『태틀러』 한 권, 그리고 드라이든의 문집 중 한 권 등이었는데, 모두 겉표지는 빛바랜 금박이었고 그 안의 재기발랄한 생각도 빛이 바랜 것들이었다. 그래서 클리퍼드의 마음에 들지 않았다. 그러한 작품과 그 밖의 다른 상류층 사회 작품들은 새로 창작되었을 때는 막 짜낸 카펫처럼 풍부한 질감을 자랑하지만 한두 시대가 지나고 나면 어느 독자에게나 그 매력을 잃게 될 수밖에 없고, 당시의 생활양식과 관습을 전혀 이해하지 못하는 사람에게는 거의 조금의 매력도 지닐 수가 없는 것이다. 그다음으로 헵지바는 『라셀라스』를 집어 들어 「행복한 계곡」 편을 읽어 주기 시작했는데, 거기에 자세히 그려진 유유자적한 생활의 어떤 비밀이 적어도 그날 하루만이라도 자신과 클리퍼드에게 도움이 되지 않을까 하는 막연한 생각에서였다. 그러나 행복한 계곡 위에는 구름이 드리워져 있었다. 더구나 헵지바는 강세와 관련된 실수를 수없이 해 듣는 이를 불편하게 했는데, 클리퍼드는 의미와 아무 상관도 없이 그 실수를 찾아내곤 했다. 사실 그는 그녀가 읽어 주는 것의 의미에 거의 주의하지 않으면서, 그 연설이 주는 교훈은 얻지 못한 채 지루함만 절감하는 것이 분명했다. 천성적으로 거친 여동생의 목소리 또한 고난에 찬 삶을 사는 동안 일종의 까마귀 우는 소리처럼 되었는데, 그것은 일단 인간의 목구멍으로 들어가면 원죄처럼 뿌리 깊었다. 일생 동안 계속되는 이 까마귀 우는 소리는 남녀 모두에게 있어서 기쁨과 슬픔의 단어를 수반하면 때때로 굳어 버린 처연함의 징후가 되기도 한다. 그래서 어디서든 그런 소리가 나오면 불행했던 전 세월이 약간의 억양으로도 전달된다. 목소리 자체가 검은색으로 염색된 것 같은 효과를 내는 것이다. 혹은 좀 더 온건한 비유를 들자면 목소리의 온갖 다양한 음색을 관통하는 이 가엾은 까마귀 소리는 말의 수정

구슬을 꿰는 검은 비단 줄과 같아서 거기에서 음색이 나온다고도 하겠다. 그러한 목소리는 사라진 희망을 애도하는 상복을 입고 있는데 사실 그 희망과 함께 죽어서 묻혔어야 하는 것이다!

자신의 노력에도 클리퍼드가 그다지 기뻐하지 않는 것을 알고 헵지바는 그보다 기분을 북돋울 만한 소일거리가 뭐가 있을까 집 안을 뒤져 보았다. 잠깐 그녀의 눈이 앨리스 핀천의 하프시코드에 머물렀다. 정말 위기의 순간이 아닐 수 없었다. 왜냐하면 이 악기에 전통적인 경외심과 품격 높은 손가락이 연주했다는 만가들이 두고두고 쌓여 왔음에도, 헌신적인 여동생은 클리퍼드를 위해 건반을 두드리고 그 연주에 자신의 목소리까지 곁들여 볼까 하고 진지하게 생각했기 때문이다. 불쌍한 클리퍼드! 불쌍한 헵지바! 불쌍한 하프시코드! 그 셋이 함께 비참해질 수도 있었다. 어떤 선한 힘이 작용해, 어쩌면 오래전에 땅에 묻힌 앨리스 자신이 은연중에 개입해 무시무시한 재난은 피할 수 있었다.

그러나 헵지바가 참아 내야 할 가장 호된 운명의 시련이자 아마 클리퍼드에게도 그러할 최악의 것은 그가 헵지바의 모습을 도대체 참을 수 없이 싫어한다는 점이었다. 호감을 준 적은 전혀 없었던 데다, 지금은 나이와 슬픔 그리고 클리퍼드로 인해 세상에 대해 품게 된 원한 때문에 사나워진 그녀의 모습, 그녀의 옷과 특히 머리에 두른 터번, 혼자 지내면서 자신도 모르게 생겨난 괴상하고 기이한 습관. 불쌍한 부인의 외양이 지니는 특징은 그러했다. 정말 애처로운 일이긴 하지만, 아름다움을 사랑하는 이가 그로부터 본능적으로 눈을 돌리는 것도 놀랄 일은 아니지 않은가! 어쩔 도리가 없었다. 그것은 그의 안에서 가장 나중에야 없어질 것이다. 마지막 임종의 순간, 꺼져 가는 숨이 그의 입술 사이로 가느다랗게 새어나올 때 분명 클리퍼드는 아낌없이 쏟았던 헵지바의 사랑을 열렬히 인정하며 손을 꼭 잡고는 두 눈을 감을 것이다. 그러나 죽기 위해서가 아니라 더 이상은 어쩔 수 없이 그녀의 얼굴을 보는 일이 없도록 말이다! 불쌍한 헵지바! 그녀는 어떻게 하면 좋을지 고심한 끝에 터번에 리본을 매어 볼까 하는 생각을 했는데, 그 즉시 수호천사들이 몰려온 덕분에 그녀가 노심초사 사랑하는 사람에게 치명적이었을 그 시도를 그만둘 수 있었다.

간단히 말하면 헵지바는 생김새에서 불리했을 뿐 아니라 하는 행동거지가 모두 데퉁스러워서 쓰임에도 적합하지 않고 장식적인 효과는 전혀 없이 서툰 뭔가가 있었다. 클리퍼드에게는 비통할 일이었고 그녀도 알고 있었다. 이렇게 궁지에 몰린 상태에서 노쇠한 처녀는 피비에게 호소했다. 그 마음에는 어떤 질투도 깔려 있지 않았다. 자기 스스로가 클리퍼드의 행복을 위한 매개가 됨으로써 자신이 일생 동안 지닌 영웅적인 충성을 완성하는 일을 하늘이 허락했다면, 화려하게 빛나지는 않지만 더 커다란 수천의 환희만큼 가치 있는 깊고 진정한 기쁨으로 그녀도 지난 모든 세월에 대해 보상받게 될 것이다. 하지만 그것은 있을 수 없는 일이었다. 따라서 헵지바는 피비에게 도움을 청하며 그 일을 젊은 소녀의 손에 넘겨주었다. 그 소녀는 어떤 일에나 그렇듯이 기쁘게 그 일을 맡았지만 자신이 해야 할 임무를 인식하지는 못했는데, 오히려 그러한 순진함 덕분에 더욱 성공적으로 해냈다.

피비는 기질적으로 상냥한 탓에 곧 의지가지없는 두 노인네의 매일의 삶은 아니더라도 매일의 위안에 저절로 꼭 필요한 존재가 되었다. 그녀가 나타난 이후 일곱 박공의 집에 더께로 앉은 검댕과 더러움은 사라진 듯했다. 뼈대를 이루는 낡은 목재 사이에서 계속 조금씩 나무를 갉아먹던 건식병도 그치고 고풍스러운 천장에서 아래쪽 방의 바닥과 가구 위로 계속 떨어져 내려 두껍게 쌓이던 먼지도 그쳤다. 아니면 어쨌든 이제는 정원을 쓸고 다니는 산들바람처럼 가벼운 발걸음으로 여기저기 미끄러지듯 움직이며 그것을 쓸어내는 어린 주부가 있었다. 외롭고 황량했을 방마다 떠도는 음울한 사건들의 그림자와, 죽음이 오래전 이 집을 찾은 이래 하나 이상의 침실에 남겨 놓은 숨 막힐 정도로 아주 진한 냄새, 이것들은 젊고 생기발랄하며 정말로 건강한 마음을 가진 단 한 사람의 존재가 집 안 공기 전체에 흩뿌리며 정화하는 영향력보다 강력하지 못한 것이다. 피비에게는 병적인 면이라고는 전혀 없었다. 만약 있었다면 오래된 핀천 가옥은 그것이 점점 깊어져서 치유할 수 없는 질병이 되도록 하고도 남을 곳이었다. 하지만 이제 그녀의 영혼은 그 효능에 있어서, 속옷과 손수 짠 레이스, 머릿수건과 모자, 스타킹, 개켜 놓은 드레스와 장갑을 비롯해 쇠를 댄 거대한 헵지바의 트렁크에 고이 모셔 놓은 것이면 무엇이든 구석구석 그 향기를 흩뿌리는 아주 적은 양의 장미유와도 같았다. 커다란 트렁크 안의 모든 것이 그 장미향으로 인해 좋은 향을 풍기게 되듯이 헵지바와 클리퍼드의 생각과 감정 역시 제 아무리 음침해 보이더라도 피비의 것과 섞이면서 미묘한 행복감을 갖게 되었다. 그녀는 활동적인 몸과 지성, 그리고 마음을 모두 동원해 자신의 주변에서 나타나는 일상적인 사소한 일들을 끊임없이 수행했고 매 순간 적절하게 생각했으며, 언제는 배나무에서 즐겁게 지저귀는 개똥지빠귀와 공감을 했다가 또 언제는 헵지바의 음울한 근심이나 그 오빠의 여린 신음에 할 수 있는 한 최대로 공감했다. 이렇게 민첩한 적응력은 완전한 건강함을 나타내는 것이자 그것을 지키는 것이기도 했다.

피비와 같은 본성은 항상 그에 합당한 영향력을 가지면서도 그에 합당한 인정을 받은 적은 별로 없다. 하지만 그 정신적인 영향력은 그녀가 그 집의 여주인을 둘러싸고 있는 그렇게 엄혹한 환경 속에 자신의 자리를 잡았다는 사실과, 자신보다 훨씬 비중이 큰 인물에게 일으킨 결과를 보면 어느 정도 평가할 수 있다. 작고 민활한 피비의 모습과 비교하면 비쩍 말라 뼈만 남은 헵지바의 몸통과 사지는 각각 소녀와 여성의 도덕적 무게와 재질에 어느 정도 맞는 비율로 보이기 때문이다.

손님, 그러니까 헵지바의 오빠, 그리고 이제 피비가 그를 부르는 호칭으로 말하자면 클리퍼드 아저씨에게 그녀는 특히 필요한 존재였다. 그가 언제라도 그녀와 얘기를 나누었다거나 아니면 다른 분명한 방식으로 자신이 그녀와 함께 있는 것을 좋아한다고 종종 표현해서가 아니다. 하지만 그녀가 한참 곁에 없으면 그는 골을 내고 그의 모든 움직임을 특징짓는 불안함으로 안절부절 못하며 방에서 왔다 갔다 했다. 아니면 팔에 머리를 괸 채 자신의 커다란 의자에 앉아 생각에 잠겨 있다가 헵지바가 깨우기라도 할라치면 언짢은 눈빛을 쏘아 보냄으로써만 살아 있음을 증명하는 것이었다. 피비가 있는 것, 그녀의 생기 넘치는 삶이 황폐해진 그의 삶 곁에 있는 게 보통 그가 원하는 전부였다. 정말이지 그녀의 영혼은 천성적으로 용솟음치며 경쾌하게 노니는 것이어서 마치 샘물이 끊임없이 잔물결을 일으키며 재잘대는 것처럼, 내색하지 않은 채 전혀 말이 없이 있는 적은 거의 없었다. 그녀는 노래 부르는 재주도 있었는데, 너무나 자연스럽게 타고난 것이어서 어디서 그것을 배웠느냐라든가 어느 스승이 가르쳤느냐는 등의 질문을 할 염이 나지 않았다. 천둥소리처럼 우렁찬 소리에서만큼이나 그 창조주의 목소리를 알아챌 수 있는 새의 작은 지저귐을 들으며 그런 질문을 하지 않는 것처럼 말이다. 피비는 노래를 부를 때만큼은 마음 내키는 대로 집 안을 돌아다닐 수 있었다. 위층 방에서든 가게로 통하는 복도에서든, 혹은 바깥 정원에서부터 반짝이는 햇빛과 함께 배나무 잎을 통해서든, 달콤하고 쾌활하면서도 수수한 그녀의 노랫소리가 들리기만 한다면 클리퍼드는 만족했다. 그는 얼굴에 부드러운 기쁨이 잔잔히 빛나는 채로 조용히 앉아 있곤 했는데, 그 빛은 노랫소리가 가까이 흘러오거나 점점 멀어져 감에 따라 더 밝아지기도 하고 좀 더 어두워지기도 했다. 하지만 그녀가 그의 무릎 앞 낮은 발판에 앉아 있을 때가 그에게는 가장 기분 좋은 때였다.

그 기질을 고려하면 피비가 명랑함보다 연민을 더 자주 나타냈다는 사실이 놀라울 수도 있다. 하지만 젊고 행복한 사람들은 투명한 그림자로 삶을 부드럽게 조절하는 일 역시 기꺼이 한다. 더구나 피비의 노랫소리와 목소리에 담긴 깊고도 깊은 연민은 발랄한 기질의 황금빛 결에 걸러져 나온 자질과 서로 섞임으로써, 그로 인해 눈물을 흘리고 나서 마음이 한결 가벼워지는 느낌을 주었다. 거칠 것 없는 환희라면 음울한 불행의 신성한 존재와 마주했을 때, 헵지바와 그 오빠의 삶 저변에 흐르는 것과 같은 엄숙한 교향곡과는 불경스럽고도 귀에 거슬리는 불협화음을 냈을 것이다. 따라서 피비가 그렇게 자주 슬픈 곡조를 골라도 괜찮았고 어울리지 않는 것도 아니어서 그녀가 노래를 부르는 동안은 더 이상 슬프지도 않았다.

그녀와 함께 있는 일에 익숙해지자 클리퍼드는 자신이 원래 천성적으로 삶의 모든 면에서 기분 좋은 색조와 명랑한 빛을 얼마나 잘 받아들였는지를 기꺼이 보여 주었다. 피비가 옆에 앉아 있는 동안 그는 젊음을 되찾았다. 아름다움, 그러니까 그것이 분명히 드러날 때도 딱히 실제적이랄 수는 없고, 화가가 그것을 잡아내기 위해 한참을 바라보고 화폭을 뚫어지게 응시해도 결국은 소용이 없으면서도 그렇다고 한갓 꿈이지만은 않은 그런 아름다움이 때로 그의 얼굴을 밝히며 노닐곤 했다. 그냥 밝히는 정도가 아니었다. 그것은 아주 절묘하고 행복한 정신의 빛이라고밖에는 달리 해석할 수 없는 표정으로 그를 완전히 변모시켰다. 그 이마를 가로질러 깊숙이 팬 주름살, 어떻게든 그 안에 비집고 들어가려는 헛된 노력으로 너무나 꾹꾹 눌려서 그 전체를 읽을 수 없게 된 무한한 슬픔의 기록인 주름살과 백발이 된 머리칼이 잠시나마 사라졌다. 예리하면서도 자상한 눈이라면 그가 본래 어떤 인물이 될 것이었을지 그 그림자를 볼 수 있었을 것이다. 어느새 곧 세월이 슬픈 석양처럼 그의 몸에 몰래 찾아올 때면 운명과 논쟁이라도 하면서 그가 필멸의 존재여서는 안 된다든지 아니면 필멸의 존재가 그의 특성과 조화를 이루어야 한다고 주장하고 싶은 느낌이 들 것이다. 세상이 전혀 그를 원하지 않았으므로 그가 숨을 쉬며 살아 있을 필요가 전혀 없는 듯하지만, 일단 그가 숨을 쉬면 그것은 항상 가장 향기로운 여름날의 공기여야만 했다. 지상에서의 운명이 관대하게 허락하기만 한다면 전적으로 아름다움만을 먹고 사는 듯한 그런 특성의 사람들에 대해서도 우리는 이와 같은 당혹스러움을 떨쳐 버릴 수가 없을 것이다.

아마도 피비는 자신이 자비로운 마력을 행사하고 있는 그 인물에 대해 거의 제대로 이해하고 있지 못할 것이다. 그럴 필요도 없었다. 화롯가의 불은 주변에 둥글게 둘러앉은 얼굴들을 전부 환하게 비추면서도 그들 각각의 개성에 대해서는 알 필요가 없는 것이다. 정말이지 클리퍼드의 특성에는 너무나 곱고 미세하면서 섬세한 무언가가 있어서 피비처럼 그 영역이 실제 세계에 놓여 있는 사람으로서는 완전히 이해할 수 없었다. 하지만 클리퍼드에게 있어서 그녀의 천성이 지닌 현실성과 소박함, 오롯한 가정적 특성은 그녀가 지닌 어떤 매력만큼이나 강력한 것이었다. 물론 아름다움, 특히 자기 나름대로 거의 완벽한 아름다움도 빼놓을 수 없을 것이다. 피비의 모양새가 거칠고 촌스러우며 듣기 싫은 목소리에 세련되지 못한 행동거지를 가졌더라도 그 유감스러운 겉모습 아래쪽으로는 여전히 모든 훌륭한 재능을 지녔을 수 있다. 그렇더라도 그녀가 어쨌든 여자의 모습을 한 이상 그렇게 아름답지 않았다면 클리퍼드는 충격을 받고 풀이 죽었을 것이다. 하지만 피비만큼 그렇게 아름다운, 혹은 적어도 예쁜 소녀도 드물었다. 따라서 지금까지 그러했고 앞으로 그의 심장과 환상이 그 안에서 죽어 버리는 순간까지 계속 그러하겠지만, 감지하기 힘든 가련한 존재에 대한 향유가 한갓 꿈일 뿐이었던 이 남자에게, 여성에 대한 이미지가 갈수록 살아 있는 생명의 온기와 실체를 잃어버리고 은둔한 예술가의 그림에서처럼 극도로 차가운 이상으로 얼어 굳어 버린 그에게, 정말로 쾌활하게 가정생활을 꾸려가는 이 어린 소녀의 모습이야말로 그를 다시 살아 숨 쉬는 세상으로 데려오기 위해 필요한 것이었다. 평범한 삶의 궤도에서 쫓겨났거나 거기서 벗어나 방랑하는 사람들에게는 그것이 비록 더 나은 사회를 위한 것이었다 하더라도 다시 돌아오는 일만큼 바라 마지않는 일이 없을 것이다. 산꼭대기에서든 지하 감옥 속에서든 그들은 외로움에 몸서리친다. 그런데 지금 피비가 자신의 주위에 가정을 만들어 냈다. 추방당한 자든 죄인이든, 권력자든, 인간 이하의 비열한이든 인간과 다르거나 인간 이상의 비열한이든 모두가 본능적으로 열망하기 마련인 그런 가정 말이다! 그녀는 실재였다. 손을 잡으면 무언가를, 따뜻한 무언가를 느낄 수 있었다. 어떤 실체이면서 온기를 가진 것. 그래서 부드럽기도 한 그 손을 꽉 붙잡고 있기만 하면 서로 공감하는 인간 본성의 전체 연쇄 속에서 자신이 확실한 자리를 차지하고 있음을 확신하게 된다. 세상은 이제 단지 망상이 아닌 것이다.

이쪽으로 좀 더 생각을 진전시켜 보면 종종 미스터리로 여겨져 온 것에 대한 설명을 시도해 볼 수도 있다. 왜 시인들은 시적인 재능이 조금이라도 비슷한 정도가 아니라 이상적인 정신의 장인(匠人)만이 아닌 천하디 천한 수세공인도 행복하게 해 줄 그런 자질을 보고 자신들의 배우자를 고르는 것일까? 그것은 아마도 시인들이 최고로 고양된 상태에서는 어떤 인간적인 교류도 필요로 하지 않지만, 다시 아래로 내려왔을 때 이방인으로 남는다면 암울하다고 느끼기 때문일 것이다.

이 두 사람 사이에서 자라난 관계에는 아주 아름다운 무엇인가가 있었다. 아주 가깝고 줄곧 함께 연결되어 있으면서도 그와 그녀 사이의 어둡고도 설명할 수 없는 나이 차를 무의미하게 만드는 것이었다. 클리퍼드의 편에서 그것은, 여성의 감화력에 생기롭게 반응하는 감수성을 천성적으로 타고 났으면서도 단 한 번도 열정적인 사랑을 맛보지 못했고 이제는 너무 늦었음을 알고 있는 남자의 감정이었다. 지적으로는 쇠퇴했지만 여전히 남아 있는 본능적인 예민함으로 그 사실을 알았다. 그래서 피비에 대한 그의 감정은 부성 같은 것은 아니었지만 그녀가 그의 딸일 경우에 못지않게 순수했다. 그가 남자였고 그녀를 여자로 본 것은 사실이었다. 그녀는 그에게 있어서 여성을 대표하는 유일한 인물이었다. 그는 여성으로서 그녀가 가지는 모든 매력을 놓치지 않고 알아차렸고, 도톰하고 발그레한 입술과 봉긋해지는 처녀의 가슴도 볼 수 있었다. 어린 과일나무에 피어난 꽃처럼 그녀에게서 피어 나오는, 어리지만 여성스러운 그녀의 모든 면이 그에게 영향을 주었고 때로는 그의 가슴이 너무나 예리한 기쁨으로 전율했다. 그 영향이 보통은 아주 잠시뿐이었지만, 그러한 순간에는 오랫동안 소리를 낸 적 없는 하프에 음악가의 손이 스칠 때 풍부한 소리가 울리듯이 반쯤 무감각해진 남자가 조화로운 삶으로 충만해지곤 했다. 그러나 결국 그것은 한 개인으로서 그에게 속한 정서라기보다는 지각 작용이거나 공감인 듯했다. 그는 소박하면서도 아름다운 이야기를 읽듯이 피비를 읽었다. 마치 신이 황량하고 음울한 그의 운명에 대한 보상으로 그를 가장 불쌍히 여기는 천사를 보내 집 안 전체에 노랫소리가 울리게 하는 한 편의 가정적 시인 양 그녀의 소리를 들었다. 그녀는 그에게 실제의 사실이 아니라 지상에서 그가 갖지 못했지만 그의 생각에 아주 절실한 모든 것에 대한 통역이었다. 그래서 단순히 상징이거나 실제와 똑같은 그림에 불과한 이것이 거의 현실적인 위안이 되었다.

하지만 어떤 생각을 말로 옮기려는 이 노력은 결국 헛된 일이다. 우리에게 감명을 주는 아름다움과 심오한 비애감을 적절히 표현하는 것은 가능하지 않다. 오직 행복을 위해 존재하지만 지금까지 너무나 비참하게 행복에서 멀어졌던 이 사람, 그 경향이 너무나 끔찍하게 꺾인 탓에 과거 어느 시점에 도덕적으로든 지적으로든 결코 강인하지 못했던 그라는 인물의 섬세한 원천이 무너져 이제 백치같이 되어 버린 이 사람, 축복받은 자들의 섬에서 떠나와 폭풍우 치는 바다를 허름한 돛배에 의지해 방랑하는 이 버림받은 가련한 사람이 마지막에 집채만 한 파도를 만나 난파되었는데 그 후 어느 조용한 항구로 쓸려 와 있는 것이다. 반쯤 정신을 잃은 채 그렇게 해안에 쓰러져 있을 때 지상의 장미꽃 향기가 그의 콧속으로 흘러 들어왔고, 보통 향기들이 그러하듯이 자신이 그 속에서 정착해야 마땅한, 살아 숨 쉬는 모든 아름다움의 기억들과 모습들을 깨워 불러냈다. 아름답고 행복한 감화력에 천성적으로 민감한 그는 그렇게 여리고 영묘한 황홀감을 영혼 속으로 깊이 들이마시며 숨을 거두는 것이다!

그렇다면 피비는 클리퍼드를 어떻게 보았을까? 그녀는 인간의 특성에서 기이하고 예외적인 것에 특히 끌리는 그런 종류의 사람은 아니었다. 그녀에게 가장 잘 어울리는 길은 많이 다녀 닳고 닳은 평범한 삶의 길이었다. 그녀가 가장 어울리기 좋아하는 사람은 어느 길모퉁이에서나 만날 수 있는 그런 사람들이었다. 클리퍼드를 둘러싼 불가사의함은, 그녀가 어떤 식으로든 영향을 받는다면, 많은 여성들이 느꼈을 수도 있을 어떤 날카로운 매력이라기보다는 곤혹스러움이었다. 그러나 타고난 그녀의 상냥함이 강하게 발동했는데, 그것은 그의 상황이 지닌 음산한 그림 같은 면 때문이 아니라 단지 의지가지없는 사람의 마음이 그녀처럼 진정한 동정심으로 가득 찬 마음에게 던지는 호소 때문이었다. 그가 정말 많은 사랑을 필요로 하지만 너무 받지 못했기 때문에 그녀는 그에게 애정 어린 관심을 주었다. 그녀는 조금도 쉬지 않는 건강한 감수성으로 인해 생긴 기지를 언제라도 발휘해 그에게 무엇이 좋을지를 알아냈고 그것을 해 주었다. 그의 마음과 경험 속의 병적인 부분은 무엇이든 그냥 모른 척했는데, 그렇게 주의를 기울이지 않고 마음대로 행동했지만 말하자면 하늘이 방향을 정해 줬으므로 그들의 관계를 건강하게 유지할 수 있었다. 신체의 병도 그럴 수 있지만, 마음의 병은 주변 사람들의 행동에서 자신의 질병이 여러 겹으로 비치고 여기저기에서 되비침으로써 더 암울하고 절망적으로 깊어질 수 있다. 자신이 뱉어 내는 독을 끊임없이 계속해서 들이마실 수밖에 없는 것이다. 그러나 피비는 불쌍한 자신의 환자에게 더 순수하고 깨끗한 공기를 공급했다. 또한 그 공기가 야생화 향기가 아니라(왜냐하면 야생이란 그녀의 특성이 아니니까) 몇 세기에 걸쳐 계절이 지날 때마다 인간과 자연이 함께 힘을 합해 길러 내는 정원의 장미나 패랭이꽃, 더 향긋한 다른 꽃들의 향기로 가득하도록 했다. 클리퍼드와의 관계에서 그녀는 그러한 꽃이었고 그는 그녀에게서 그러한 기쁨을 들이마셨다.

하지만 주변 공기가 너무 무거워서 그녀 자신의 꽃잎도 때때로 축 처질 수밖에 없었다는 점도 말해 둬야겠다. 그래서 예전보다 생각이 많아졌다. 클리퍼드의 얼굴을 비스듬히 보며, 흐릿하고 불충분한 우아함과 거의 꺼져 버린 지력을 보며 그녀는 지금까지 그가 어떻게 살아왔을까 자문하곤 했다. 그는 항상 저러했을까? 태어날 때부터 이 장막이 그에게 덮여 있었을까? 그의 정신을 드러내기보다는 훨씬 가리고 있는 장막, 그리고 그로 인해 그가 실제 세계를 불완전하게만 식별할 수 있는 장막. 아니면 그 잿빛 천은 어떤 어두운 재난으로부터

짜인 것일까? 피비는 수수께끼를 좋아하는 편이 아니었으므로 이런 종류의 곤혹스러움에서 벗어나고 싶었을 것이다. 그렇지만 지금까지는 이렇게 클리퍼드라는 인물에 대해 생각하는 일이 좋은 결과를 낳았다. 즉 이상야릇한 상황이 항상 자신의 이야기를 만들어 내는 경향이 있는 데다 그녀 스스로 자신도 모르게 추측을 거듭한 결과 차츰 어떤 사실에 이르렀을 때, 그것이 그녀에게 어떤 끔직한 영향도 끼치지 않았던 것이다. 세상이 클리퍼드에게 어떤 엄청난 잘못을 저질렀든지 그녀는 이제 클리퍼드 아저씨를 너무 잘 알았으므로(혹은 그렇다고 상상했으므로) 그의 가늘고 섬세한 손가락이 그녀에게 닿을 때 몸서리치지는 않았다.

이 범상치 않은 사람이 나타나 한집에 살게 된 지 며칠 안에 우리 이야기 속의 오래된 집에는 삶의 일상이 상당한 규칙성을 띠고 자리 잡게 되었다. 아침이면 식사를 하고 얼마 안 있어 클리퍼드가 바로 의자에 앉은 채 잠이 들었다. 그러고는 어떤 일로 우연히 방해받지 않는다면 정오가 한참 지날 때까지 조밀한 잠의 구름, 혹은 이리저리 휙휙 움직이는 엷은 안개에서 깨어나지 않았다. 이렇게 그가 잠에 빠진 시간이 헵지바가 그를 돌보는 시간이었고 피비는 그동안 가게를 맡아 보았다. 사람들은 이러한 배치를 재빨리 알아보고는, 그녀가 가게 일을 맡아보는 동안 훨씬 더 많이 가게를 찾음으로써 어린 점원이 더 맘에 든다는 사실을 분명히 표했다. 헵지바는 저녁을 먹고 난 후 오빠가 겨울에 신을 긴 양말을 짜기 위해 회색 실의 뜨갯감을 집어 들고, 클리퍼드에게 오만상을 찌푸려 애정 어린 인사를 한 후 한숨을 쉬며, 그리고 피비에게 오빠를 잘 돌보라는 몸짓을 하며 계산대 뒤에 자리를 잡으러 가게로 나갔다. 그러면 이때부터는 어린 소녀가 백발이 성성한 남자의 간병인이나 보호자, 혹은 말동무든 어떤 다른 적합한 역할이든 맡게 되는 것이다.

10

핀천 정원

피비가 더욱 적극적으로 부추기지 않았다면 클리퍼드는 그의 온 존재 양식에 스며들어 아침나절에 앉는 의자에 저녁 무렵까지 그냥 앉아 있으라고 게으르게 권하는 무기력함에 보통은 굴복하고 말았을 것이다. 하지만 소녀는 그에게 정원에 나가 보자고 줄기차게 권했는데, 베너 아저씨와 은판 사진가가 그곳에 있는 다 망가진 정자라든지 별채라든지 하는 것의 천장을 잘 고쳐 놓아 이제는 햇빛이나 갑작스레 쏟아지는 소나기를 충분히 피할 만한 쉼터가 되었기 때문이다. 게다가 홉 덩굴이 작은 건물 옆으로 아주 풍성하게 자라 오르기 시작해서 넓고 조용한 바깥 정원을 내다볼 수 있는 수많은 틈새를 지닌 푸릇푸릇한 은둔 장소를 이루었다.

때로 피비는 빛이 나풀거리며 노니는 초록의 장소인 이곳에서 클리퍼드에게 책을 읽어 주었다. 그녀가 아는 예술가인 사진가는 문학적 성향도 있는 모양이어서 헵지바가 오빠를 위해 고른 종류와는 문체나 취향이 완전히 다른 종류의 시집 몇 권과 소책자 형태의 소설 몇 권을 그녀에게 주었다. 하지만 소녀가 책을 읽어 주는 일이 나이 든 아줌마가 한 것보다 조금이라도 더 성공적이었다면 그것은 별로 책의 덕은 아니었다. 피비의 목소리에는 항상 아름다운 음악성이 있어서 통통거리는 발랄한 어조로 클리퍼드에게 생기를 주거나 조약돌 위를 흘러가는 시냇물의 억양처럼 부드럽게 이어지는 어조로 그를 위무해 주었다. 그러나 기이한 청자인 클리퍼드는 그러한 종류의 문학 작품을 별로 대해 본 적이 없던 시골 소녀가 종종 깊이 빠져들곤 한 소설 자체에는 거의, 혹은 전혀 흥미를 보이지 않았다. 사람들이 사는 모습이나, 열정적이거나 감성적인 장면들, 기지나 유머, 비애감, 그 모두가 클리퍼드에게는 아무런 감흥도 주지 못했다. 그것이 진실인지를 판단할 경험이 부족하기 때문이거나, 아니면 자신의 슬픔이 현실의 시금석이 되어 가장된 감정은 거의 어느 것도 당할 수가 없기 때문일 것이다. 피비가 책을 읽다가 즐거운 웃음을 터뜨릴 때 그는 이따금 그에 맞춰 웃기도 했지만 보통은 뭔지 모르겠다는 난처한 표정을 보였다. 슬픈 대목에서 눈물이, 허구의 고통에 대한 소녀의 맑은 눈물 한 방울이 떨어질라치면 클리퍼드는 그것이 실제 비참함에서 나오는 표시라고 여기거나 기분이 언짢아져서 역정을 내며 책을 덮으라고 손짓을 했다. 얼마나 현명한 일인지! 슬픔을 흉내 내며 시간을 보내지 않아도 세상은 진정으로 너무나 슬프지 않은가?

시의 경우는 조금 나았다. 그는 솟아오르다가는 잦아드는 리듬과 기분 좋게 반복되는 운율을 들으며 기뻐했다. 클리퍼드가 시의 정서를 느끼지 못하는 것도 아니었다. 그것은 아마도 고귀하고 심오한 대목에서는 아니고 휙 지나가 버리는 아주 영묘한 대목에서였을 것이다. 그의 정신을 깨우는 주문이 어떤 오묘한 시구에 숨어 있는지를 예상하기란 불가능했다. 그러나 책에서 눈을 들어 클리퍼드의 얼굴을 보았을 때, 피비는 얼굴을 뚫고 나오는 어떤 빛에 의해 자신보다 더 섬세한 지성의 소유자가 자신이 읽은 시로부터 부드럽게 빛나는 불꽃을 피워 올렸음을 깨닫곤 했다. 하지만 이렇게 한번 피워 올린 빛은 종종 이후 몇 시간 동안 계속되는 우울함의 전주곡이었다. 왜냐하면 그 빛이 없어지고 나면 사라진 감각과 힘을 의식하는 듯 마치 눈먼 사람이 잃어버린 시력을 찾아 헤매는 것처럼 그것을 찾아 사방을 더듬댔기 때문이다.

그가 그보다 더 좋아했고 그의 내면의 행복에도 더 이로웠던 것은 피비가 얘기를 하면서 이런저런 묘사나 언급들로 스쳐 지나가는 사건들이 그의 마음속에 선명하게 떠오르도록 할 때였다. 정원에서의 생활은 클리퍼드에게 가장 알맞은 그런 대화를 이어 가기에 좋은 주제들을 제공해 주었다. 그는 어제 이후에 어떤 꽃이 피었는지를 꼭 물어보았다. 꽃에 대한 그의 감정은 아주 오묘한 것이어서 취향이라기보다는 어떤 정서 같았다. 그는 꽃 한 송이를 손에 들고 골똘히 관찰하거나, 정원의 꽃과 한집에 사는 소녀가 자매라도 되는 듯이 꽃잎을 사이에 두고 피비의 얼굴을 바라보는 일을 좋아했다. 단지 꽃

향기를 맡으며 기뻐하고, 그 아름다운 형태나 오묘하고 화려한 색깔을 보며 좋아하는 것만이 아니었다. 클리퍼드의 향유에는 삶과 특성, 개성에 대한 지각 작용이 함께하여, 마치 정원의 꽃들이 정서와 지성을 부여받기라도 한 듯이 그 꽃을 사랑하게 했다. 꽃을 향한 이러한 애정과 공감은 거의 전적으로 여성의 특성이다. 남성들은 천성적으로 그런 특성을 부여받았다 하더라도 꽃보다 거칠고 조악한 것들과 접촉하면서 곧 그것을 상실하고 잊어버리며 경멸하도록 배운다. 클리퍼드 역시 오래전에 그것을 잊었으나 이제 자기 삶의 냉랭한 무감각에서 서서히 깨어나면서 다시 찾게 된 것이다.

일단 피비가 찾아 나서기만 하면 그 한적한 정원 자리에 얼마나 많은 유쾌한 일들이 계속해서 벌어지는지 놀라울 정도였다. 그녀는 그 장소를 알게 된 첫날, 거기 있는 벌을 보거나 그 소리를 들었다. 그리고 그 이후로 자주, 정말이지 거의 끊임없이 벌들이 그리로 찾아들었는데, 왜인지, 멀리 떨어진 곳까지 꿀을 찾아오는 어떤 적절한 이유가 있는 것인지는 알 수 없었다. 분명 여기보다 훨씬 집 가까운 곳에 넓은 클로버 밭이나 온갖 종류의 정원 식물들이 있을 것이기 때문이다. 그런데도 벌들은 이리로 와서 마치 날아가는 데 하루가 걸리는 거리 안에 다른 호박 덩굴이 없다는 듯이, 아니면 헵지바의 정원 흙에서 생산된 것들은 뉴잉글랜드 지방의 꿀벌 통에서 히메투스 산*의 향을 내기 위해 이 바지런한 작은 마법사들이 필

* 그리스 아테네 지역에 있는 산. 향기로운 꽃과 꿀벌, 꿀로 유명하다.

요로 하는 바로 그 특질을 가지고 있기라도 한 듯이 호박꽃으로 날아드는 것이었다. 커다란 노란 꽃들의 중심에서 벌들이 윙윙거리는 명랑한 소리가 들릴 때면 클리퍼드는 따사로움과 푸른 하늘, 초록빛 잔디를 기분 좋게 느끼면서, 그리고 땅에서 하늘까지 가득 찬 신의 자유로운 대기를 느끼면서 주위를 둘러보았다. 결국 먼지 날리는 읍내의 그 푸릇푸릇한 작은 구석에 벌들이 왜 왔는지 의문을 가질 필요는 없다. 우리의 불쌍한 클리퍼드를 기쁘게 하기 위해 신이 보낸 게 아니겠는가! 벌들은 약간의 꿀을 얻어 가는 대신 풍요로운 여름을 몰고 왔던 것이다.

말뚝을 감아 올라간 강낭콩 덩굴에 꽃이 피기 시작할 때 선명한 진홍색 꽃을 피운 특별한 종자가 하나 있었다. 은판 사진사는 일곱 개의 박공 중 하나의 다락방에서 그 옛날 원예를 좋아하던 핀천 가문 사람 중 누군가가 낡은 서랍장에 그 콩을 고이 모셔 놓은 것을 발견했는데, 그는 분명 이듬해 여름에 그 콩을 심을 심산이었겠으나 자신이 죽음의 화단 흙에 먼저 묻혔을 것이다. 홀그레이브는 그렇게 오래된 씨앗에도 여전히 배아가 살아 있을지 확인해 볼 요량으로 몇 개를 심었다. 그렇게 실험해 본 결과 근사한 강낭콩 줄기가 일찌감치 말뚝 끝까지 타고 올라가 바닥에서 꼭대기까지 둘러 가며 붉은 꽃을 지천으로 피웠다. 그리고 처음 꽃 한 송이가 핀 다음부터 계속 수많은 벌새들이 그리로 모여들었다. 때로는 하늘을 날아다니는 것들 중 가장 작은 이 새들, 반짝거리는 깃털을 가진 엄지손가락 크기의 이 새들 한 마리 한 마리가 백 송이는 넘을

꽃송이마다 붙어, 말뚝 주변을 파르르 떨며 맴도는 듯도 했다. 클리퍼드는 뭐라 형언할 수 없는 관심과 아이 같은 기쁨보다 훨씬 더한 기쁨을 가지고 벌새들을 보았다. 그 새들을 더 잘 보려고 정자에서 가만히 머리를 내밀곤 했다. 또한 그러는 내내 피비와 함께 느낌으로써 자신의 향유를 한층 고양하기 위해 그녀에게 조용히 하라는 손짓을 하고 그녀 얼굴에 떠오르는 미소를 슬쩍 보았다. 그는 단지 젊어진 것이 아니라 다시 아이가 된 것이었다.

헵지바는 이러한 소소한 열광의 순간을 우연히 목격할 때마다, 엄마이자 누이의 모습, 그리고 기쁨과 슬픔이 기묘하게 뒤섞인 모습으로 고개를 절레절레 흔들곤 했다. 벌새가 올 때면 클리퍼드는 항상 그러했다고, 아기 때부터 항상 그랬고 벌새를 보며 기뻐한 것이 아름다운 것들에 대한 그의 사랑을 나타내는 최초의 표식이었다고 그녀는 말했다. 그리고 벌새가 사방으로 찾아다니는 이 진홍빛 꽃의 콩, 사십 년 동안 핀천 가문 정원에서 자란 적이 없던 이 콩을 클리퍼드가 돌아온 바로 그 여름에 예술가가 심었다는 것이 얼마나 놀라운 우연의 일치인가 하고 이 선한 부인은 생각했다.

그러고 나면 가련한 헵지바의 눈에는 눈물이 가득 고이거나 아예 펑펑 쏟아져서 이렇게 격한 감정을 클리퍼드가 보지 않도록 구석으로 자리를 옮기지 않을 수 없었다. 정말이지 이 당시의 모든 즐거움은 눈물이 쏟아지게 만드는 것이었다. 너무나 뒤늦게 찾아온 그 즐거움은 향기로운 햇빛이 비추는 와중에 약간의 안개가 끼어 있고 화려한 기쁨 속에 퇴락과 죽음이 곁든 일종의 인디언 서머였다. 클리퍼드가 어린아이의 행복을 맛보면 맛볼수록 눈에 띄는 그 둘 간의 차이는 더 큰 슬픔을 자아냈다. 지난 과거는 그의 기억을 말살한 알 수 없고 끔찍한 것이고 미래는 백지와도 같아서 그는 오직 손에 잡을 수 없고 환영과 같은 지금만을 가졌는데, 가만히 들여다보면 그것은 결국 아무것도 아닌 것이다. 여러 징후를 통해 알아챌 수 있듯이 그 자신은 자신의 기쁨 뒤편으로 음울하게 누워, 그 모든 것이 완전히 믿기보다는 재미 삼아 가지고 놀 뿐인 아이들 장난임을 스스로 알고 있었다. 어쩌면 클리퍼드는 깊숙한 의식의 거울을 통해 자신이 헤아릴 수 없는 섭리로 인해 줄기차게 세상과 어긋나는 그런 혼란스러운 사람들을 대표하는 범례임을 알았을지도 모른다. 신의 섭리가 타고난 본성상 그들에게 약속된 것을 깨뜨리고 마땅히 그들의 것인 양식을 주지 않으며 잔치를 베풀면서 그들 앞에 독을 놓고, 그래서 보통 생각하기로는 그게 아닌 다른 방식으로 순조롭게 자리를 잡을 수 있을 상황인데도 그 존재가 낯설음과 고독, 그리고 고통이 되어 버리는 그런 사람들 말이다. 평생 동안 그는 마치 외국어를 배우듯이 비참해지는 법을 배워 왔다. 그래서 그 교훈이 철저히 가슴에 새겨진 지금 작고 환상적인 행복을 제대로 이해하기 어려웠다. 그의 눈 속에는 자주 흐릿한 의심의 그림자가 있었다. "내 손을 잡아 봐, 피비! 그리고 손가락으로 세게 꼬집어 봐라! 장미 한 송이를 줘 봐. 가시에 손을 찔러서 그 날카로운 고통으로 내가 꿈을 꾸는 게 아니란 걸 확인하게." 그는 말하곤 했다. 분명 그는 실제임을 알 수 있는 가장 확실한 그런 특성을 통해, 정원과 풍파에 시달린 일곱 박공과 헵지바의 오만상과 피비의 미소 역시 실재임을 스스로 확인하기 위해 그렇게 팍 찌르는 약간의 고통을 원했다. 살에 가해지는 이런 일종의 낙인 없이는, 보잘것없는 자양물이 다 소진된 후에도 자신의 영혼이 계속 먹고살던 공허하고 정신없는 상상의 장면들만큼이나 그 실체를 확인할 수 없었던 것이다.

나는 독자들이 그와 공감할 것임을 믿어 의심치 않는다. 그렇지 않다면 이러한 정원 생활을 이루는 데 없어서는 안 되지만 겉으로 보기에는 너무나 하찮은 사건들을 그렇게 세세하게 옮기는 일을 주저했을 것이다. 그곳은 말하자면 태초의 아담이 쫓겨 나간 곳과 마찬가지로 황량하고 위험천만한 황야를 벗어나 피난처를 찾아 도망쳐 온, 천둥 번개에 시달린 아담의 에덴동산이었다.

클리퍼드에게 즐거움을 주기 위해 동원할 수 있는 것 중 피비가 무엇보다 애용했던 것은 깃털 달린 종족인 암탉이었는데, 이미 말했다시피 그 종자는 핀천 가문에서 아주 오래도록 가계를 이어 오고 있다. 닭들을 가둬 놓는 것을 싫어하는 클리퍼드의 변덕스러운 기분에 따라 닭들은 이제 풀려나 마음대로 정원을 활보했다. 자잘한 말썽을 부리기는 했지만 세 면이 건물로 막혀 있고 나머지 한 면에는 올라가기 힘든 나무 울타리가 있기 때문에 도망가지는 못했다. 남는 시간 대부분을 몰의 우물가에서 보냈는데, 거기에 자주 출몰하는 달팽이 종류가 분명 그들의 입맛에 맞았기 때문일 것이다. 그리고 거무죽죽한 그 물이 다른 존재들에게는 구역질 나는 것일지 몰라도 닭들은 얼마나 중히 여기는지, 꼭 시험 삼아 연 술통 주변에 모여든 모주꾼 모양으로 고개를 들고 부리로 입맛을 다시며 맛을 보는 것처럼 보였다. 기름진 검은 흙에서 벌레를 끄집어 낼 때나 입맛에 맞는 풀들을 쪼아 댈 때 서로 주고받기도 하고 때로 독백처럼 혼자 하기도 하는, 보통은 조용하지만 종종 활기차고 항상 다채로운 그들의 이야기는 얼마나 가정적인 분위기를 풍기는지, 인간과 가금류가 정기적으로 가정사에 대해 서로 의견을 나눌 수도 있지 않을까 하는 생각이 들 정도였다. 행동거지의 신랄함이나 풍부한 다양성을 보아 모든 암탉들이 연구할 가치가 있지만, 나이를 먹을 대로 먹은 이 닭들처럼 기이한 모양새와 태도를 가진 다른 가금류가 있을 가능성은 없었다. 그들은 아마 쉼 없이 계속 알을 낳아서인지 후손들 전체의 전통적인 특징들을 모두 구현한 듯했다. 아니면 이 수탉 한 마리와 두 암탉이 너무 격리된 생활을 한 데다 자신들의 여주인인 헵지바에 대한 공감을 보이기 위해 익살꾼이 되고 살짝 정신이 나가 버렸는지도 몰랐다.

정말 얼마나 기이하게 생겼는지! 수탉은 수없이 후손을 만들어 낸 위엄을 지키며 죽마 같은 다리로 성큼성큼 걷기는 하지만 보통의 자고(鷓鴣)만 한 크기였다. 암탉들도 겨우 메추라기만 했다. 병아리 한 마리는 아직도 알 속에 있어야 할 것처럼 작았는데 그러면서도 나이는 먹을 대로 먹어 쭈글쭈글하고 시들시들하고 세상만사 다 안다는 표정이어서 유서 깊은 종족의 창시자쯤 되어 보였다. 가족 중 가장 어린 것이 아니라 오히려 지금 살아 있는 윗세대뿐 아니라 모든 조상님들의 세월을 모두 합해, 그 모두의 뛰어남과 괴상함을 다 합쳐 그 작은 몸에 꽉 밀어 넣은 듯했다. 어미 닭은 그 병아리가 세상에 둘도 없는 병아리이고, 실제로 세상이 지속되기 위해, 아니면 어쨌든 교회로든 국가로든 현재의 체제가 균형을 이루기 위해 꼭 필요한 존재라고 여기고 있음이 분명했다. 아무리 어미의 입장이라고 한들 새끼 닭이 그 정도로 중요하지 않고서야, 자신의 작은 몸을 원래 크기의 두 배로 부풀리며 날개를 퍼덕거리고 누구든 전도유망한 자식 쪽으로 시선을 돌리기라도 하면 그 얼굴로 날아들면서까지 집요하게 그 안전을 지키려고 할 리 없을 것이다. 제 새끼가 그 정도쯤은 된다고 여겨야 지치지도 않고 열심히 땅을 긁어 대고 그 뿌리에 있는 살진 지렁이를 끄집어내기 위해 주저하지 않고 최고의 꽃과 야채를 파헤치는 그 열성이 정당화되지 않겠는가. 어쩌다가 병아리가 키 큰 풀숲이나 호박잎 아래에 숨어 보이지 않을 때 어미의 불안한 울음소리, 날개 아래에 품어 그 존재를 확신할 때의 만족스러운 가르릉 소리, 어미 닭의 숙적인 옆집 고양이가 높은 울타리 꼭대기에 있는 것을 보았을 때 어쩔 수 없이 드러나는 두려움과 난폭한 저항의 울음소리, 이런 울음소리들을 하루 종일 번갈아 들을 수 있었다. 그러다가 지켜보는 사람도 점차로 부지런한 종족의 이 어린 새끼에 대해 거의 어미 닭 만큼이나 관심을 가지게 되는 것이다.

피비는 늙은 암탉과 친분을 갖게 된 후 이따금씩 병아리를 손에 들어 볼 수 있었는데, 그녀의 손 안에 3~5세제곱센티미터쯤 되는 몸은 쥘 수 있었다. 깃털에 있는 특이한 반점이라든지 머리 위의 우스꽝스러운 술, 다리 각각에 있는 작은 혹 같은 유전적인 표식들을 신기한 듯이 관찰할 때, 그녀가 주장하는 바에 따르면 그 어린 새가 그녀에게 영민하게 한쪽 눈을 계속 찡긋거린다는 것이다. 한번은 은판 사진사가 그 표식들은 핀천 가문의 특이성을 나타내는 것이고 병아리 자체가 유서 깊은 집의 삶의 상징으로서, 알아볼 수 없기는 하지만 그러한 단서들이 일반적으로 그러하듯이 그에 대한 해석을 구현한다고 그녀에게 귀띔해 주었다. 말하자면 날개 달린 수수께끼이자 알을 깨고 나온 불가사의함으로서 달걀이 썩어서 혼탁한 것만큼이나 불가사의하다는 것이다!

수탉의 또 다른 부인은 피비가 이 집에 온 이래 줄곧 극심한 낙담에 빠져 있었는데 나중에 보니 알을 낳지 못하기 때문인 듯했다. 하지만 언젠가 정원의 이 구석 저 구석을 엿보고 다닐 때 고개를 옆으로 돌리며 눈을 치켜뜨고는 내내 말할 수 없이 만족스러운 듯 혼자 가르릉 소리를 내면서 자부심 가득한 걸음걸이로 다니는 꼴을 보니, 사람들이 폄하했던 바로 그 암탉이 금이나 보석으로 가치를 매길 수 없는 무언가를 몸에 지니고 있는 것이 분명했다. 그러고는 곧 수탉과 모든 가족들, 아비나 어미, 혹은 고모들만큼이나 그 사태를 잘 이해하는 듯한 명민한 병아리까지 포함한 모든 가족들이 엄청난 소리로 꼬꼬댁거리며 큰 기쁨을 나타냈다. 그날 오후 피비는 보통의 둥지(거기에 두기에는 너무나 소중했기 때문에)가 아니라 까치밥나무 덤불 아래, 작년에 난 풀의 마른 줄기 위에 교묘하게 숨겨진 작은 달걀을 발견했다. 그 사실을 안 헵지바는 그 달걀을 가져다가 클리퍼드의 아침 준비에 사용했는데, 그녀가 주장하기로 이 달걀은 항상 섬세한 향미를 가진 것으로 유명했기 때문이었다. 노부인은 그렇게 아무 거리낌 없이 작은 숟가락 하나에도 제대로 차지 않을 진미를 오빠에게 차려 낸다는 겨우 그런 목적으로 유서 깊은 조류의 한 종족이 대를 이어 가는 일을 희생했던 것이다! 다음 날 수탉이 달걀을 빼앗긴 어미를 동반해 피비와 클리퍼드의 앞에 떡 나서서 장광설을 늘어놓은 것도 분명 그 일에 대한 분노와 관련이 있었을 터인데, 피비가 갑자기 웃음을 터뜨리지만 않았다면 아마 자신의 족보만큼이나 길게 이어졌을 것이다. 피비의 웃음에 기분이 상한 수탉은 죽마 같은 다리로 성큼성큼 가 버렸고 피비와 그 어떤 사람들과도 전혀 알은체를 하지 않았다. 그래서 결국 피비는 달팽이 다음으로 그의 귀족 입맛에 가장 잘 맞는 진미인 향신료 케이크를 주면서 화해를 해야 했다.

확실히 핀천 저택의 정원을 가로질러 흐르는 소소한 삶의 잔물줄기 옆에서 너무 지체했나 보다. 그러나 이 하찮은 사건들이나 보잘것없는 즐거움들이 클리퍼드에게 정말 좋은 영향을 주는 것이었기 때문에 그것들에 대한 기록이 용인될 수 있을 것이라고 생각한다. 그것들은 흙냄새를 풍기면서 그에게 건강과 실체를 부여하는 데 도움이 되었다. 그가 하는 일 중 어떤 것들은 그다지 좋은 영향을 주지 못했다. 예를 들어 그는 몰의 우물을 들여다보면서, 바닥에 깔린 색색의 자갈들이 이루는 모자이크 무늬 위로 찰랑이는 물결이 만들어 내는 끊임없이 변화하는 환영들을 바라보는 괴벽이 있었다. 그는 거기에서 얼굴들이, 사람을 매혹시키는 미소를 띤 아름다운 얼굴들이 그를 올려다본다고 말했는데, 금방 사라지는 그 모든 얼굴들이 얼마나 아름답고 발그레하고 그 미소는 또 얼마나 환한지 그것이 사라져 버리면 자신이 부당한 대우를 받고 있다는 느낌을 갖게 된다고 했다. 똑같은 한순간의 마법이 다시 새로운 얼굴들을 만들어 낼 때까지 말이다. 그러나 때로는 "음침한 얼굴이 나를 뚫어지게 보고 있어."라고 갑자기 고함을 지르며 이후 하루 종일 비참한 기분에 빠져 있기도 했다. 피비는 클리퍼드의 옆에서 우물을 들여다봐도, 솟구치는 물에 흔들리고 이리저리 움직이는 듯이 보이는 색색의 자갈들 말고는 아름다움이든 추함이든 그러한 얼굴은 전혀 볼 수 없었다. 그리고 클리퍼드를 그렇게 괴롭힌 음침한 얼굴도 서양 자두나무 가지 하나가 몰의 우물 안쪽 빛까지 들어와 드리우는 그림자에 불과했다. 하지만 사실은 그의 의지나 판단력보다 빨리 살아나고 그것보다 항상 더 강력한 그의 상상력이 자신의 타고난 특성을 상징하는 사랑스러운 형태를 만들어 내다가 이따금 그의 운명을 대표하는 엄하고 무시무시한 형태도 만들어 내는 것이었다.

일요일이면 피비가 교회에 다녀온 뒤에는(그녀는 꼭 교회에 가야 한다는 의식을 가지고 있어서 기도나 찬송, 설교, 축복 등 어느 것이라도 빼먹으면 맘이 편치 않을 터였다.) 그러니까 예배 시간 이후에는 보통 정원에서 건전한 작은 축제가 벌어졌다. 클리퍼드와 헵지바, 피비 외에 두 명의 손님이 자리를 함께했다. 한 사람은 예술가인 홀그레이브로 그는 비록 개혁가들과 연관이 있고 그 외에도 기이하고 의심스러운 특질들이 있긴 하지만 여전히 헵지바에게 높은 평가를 받고 있었다. 말하기 좀 부끄럽지만 또 다른 사람은 깔끔한 셔츠에 폭넓은 나사 외투로 평소보다 잘 차려입은 존경스러운 베너 아저씨였다. 적어도 양쪽 팔꿈치가 깔끔하게 기워져 있고 그 끝자락 길이가 약간 맞지 않는 것을 빼고는 온전한 의복으로 볼 수 있다면 그렇다는 것이다. 클리퍼드는 12월에 나무 아래 떨어진 서리 맞은 사과의 달콤한 향기와도 같은 베너 아저씨의 원숙하고 쾌활한 기질이 좋아서 노인과의 교제를 즐긴 경우가 여러 번 있었다. 영락한 신사가 함께 어울리기에는 사회 계층의 가장 아래쪽에 있는 사람이 어디 중간쯤에 있는 사람보다 더 쉽고 마음에 맞는 법이다. 게다가 젊은 시절을 완전히 잃어버린 클리퍼드로서는 너무나 연로한 베너 아저씨와 나이가 비교됨으로써 자신이 상대적으로 젊다고 느낄 수 있어서 좋았다. 사실 클리퍼드가 때때로 자신이 나이를 먹었다는 의식을 일부러 반쯤은 감추면서 아직도 세속적인 미래의 삶이 앞에 놓여 있다는 전망을 간직하는 것을 알아차릴 수 있었다. 그러나 그 전망은 너무나 불분명하게 끌어온 것이었기 때문에 어떤 우연찮은 사건이나 회상에 의해 말라 버린 이파리임을 의식하게 되더라도 그 때문에 실망하지는 않았다. 확실히 기분이 울적해지기야 했지만 말이다.

그렇게 해서 괴상하게 조합된 이 작은 사교 집단이 무너져 가는 정자 아래에 모이곤 했다. 헵지바는 마음속으로는 여전히 위엄을 지키고 오랜 귀족다움을 한 치도 양보하지 않으면서 오히려 귀부인다운 겸양을 정당화하기 위해 그것에 더욱 의지하지 않을 수 없었으므로 어느 정도 예의바르게 그들을 맞았다. 정착하지 못하는 예술가에게 따뜻하게 말도 걸고 톱질하는 목공이나 자잘한 심부름을 하고 다니는 심부름꾼, 누더기 철학자들과 귀부인답게 점잖게 협의를 하기도 했다. 그리고 거리 모퉁이나, 그만큼 세상을 관찰하기에 적합한 다른 자리에서 세상을 연구해 온 베너 아저씨는 동네 펌프가 물을 쏟아내듯 자신의 지혜를 기꺼이 사람들에게 나눠 주었다.

"헵지바 부인." 한번은 다함께 즐거운 시간을 보낸 후 그가 말했다. "나는 안식일 오후의 이 조용하고 아담한 모임이 정말 즐거워. 내가 나중에 농장에 내려갔을 때 누리고 싶은 바로 그런 모임이라니까!"

"베너 아저씨는, 맨날 농장 타령이라니까. 내가 곧 아저씨를 위해 더 좋은 걸 마련할 거야. 두고 보라고!" 클리퍼드가 혼잣말하는 듯한 졸린 목소리로 말했다.

"아, 클리퍼드 핀천, 좋으실 대로 구상해 보시게. 하지만 난 절대 나 자신의 계획을 포기하지 않을 걸세. 혹 정말로 이루지 못하더라도 말이지. 사람들이 재산을 쌓고 또 쌓고 하는 것은 정말로 잘못하는 일 같아. 내가 만약 그렇게 된다면 난 신께서 확실히 나를 아끼지 않는다는 느낌이 들 거야. 그리고 좌우간 도시는 안 돼! 난 무한이란 우리 모두를 품어 줄 만큼 크고 영원 역시 그만큼 계속된다고 믿는 그런 사람일세!" 누더기 노인이 말했다.

"그건 정말 그래요, 베너 아저씨." 이 결론적인 격언의 심오함과 합당함을 이해하려고 애쓰느라 잠깐 기다렸다가 피비가 말했다. "하지만 현세의 짧은 삶에서는 자신의 집과 적당한 정원을 갖고 싶을 것 같아요."

"제가 보기에는, 베너 아저씨는 그 생각의 밑바닥에 푸리에의 원칙들을 지니신 것 같아요. 단지 체계화에 능했던 그 프랑스 사상가에게서처럼 아저씨 마음에선 그것들이 그다지 분명하지 못할 뿐이죠." 은판 사진사가 미소를 띠며 말했다.

"가자, 피비야. 까치밥나무 열매를 가져올 시간이다." 헵지바가 말했다.

그러고는 기울어 가는 노란 햇빛이 정원의 열린 공간 안으로 가득 쏟아질 때 피비는 방금 나무에서 따서 설탕을 섞어 으깨 도자기 그릇에 담은 까치밥나무 열매를 식빵 한 덩어리와 함께 내왔다. 이 먹을거리와 물(가까이에 있는 불길한 우물물은 아니고)만 있으면 충분히 즐길 수 있었다. 그동안 홀그레이브는 클리퍼드와 관계를 좀 더 보려고 애를 쓰고 있었다. 순전히 이 불쌍한 은둔자가 지내 왔고 앞으로도 지내게 될 대부분의 시간보다 현재의 시간을 더 유쾌하게 만들고 싶은 충동적인 자상함에서 비롯된 것 같았다. 그럼에도 모든 것을 관찰하는 예술가의 깊고 생각 많은 눈 속에는 이따금씩 불길하지는 않지만 꺼림칙한 표정이 나타났다. 마치 그 상황에 대해 모르는 사람으로서, 아무 관련 없는 젊은 모험가로서 가질 법한 관심이 아닌 다른 종류의 관심을 기울이는 듯했다. 하지만 그는 외적인 분위기를 아주 다채롭게 바꾸면서 모인 사람들에게 열심히 생기를 불어넣었고, 그 일이 상당히 성공적이었기 때문에 침침한 분위기의 헵지바까지도 우울함의 색채를 벗어던지고는 남아 있는 얼마 안 되는 것을 가지고 어떻게든 그에 맞춰 보려 애썼다. 피비는 속으로 중얼거렸다. '저 사람이 저렇게 쾌활할 수도 있다니!' 베너 아저씨로 말하자면 우정과 동의의 표식으로 그 청년에게 직업적인 면에서 기꺼이 묵인을, 확실히 말하건대 단지 은유적으로가 아니라 말 그대로 묵인을 해 주었다. 그러니까 마을 사람들이 잘 알고 있는 그의 얼굴 은판 사진을 홀그레이브의 작업실 입구에 걸어도 된다고 허락했다는 것이다.

모인 사람들이 그렇게 작은 잔치를 즐기는 동안 클리퍼드는 누구보다도 기분이 유쾌해졌다. 그것은 비정상적인 정신 상태를 지닌 사람들이 쉽게 보이는 섬광처럼 정신이 고동치는 순간이거나, 아니면 음악적 울림을 내는 어떤 마음속의 줄을 예술가가 조심스럽게 건드린 것일 수도 있다. 정말이지 이렇게 기분 좋은 여름날 저녁에 냉정하지 않은 사람들이 이룬 이 작은 모임 속에서 공감을 나눌 때, 클리퍼드처럼 민감한 성격의 사람이 생기발랄해지면서 주변의 것에 기꺼이 반응하는 것은 아마 자연스러운 일이라 할 수 있다. 그러나 그는 또한 자신의 생각을 뜬구름 잡는 몽상적인 분위기로 표현했기 때문에 그것이 말하자면 정자의 틈새로 빛나며 나뭇잎 사이 사이로 도망가 버렸다. 분명 그는 피비와 단 둘이 있을 때도 그만큼 쾌활했으나, 지금처럼 한쪽으로 치우쳤을망정 예리한 총명함의 낌새를 보여 주지는 않았다.

그러나 일곱 박공의 뾰족지붕 위에서 햇빛이 사라지자 클리퍼드의 눈에서도 생기가 사라졌다. 뭔가 중요한 것을 잃어버리기라도 한 듯이, 잃어버린 것이 정확히 무엇인지 알 수 없어서 더욱 간절하게 그것을 원하는 듯이 슬픔에 차서 멍하니 주변을 둘러보았다.

"난 행복을 원해!" 마침내 그가 단어를 뭉뚱그리며 쉰 목소리로 불분명하게 중얼거렸다. "그렇게, 그렇게 오랫동안 기다려 왔는데! 너무 늦었어! 너무 늦었다고! 행복을 원하는데!"

아, 불쌍한 클리퍼드! 당신은 결코 당신이 겪어서는 안 될 괴로움에 시달려 지치고 늙었구나. 당신은 반쯤은 정신이 나가고 반쯤은 바보가 되었다. 어떤 이들이 다른 이들에 비해 정도가 덜하거나 알아보기 어려운 것일 뿐 거의 모든 사람들이 그렇듯 낙오자, 실패자. 운명의 여신은 당신을 위해 행복을 마련해 놓지 않았다. 대대로 내려오는 가옥에 마련된 조용한 집과 피비와 함께하는 긴 여름날 오후, 그리고 일요일에 베너 아저씨와 은판 사진사와 더불어 즐기는 이 축제가 행복이라고 불릴 만하지 않다면 말이다! 왜 행복이 아니겠는가? 딱 그것이라고 할 수 없을지 몰라도 놀랍도록 그와 유사하고, 너무 자세히 따지다 보면 모두 사라져 버릴 만큼 형체도 없고 잡을 수도 없는 것이기 때문에 더욱더 그러하다. 그러니까 할 수 있을 때 그 행복을 잡아라. 투덜대지 말고 의심하지 말고, 최대한 누려라!

11
아치형 창문

평소 클리퍼드의 기분이 무기력함, 혹은 식물성이라고 부를 만한 그런 상태임을 염두에 둔다면, 아마 그는 끊임없이, 아니면 적어도 여름 동안은 내내 앞에서 묘사한 바로 그런 종류의 생활을 하며 매일을 만족스럽게 보낼 수도 있었을 것이다. 하지만 피비는 때때로 분위기를 좀 바꿔 주는 것이 그에게 좋을 것이라는 생각에 바깥 거리의 생활도 내다보자고 권하곤 했다. 이를 위해 그들은 함께 계단을 올라 2층으로 올라갔는데, 거기에는 넓은 입구가 끝나는 곳에 보기 드물게 넓은 면적의 아치형 창문이 한 쌍의 커튼으로 가려져 있었다. 현관 위쪽으로 나갈 수 있게 된 구조인데, 예전에 그곳에는 발코니가 있었지만 난간이 이미 오래전에 삭아 아예 떼어 버렸다. 이 아치형 창문 곁에서 클리퍼드는 창문은 활짝 열고 자신은 잘 안 보이게 커튼 뒤로 몸을 숨긴 채 그다지 사람이 많지 않은 도시의 한적한 거리 위로 지나다니는 정도의 바깥세상의 움직임을 지켜볼 기회를 가졌다. 그러나 그와 피비 자신 역시 도시가 보여 주는 것 못지않게 볼 만한 광경을 이루었다. 울적하지만 종종 순진무구하게 기분이 좋기도 하고 때로는 미묘하게 총명하기도 한 면모의, 창백하고 어린아이 같은 백발의 나이 든 클리퍼드가 색 바랜 진홍빛 커튼 뒤에서 일종의 대수롭지 않은 관심과 열성을 가지고 일상적으로 반복되는 단조로운 일과를 바라보다가 조금이라도 감수성이 고동칠 때마다 몸을 돌려 밝은 어린 소녀의 눈에서 동의를 구하고자 하는 모습이라니!

일단 창문가에 제대로 자리를 잡고 앉으면 심지어 핀천 거리조차 그렇게 지루하거나 쓸쓸한 게 아니어서, 클리퍼드는 거리 어디에선가 눈길을 줄 것들이나, 관심을 사로잡지야 못하더라도 불러일으킬 만한 것들을 찾아내곤 했다. 태어나면서부터 세상 구경을 하기 시작했다면 아주 어린 애들에게조차 익숙할 것들이 그에게는 생소한 듯했다. 이륜마차라든지 안에 가득 사람을 태우고 여기저기에 승객들을 내려놓거나 다른 승객들을 태우는 승합마차라든지. 그렇게 승합마차는 세계라는 움직이는 거대한 운송 수단, 그 여행의 끝에 어디든지 갈 수도 있고 아무 데도 갈 수 없기도 한 운송 수단의 전형을 보여 주었다. 클리퍼드는 이러한 것들을 열심히 눈으로 좇다가는 말과 바퀴가 일으킨 먼지가 그 뒤로 다시 내려앉기도 전에 금방 잊어버렸다. 신기한 것들(이륜마차와 승합마차가 이에 해당하는데)과 관련해서 그는 파악하고 보유하는 합당한 능력을 상실한 듯했다. 예를 들어 해가 환한 대낮에 살수차가 두 세 번쯤 핀천 저택 앞을 지나가면서, 숙녀가 살포시 내려놓는 발걸음에도 풀풀 일어나던 하얀 먼지 대신 뒤로 땅을 넓게 적시며 나아간 적이 있었다. 그것은 마치 도시 당국에서 여름날의 소나기를 붙잡아 길들여서는 자기 편의대로 가장 평범한 일상에 복무하도록 만든 것 같았다. 클리퍼드는 이 살수차에 전혀 익숙해지지 않았다. 매번 볼 때마다 항상 처음 보는 것처럼 깜짝 놀라곤 했다. 거기서 강렬한 인상을 받는 것은 분명하지만, 뜨거운 햇빛에 의해 금방 다시 하얀 먼지를 흩뿌리는 거리가 그렇듯이 다음번에 다시 그것이 나타나기까지 클리퍼드는 순회하는 소나기에 대한 기억을 완전히 잃어버리는 것이었다. 기차도 마찬가지였다. 그는 괴물 같은 증기기관차의 요란스러운 소리를 들을 수 있었고, 아치형 창문에서 몸을 조금 밖으로 빼면 거리 맨 끝 쪽을 가로지르며 순식간에 휙 지나가는 기차 차량을 언뜻 볼 수 있었다. 그렇게 위압적으로 그를 내리누르는 무시무시한 힘이라는 것은 항상 나타날 때마다 생소했고 언제나 처음만큼 그를 대경실색하게 하면서 처음보다 백배는 더 기분 상하게 만들었다.

익숙하지 않은 것들에 대처하고 빠르게 변화하는 순간들을 따라잡는 능력이 잠시 기능하지 않거나 아예 그것을 상실했다는 사실만큼 한 사람의 쇠락을 애처롭게 인식하게 되는 경우도 없다. 그냥 생기가 잠시 정지된 것일 수도 있다. 왜냐하면 그 능력이 정말로 완전히 사멸할 수 있다면 불멸성이란 거의 쓸모가 없을 것이기 때문이다. 이러한 재난이 우리에게 닥칠 때 우리는 당분간 실체 없는 유령보다 못하다.

클리퍼드는 정말 너무나 철두철미하게 보수적이었다. 거리의 모든 케케묵은 모습이 그에게는 소중했다. 타고난 천성에서 보자면 그의 까다로운 감식력을 거스를 만큼 조야한 것조차 그러했다. 그는 덜컹거리고 덜거덕거리는 마차를 정말 좋아했는데, 오늘날의 관찰자가 헤르쿨라네움*에서 그 옛날 마차의 바퀴 자국을 찾는 것처럼 오래도록 묻혀 있던 기억의 더미 속에서 그것에 대한 예전 기억을 찾아냈다. 차양에 눈이 쌓인 고기 장수 마차는 봐줄 만했다. 나팔소리가 먼저 들리는 생선 장수 마차도 그랬다. 마찬가지로 반수가 넘는 동네 주부들과 주인이 순무와 당근, 여름 호박이나 깍지콩, 완두콩, 햇감자 등을 흥정하는 동안 골골하는 말 때문에 한참씩 쉬어 가며 집집마다 터덕터덕 찾아다니는 시골 농부의 채소 마차도 그러했다. 종으로 귀에 거슬리는 소리를 내는 빵 장수 마차는 다른 어떤 것도 낼 수 없는 바로 그 옛날의 불협화음을 울려 댔기 때문에 클리퍼드를 유쾌하게 했다. 아이들이 엄마의 가위나 고기 자르는 칼, 또는 아빠의 면도칼 등 날이 무뎌진 것들(진정 불쌍한 클리퍼드의 재치는 빼고)을 들고 뛰어나오면 칼 가는 사람은 마법 같은 바퀴에 그것들을 갈아서 새것처럼 만들어 돌려주었다. 바쁘게 돌아가는 그 기계는 칼 가는 사람이 발을 구르면 계속 빙글빙글 돌아가면서 단단한 돌과 부대끼며

---

* 79년에 베수비오 화산이 폭발하면서 화산재 속에 묻힌 도시로 1709년에 발견되어 19세기까지 발굴 작업이 계속되었다.

단단한 철을 갈아 댔고, 복마전의 사탄과 그 무리들이 내지르는 소리(그보다 작은 규모로 찌그러졌지만)만큼 격렬한 마찰음을 악의에 찬 듯이 강하게 늘여 댔다. 그것은 지금껏 인간의 귀에 자잘한 폭력을 행사했던, 정말 작고 추하고 독기를 품은 소리의 악마였다. 그러나 클리퍼드는 정신을 팔고 그것을 기쁘게 들었다. 아무리 거슬리는 소리라도 거기엔 펄떡거리는 삶이 있었고, 주변을 둘러싸고 바퀴가 돌아가는 것을 바라보는 호기심 가득한 아이들과 함께 그가 다른 어떤 방식으로 얻을 수 있던 것보다 더 생생하게 활기차고 북적거리는 청명한 생활을 느낄 수 있게 하는 것 같았다. 그렇지만 그것이 주는 매력은 주로 과거에 놓여 있었다. 칼 가는 사람의 바퀴 소리는 그가 어린 시절에 듣던 것이기 때문이다.

때로 그는 요즘엔 역마차가 없다고 쓸쓸하게 불평하곤 했다. 그리고 쟁기 끄는 말이 끌고 농부의 부인과 딸들이 몰면서 동네에서 월귤나무 열매나 블랙베리 등을 팔던, 천장이 네모지고 양쪽으로 날개가 튀어나온 그 많던 유람 마차들은 다 어떻게 되었느냐고 상처 입은 목소리로 묻기도 했다. 그 마차들이 없어졌다면 딸기들은 모두 넓은 초원과 그늘진 시골 길가에서 버려진 채 자라고 있는 건 아닌지 의심이 든다는 것이었다.

그러나 아주 소박한 방식이긴 하지만 아름다움에 대한 감각에 호소하는 것은 어떤 것도 이러한 예전의 연상 작용에 의지할 필요는 없었다. 그것은 우리 마을에서 다소 현대적인 면모를 지녔다 할 이탈리아 소년이 손풍금을 들고 와서 느릅나무의 넓고 시원한 그늘 아래에서 쉬고 있을 때 확인할 수 있었다. 그는 직업적인 눈치로 아치형 창문에서 자신을 내려다보는 두 얼굴을 알아채고는 악기를 열어 자신의 선율을 널리 퍼뜨리기 시작했다. 스코틀랜드식 격자무늬 옷을 입은 원숭이가 그의 어깨에 있었다. 그리고 구경꾼들 앞에서 공연할 때 훌륭한 재주를 최종 완성하기 위해 동원하는 것으로 그에게는 한 무리의 작은 인물들이 있었는데, 그들이 살고 활동하는 영역은 마호가니로 만든 풍금 통이고 삶의 원칙은 음악으로서, 이탈리아 소년이 하는 일이 바로 그들을 연주하는 것이었다. 구두장이와 대장장이, 군인, 부채를 든 귀부인과 술병을 든 술고래, 암소 옆에 앉은 젖 짜는 여자 등 다양한 직업으로 이루어진 이 복 받은 작은 사회는 진정으로 조화로운 삶을 즐기며 말 그대로 삶을 춤으로 바꾸어 놓는다고 할 수 있었다. 이탈리아 소년이 기계 자루를 돌리면, 보라! 이 작은 인형들이 모두 정말 신기하게 생기로 가득 차기 시작한다. 구두장이는 구두를 수선하고 대장장이는 쇠를 두드리며 군인은 번쩍이는 칼을 휘두른다. 귀부인은 부채로 작은 바람을 일으키고 기분 좋은 술고래는 술병을 들고 꿀꺽꿀꺽 들이켠다. 학자는 지식에 대한 목마름으로 책을 펴고 책장을 따라 고개를 좌우로 움직인다. 젖 짜는 여자는 힘차게 젖을 짜고 구두쇠는 금을 세어 금고에 집어넣는다. 자루 하나 움직이면 이 모든 일이 동시에 일어나는 것이다. 그렇다. 그리고 같은 유의 충동으로 연인은 사랑하는 여인의 입에 입을 맞추는 것이다! 명랑하면서도 신랄한 냉소가라면, 어떤 직업에 종사하고 무엇을 즐기며 살든지, 그것이 진지한 것이든 사소한 것이든 인간이란 모두 단 하나의 음률에 맞추어 춤을 추며 우스꽝스럽게 동작을 해 봐도 결국 이루는 일이란 하나도 없다는 사실을 이러한 무언극 장면에서 읽어 내고 싶을지 모르겠다. 그 무언극에서 가장 놀랄 만한 점은 음악이 멈추자마자 모두 동시에 얼어붙어 그렇게 화려하던 삶에서 갑자기 죽음 같은 마비 상태에 빠진다는 것이었다. 구두장이의 신발도 다 고쳐지지 않았고 대장장이의 쇠도 제대로 모양을 갖추지 못했으며, 주정뱅이의 술병에서 술이 한 방울도 줄어들지 않았고 젖 짜는 처녀의 통에는 우유가 한 방울도 더 늘어나지 않았다. 구두쇠의 금고에 동전 하나도 더해지지 않았고 학자의 책은 한 페이지도 더 넘어가지 않았다. 모든 이들이 그렇게 우스꽝스러울 정도로 정신없이 일하고 즐기고 금화를 모으고 지식을 쌓으려고 난리를 치기 전과 똑같은 상태에 놓여 있는 것이다. 게다가 더욱 슬픈 일은 처녀의 입술에 입을 맞추었다고 해서 연인이 더 행복해지지도 않았다는 것이다! 그러나 너무나 혹독한 이 마지막 사실을 받아들이기보다 차라리 이 무언극의 교훈 전체를 거부하자.

그동안 원숭이는 두꺼운 꼬리가 격자무늬 옷에서 너무 심하게 비어져 나온 채 이탈리아 소년의 다리께에 자리를 잡았다. 그는 쭈글쭈글하고 못생긴 작은 얼굴을 돌리며 지나가는 모든 사람들과, 곧 주변에 둥그렇게 몰려든 아이들과 헵지바의 가게 문과, 클리퍼드와 피비가 내려다보는 위쪽의 아치형 창문까지 바라봤다. 또한 매번 격자무늬 모자를 벗고 발을 뒤로 빼며 인사를 했다. 게다가 이따금 특정한 사람들을 겨냥해

검고 작은 손바닥을 내밀었는데, 다른 경우라면 누구의 주머니에 있을 법한 어떤 더러운 돈이라도 정말 원해마지 않는다는 사실을 아주 분명히 나타냈을 것이다. 비열하고 천하면서도 시들시들한 그 인상이 요상하게 사람을 닮았고, 여기저기를 염탐하는 듯한 교활한 눈길은 어떤 하찮은 기회라도 얼마든지 이용할 수 있음을 보여 주었다. 너무나 거대해서 개버딘 외투 아래로 제대로 가려지지 않는 그 꼬리하며 그것이 나타내는 악마성까지, 이 원숭이를 그냥 있는 그대로 받아들이면 돈에 대한 탐욕의 가장 천박한 형태를 상징하는 구리 동전의 맘몬*을 떠올리기에 더 적당한 이미지도 없을 것이다. 게다가 이 탐욕스러운 작은 악마는 만족도 할 줄 몰랐다. 피비가 동전을 한 줌 던져 주었으나, 원숭이는 기뻐하는 기색도 없이 열심히 주운 후 잘 보관하라고 이탈리아 소년에게 가져다주더니 곧바로 더 달라는 몸짓을 하는 것이었다.

지나가면서 원숭이를 한번 쳐다보고는 그것이 얼마나 자신의 도덕적 상황을 비슷하게 형상화하는지 상상도 못 하고 지나치는 뉴잉글랜드 사람(어느 나라 사람이 되었건 상황은 비슷할 테지만) 이 한두 사람이 아닐 것임은 의심할 바 없다. 하지만 클리퍼드는 그와는 다른 종류의 사람이었다. 그는 음악을 듣고 어린아이처럼 기뻐하면서 음악에 맞춰 움직이는 인형들을 보고 웃음을 짓기도 했다. 그러나 긴 꼬리 원숭이를 한참 쳐다보더니 육체적으로는 물론 정신적으로도 끔찍하게 추한 그

* 부도덕한 부, 재물을 의인화한 사악한 재물의 신.

모습에 너무 충격을 받아 아예 눈물을 흘리기 시작했다. 좀 더 격렬하면서도 깊고 더 비극적인 웃음의 힘은 결핍된 채 단지 섬세하기만 한 성격의 소유자가 너무나 끔찍하고 천한 삶의 면모를 우연히 마주쳤을 때 거의 피할 수 없이 보이는 약점이라 하겠다.

핀천 길은 때로 위의 장면보다는 더 훌륭한 광경들로 생기에 넘쳤고 그에 따라 많은 사람들이 몰렸다. 세상과 개인적으로 만나는 것은 몸서리치게 싫어하면서도, 사람들이 몰려다니며 북적거리고 와글거리는 소리가 점점 분명하게 들리면 어떤 강한 충동이 여전히 클리퍼드를 사로잡았다. 수백의 휘장이 펄럭대고 북과 파이프, 클라리온, 심벌즈 소리가 건물 사이사이를 울려 대면서 정치적 행진이 온 마을을 돌며, 평상시엔 조용한 일곱 박공의 집 앞으로 저벅저벅 하는 발걸음과 정말 희귀한 함성 소리를 길게 늘이며 지나간 어느 날, 그 점은 분명하게 드러났다. 단지 볼거리로 치자면 좁은 골목으로 지나가는 행진만큼 생생하고 멋진 면이 부족한 것도 없을 것이다. 행진하는 사람들의 얼굴이 보여 주는, 땀이 번들거리고 지겨운 거만함이 가득한 지루하고 평범한 표정이라든지, 바지자락의 모양이나 너무 뻣뻣하거나 너무 후줄근한 셔츠 깃, 검은 코트의 뒤쪽에 앉은 먼지 같은 것이 눈에 띄면 그것은 바보들의 행진처럼 느껴지기 때문이다. 그것이 웅장하게 보이려면 넓은 평야 한가운데나 도시의 장대한 광장을 느리고 길게 줄지어 지나갈 때 좋은 자리에서 내려다볼 수 있어야 한다. 그렇게 떨어져 있을 때에야 그 행진을 이루는 모든 소소한 개별 특성들이 사라지고 하나의 거대한 덩어리, 하나의 커다란 삶이자 동질적인 거대한 정신이 생기를 불어 넣는 인류의 집단적인 일체로 나타나기 때문이다. 그러나 다른 한편 감수성이 예민한 사람이 이러한 행진의 가장자리에 혼자 서서 그것을 내려다본다면, 그러니까 각각의 구성 요소로서가 아니라 집단체로, 도도하게 흘러가고 신비로움으로 속을 헤아릴 수 없는 거대한 삶의 강물, 그 깊은 곳에서부터 마찬가지로 인간의 저 깊숙한 무엇인가에 호소하는 삶의 강물로 바라본다면 그렇게 가까이 있음으로써 효과가 더욱 증대될 수 있다. 클리퍼드는 그 행진에 너무나 매혹된 나머지 인간들 간의 공감이라는 파도치는 물결 속으로 뛰어들고 싶다는 충동을 억제하기 힘들었다.

클리퍼드에게는 그러했다. 그는 몸을 덜덜 떨면서 창백해지더니, 함께 창가에 있던 헵지바와 피비에게 호소하는 눈빛을 보냈다. 그의 감정을 전혀 이해하지 못한 그들은 단지 생소한 소란스러움에 그가 불안해한다고 생각했다. 마침내 그는 사지를 떨면서 벌떡 일어나 창틀에 발을 얹었었고, 순식간에 난간도 없는 발코니로 나갈 뻔했다. 사실 행진하는 사람들 모두가 휘장을 나부끼는 바람결에 정신 나간 듯 백발머리를 휘날리는 해쓱한 그를 볼 수 있었을 것이다. 동족에게 소외되었다가 이제 그를 사로잡은 억제할 수 없는 충동으로 다시 인간이 되었다고 느끼게 된 외로운 존재. 클리퍼드가 발코니로 나갔다면 아마 거리 아래로 뛰어내렸을 것이다. 그러나 그것이 때로 두려워서 뒤로 물러나게 되는 바로 그 절벽 아래로 희생자를 뛰어내리게 만드는 그런 종류의 공포에 떠밀려서인지, 아니면 인류의 삶 한가운데로 끌리는 자연적인 자력 때문인지는 결정하기 힘들다. 아마 그 둘이 한꺼번에 그에게 작용했을 것이다.

그러나 자신도 모르게 급히 자리를 뜨는 사람과 같았던 그의 몸짓에 함께 있던 두 사람은 화들짝 놀라 클리퍼드의 옷자락을 붙잡아 그를 끌어내렸다. 헵지바는 비명을 질렀고, 정도가 지나친 것이라면 뭐든지 너무 싫어하는 피비는 눈물을 흘리며 흐느꼈다.

"오라버니, 오라버니, 미쳤어요?" 여동생이 울부짖었다.

"나도 잘 모르겠어, 헵지바!" 클리퍼드가 긴 숨을 쉬며 말했다. "걱정 마, 이제 다 끝났어. 하지만 내가 저리로 뛰어내려서 목숨을 건졌다면 아마 내가 완전히 다른 사람이 될 수 있었을 텐데!"

어떤 점에서는 아마 클리퍼드의 말이 맞았을 것이다. 그에겐 어떤 충격이 필요했다. 아니면 인간 삶의 대양 속으로 뛰어들어 깊이깊이 내려가 그 심오함에 휩싸임으로써 원기 있고 침착한 사람이 되어 다시 나와, 세상에게나 자신에게나 본래의 모습을 회복해야 했는지도 모른다. 어쩌면 그는 최후의 위대한 치료법인 죽음이 다시 필요했는지도 모른다!

자신과 동류인 존재와의 끊어진 형제애를 다시 잇고 싶은 비슷한 갈망은 좀 더 온순한 형태로도 나타났고 한때는 그보다 더 깊이 놓인 종교에 의해 훌륭해지기도 했다. 지금 그려낼 사건에서 클리퍼드는 자신을 향한 신의 배려와 사랑을 알아채고 감동한다. 불쌍하고 의지가지없는 이 사람, 자신이 신에게 버려져 잊힌 채 남을 희롱하는 일에서 악한 장난의 희열을 느끼는 어떤 악마의 노리개가 되었다고 생각한다 한들, 다른 사람은 몰라도 그는 용서가 될 수 있을 이 사람에 대한 신의 사랑 말이다.

안식일 아침이었다. 하늘이 엄숙한 미소를, 엄숙한 만큼 향기롭기도 한 미소를 지상의 얼굴에 가득 퍼뜨리는 듯한 성스러운 분위기가 가득한 맑고 차분한 그런 일요일. 그런 일요일 아침에는 우리 자신이 매체가 될 만큼 순수하다면 어떤 땅 위에 서 있건 땅의 자연스러운 경배가 우리의 육체를 통해 하늘로 올라가는 것을 의식할 수도 있을 것이다. 교회 종은 여러 가지 운율로, 그러나 함께 조화를 이루어 "안식일입니다! 안식일! 그래요, 안식일!"이라고 서로 부르고 답하고 있었고, 때로는 느리게 때로는 생기발랄한 기쁨으로 때로는 하나의 종만으로 때로는 모든 종이 함께 "안식일입니다."라고 성실하게 외치며 마을 전체에 은혜로운 소리를 흩뿌리고 저 멀리까지 발산해, 공기 속으로 녹아들어 공기가 성스러운 말씀으로 가득하도록 했다. 신의 가장 향기롭고 부드러운 햇빛이 가득한 공기는 인간이 가슴속으로 빨아들이고 다시 기도의 말로 내뱉기에 적합했다.

클리퍼드는 헵지바와 창문가에 앉아 이웃들이 거리로 나서는 것을 바라보고 있었다. 다른 날에는 그다지 종교적이지 않을지 모르나 그날은 그들 모두가 안식일의 영향으로 달라 보였다. 그래서 수천 번이고 빗질을 한 노인네의 깔끔한 외투든,

어머니가 바로 어제 바느질을 끝낸 어린 소년의 첫 번째 웃옷과 바지든 그들의 옷에서부터 왠지 승천하는 의복의 느낌이 좀 있었다. 마찬가지로 피비도 오래된 집의 현관에서 밖으로 나서서 작은 녹색 양산을 받쳐 들고는 눈을 위로 들어 아치형 창문의 얼굴을 향해 다정하게 인사하는 미소를 던졌다. 그녀에게는 익숙한 유쾌함이 있었고, 놀릴 수도 있지만 여전히 경외하게 되는 성스러움도 있었다. 그녀는 마치 모국어의 가장 소박한 아름다움으로 올리는 기도와도 같았다. 게다가 복장 역시 신선하면서 발랄하고 사랑스러웠다. 새하얀 스타킹은 물론, 외투나 작은 밀짚모자, 작은 손수건까지 그녀가 입은 것은 무엇이나 전에 한 번도 입은 적이 없는 듯 보였고, 입었더라도 그것으로 인해 더 신선하고, 장미꽃 속에 있다 나온 듯이 향기를 풍기는 듯했다.

소녀는 클리퍼드와 헵지바에게 손을 흔들고는 거리를 따라 올라갔다. 따뜻하고 소박하며 진실한 그녀, 지상에서 살아갈 수 있는 실체를 지녔으면서도 하늘에 걸맞은 영혼을 가진 그녀 자신이 하나의 종교였다.

"헵지바, 넌 교회에는 전혀 안 가니?" 피비가 모퉁이를 돌 때까지 바라보던 클리퍼드가 물었다.

"안 가요, 오라버니. 안 간 지 아주 한참 되었죠." 그녀가 대답했다.

"내가 교회에 있다면, 그렇게 많은 사람들이 주변에서 모두 기도를 할 때 나도 다시 기도를 할 수 있을 것 같은데." 그가 말했다.

그녀는 클리퍼드의 얼굴을 들여다보았고 거기에서 자연스럽고 부드럽게 퍼져 나오는 빛을 보았다. 신을 기쁘게 경배하고 같은 인간 동포에게 보내는 따뜻한 애정이 담긴 그의 마음이, 말하자면 밖으로 쏟아져 나와 눈 속에 가득했다. 그 감정이 헵지바에게 전해졌다. 그녀는 그의 손을 잡고 가서 함께 무릎을 꿇고 싶은 열망으로 가득했다. 그렇게 오래도록 세상에서 떨어진 채, 그녀가 이제 깨달은 대로 하늘 위의 신과도 거의 불화하면서 살았던 그들 둘이서 사람들과 함께 무릎을 꿇고 신과 인간과 그 즉시 화해하고 싶은 열망으로 가득했다.

"오라버니." 진심을 담아 그녀가 말했다. "우리도 가요! 우린 속해 있는 데도 없고 어느 교회에도 우리가 무릎 꿇을 땅 한 조각 없지만 어디든 기도를 할 수 있는 데라면 가자고요. 넓은 통로에 서 있어야 한다 해도 말이에요. 불쌍하고 의지할 데 없지만 우리에게 열린 교회 문이 있을 거예요!"

그래서 헵지바와 그녀의 오빠는 나갈 채비를 했다. 오랫동안 걸이 못에 걸려 있거나 트렁크에 들어 있어서 지난날의 퀴퀴한 곰팡내가 풀풀 나는 구닥다리 옷들 중 그나마 제일 괜찮은 것을 입고, 그러니까 쇠락한 중에서 최상으로 차려입고 교회에 갈 채비를 했다. 그렇게 수척하고 해쓱한 헵지바와 창백하고 노쇠한 클리퍼드는 함께 계단을 내려갔던 것이다! 현관문을 당겨 열고 문지방을 넘자 그들 둘 다 마치 온 세상이 둘러싸고 온 인류의 엄청나고 끔찍한 눈이 그들만을 지켜보는 듯한 느낌을 받았다. 그들의 아버지 하느님의 눈은 물러나 버린 듯 어떤 도움이나 힘도 주지 않았다. 햇볕 가득하고 따뜻한 거리의 공기에도 그들은 몸을 떨었다. 한 걸음이라도 더 내디뎌야 한다는 생각만으로도 심장이 부들부들 떨렸다.

"안 되겠어, 헵지바! 이젠 너무 늦었나 봐." 클리퍼드가 깊은 슬픔을 담아 말했다. "우린 유령이야! 인간 사이에 속할 주제가 못 돼. 저주받은 이 낡은 집, 그래서 우리가 떠나지 못하고 계속 머물러야 할 이 집 말고는 있을 데가 없다고. 게다가" 하고 어쩔 수 없는 특성인 까다로운 감수성으로 그가 말을 이었다. "거기 가는 게 알맞지도 않고 좋은 생각도 아니야! 내 모습을 보고 동네 사람들은 두려워하고 아이들은 엄마의 품으로 파고들 텐데 생각만 해도 얼마나 끔찍한지!"

그들은 다시 어두운 현관으로 몸을 쫓기듯 들어와 문을 닫았다. 그러나 다시 계단을 올라갈 때는, 막 자유로움을 잠깐 보고 숨 쉬었던 터라 집 안 전체가 열 배는 더 음울해졌고 공기는 더 무겁고 답답했다. 그들은 도망갈 수 없었다. 간수가 비웃듯이 문을 빠끔히 열어 두고는 그들이 살짝 나가는 것을 지켜보며 그 뒤에 서 있었다. 그들은 문지방에서 그들을 붙잡는 무자비한 간수의 손아귀를 느꼈다. 자신의 마음만큼 어두운 감옥이 또 어디 있겠는가! 자기 자신만큼 냉혹한 간수가 또 어디 있겠는가!

그러나 클리퍼드가 줄곧, 또는 주로 비참함에 빠져 있다고 묘사한다면 그의 마음 상태에 대한 정당한 묘사가 아닐 것이다. 과감히 단언하건데 그와 반대로 그 나이의 반밖에 안 되는 사람일지라도 그만큼 슬픔을 모르는 쾌활한 시간을 즐기는 사람도 없을 것이다. 그는 어떤 무거운 걱정거리도 없었다.

다른 모든 사람들의 경우처럼 지쳐 나자빠지게 하면서 또한 그것을 대비하는 바로 그 과정 중에 가치를 상실하는, 미래의 문제라거나 우발적 사건 같은 것을 결정해야 할 일도 전혀 없었다. 이런 면에서 보자면 그는 아이였다. 오랜 시간이건 짧은 시간이건 그가 사는 내내 아이였다. 정말이지 그의 삶은 어린아이 시절에서 거의 나아가지 못한 시점에 그대로 멈춘 채 모든 회상이 그때를 중심으로 무리 지어 있는 듯했다. 마치 엄청난 충격으로 마비 상태에 빠진 사람이 다시 의식이 깨어났을 때, 자신을 마비시킨 그 사건보다 훨씬 이전의 순간으로 돌아가는 것처럼 말이다. 그는 때로 피비와 헵지바에게 자신의 꿈을 얘기해 주었는데 그 속에서 그는 영락없이 아이나 아주 젊은 청년의 역할을 했다. 그 꿈들은 너무나 생생했기 때문에, 한번은 전날 그가 꾼 꿈에서 엄마가 입었던 사라사 무명 실내복의 모양이나 색깔을 두고 여동생과 논쟁을 벌이기도 했다. 헵지바는 그런 문제에 있어서는 여자가 정확하다고 자랑하면서 클리퍼드가 묘사한 것과는 약간 다르다고 주장했다. 그러나 낡은 트렁크에서 바로 그 실내복을 꺼내 보자 그가 기억한 것과 똑같았다. 만약 클리퍼드가 실제와 너무나 똑같은 꿈에서 깨어날 때마다 소년에서 쇠약한 노인네로 변신하는 고통을 겪었다면 매일 반복되는 그러한 충격은 너무 커서 견딜 수 없었을 것이다. 여명이 밝아 오는 아침부터 잠자리에 들 때까지 하루 종일 날카로운 고통이 온몸을 부들부들 떨게 만들었을 것이고 잠자리에서조차 그 잠의 환영 같은 청년기의 개화가 뭔가 알 수 없는 둔한 고통과 불행의 창백한 빛으로 뒤섞였을 것이다. 그러나 밤의 달빛은 아침 안개와 섞이면서 그를 옷처럼 둘러쌌고, 그는 그것으로 자신의 몸을 감싸서 현실이 좀처럼 뚫고 들어오지 못하게 했다. 완전히 깨어 있을 때도 별로 없었고 눈 뜬 채로 잠을 잤으며 아마 그때는 자신이 정말 꿈을 꾼다고 상상했을 것이다.

그렇게 항상 어린 시절 주변을 서성였기 때문에 그는 아이들과 공감했고 그를 통해 항상 마음을 생기 있게 유지했다. 수원지에서 멀지 않은 곳, 작은 개울이 흘러 들어가는 저수지처럼 말이다. 왠지 예의에 어긋난다고 생각하여 실제로 어울릴 생각은 하지 못했지만, 인도를 따라 굴렁쇠를 굴리는 어린 소녀나 공놀이를 하는 소년들을 아치형 창문 밖으로 바라보는 것만큼 그가 좋아하는 일은 거의 없었다. 해가 드는 방의 파리들처럼 모두 떼를 지어 서로 뒤섞이면서 멀리서 들리는 아이들의 목소리 역시 그가 매우 좋아하는 것이었다.

클리퍼드가 그들의 놀이를 한다면 분명 즐거웠을 것이다. 어느 날 오후 그는 갑자기 비눗방울을 만들어 불고 싶다는 욕망을 억누를 수 없었다. 헵지바가 피비에게 따로 얘기한 바에 따르면 그들이 어렸을 때 그가 가장 좋아하는 놀이였다고 했다. 그러니 보라! 아치형 창문 앞에서 흙으로 빚은 파이프를 입에 문 그를! 머리는 백발인데 얼굴 가득 희미하고 비현실적인 미소를 띤 그를! 그 표정에는 여전히 아름다운 품위가 감도니, 그를 지독하게 싫어하는 적마저도 그것이 그렇게 오래도록 살아 있으므로 실로 영적이며 불멸의 것임을 인정하지 않을 수 없을 것이다. 그가 창문에서 거리로 공기 방울을 흩뿌리는 것을 보라! 그 비눗방울들은 아무것도 없는 표면 위에 커다란 세계가 상상처럼 밝은 색채로 그려진, 만질 수 없는 작은 세계이다. 그것들이 둥둥 떠내려오면서 주변의 따분한 분위기를 상상으로 가득하게 할 때, 지나가는 행인들이 찬란하게 빛나는 이 환상을 어떻게 바라보는지를 살펴보는 일도 재미있을 것이다. 어떤 이는 걸음을 멈추고 그것을 쳐다보았고 아마도 모퉁이를 돌 때까지는 기분 좋은 비눗방울의 기억을 지니고 갈 것이다. 다른 이는 불쌍한 클리퍼드가 먼지 날리는 그들의 길 가까이에 아름다움의 이미지를 띄워 놓음으로써 그들에게 무슨 잘못이라도 했다는 듯이 화를 내며 위를 올려다보았다. 아주 많은 사람들은 그것을 건드려 보려고 손가락이나 지팡이를 내밀었고, 비눗방울이 애초에 존재하지도 않았다는 듯이 거기에 그려진 땅과 하늘의 모습과 함께 사라졌을 때 분명 빙퉁그러진 만족감을 느꼈을 것이다.

드디어 매우 위엄 있는 지위를 가진 나이 지긋한 신사가 아래를 막 지나갈 때 커다란 비눗방울 하나가 당당하게 아래로 내려가더니 바로 그의 코앞에서 터져 버렸다! 그는 처음에는 아치형 창문 뒤쪽으로 가려진 어둑한 구석까지 바로 꿰뚫어 볼 만큼 엄하고 날카로운 눈초리로 올려다보더니, 곧 그 주변으로 사방 몇 킬로미터에 이르도록 무더운 여름날의 후덥지근함을 퍼뜨릴 요량인 듯한 미소를 지었다.

"아하, 클리퍼드 사촌! 뭔가! 아직도 비눗방울을 불다니!" 핀천 판사가 외쳤다.

달래듯이 상냥해 보이려는 말투였으나 그 안에는 신랄한

냉소가 있었다. 클리퍼드 편에서는 완전히 꼼짝 못 할 공포에 휩싸였다. 과거 경험에서 나왔을 법한 어떤 분명한 두려움의 원인과는 별도로 그는 훌륭한 판사에 대해 타고난 근원적인 공포를 느꼈는데, 그것은 엄청난 힘을 가진 존재 앞에서 약하고 섬세하며 감수성이 예민한 사람이 느낄 법한 것이었다. 힘이란 약한 자가 이해할 수 없는 것이고 그렇기 때문에 더욱 무시무시한 법이다. 그와 연고가 있는 사람들 중에서 강한 의지를 가진 친척보다 더 무시무시한 귀신은 없는 것이다.

12
은판 사진사

피비처럼 천성적으로 활동적인 인물의 생활이 전적으로 낡은 핀천 가옥의 경내에 한정될 수 있다고 가정해서는 안 된다. 그녀가 클리퍼드와 함께 보내야 하는 시간은 긴 여름날의 경우 해가 지기 한참 전에 보통 마무리되었다. 그의 일상생활이 별일 없이 매우 조용했음에도 그가 살아가는 데 필요한 자원은 모두 소진되었다. 그를 극도로 지치게 하는 것은 육체적인 활동이 아니었다. 왜냐하면 그는 이따금 괭이로 약간의 일을 하거나 정원 길을 거닌다거나 비 오는 날이면 텅 빈 큰 방을 왔다 갔다 하는 일 외에 사지와 근육을 너무 안 움직이는 경향이 있었기 때문이다. 그러나 그의 내부에서 끓어오르는 어떤 불길이 있어서 그의 활력을 소모했든지, 아니면 다른 상황에 처해 있다면 정신을 마비시키면서 죽 이어지는 무미건조함이 클리퍼드에게는 전혀 그렇게 느껴지지 않는지도 모른다. 어쩌면 그는 제2의 성장과 회복 단계에 놓여 있어서, 세상을 많이 겪은 사람이라면 전혀 아무것도 아니라고 여길 광경이며 소리들, 사건들에서 영혼과 지성을 살찌울 영양분을 끊임없이 얻고 있는지도 몰랐다. 태어난 지 얼마 안 된 아이의 마음에게는 모든 것이 움직이고 변화하는 것처럼, 삶이 오랫동안 정지되었다가 말하자면 새로 태어난 정신에게도 마찬가지로 그러할 것이다.

원인이 무엇이든 클리퍼드는 창문에 걸린 커튼 사이로 햇볕이 여전히 뜨겁게 비추거나 방 안의 벽 위로 마지막 광채를 쏘아 대는데도 이미 완전히 소진해 쉬러 들어갔다. 그리고 아이들이 그렇듯이 그가 그렇게 일찍 잠자리에 들어 어린 시절의 꿈을 꾸는 동안 피비는 남은 시간에 자유롭게 자신이 원하는 일을 할 수 있었다.

이 자유는 피비처럼 병적인 영향력에 별로 영향을 받지 않는 성격을 가진 사람에게도 건강을 지키기 위해 꼭 필요한 것이었다. 이미 얘기했다시피 낡은 집은 벽마다 온통 건조해서 썩었든지 축축해서 썩어 있었다. 오로지 그 공기만 마시고 사는 것은 좋지 않았다. 헵지바는 비록 다른 결점을 덮어 줄 소중한 특성들을 지니고 있었지만, 단 하나의 애정과 부당한 대우에 대한 오직 하나의 생각만을 지닌 채 오직 한 종류의 생각들만 벗 삼으며 스스로를 너무 오랫동안 한 장소에 가둠으로써 일종의 광인이 되어 버렸다. 독자들도 상상할 수 있겠지만 클리퍼드는 너무나 무기력해서 누군가와 아무리 전적으로 친밀한 관계를 맺는다 해도 그들에게 도덕적인 영향력을 줄 수는 없었다. 그러나 사람들끼리의 공감이나 서로를 끌어당기는 힘은 보통 생각하는 것보다 더 미묘하고 보편적이다. 진실로 그것은 서로 다른 부류의 유기체 사이에 존재하면서 서로 감응을 주고받는다. 피비 자신이 직접 목격한 바이기도 하지만, 예를 들어 클리퍼드나 헵지바가 가지고 있는 꽃이 그녀가 가지고 있는 꽃보다 항상 먼저 시들기 시작한다. 같은 원리로 보자면 피비는 자신의 일상생활 전부를 이 병약한 두 영혼을 위한 꽃다발로 바꾼 셈이므로, 피어나는 소녀는 불가피하게 젊고 행복한 사람들에게 안겨 있을 때보다 더 빨리 시들고 말라 버릴 것이다. 그녀가 때때로 살아 뛰는 충동을 충족시키고, 교외를 산책한다든지 바닷가에서 바닷바람을 맞으며 시골 공기를 쐬지 않는다면 말이다. 난해하고 철학적인 강연을 듣는다든지 '7마일 파노라마'*를 본다든지 음악 공연을 봄으로써 때로 뉴잉글랜드 소녀가 가진 천성적인 충동에 따르기도 하고, 도시에 쇼핑을 하러 나가서 휘황찬란한 물건들이 잔뜩 쌓인 곳을 구석구석 돌아다니다가 리본 하나를 사 들고 집에 오기도 하고, 마찬가지로 잠시 동안 방에 앉아 성경을 읽거나 좀 더 시간을 늘려 엄마와 고향집을 생각하기도 하고. 그러한 도

---

* 19세기 중반 미국에서는 '움직이는 파노라마'라 하여 파노라마식의 회화가 유행했는데, 여기서 말하는 '7마일 파노라마'는 나이아가라 폭포에서부터 퀘벡 지방의 강까지 이어지는 풍경을 길게 그린 윌리엄 버의 그림을 가리킨다는 얘기가 있다. 그 그림은 1849~1850년에 걸쳐 뉴욕과 보스턴 등 뉴잉글랜드 지방에서 순회 전시를 했는데 그때 신문이나 비평 등에서 '7마일 파노라마'라고 불렀다고 한다.

덕적 치료약이 없었다면 불쌍한 피비는 곧 점점 야위면서 핏기 없고 병약한 얼굴색을 띠며, 노처녀의 쓸쓸한 미래를 예견하는 수줍고 서먹한 태도를 갖게 되었을 것이다.

그런데 사실인즉, 눈에 띠는 변화가 나타났다. 그로 인해 손상된 매력이 그와는 다른, 어쩌면 좀 더 소중한 매력으로 보상을 받았을지는 몰라도 그 변화는 얼마간 애석한 것이었다. 그녀는 전처럼 줄곧 명랑하지 않고 사색에 잠기는 때가 있었는데, 클리퍼드는 전체적으로 보아 순전히 쾌활하기만 하던 예전보다 변화된 모습을 더 좋아했다. 왜냐하면 이제 그녀는 그를 좀 더 예민하게 잘 이해할 수 있었고 때로는 그에게 그 자신을 설명해 주기도 했기 때문이다. 그녀의 눈은 더 커지고 어두워졌으며 깊어졌다. 때로 조용히 있을 때는 그 눈이 너무나 깊어서 점점 더 아래로 내려가 끝 모르게 이어지는 아르투아식 우물*과도 같았다. 그녀는 처음 승합마차에서 뛰어내리던 그때보다 소녀티를 많이 벗었다. 소녀티를 벗으며 여성스러워진 것이다!

피비가 유일하게 자주 어울릴 수 있었던 젊은 사람은 은판사진사였다. 워낙 외진 데서 따로 살았기 때문에 그들은 어쩔 수 없이 일상적인 친밀함을 갖게 되었다. 만약 다른 상황에서 만났다면 이 젊은이들은 어느 쪽도 다른 쪽에게 그다지 관심을 가지지 않았을 것 같다. 서로 아주 다르기 때문에 오히려 서로에게 끌린다는 법칙 때문이 아니라면 말이다. 둘 다 뉴잉

* 지층의 수맥에서 솟아오르는 우물.

글랜드 생활에 알맞은 인물들이기 때문에 그 외적인 성장에 있어서 공통 기반을 가지는 것은 사실이다. 그러나 각자의 내면을 보면 태어난 풍토가 극과 극으로 떨어진 듯이 너무나 달랐다. 처음 서로 안면을 익히던 동안 피비는 홀그레이브가 그렇게 표 나게 다가오지 않았음에도, 솔직하고 단순한 그녀의 태도와는 어울리지 않게 자제하며 망설였다. 그들은 거의 매일 만나 상냥하고 다정하게 얘기를 나누고 친숙한 듯 보이기도 했지만 아직도 피비는 자신이 그를 잘 안다는 생각이 들지 않았다.

예술가는 종종 두서없이 피비에게 자신의 과거를 알려 주었다. 그는 아직 젊고 그 경력도 이미 도달한 지점에 멈춰 있었지만 좋은 쪽으로 자서전을 채울 만한 사건들이 충분히 있었다. 미국 사회와 관습에 맞게 바꾼 질 블라스*의 구상에 따른 로맨스는 로맨스라고 할 수도 없을 것이었다. 자기들 삶이 별 얘깃거리도 못 된다고 생각하는 우리 중 많은 사람들의 경험은 그 스페인 주인공이 젊어서 겪은 풍파에 맞먹을 것이다. 반면 그들이 궁극적으로 이룬 성공이나 그들이 세운 목표는 어떤 소설가가 자신의 주인공을 위해 상상한 것에 비할 바 없이 고귀할 것이다. 약간 자부심을 보이며 피비에게 말한 바에 따르면 홀그레이브는 출신이 너무나 천하기 때문에 그 면에서 자랑할 것도 없고, 겨울에 분교구의 학교 몇 번 다닌 것을 빼면 교육도 거의 받지 못했다고 한다. 일찍부터 스스로 알

* 프랑스 작가 알랭 르네 르사주가 쓴 피카레스크 소설의 주인공.

아서 생활해야 했기 때문에 어릴 때부터 독립적으로 살았는데, 그것이 자신의 타고난 의지력에 아주 적합한 상황이었다. 이제 스물두 살밖에 안 됐지만(몇 달 모자라는데, 그러한 삶에서 몇 달이란 몇 년과도 같다.) 그는 이미 첫째로 시골 학교 선생도 해 봤고 다음으로 시골 가게에서 점원으로도 일했다. 그리고 같은 시기였는지 그 이후였는지 모르겠지만 시골 신문의 상급 정치부 기자 일도 했다. 그다음에는 콜로뉴 화장수와 다른 향수를 만드는 코네티컷의 공장에 취직해 판매원으로 뉴잉글랜드와 다른 중부의 주들을 돌아다녔다. 잠깐잠깐 치의학 공부를 하고 시술도 했는데, 특히 내륙 강줄기 주변의 많은 공장 도시에서 상당히 괜찮게 성공을 거두었다. 이런저런 방식의 임시 고용직 공무원으로 우편선을 타고 유럽을 방문했는데, 돌아오기 전에 어떤 요령이었는지 이탈리아를 보고 프랑스와 독일 일부를 볼 수 있었다. 뒤에는 푸리에주의자 공동체에서 몇 달을 보냈다. 더 최근에는 최면술에 대한 대중 연설을 했는데, 피비에게 단언하기도 했고 우연히 땅을 파며 옆을 지나던 수탉을 정말로 잠들게 함으로써 충분히 증명했다시피 그 방면으로 아주 뛰어난 재능을 가지고 있었다.

은판 사진사라는 현재의 일은 그 자신이 보기에 이전의 것들보다 더 중요하지도 않고 더 오래갈 것 같지도 않다고 했다. 모험가들이 그렇듯이 먹고살아야 했으므로 무심하게 선뜻 선택한 직업이었다. 똑같이 곁다리인 다른 직업으로 먹고살겠다고 마음먹으면 미련 없이 바로 던져 버릴 수 있다는 것이다. 그러나 가장 두드러진 특징이면서 아마 이 젊은이에게서 보통 이상의 평정심을 보여 주는 것은, 이 모든 개인적인 우여곡절을 겪으면서도 결코 자신의 정체성을 잃어버리지 않았다는 사실이다. 집 없이 계속 거주지를 바꾸며 살았고 따라서 사회의 여론에든 개개인에게든 책임질 일도 없었지만, 그리고 하나의 외면을 버리고 다른 외면을 잡아 취했다가는 곧 또 다른 것으로 바꾸며 살았지만, 그는 결코 내면에 있는 본연의 자신을 거스르지 않았고 항상 양심을 지키며 살아온 것이다. 이것이 사실임을 인정하지 않고서는 홀그레이브라는 인물을 알 수 없었다. 헵지바는 그것을 알았다. 피비도 마찬가지로 곧 그것을 알게 되었고 그러한 확신이 불러일으킬 만한 신뢰를 그에게 주었다. 하지만 그녀는 어떤 법이든 그 자신이 인정하는 법에 대해 그가 성실하다는 사실에는 어떤 의심도 없었지만, 그의 법이 그녀의 법과 너무 다르다고 느낄 때 깜짝 놀라거나 때로 반발심을 느꼈다. 그는 불변하는 것에 대해 존경심을 보이지 않음으로써 그녀를 불편하게 하거나 주변의 모든 것을 불안하게 했다. 바로 직전에 경고를 해 그것이 그 근거를 지킬 자격을 확립하지 않는 다음에야 말이다.

게다가 그녀는 그가 천성적으로 인정이 많은 사람이라고 생각되지 않았다. 그는 너무나 침착하고 냉정한 관찰자였다. 피비가 그의 시선을 느끼는 경우는 많았지만 그의 마음을 느끼는 경우는 거의, 혹은 전혀 없었다. 그는 헵지바와 그녀의 오빠, 그리고 피비 자신에게 특정한 관심을 가졌다. 그들을 주의 깊게 연구하면서 각자의 특성이 나타나는 어떤 사소한 상황도 그냥 지나치지 않았다. 그는 그들에게 도움이 된다면 무엇이든 할 수 있는 일은 기꺼이 하려 했다. 그러나 어쨌든 간에 결코 그들과 완전히 협력하지도 않았고 그들을 잘 아는 만큼 더 사랑하게 되었다는 어떤 믿을 만한 증거도 보여 주지 않았다. 그들과의 관계에서 그는 마음의 양식이 아니라 정신적인 양식을 구하는 듯이 보였다. 그가 자신과 자신의 친척들에게 있는 무엇에 대해 지적인 면에서 그렇게 관심을 가지는지 피비는 도무지 알 수 없었다. 인간적인 애정의 대상으로는 그들에게 아예 관심이 없거나 상대적으로 너무 관심이 없었으니까.

피비와 만나 대화를 나눌 때면 예술가는 언제나 특별히 클리퍼드가 어떻게 지내는지를 물었다. 일요일의 축제 때 말고는 그가 클리퍼드를 만날 일이 좀처럼 없었기 때문이다.

"아직도 행복해 보여요?" 어느 날은 그가 물었다.

"아이처럼 행복하세요. 하지만 역시 아이들이 그렇듯이 또 금방 불안해하곤 하시죠." 피비가 대답했다.

"어떻게 불안해하나요? 외적인 것 때문에? 아니면 내면의 생각 때문에?" 홀그레이브가 물었다.

"제가 그분의 생각을 알 도리가 없죠! 어떻게 알겠어요?" 피비가 약간 쏘아붙이듯이 대답했다. "구름이 해를 덮듯 이유를 추측할 수도 없이 갑자기 기분이 바뀔 때가 많아요. 그분을 좀 더 잘 이해하게 되니까 요즘에는 그 기분을 너무 면밀하게 살피는 것이 옳지 않다는 생각이 들어요. 너무나 커다란 슬픔을 겪으셨고 그 때문에 마음이 온통 엄숙하고 신성해졌으니까요. 마음속에 햇빛이 들듯이 그분 기분이 좋아지면 그때는 빛이 닿는 만큼 한번 들여다보겠지만 그 이상은 아니에요. 그림자가 드리우는 곳은 성스러운 장소라고요!"

"당신은 그런 정서를 정말로 훌륭하게 표현해 내는군요! 그런 느낌을 가지고 있지는 않지만 나도 이해는 해요. 나에게 당신처럼 기회가 주어진다면 나의 다림줄이 닿는 데까지 깊숙이 클리퍼드를 탐색하는 일을 절대 주저하지 않을 텐데!" 예술가가 말했다.

"왜 그런 걸 바라는 건지 정말 이상해요!" 피비가 자기도 모르게 말했다. "도대체 클리퍼드 아저씨가 당신에게 어떤 존재죠?"

"아, 아무것도 아니에요. 당연히 아무 관련도 없죠!" 미소를 띠며 홀그레이브가 말했다. "그저 그 세계가 너무나 기이하고 헤아릴 수가 없어서 그래요. 들여다보면 들여다볼수록 더욱 알 수 없거든요. 그리고 누군가의 당황스러움은 그의 지혜로움의 척도라는 생각을 하게 되었어요. 남자고 여자고 아이들이고 간에 다들 너무나 기이한 존재들이라서 정말로 내가 그들을 아는 건지 결코 확신할 수 없단 말이죠. 지금의 모습으로 과거의 모습을 절대 추측할 수도 없고. 핀천 판사! 클리퍼드! 그들이 얼마나 복잡한 수수께끼를, 복잡하고도 복잡한 수수께끼를 나타내는지! 그걸 풀려면 젊은 소녀가 가진 것 같은 직관적인 공감 능력이 필요해요. 그런 직관이란 가져 본 적도 없고 기껏해야 겨우 영민하고 예민할 뿐인 나 같은 단순한 관찰자는 방향을 못 잡고 헤매기 십상이죠."

그 예술가는 이제 대화의 주제를 지금까지 해 온 것보다는 덜 우울한 쪽으로 바꿨다. 피비와 그는 둘 다 젊었다. 또한 나이에 안 맞게 온갖 세상만사를 겪긴 했지만, 작은 마음과 상상력에서 쏟아져 나와 전 우주로 퍼져 나가며 그 우주를 창조의 첫날만큼 환하게 하는 아름다운 젊은 영혼을 그가 완전히 소모해 버린 것도 아니었다. 인간의 젊음은 세상의 젊음이기도 하다. 적어도 그는 그렇게 느낄 것이고 땅의 단단한 화강암이 아직 완전히 굳지 않아서 자신이 원하는 대로 모양을 만들 수 있을 거라고 상상한다. 홀그레이브 역시 그랬다. 아는 게 많은 사람처럼 오래된 세상에 대해 얘기는 하지만 실제로는 자신이 하는 말을 절대 믿지 않았다. 그는 아직 젊었기 때문에, 백발 수염이 성성하고 주름진 방탕아이며 노쇠했지만 덕망은 없는 세계를 여전히 바람직한 어떤 모습으로든 개선될 수 있으면서도 아직까지는 미래의 가능성을 요만큼도 보여 주지 않는 말랑말랑한 애송이로 여겼다. 그는 우리가 영원히 낡고 잘못된 방식으로 겨우겨우 살아갈 운명이 아니라 살아생전에 이룰 수 있는 황금시대의 전조가 지금 바로 이 순간 사방에 있다는 그런 의식, 혹은 내적인 예지 같은 것, 젊은 사람이라면 그것을 지니지 못하느니 차라니 태어나지 않은 만 못하고 성숙한 사람이라면 그것을 완전히 버리느니 차라니 죽는 게 나은 그런 것을 가지고 있었다. 아담의 자손들 시대 이래로 모든 시대마다 희망을 지닌 사람들에게는 분명 마찬가지였겠지만, 홀그레이브에게는 과거의 다른 어떤 때보다도 지금 이 시대가 썩고 이끼 가득한 과거를 완전히 부수고 생명을 다한 제도를 밀어내 길을 트며, 그 죽은 시체를 묻고 모든 것을 새롭게 시작할 때인 것 같았다.

도래할 더 나은 시대라는 핵심(사는 동안 그것을 결코 의심하지 않기를!)에 대해서는 그 예술가의 생각이 분명 옳았다. 잘못이 있다면 그것은 과거나 미래의 어떤 시대보다도 이 시대가 부분 부분을 이어서 점차 스스로를 새롭게 하는 식이 아니라 너덜너덜한 구시대의 옷을 완전히 새 옷으로 갈아입을 운명이라고 가정한 데 있었다. 또한 자신의 보잘것없는 일생을 끊임없이 계속될 위업의 척도로 삼고, 더욱이 자기 자신이 그것을 위해 싸우는지 아니면 그것과 맞서 싸우는지의 여부가 실현되어야 할 위대한 목적과 어떤 관련이 있다고 상상한 데 있었다. 하지만 그렇게 생각하는 것도 괜찮았다. 이 열정이 냉정한 그의 성격으로 스며들어 가 확고한 사상이나 지혜의 면모를 지님으로써 그 젊음을 순수하게 하고 그 열망을 고귀하게 할 테니까. 그리고 세월이 갈수록 무겁게 삶에 내려앉으면서 어쩔 수 없는 경험들로 예전의 신념이 수정될 수밖에 없을 때 격렬하거나 급작스러운 감성의 변화를 동반하지 않게 될 것이다. 앞길을 밝히는 인간의 운명에 대해 여전한 믿음을 지닌 채, 자신과 마찬가지로 인간의 무력함을 인정하기 때문에 오히려 더욱 인간을 사랑하게 될 것이다. 그리고 인간의 노력이 이루는 것은 가장 선한 의도를 가진 것이라도 일종의 꿈일 뿐, 신만이 현실을 일구는 존재임을 분별하게 되면서 삶의 초기에 가진 오만한 믿음이 마지막에는 훨씬 겸손한 믿음으로 바뀌게 될 것이다.

홀그레이브는 거의 책을 읽지 않았고 얼마 안 되는 독서도 사람들과 부대끼며 사는 짬짬이 이루어진 것이라, 책의 신비로운 언어들은 어쩔 수 없이 대중의 지껄임과 뒤섞였다. 그래서 그 둘 모두 본래 자기들의 것이었을 어떤 의미들을 상실하기 십상이었다. 그는 스스로를 사상가라 여겼고 사색하는 성향이 분명 있었지만, 스스로 닦아야 할 길에 있어서 교육받은 사람들이 시작할 법한 지점에도 거의 미치지 못했다. 그가 가진 특성의 진정한 가치는 내면의 힘을 깊이 의식한다는 점에 있었는데, 그에 비추면 과거 삶의 굴곡은 그저 옷을 갈아입는 것에 불과했다. 또한 아주 고요해서 그 자신도 거의 의식하지 못하지만 그가 손을 대는 모든 것에 온기를 불어넣는 열정과, 좀 더 관대한 본성들 사이에 숨어 있어서 다른 사람뿐 아니라 자신도 잘 보지 못하지만 그 안에 어떤 효율성이 잠재해 그를 이론가에서 어떤 실제적인 대의를 위해 싸우는 투사로 단련시킬 개인적인 야망에도 있었다. 교양이 있으면서도 또 부족하고, 철학은 조야하고 거칠며 불분명하지만 그 경향들을 부분적으로 상쇄하는 실제적인 경험을 가지고 있고, 인간의 복지에 대해 원대한 열망을 가지면서도 인간을 위해 많은 시대에 걸쳐 확립된 것은 무엇이든 무시하는 성향이 있다는 사실, 그리고 그의 신념과 불충(不忠), 가진 것과 부족한 것 모두에서 그 예술가는 고국 땅의 많은 동료들을 대표하는 인물로 충분히 나설 만했다.

그의 생애를 미리 예견하기는 어려울 것이다. 모든 것이 누구든 먼저 잡는 사람 임자인 나라에서 세상사의 귀중한 것들을 어김없이 손에 쥘 수 있게 하는 어떤 자질이 홀그레이브에게는 있는 듯했다. 그러나 이 모든 것이 불확실하다는 사실이 또한 재밌는 일이었다. 우리는 온갖 훌륭한 미래를 예상할 수 있었지만 이후에 신경 써서 애써 알아보아도 어떤 소식도 들을 수 없는, 홀그레이브와 비슷한 나이의 젊은이를 삶의 거의 매 순간 만나게 된다. 끓어오르는 젊음과 열정, 그리고 참신한 지성과 상상력의 반짝이는 빛으로 그들은 진짜가 아닌 뛰어남을 지닌 듯이 보이고, 그로 인해 그들 스스로와 주변의 다른 사람들이 속아 넘어가는 것이다. 어떤 사라사 무명이나 옥양목, 깅엄 무명처럼 새것일 때는 아주 멋져 보이지만 풍파에 맞설 수는 없으며 한번 빨고 나면 수수한 면모를 띠게 되는 것이다.

하지만 우리의 관심사는 이 특정한 날 오후에 핀천 정원의 정자에 앉아 있는 홀그레이브이다. 그러한 관점에서 보자면 스스로에 대한 커다란 믿음을 가지고 있고 또한 훌륭한 능력, 그의 무기를 쓸 수 밖에 없었던 많은 시험을 겪느라 손상되었다든지 하는 일도 거의 없는 능력을 지닌 듯한 멋진 모습의 이 청년이 피비와 다정하게 교제하는 광경은 보기에 좋았다. 피비가 그를 차갑다고 생각했을 때 그것은 그에게 거의 부당한 일이었다. 그게 아니라면 지금은 그가 따뜻해진 것이든지. 그녀로서는 특히 의도하지도 않았고 그는 의식하지 못했지만, 피비는 그에게 일곱 박공의 집은 가정과 같은 곳, 정원은 익숙한 영역이 되게 했다. 그는 스스로 자랑해마지 않는 통찰력으로 자신이 피비를 꿰뚫어 보고 관련된 모든 것을 알며, 마치 아이들 이야기책처럼 그녀를 읽어 낼 수 있으리라 상상했다. 그러나 이렇게 투명한 성격은 종종 그 깊이를 과소평가하게 한다. 우물 바닥의 자갈들은 생각보다 더 깊이 있는 것이다. 그렇게 예술가는 피비의 능력을 어떻게 판단했든지 간에, 조용한 그녀의 매력에 미혹되어 자신이 이 세상에서 하고 싶은 일을 거리낌 없이 얘기하게 되었다. 마치 또 다른 자신에게 얘기하듯이 툭 털어놓았다. 그녀에게 얘기하는 동안 아예 피비를 잊고, 열정과 감정으로 인해 마음이 통하게 되면 맨 처음 마주친 안전한 저수지로 흘러 들어가는 어쩔 수 없는 사색의 경향에 따라서만 움직이는 것도 능히 가능한 일이었다. 그러나 정원 울타리의 틈새로 그들을 들여다봤을 때, 청년의 진지한 모습과 상기된 표정으로 보면 그가 처녀에게 구애를 하고 있다고 생각될 것이었다!

마침내 홀그레이브가 하게 된 어떤 말 덕에 피비는, 그가 어떻게 처음 헵지바 아주머니와 알게 되었는지, 그리고 왜 지금 황량하고 낡은 핀천 가옥에 살기로 했는지를 마침맞게 물어볼 수 있었다. 그는 그 질문에 직접 대답하지 않고 지금까지 대화의 주제였던 미래로부터 얘기를 돌려 과거의 영향에 대해 말하기 시작했다. 사실 하나의 주제는 다른 주제의 반향일 뿐인 것이다.

"절대로, 절대로 이 과거에서 벗어나지 못할 겁니다!" 앞서 대화하던 진지한 말투를 유지하며 그가 외쳤다. "과거는 마치 거대한 시체처럼 현재 위에 얹혀 있어요. 그건 마치 젊은 거인이, 죽은 지 한참 된 할아버지 거인의 시체를 그저 품격 있게 장례를 치르기 위해 옮기느라 모든 힘을 낭비할 수밖에 없는 그런 경우예요. 잠깐만 생각을 해 봐요. 그러면 우리가 얼마나 지나간 시대의 노예 노릇을 하는지 알고 놀랄 거예요. 더 정확하게 표현하자면 죽음에 대한 노예죠!"

"하지만 잘 모르겠는데요." 피비가 말했다.

"그러면 예를 들어 봅시다." 홀그레이브가 말을 이었다. "유언을 남긴 망자는 이제는 자기 재산도 아닌 것을 처분해요. 유언 없이 죽었다면 재산은 그보다 훨씬 먼저 죽은 조상님들의 생각에 따라 분배되죠. 망자가 우리 모두의 판사석에 앉아 있고 살아 있는 판사들은 그저 망자의 결정을 뒤져서 찾아 따라할 뿐이지요. 망자의 책을 읽고 있는 거라고요! 망자의 농담에 웃고 망자의 비애감에 울고! 육체적으로든 도덕적으로든 망자의 병을 앓고, 죽은 의사들이 자기 환자들을 죽게 만든 똑같은 치료법 때문에 죽게 되죠! 살아 있는 신을 망자들의 형식과 교리에 따라 숭배하고요! 우리 자신의 자유로운 움직임으로 무엇을 하려고 하든지 간에 망자의 얼음장 같은 손이 우리를 가로막아요! 시선을 어디로 돌려도 누그러뜨릴 수 없는 망자의 백지장 같은 얼굴이 우리 앞에 서서 우리 심장 자체를 얼게 하죠! 그래서 우리 자신의 세계에 마땅히 우리가 해야 할 영향력을 행사하기도 전에 우리 자신이 죽어 버려서, 우리 세계가 우리 세계가 아니라 다른 세대의 세계가 되어 버려서 우리는 그것에 개입할 권리는 눈곱만큼도 갖지 못하게 될 거예요. 우리가 또한 망자의 집에서 살고 있다고도 얘기해야겠죠. 예를 들면 이 일곱 박공의 집이 그렇잖아요!"

"그런데 거기서, 편하게 지낼 수 있다면 안 될 것도 없잖아요?" 피비가 말했다.

"하지만 장담하건대" 하고 예술가가 말을 이었다. "아무도 자기 후손을 위해서 집을 짓지 않을 날이 우리 생애에 꼭 올 겁니다. 왜 그래야 하나요? 그러면 마찬가지로 가죽이나 구타페르카*나 뭐 아주 오래가는 거면 어떤 재질로든 오래가는 옷을 만들어 대대손손 물려 입으면서 자신의 모습과 아주 똑같이 세상에서 두각을 나타내라고 해도 되겠네요. 만약 모든 세대가 자신만을 위한 집을 지을 수 있고 그게 당연하다면, 그 자체로는 상대적으로 하찮아 보이는 단 하나의 변화도 지금 사회가 이루기 위해 애쓰는 거의 모든 개혁과 같을 수 있을 거예요. 국회 의사당이나 주 의회 의사당, 법원이나 시청, 교회 같은 공공 시설물까지도 굳이 돌이나 벽돌처럼 오래가는 재료로 지어야 하는 건지 의심스러워요. 그것들이 상징하는 기관들을 살펴보고 개혁해야 한다는 암시를 주기 위해 이십 년이나 그쯤에 한 번씩 완전히 부숴 버리는 게 좋을 거예요."

"오래된 것을 어쩌면 그렇게 끔찍하게 싫어하죠!" 피비가 당혹스러워하며 말했다. "그렇게 끊임없이 바뀌는 세상이라니 생각만 해도 어지럼증이 나요."

"내가 곰팡내 나는 건 뭐든지 안 좋아하는 건 분명해요." 홀그레이브가 대답했다. "이 낡아 빠진 핀천 가옥! 시커메진 지붕널에, 얼마나 축축한지 뻔히 보이는 녹색 이끼하며, 여기가 사람이 살 만한 곳인가요? 샛기둥이 낮게 달린 어두운 방이? 여기에서 사람들이 불만스럽고 고통스럽게 내쉬고 들이쉰 숨

* 열대 지방에 사는 구타페르카나무의 수지를 말린 고무질의 일종.

의 결정체인 벽의 검댕과 땟자국이? 이 집은 불로 정화해야 해요. 재밖에 안 남을 때까지 태워 깨끗이 해야 한다고요!"

"그럼 당신은 왜 여기 사나요?" 피비가 약간 뾰로통해서 물었다.

"아, 난 여기서 공부를 하고 있는 거죠. 책으로 하는 공부는 아니지만!" 홀그레이브가 대답했다. "내가 보기에, 내가 지금 막 비난한 지긋지긋하고 혐오스러운 그 과거, 그 모든 악영향을 지닌 과거를 이 집이 잘 보여 주거든요. 어떻게 그것을 증오해야 할지 더 잘 알기 위해 당분간 여기 살고 있는 거예요. 참, 마법사 몰의 얘기나, 당신의 까마득한 조상과 몰 사이에 벌어진 얘기를 들어 본 적 있나요?"

"그럼요! 옛날에 아버지한테 듣기도 했고, 여기 왔을 때 헵지바 아주머니한테서 두세 번 더 들었어요. 당신이 마법사라고 부른 그 사람과의 사이에서 있었던 다툼에서 핀천 가문의 모든 불행이 시작되었다고 아주머니는 생각하시는 것 같아요. 그러고 보니 홀그레이브 씨, 당신도 그렇게 생각하나 보네요! 훨씬 신망이 가는 많은 것들은 다 거부하면서 그렇게 말도 안 되는 이야기를 믿다니 정말 독특하네요!" 피비가 말했다.

"난 정말로 믿어요." 예술가가 진지하게 말했다. "하지만 미신으로서가 아니라 의심할 바 없는 사실들로 증명되는 이론의 예시로서요. 자, 봐요! 우리가 지금 올려다보는 저 일곱 박공, 그 옛날 핀천 대령이 지금보다도 훨씬 더 이후까지 모든 후손들이 행복과 번영을 누리며 살 집으로 지었던 일곱 박공의 지붕 아래에서, 3세기에 걸쳐 내내 끝없는 양심의 가책과 수없이 좌절되는 희망, 친족 간의 분쟁과 온갖 불행, 이상야릇한 죽음과 음험한 의심, 이루 말할 수 없는 치욕들이 있어 왔는데, 그 비운의 전부 혹은 대부분이 한 집안을 세우고 뿌리내리겠다는 맨 처음 청교도 조상의 얼토당토않은 욕망에서 비롯되었다는 것을 증명할 수 있어요. 한 집안을 뿌리내리다니! 인간들이 저지르는 대부분의 잘못과 해악이 바로 이 생각에서 비롯된다고요. 그러나 사실 한 집안은 길어야 반세기마다 한 번씩 그보다 더 큰 모호한 인류 집단으로 합쳐져 들어가 그 조상에 대해서는 모두 잊어야 해요. 인간의 핏줄이 건강함을 지키기 위해서는 수도관의 물이 지하의 파이프를 따라 흐르듯이 보이지 않는 흐름을 따라 흘러가야 하는 거예요. 예를 들어 이 핀천 집안이 존재하는 데 있어서(미안하지만 피비, 당신도 그중 하나라고 볼 수밖에 없군요.) 그 짧은 뉴잉글랜드의 계보 상에 모두가 이런 저런 종류의 광기에 물들 만한 충분한 시간이 있었다고요!"

"제 친족에 대해 너무 예의 없이 말씀하시네요." 자신이 기분이 상해야 하는 건지 아닌지 생각하면서 피비가 말했다.

"진실한 사람에게 진실한 생각을 말하고 있을 뿐이에요!" 홀그레이브가 이전에는 한 번도 보지 못했던 격한 모습을 보이며 대답했다. "진실은 내가 말한 대로란 말입니다! 게다가 이 악행을 처음 낳은 범죄자가 마치 그 존재를 계속 이어 가는 듯이 아직도 거리를 활보하고 있어요. 적어도 그 정신이나 육체나 아주 그의 판박이라는 겁니다. 자기가 물려받은 풍부하면서도 끔찍한 유산을 후대에 계속 물려줄 가능성이 다분하죠. 옛날 초상화와 닮은 은판 사진을 기억해요?"

"당신은 너무 이상할 정도로 진지하네요." 피비가 놀라움과 당혹스러움으로 그를 바라보며, 반쯤은 놀라고 반쯤은 웃음이 나올 것 같은 상태로 말했다. "그러면서 핀천 집안의 광기에 대해 말하다니! 그거 전염되나요?"

"당신이 그렇게 나오는 것도 당연하죠!" 예술가가 얼굴을 붉히고 웃으며 말했다. "내가 약간 미친 게 맞을 거야! 내가 저쪽 낡은 박공 건물에 자리를 잡은 이래로 이 문제가 너무나 이상할 정도로 끈덕지게 내 마음을 붙잡고는 놓아 주질 않거든요. 그것을 벗어던지는 방법으로 내가 우연히 알게 된 핀천 가문의 가족사 얘기를 일종의 전해 내려오는 이야기로 바꿔서 잡지에 발표할 생각이에요."

"잡지에 글을 쓰나요?" 피비가 물었다.

"어떻게 그걸 모를 수 있죠?" 홀그레이브가 외쳤다. "이런, 문학 쪽 명성이라는 게 그렇지! 그래요, 피비 핀천, 내 놀라운 재능 중에는 이야기를 쓰는 능력도 있답니다. 확실하게 내 이름이 그레이엄과 고디* 잡지의 표지에 나왔고, 잘은 모르지만 그것과 관련해 정전처럼 된 명단에 꽤 그럴 듯하게 출현했지요. 익살스러운 경향의 글 쪽으로 꽤 재주가 있다는 얘기를 듣고 있고, 슬픈 내용의 경우에는 양파를 깔 때만큼이나 눈물샘을 자극할 수도 있다고요! 이참에 내 얘기를 읽어 줄까요?"

* 당시 문학 시장에서 주도적인 위치에 있던 대중 잡지인 그레이엄의《잡지》와 고디의《여성지》를 가리킨다.

"그래요, 너무 길지만 않다면요." 피비가 말했고 웃으면서 덧붙였다. "아주 지루하지도 않다면요."

후자에 대해서는 은판 사진사 본인이 결정할 문제가 아니었으므로, 그는 곧 원고 뭉치를 들고 나와서는 늦은 오후의 빛이 일곱 박공을 미끄러져 내려갈 때 이야기를 읽기 시작했다.

13
앨리스 핀천

어느 날 걱정이 가득한 저베이스 핀천은 목수인 젊은 매슈 몰에게 전언을 보내 일곱 박공의 집에 즉시 와 달라고 했다.

"그래서 자네 주인이 나한테 원하는 게 뭔데?" 목수가 핀천 씨의 흑인 하인에게 물었다. "집에 고칠 데라도 있어? 뭐, 지금쯤이면 그럴 수도 있지. 그러니까 그건 그 집을 지은 우리 아버지를 탓할 일은 아니지! 바로 지난 안식일에 핀천 대령님의 비문을 읽었는데 말이야. 그날부터 치니까 그 집을 지은 지도 칠십삼 년이 되었더라고. 지붕에 손볼 데가 생겼다 해도 당연한 일이지!"

"주인님이 뭣 때문에 부르시는지는 몰라요!" 시피오가 대답했다. "집은 아주 훌륭하고요, 돌아가신 핀천 대령님도 그렇게 생각하셨죠, 아마. 그렇지 않고서야 그분이 왜 그렇게 집 안에 자꾸 나타나서서 불쌍한 흑인인 저를 놀랜답니까?"

"그래, 그래, 시피오. 주인님께 내가 간다고 전해 드려." 목수가 웃으며 말했다. "기술을 필요로 하는 정당한 일이라면 기꺼이 그의 일을 하지. 그래, 집에 귀신이 출몰한다는 거지? 일곱 박공의 집에서 영혼들을 몰아내려면 나보다 더 유능한 일꾼이 필요할 거야. 대령 귀신이 나타나지 않는다 해도" 하고 그가 혼잣말로 중얼거렸다. "내 마법사 할아버지께서는 그 집 벽이 서 있는 한 절대 핀천 가문에서 떨어지지 않을 테니까!"

"뭐라고 중얼거리는 겁니까, 매슈 몰? 그리고 왜 그렇게 어둡고 시커먼 얼굴로 절 보는 겁니까?" 시피오가 물었다.

"아무것도 아니야, 검둥이! 너만 피부가 시커멓다고 생각하지? 곧 가겠다고 말씀 드려. 그리고 따님인 앨리스 양을 보거든 이 매슈 몰의 정중한 인사를 전해 드리라고. 아름답고, 상냥하면서도 도도한 얼굴로 이탈리아에서 돌아왔던데 여전히 그 앨리스 핀천이라니까!" 목수가 말했다.

"앨리스 아씨를 입에 올리다니! 천한 목수 주제에! 멀리서라도 우리 아씨를 쳐다볼 자격도 못 되면서!" 시피오가 심부름을 마치고 뒤돌아서며 외쳤다.

목수인 젊은 매슈 몰은 그가 사는 지역에서 사람들이 잘 이해하지도 못하고 별로 좋아하지도 않는 인물이었음을 짚고 넘어가야겠다. 그의 성실함이라든지 직업상의 기술이나 부지런함에 어떤 분명한 문제가 있는 것은 아니었다. 사람들이 그를 바라보는, 반감이라고 해도 무방할 태도는 얼마간 그 자신의 성격과 행동거지 때문이었고 또 얼마간은 그의 조상 때문이었다.

그는 옛날 매슈 몰의 손자였다. 마을의 초기 정착민이자 그 당시에 유명한 끔찍한 마법사였던 매슈 몰 말이다. 이 옛날 이단아는, 코튼 매더*와 동료 목사들, 학식 있는 판사들과 그 밖의 다른 현자들, 그리고 명민한 주지사인 윌리엄 핍스 경이 영혼의 무지막지한 적인 사탄의 힘을 약화하기 위해 그의 수많은 추종자들을 험한 교수대의 길로 올려 보낸 그때 희생된 사람 중 하나였다. 그 자체로는 훌륭하다 할 일이 유감스럽게도 정도가 너무 지나쳤던 탓에, 분명히 그때 이후로는 마녀재판이 원래 그 힘을 약화해서 완전히 제압할 대상이었던 바로 그 사탄이 아니라 자애로운 하느님이 훨씬 더 마음에 안 들어 하실지도 모른다는 의심을 받게 되었을 것이다. 하지만 이 끔찍한 마녀의 죄 때문에 죽은 사람들을 떠올리면 두려움과 공포가 여전히 함께한다는 것도 그 못지않게 확실했다. 그들이 너무 황급히 쑤셔 넣어진 탓에 바위 틈새에 자리 잡은 그들의 무덤이 죽은 자들을 제대로 잡아 두지 못한다고들 했다. 특히 매슈 몰은 마치 보통 사람들이 잠자리에서 일어나듯이 쉽사리 주저함도 없이 무덤에서 나와, 산 사람들이 낮에 다니듯이 밤에 활보하는 것이 자주 눈에 띈다고 했다. 그에 대한 정당한 처벌에도 도무지 개전의 정을 보이지 않는 이 사악한 마법사는 일곱 박공의 집이라는 특정한 저택에 집요하게 출몰했는데, 토지 임대권과 관련해 그 저택의 소유자와 아직 해결하지 못한 문제가 남아 있다고 여기는 듯했다. 이 유령은 살아생전

---

* 보스턴의 유명한 성직자로 청교도 사회에 지대한 영향력을 끼쳤다.

에도 그의 두드러진 특성이었던 집요함으로 마치 자기가 그 집이 서 있는 땅의 정당한 소유자라고 주장하는 듯했다. 그의 조건은, 그곳에 지하실부터 파기 시작한 그 시점부터 계산해 앞서 말한 토지 임대료를 내든지 아니면 저택을 내놓든지 하라는 것이었다. 그렇지 않으면 유령 채권자인 그가 죽은 지 수천 년이 지나서까지도 모든 핀천 가문의 일에 간섭해 모든 일을 망쳐 놓겠다는 것이었다. 말도 안 되는 얘기일 수도 있지만, 마법사 몰이 얼마나 완고하고 고집스러웠는지를 기억하는 이들에게는 완전히 허황된 얘기도 아니었던 것이다!

이제 우리 얘기에 등장하는 그의 손자인 젊은 매슈 몰은 할아버지의 그 수상한 특성을 얼마간 물려받았다고 일반적으로 생각되었다. 이 청년과 관련해 말도 안 되는 얘기들이 얼마나 많이 퍼졌는지 놀라울 정도이다. 예를 들어 그가 사람들의 꿈속에 들어가서, 마치 연극 연출가가 하듯이 자기 마음대로 꿈을 조종할 수 있다는 얘기가 떠돌았다. 이웃들은, 특히 여성들은 소위 그의 눈 마법에 대해 수도 없이 떠들어 댔다. 누군가는 그가 사람들의 마음을 들여다볼 수 있다고 했고, 또 누군가는 눈의 놀라운 능력으로 사람들을 자기 마음속으로 끌어들이거나 원한다면 유령 세계의 할아버지에게 심부름을 보낼 수 있다고 했다. 또 다른 사람들은 악한 눈이라 부를 만한 그 눈이 심장의 불길로 옥수수를 말라 죽게 하거나 아이들을 말려 죽여서 미라로 만드는 놀라운 능력을 지니고 있다고도 했다. 그러나 결과적으로 젊은 목수에게 가장 불리하게 작용했던 것은 우선 타고난 성격이 말이 없고 매섭다는 점이었고, 다음으로는 그가 교회를 다니지 않아서 종교와 정치의 문제에 있어 이교도의 교의를 가진다는 의심을 받았다는 것이다.

핀천 씨의 전언을 받은 후에도 목수는 바로 떠나지 않고 그때 마침 하려 했던 소소한 일을 하나 끝내고서야 일곱 박공의 집으로 출발했다. 그 이름난 건물은 양식에 있어서는 약간 구식이 되었을지 모르나 가족 주택으로서는 도시의 어떤 귀족 신사의 집에 뒤지지 않을 만큼 훌륭했다. 현 소유주인 저베이스 핀천은 아주 어릴 적 할아버지의 갑작스러운 죽음으로 인해 정서적으로 충격을 받아서 그 집을 싫어하게 되었다고 했다. 할아버지인 핀천 대령의 무릎에 올라가려고 뛰어갔다가 그 청교도인이 이미 죽은 시체임을 발견했던 것이다! 성년이 되자 핀천 씨는 영국을 방문했고 거기에서 재산이 많은 귀족 여성과 결혼했으며, 이후 고국이나 유럽의 여러 도시들을 옮겨 다니면서 수년을 보냈다. 그동안 집안의 저택은 친척 하나가 관리했는데, 그는 그 집을 구석구석 고쳐 가면서 유지하는 목적으로 당분간 그곳에 살 수 있었다. 계약 조건이 얼마나 충실히 지켜졌는지, 목수가 집에 도착했을 때 그의 숙련된 눈으로 봐도 상태는 흠잡을 구석이 없었다. 일곱 박공의 뾰족지붕은 도도히 솟아 있고, 지붕널을 댄 지붕은 물 새는 구석이 전혀 없었으며, 외벽을 완전히 덮은 휘황한 석고 조각은 마치 만든 지 일주일밖에 안된 듯 10월의 햇빛을 받으며 반짝이고 있었다.

그 집은 사람의 표정으로 치자면 편안하게 살아가는 사람의 쾌활한 표정 같은 유쾌한 삶의 분위기를 띠고 있었다. 그 안에서 대가족이 북적거리며 살아간다는 것을 즉각 알아차릴 수 있었다. 높이 쌓인 떡갈나무 장작이 출입구를 지나 뒤편 헛간으로 옮겨지고 있었다. 뚱뚱한 요리사(혹은 가정부일는지도 모르겠다.)가 옆쪽 문에 서서 시골 농부가 팔려고 가져온 칠면조와 가금류를 놓고 흥정 중이었다. 이따금 말끔하게 차려입은 반짝이는 검은 피부의 하녀가 집 아래쪽 창문들 사이로 바삐 움직이는 것이 보였다. 2층 방의 열린 창가에는 아름답고 우아한 꽃 화분, 다른 지방 것이지만 어느 곳의 햇빛보다도 온화한 뉴잉글랜드의 가을 햇빛을 만끽하는 꽃 화분 위로 몸을 내민 젊은 여성이 있었는데, 꽃들처럼 이국적이면서도 그만큼 아름답고 우아했다. 그녀의 모습으로 인해 건물 전체가 형용할 수 없는 세련됨과 약간의 마력을 띠었다. 그 외의 다른 면에서는 명랑해 보이는 저택이었고, 맨 앞의 박공에는 자신의 본부를 차리고 나머지를 여섯 자식들에게 각각 분배한 가부장의 주택으로도 어울릴 것처럼 보였다. 그러면 중앙의 거대한 굴뚝은 일곱 박공 전체를 따뜻하게 데워 주면서 그 모두를 하나의 커다란 전체로 아우르는 그의 따뜻한 마음을 상징할 것이다.

맨 앞의 박공에는 곧추선 해시계가 있었다. 그래서 목수는 그 아래로 지나가면서 눈을 들어 시간을 보았다.

"3시 정각이군!" 그가 혼잣말을 했다. "아버지가 말씀하시길, 저 해시계를 단 것이 대령이 죽기 겨우 한 시간 전이었다지. 지난 칠십삼 년 동안 얼마나 충실히 시간을 맞춰 왔는지! 그림자가 아무리 열심히 기어가도 항상 햇빛의 어깨 너머를 볼 뿐이라니!"

매슈 몰 같은 장인의 경우 신사의 집에 불려 갔을 때 하인들과 일꾼들이 보통 드나드는 뒷문이나, 적어도 그보다 나은 계급의 상인들이 드나드는 옆문으로 가는 것이 어울리는 일이었을 것이다. 그러나 목수는 천성이 엄청나게 자부심이 강하고 완고했다. 게다가 거대한 핀천 저택이 원래 자신의 것이어야 마땅할 토지에 서 있다고 생각했으므로 지금 그의 마음은 이어 내려온 그 부당함 때문에 원한으로 가득 찼다. 맛좋은 물이 샘솟는 우물 곁 바로 이 자리에 그의 할아버지가 소나무들을 다 베고 오두막을 세웠고, 그곳에서 아이들이 태어났다. 그리고 핀천 대령은 죽은 자의 뻣뻣한 손가락을 펴고 억지로 그 땅의 권리증을 빼앗았던 것이다. 그래서 젊은 몰은 곧바로 조각이 새겨진 떡갈나무 입구 아래의 중앙 현관으로 가서 문고리 쇠를 어찌나 시끄럽게 두들겼는지 매서운 옛날 마법사 본인이 문지방에 서 있다고 상상할 수 있을 정도였다.

흑인 시피오가 정신없이 달려 나와 문을 열었는데, 그저 목수가 서 있는 것을 보고는 놀라서 눈을 휘둥그레 떴다.

"맙소사, 이 목수장이가 뭐 대단한 인물이라고!" 시피오가 기어 들어가는 목소리로 중얼거렸다. "엄청 큰 망치로 문을 두드려 부수는 줄 알겠구먼!"

"자, 내가 왔어!" 몰이 엄한 목소리로 말했다. "나를 주인님의 응접실로 안내하라고!"

그가 집 안으로 들어섰을 때 달콤하면서도 슬픈 음악이 위층 어느 방에서 복도를 따라 가늘게 떨리며 들려왔다. 앨리스 핀천이 바다 건너 외국에서 가져온 하프시코드 소리였다. 아름다운 앨리스는 남는 시간 대부분을 꽃, 음악과 함께 보냈는데, 꽃은 금방 시들고 음악은 종종 슬펐다. 외국에서 교육을 받은 그녀는 뉴잉글랜드의 생활 방식에 마음을 줄 수 없었는데, 거기서는 아름다운 것이라고는 도대체 자라나지 못했기 때문이다.

핀천 씨가 조바심을 내며 몰이 도착하기를 기다리고 있었기 때문에 당연히 흑인 시피오는 바로 목수를 주인이 있는 곳으로 안내했다. 이 신사가 앉아 있는 방은 보통 크기의 응접실로 정원 쪽을 향해 있었는데, 창문이 과실수의 잎으로 부분 부분 가려져 있었다. 그것은 핀천 씨 고유의 공간으로 주로 파리에서 들여온 우아하고 값비싼 스타일의 가구가 놓여 있었다. 당시로서는 드물게도 바닥에는 카펫이 깔렸는데, 짜임새가 얼마나 정교하고 화려한지 마치 생화를 뿌려 놓은 듯 화려했다. 한쪽 구석에는 대리석으로 만든 여성상이 있었는데 의복이라고 유일하게 두른 것은 자신의 아름다움뿐인데도 그것으로 충분했다. 벽에 걸린 몇몇 그림들은 오래되어 보였고 기교를 부린 화려함 위로 부드러운 색채가 엷게 펴져 있었다. 벽난로 근처에는 상아가 박힌 흑단으로 된 크고 매우 아름다운 진열장이 있었다. 핀천 씨가 베네치아에서 가져온 고가구로서 메달이라든지 오래된 동전처럼 여행 중에 구한 작고 값나가는 골동품들을 모셔 두는 보물 함으로 이용했다. 하지만 방은 그 모든 가지각색의 장식들을 뚫고 낮은 샛기둥과 대들보, 그리고 구식의 네덜란드 타일을 붙인 벽난로 선반 등 원래의 특성을 보여 주었다. 그리하여 그 방은 열심히 외국의 생각을 들여다 쌓고 인위적인 세련됨으로 애써 꾸몄지만 이전보다 넓어지지도 않았고, 그 본연의 자아가 더 우아해지지도 않은 정신의 상징과도 같았다.

이렇게 멋들어지게 꾸며진 방에 약간 어울리지 않는 두 개의 물건이 있었다. 하나는 커다란 지도, 혹은 어떤 토지에 대한 측량 기사의 도안이었는데, 수년 전에 그린 듯이 보였고 지금은 연기에 그을려 거무스름하고 여기저기가 손가락 자국으로 더러웠다. 다른 하나는 청교도 복장을 한 엄격한 노인의 초상으로, 세련되지는 않았지만 대담한 필치로 그려져 그 성격을 놀랍도록 강렬하게 표현하고 있었다.

영국산 석탄으로 피운 불 앞의 작은 탁자에 핀천 씨가 앉아, 프랑스에 있을 때 아주 좋아하게 된 커피를 홀짝거리고 있었다. 그는 정말 잘생긴 중년 남자로 장식 가발이 어깨까지 흘러내려 있었다. 파란색 벨벳 외투를 입었는데, 가장자리와 단춧구멍에 레이스가 달려 있었다. 온통 금으로 장식된 널찍한 조끼 위로 난로 불빛이 반짝거리며 빛났다. 시피오가 목수를 안내하며 들어서자 핀천 씨는 약간 돌아보았으나 자신이 불러오라고 한 그 손님을 바로 알아차리지 못한 채 자세를 바꾸지 않고 침착하게 마시던 커피를 마저 다 마셨다. 그가 의도적으로 무례하게 굴었거나 무시했다는 것이 아니라(그런 일을 저질렀다면 정말이지 그 스스로 얼굴을 붉혔을 것이다.) 몰의 지위에 있는 사람이 자신에게 예의를 갖출 것을 요구한다거나 어떤 식으로든 그에 대해 신경을 쓸 수 있다는 생각이 전혀 들지 않았을 뿐이다.

하지만 목수는 바로 벽난로 쪽으로 가서 몸을 돌려 핀천 씨를 똑바로 마주보았다.

"저를 부르셨잖습니까! 무슨 일 때문인지 말씀해 주시죠. 저도 제 일을 해야 하니까요!" 그가 말했다.

"아, 미안하네." 핀천 씨가 조용히 말했다. "나 때문에 소모한 시간에 대해서는 보상을 해 주겠네. 아마 자네 이름이 몰이지? 토머스 몰이든가 매슈 몰이든가? 이 집을 지은 목수의 아들인가 손자인가 하는."

"매슈 몰입니다. 이 집을 지은 분의 아들이고 원래 땅 임자의 손자이지요!" 목수가 대답했다.

"자네가 은근히 내비치는 그 분쟁에 대해서는 알고 있네." 핀천 씨가 침착함을 잃지 않으며 말했다. "내 할아버지께서 이 건물을 세울 자리에 대한 권리를 확고히 하기 위해 어쩔 수 없이 소송을 걸어야 했다는 것도 잘 알아. 괜찮다면 그 얘기는 끄집어내지 말도록 하지. 그 문제는 그때 해당 관청에 의해 아마도 공정하게 해결이 되었고 여하튼 이제 되돌릴 수도 없으니 말이지. 하지만 희한하게도 내가 지금 자네에게 얘기하려는 것이 우연히도 바로 그 문제와 관련이 되긴 하는군. 그리고 바로 그 뿌리 깊은 원한이, 불쾌하다면 미안하네, 자네가 지금 보인 그 과민 반응이 완전히 관계가 없는 것도 아니야."

"핀천 씨, 자기 집안에 가해진 부당함에 대해 보이는 당연한 원한에서 당신에게 필요한 어떤 것을 찾을 수 있다면 얼마든지 그렇게 하십시오!" 목수가 말했다.

“몰, 자네 말을 그대로 믿고, 정당하든 그렇지 않든 이어 내려온 자네들의 원한이 내가 생각하는 문제와 어떻게 관련이 되는지 내 얘기함세. 핀천 가문이 내 할아버지 시절부터 죽 동쪽 지방의 아주 광대한 땅에 대한 권리를 계속 요구하고 있는데 아직 해결이 되지 않았다는 건 들었겠지?” 일곱 박공의 집 주인이 미소를 띠며 말했다.

“많이 들었죠. 아버지한테서 아주 많이요!” 몰이 대답했는데 그때 그의 얼굴에 미소가 떠올랐다고 한다.

“그 권리가” 하고 목수의 미소가 무엇을 의미하는지를 생각하듯이 잠깐 말을 끊었다가 핀천 씨가 말을 이었다. “내 할아버지가 돌아가시던 그때 곧 해결이 나서 완전히 우리에게 주어지기 직전이었던 것 같아. 속내를 터놓던 사람들은 잘 알지만, 할아버지는 그 일에 어떤 어려움이 따르거나 그 일이 지연될 것이라고는 전혀 예상치 않으셨지. 자, 말할 필요도 없지만 핀천 대령은 실용적인 분이셨고 공적, 사적인 일을 아주 잘 알고 계셨기 때문에 근거 없는 희망을 품는다거나 실현 가능성도 없는 계획을 끝까지 추구하실 분이 아니란 말일세. 그러니까 후손들은 알지 못하지만, 이 동쪽 토지의 문제에 있어서 성공하리라는 것을 자신 있게 예상할 만한 근거를 그분은 가지고 계셨던 거지. 한마디로, 할아버지께서 이 권리를 얻기 위해 꼭 필요한 어떤 종류의 권리증이나 여타 다른 문서를 가지고 계셨는데 그것이 이후 없어졌다고 나는 믿고 있고, 내 법률 고문들도 같은 생각인 데다 어느 정도는 가문의 전통에 비추어서도 정당하다고 생각이 되네.”

"무척 그럴듯합니다만" 하고 매슈 몰이 말했는데 또다시 그의 얼굴에 음산한 미소가 떠올랐다고 한다. "보잘것없는 목수가 핀천 가문의 거창한 문제와 무슨 관계가 있다는 겁니까?"

"아무 관계가 없을 수도 있지만, 아주 많을 수도 있지!" 핀천 씨가 대꾸했다.

이로부터 매슈 몰과 일곱 박공의 집 소유주 사이에는 소유주가 꺼낸 주제와 관련해 많은 말이 오고갔다. 비록 너무나 말이 안 돼 보였기 때문에 핀천 씨는 그 얘기들을 언급하는 것을 주저했지만, 대부분의 사람들은 몰의 가족과 현실화되지 못한 핀천 가문의 이 광대한 재산 사이에 알 수 없는 모종의 관련이 있다고 믿었던 것 같다. 보통 하는 얘기들에 따르면, 옛날 마법사가 비록 교수형을 당하기는 했지만 핀천 대령과 다투는 와중에 거래를 통해 가능한 최고의 대가를 얻어 냈다고 했다. 그러니까 집터 1~2에이커를 내주는 대신 광대한 동쪽 땅에 대한 권리를 얻어 냈을 수도 있다는 것이다. 최근에 돌아가신 아주 나이 많은 노파는 화롯가의 한담 중에 은유적인 표현을 사용해 핀천 가문의 드넓은 땅을 파서 몰의 무덤에 쏟아 넣었다고 종종 말하곤 했다. 말이 난 김에 말이지만, 그의 무덤이란 갤로스 언덕 꼭대기 근처 두 바위 사이의 아주 좁아터진 구석에 불과하지만 말이다. 또한 변호사들이 사라진 문서를 찾을 때도, 뼈만 남은 마법사의 손아귀가 아니라면 다른 어디서도 그것을 찾지 못할 것이라는 수군거림이 있었다. 이렇게 떠도는 얘기를 명민한 변호사들마저 얼마나 진지하게 받아들였는지, 핀천 씨는 목수에게 그 일을 알리는 게 적절치 않다고 여겼지만 사실 그들은 몰래 마법사의 무덤을 뒤져 보기까지 했다. 하지만 불가사의하게도 해골의 오른손이 사라졌다는 사실만 발견했을 뿐 아무것도 찾지 못했다.

확실히 중요한 것은 이렇게 널리 퍼진 소문 일부를 쫓아가 보면, 다소 의심스럽고 불분명하기는 하지만 처형당한 마법사의 아들이자 오늘날 매슈 몰의 아버지가 우연히 흘린 모호한 말들에 이르게 된다는 것이다. 그리고 여기서 핀천 씨는 자신만이 아는 증거를 이용할 수 있었다. 당시 아주 어리기는 했지만 그는 매슈의 아버지가 대령이 죽던 그 전날이나 아니면 바로 그날 아침에 그와 목수가 지금 얘기를 나누는 이 사저에서 뭔가 처리할 업무가 있었다는 것을 기억했다. 상상이었을지도 모르지만. 손자가 분명 기억하는 바로는 핀천 대령 소유의 어떤 서류들이 탁자 위에 펼쳐져 있었다.

매슈 몰은 은근하게 내비친 의심의 눈길을 알아차렸다.

"제 아버지께서는" 하고 그가 말했는데 도통 그 표정을 읽을 수 없는 음산한 미소를 여전히 띠고 있었다. "제 아버지께서는 망할 대령보다 더 정직한 분이셨습니다! 아버지께서 그 서류를 가지고 가셨으면서 당신의 권리를 되찾지 않았다는 겁니까?"

"자네와 말다툼하고 싶은 생각 없네." 외국에서 자란 핀천 씨가 오만하고 침착하게 말했다. "내 할아버지나 나 자신에 대한 어떤 무례한 언사에 분노하는 것도 나한테 어울리지 않는 일이고. 신사라면 자네와 같은 지위나 습성을 가진 사람과 어떤 교류를 하기 전에, 일단 불쾌한 수단을 써서라도 이득이 될 만큼 그 목적이 절박한지를 따져 보기 때문이지. 지금의 경우가 그러하고."

그러고는 대화를 재개하면서 목수가 사라진 문서를 발견해 동쪽 땅에 대한 권리를 찾을 수 있게 될 어떤 정보를 준다면 막대한 금전적 보상을 하겠다고 했다. 매슈 몰은 이미 오래전부터 이러한 제안에 콧방귀를 뀌었다고 한다. 그런데 마침내 그는 기묘하게 웃더니, 그렇게 절박하게 필요한 문서 증거에 대한 보상으로 옛날 마법사의 원래 집터를 그 위에 서 있는 일곱 박공의 집과 함께 자신에게 넘길 수 있겠느냐고 물었다.

너무 말도 안 되는 얘기라 그대로 적을 수는 없고 그 요지만 추려 봤을 때, 사람들이 화롯가에서 쑥덕거린 황당한 얘기들에 따르면 핀천 대령의 초상화가 이상한 행동을 보였다는 얘기가 있다. 꼭 짚고 넘어가야 할 점은, 이 초상화가 집의 운명과 너무나 밀접히 연관이 되고 거의 마법처럼 그 벽 속에 끼워져 있기 때문에, 그것을 떼어 내기라도 하면 바로 그 순간 집 전체가 우르르 쾅쾅 하며 무너져 내려 완전히 흙더미가 될 거라고 생각들을 했다. 핀천 씨와 목수가 앞선 대화를 하는 내내 초상화는 인상을 찌푸렸다가 주먹을 불끈 쥐었다 하면서 무척이나 불편한 심기를 계속해서 내비쳤으나 대화하는 두 사람은 누구도 그것을 눈치채지 못했다고 한다. 그리고 마침내 매슈 몰이 일곱 박공의 집을 넘기라는 대범하기 짝이 없는 제안을 해 오자 유령 같은 초상화가 더 이상 참지 못하고 그 몸이 아예 액자에서 내려서려고까지 했다는 주장이 있다. 그러나 그런 믿을 수 없는 사건은 그저 지나가면서 언급하는 정도로 그치도록 하자.

"집을 내놓으라고!" 그 제안에 놀라 핀천 씨가 외쳤다. "내가 그런 일을 한다면 할아버지께서 무덤에서 편히 쉬지 못하실걸!"

"떠돌아다니는 얘기가 사실이라면 한 번도 편히 쉬신 적이 없으실 겁니다." 목수가 차분히 말했다. "하지만 그 문제는 매슈 몰보다는 그 손자와 더 관계가 있을 테지요. 제안할 다른 조건은 없습니다."

핀천 씨는 처음에는 매슈 몰의 조건에 응하는 것이 있을 수 없는 일이라 생각했는데, 다시 생각해 보니 적어도 한번 논의는 해 볼 수 있겠다 싶었다. 그 자신은 집에 대한 개인적인 애착도 없었고 거기서 지낸 어린 시절과 관련해서도 별로 좋은 기억이 떠오르지 않았다. 오히려 칠십삼 년이 지난 지금에도 여전히 공포에 질린 어린아이가 뻣뻣해진 채 의자에 앉아 있는 유령 같은 모습을 보았던 그날 아침과 마찬가지로 죽은 할아버지의 존재가 집 안 가득 스며들어 있는 것 같았다. 더군다나 외국에서 오래 살면서 영국의 성이나 조상 대대로 내려오는 저택, 이탈리아의 대리석 궁전 같은 건물을 많이 봐 왔기 때문에 외관의 훌륭함이나 편리함에 있어서 일곱 박공의 집을 업신여기는 면도 있었다. 그것은 살기에 너무나 마땅치 않은 저택인데, 토지에 대한 권리를 현실화한 후에도 그것을 돌보는 것은 핀천 씨의 몫이 될 것이었다. 그의 집사가 혹시 거기서 살게 될지도 모르지만 그 땅의 소유주 자신은 분명 그럴 생각이 전혀 없었다. 사실 그 일에 성공하면 영국으로 돌아갈 목적이었다. 사실을 말하자면 최근에 죽은 부인의 재산과 자신의 재산이 소진될 기미를 보이지만 않았다면 훨씬 쾌적한 그곳 집을 떠나는 일도 없었을 것이다. 동쪽 땅의 권리 문제가 잘 해결되어 실제로 그 땅을 차지할 확실한 기반이 마련되기만 하면, 핀천 씨의 재신은 에이커가 아니라 마일로 측정했을 때 백작의 영지만큼은 될 것이므로 영국 국왕에게 그 정도의 높은 지위를 충분히 청할 수도 있고 아니면 돈으로 살 수도 있을 것이다. 핀천 경! 혹은 왈도 백작! 그렇게 고귀한 양반이 어떻게 지붕널을 얹은 보잘것없는 일곱 개의 박공 안에 그 위엄을 욱여넣어 둘 수 있단 말인가?

한마디로 그 일을 넓은 관점에서 보니 목수의 조건은 우스우리만치 쉬워 보여서 핀천 씨는 그의 앞에서 웃음을 참기가 힘들 정도였다. 앞서처럼 생각을 하고 나니 그렇게 엄청난 편의를 제공한 것치고는 별것 아닌 보상조차 줄이려고 했다는 게 아주 부끄러웠다.

"그 제안에 동의하겠네, 몰! 내 권리를 확고히 하기 위해 꼭 필요한 그 문서만 손에 넣게 해 주면 일곱 박공의 집은 자네 것이네!" 그가 외쳤다.

다른 어느 쪽 이야기에 따르면 위와 같은 내용의 계약서를 변호사가 작성했고, 증인이 참석한 가운데 서명하고 봉인했다고 한다. 또 다른 얘기에서는 매슈 몰이 문서화된 사적 합의서에 만족했고 핀천 씨는 자신의 명예와 양심을 걸고 결정된 조건을 이행하겠다고 서약했다고 한다. 그러고서 핀천 씨가 와인을 가져오게 했고, 그들의 거래가 성립되었음을 확인하며 목수와 함께 와인을 마셨다고 한다. 앞선 토론과 그 후 이어진 형식적 절차가 진행되는 내내 청교도 조상의 초상화는 계속해서 그 과정을 승인하지 않는다는 유령 같은 몸짓을 했지만 별 소용이 없었다. 핀천 씨가 빈 잔을 내려놓을 때 할아버지가 눈살을 찌푸린 것을 보았다고 생각한 것을 빼고는 말이다.

"이 셰리주는 나한테 너무 독하군. 벌써 정신이 좀 멍해지는 것 같아." 그가 약간 놀란 표정으로 초상화를 본 후 말했다. "유럽에 돌아가면 이보다 맛좋은 이탈리아와 프랑스 와인만 마셔야겠어. 그곳의 좋은 와인들은 멀리 운반할 수 없거든."

"핀천 백작님께서는 원하는 곳에 가셔서 원하는 와인을 마음껏 드시지요!" 마치 핀천 씨의 야심찬 계획을 내밀히 엿보기라도 한 듯 목수가 대답했다. "하지만 잃어버린 문서에 대한 정보를 원하시면 우선 나리의 아름다운 따님인 앨리스 양과 잠깐 얘기를 할 수 있도록 허락해 주시기를 청하옵니다!"

"정신이 나간게군, 몰!" 핀천 씨가 거만하게 소리쳤다. 그러나 결국 그 자만심에는 분노가 섞여 있었다. "이와 같은 일과 내 딸이 무슨 상관이 있단 말인가?"

정말이지 목수가 내놓은 이 새로운 요구로 일곱 박공의 집 소유주는 자신의 집을 내놓으라는 냉정한 제안을 받았을 때보다 훨씬 더 소스라치게 놀랐다. 적어도 첫 번째 조건에는 그럴 만한 동기가 있었지만 후자에는 어떠한 동기도 없었기 때문이다. 그럼에도 매슈 몰은 젊은 아씨를 불러 줄 것을 완강하게 요구했고, 심지어 뭔지 알 수 없는 방식의 설명(그로 인해 문제는 전보다 더욱 모호해졌다.)을 통해 꼭 필요한 앎은 오직 아름다운 앨리스와 같은 순수한 처녀의 지성이라는 맑고 수정 같은 매체를 통해서가 아니면 얻을 수 없다고 그 아버지를 이해시키기에 이르렀다. 양심이나 자존심 때문이든, 아니면 부성애 때문이든 핀천 씨가 한참 주저했던 정황을 건너뛰자면, 결국 그는 딸을 불러오라고 시켰다. 그녀가 방에 있을 것이고 쉽사리 치워 버릴 수 있는 일 정도를 하고 있으리라는 사실을 잘 알았기 때문이다. 사실 앨리스의 이름이 언급된 이후로 계속 그 아버지와 목수는 그녀가 연주하는 하프시코드의 애잔하고 아름다운 음악과 그와 함께하는 더욱 섬세한 그녀의 우수에 찬 목소리를 들을 수 있었기 때문이다.

그래서 앨리스 핀천은 부름을 받고 그 자리에 나타났다. 아버지가 영국에 놓아둔, 베네치아 화가가 그린 이 처녀의 초상화는 현 대번셔 공작의 수중에 들어가서 지금은 채츠워스에 보관되어 있다고 하는데, 그림의 모델과 어떤 관련이 있어서가 아니라 회화로서의 가치와 그 표정에 담긴 고상한 아름다움 때문이라고 한다. 만약 타고난 귀부인이 있어서 상냥하면서도 냉정한 위엄으로 천한 세상 사람들에게서 완전히 따로 존재한다면, 그녀가 바로 앨리스 핀천이었다. 하지만 그녀에게는 여성으로서의 특성, 그러니까 부드러움이나 적어도 부드럽게 될 수 있는 가능성이 섞여 있었다. 다른 것을 상쇄하는 이 특성 때문에 천성이 관대한 남자라면 그녀가 아무리 도도해도 용서할 것이며, 그녀가 가는 길 위에 누워 여윈 다리가 자신의 심장을 밟고 지나가더라도 기꺼이 받아들일 수 있을 것이다. 그가 원하는 것이라고는 오직 그가 진정 남자이며 그녀와 똑같은 재료로 지어진 동료 인간이라는 점을 인정받는 것뿐일 것이다.

앨리스는 방 안으로 들어서면서, 자를 넣어 두기 위한 긴 주머니 밖으로 자 끄트머리가 비죽이 나와 있는 무릎이 트인 헐렁한 바지와 녹색의 양모 재킷을 입고 방 한가운데쯤 서 있는 목수를 보았다. 핀천 씨의 격식 차린 검이 귀족임을 나타내 주는 표식이듯이 자는 그 장인의 직업을 보여 주는 것이었다. 예술적인 측면을 인정하는 듯 앨리스의 얼굴이 환하게 빛났다. 그녀는 몰의 모습이 나타내는 두드러진 활력과 힘, 그리고 말쑥함에 찬탄을 금치 못하면서 그것을 굳이 감추고자 하지도 않았다. 그러나 아마도 다른 남자들이라면 대부분 아름다운 기억으로 평생 간직하고도 남을 그 선망의 눈길을 목수는 절대 용서하지 않았다. 몰의 지각을 그렇게 음흉하게 만든 것은 분명 악마일 것이다.

'저것이 마치 내가 야만적인 짐승이나 되는 듯 쳐다보지 않는가!'라고 생각하며 그는 이를 갈았다. '내가 인간의 영혼을 가졌음을 알게 해 주겠어. 게다가 그녀의 것보다 내 것이 더 강하다면 결과는 더 안 좋을걸!'

"아버님, 부르셨나요." 하프 소리처럼 향기로운 목소리로 앨리스가 말했다. "하지만 지금 이분과 볼일이 있으신 거라면 조금 후에 다시 올게요. 밝은 기억을 되살리기 위해 클로드*

---

* 클로드 로랭(1600~1682). 프랑스의 풍경 화가.

그림까지 걸어 놓으셨지만 제가 이 방을 좋아하지 않는 걸 아버지도 아시잖아요."

"괜찮다면 잠깐 기다려 주세요! 아버님과의 볼일은 끝났습니다. 이제 당신과 할 일이 있죠." 매슈 몰이 말했다.

앨리스는 놀라고 어리둥절해하면서 아버지 쪽을 보았다.

"그래, 앨리스." 핀천 씨가 약간 불안해하고 당황하면서 말했다. "이 청년이, 이름이 매슈 몰인데, 내가 이해하기로는 네가 태어나기 훨씬 전에 잃어버린 어떤 문서인가 양피지인가를 너를 통해서 찾을 수 있다는구나. 문제가 되는 그 문서가 워낙 중요하기 때문에 그것을 다시 찾을 수 있다면 아무리 황당해 보일지라도 가능한 방법은 모두 동원해 보는 것이 좋겠다. 그러니까 앨리스, 이분의 질문에 답을 하고, 앞서 말한 그 목적과 관련이 되는 한에서는 그의 합당하고 정당한 요구에 응해 주면 고맙겠다. 내가 여기에 같이 있을 거니까 이 청년이 무례하거나 예의에 어긋나는 행동을 하지 않을까 걱정할 필요는 없다. 그리고 물론 눈곱만큼이라도 네가 원치 않는다면 이 조사든 뭐든 즉시 중단시킬 게다."

"앨리스 핀천 양은" 하고 매슈 몰이 지극히 공손하게 말을 걸었지만 표정과 말투에는 냉소가 반쯤 드러났다. "아버지가 함께하셔서 그의 충분한 보호를 받는다면 분명 아주 안전하다고 느끼겠지요."

"아버지가 곁에 계신다면 확실히 어떤 걱정도 하지 않을 겁니다." 앨리스가 처녀의 위엄을 가지고 말했다. "또한 숙녀는 자신의 모습에 충실하다면 어떤 상황에서든, 그 누구에게든 두려워할 것은 없다고 봅니다!"

불쌍한 앨리스! 그녀는 대체 어떤 불행한 충동에 휩싸여 곧바로 자신이 헤아릴 수도 없는 힘에 맞서게 되었단 말인가?

"그렇다면 앨리스 양, 이 의자에 앉으시고, 보잘것없는 목수로서는 너무나 과분한 부탁이지만 저와 눈을 맞춰 주시죠!" 매슈 몰이 장인으로서는 충분히 정중하게 의자를 권하며 말했다.

앨리스는 그에 따랐다. 그녀는 매우 자존심이 강했다. 지위상 유리하다는 사실은 제쳐 두고라도, 이 아름다운 소녀는 아름다움과 더럽혀지지 않은 고귀한 순결, 그리고 나쁜 것을 예방하는 여성으로서의 힘이 합해져서 내면에서의 배신이 아니라면 자신의 영역을 난공불락으로 유지할 수 있는 힘을 스스로 의식하고 있다고 여겼다. 어쩌면 어떤 불길하고 악한 힘이 지금 자신의 벽을 뚫고 들어오려 한다는 것을 본능적으로 알았을지도 모르지만 그에 맞서는 것을 거부하지 않았다. 그렇게 앨리스는 여성으로서의 힘을 남성의 힘에 맞서게 했는데, 여성의 편에서 보자면 해 볼 만한 대결이 되는 경우는 많지 않다고 하겠다.

그동안 그녀의 아버지는 몸은 돌려 클로드가 그린 풍경화에 푹 빠져 그것을 바라보았는데, 햇빛이 군데군데 비치는 그림자 진 풍경이 멀리 태곳적의 숲 사이로 길게 뻗어 가는 모습을 보자면 그의 상상이 정신을 혼미하게 하는 그림 속 거리에 깊숙이 빠져 헤어나지 못하는 것도 놀랄 일은 아니었다. 그러나 사실 그 순간 그림은 그것이 걸려 있는 벽만큼이나 백지와 같았다. 그도 들은 바 있지만, 몰의 집안에 초자연적일 정도는 아니더라도 신비한 재능이 있어서 바로 앞선 두 명의 조상뿐 아니라 여기 있는 손자 역시 그러하다는 수많은 기이한 이야기들이 그의 마음에 계속 떠올랐기 때문이다. 핀천 씨는 오랫동안 외국에 머물면서 궁정 사람들이나 세속의 사람들, 자유로운 사상가들 등 기지 넘치는 사교계 사람들과 교제해 온 덕에, 초창기 뉴잉글랜드 태생 사람이라면 완전히 벗어날 수 없었던 그 음울한 청교도적 미신을 상당히 많이 지워 버릴 수 있었다. 그러나 다른 한편 몰의 할아버지가 마법사였다는 사실을 마을 전체가 믿지 않았던가? 그 죄가 이미 증명되지 않았던가? 그 때문에 마법사가 죽음을 당하지 않았던가? 그래서 그가 이 유일한 손자에게 핀천 가문에 대한 증오를 유산으로 물려주었고, 이제 그가 원수 집안의 딸에게 음험한 힘을 행사하려는 것이 아닐까? 이 작용이 마법이라고 부르는 것과 같은 것이 아니란 말인가?

그는 반쯤 몸을 돌리다가 거울에 비춘 몰의 모습을 흘깃 보았다. 목수는 앨리스에게서 몇 발자국 떨어져 팔을 공중으로 들어 올린 채 마치 보이지 않는 육중한 어떤 것을 천천히 처녀 쪽으로 내려놓는 듯한 동작을 취하고 있었다.

"그만둬, 몰!" 핀천 씨가 앞으로 나서며 외쳤다. "거기서 더는 하지 말게!"

"제발, 아버지, 이 청년이 하는 일을 막지 마세요!" 앨리스가 꼼짝도 하지 않고 말했다. "제가 확신하건데, 그가 하려는 일은 어떤 해악도 끼치지 않을 거예요."

핀천 씨는 다시 클로드의 그림 쪽으로 시선을 돌렸다. 그렇다면 이 실험이 끝까지 행해져야 한다는 것이 그의 의지에 반하는 딸의 의지였던 것이다. 그러므로 그 자신은 그것을 승인했을 뿐 종용하지는 않은 것이다. 그리고 그 일의 성공을 바라는 것은 자신을 위해서만이 아니라 그녀를 위해서이기도 하지 않은가? 잃어버린 양피지 문서를 일단 찾기만 하면 아름다운 앨리스 핀천은 자신이 줄 수 있는 엄청난 지참금을 가지고 뉴잉글랜드의 목사나 변호사 대신 영국 공작이나 독일의 권력자 군주와 결혼을 할 수 있을 테니 말이다! 생각이 이에 미치자 야심 있는 아버지는 이 목적을 이루기 위해 악마의 힘이 필요하다면 몰이 악마를 불러내는 일까지 마음속으로 동의할 수도 있겠다 싶었다. 앨리스 본인의 순결함이 그녀를 지켜 주리라.

마음속으로 온갖 장대한 미래를 상상하느라 정신이 팔려 있던 핀천 씨는 제대로 알아들을 수 없는 딸의 외침 소리를 들었다. 아주 여리고 낮은 소리였고, 너무나 불분명해서 제대로 말하려는 의지가 반쯤밖에 없는 듯했고 그 의도 역시 너무 불분명해서 뜻을 알아듣기 힘들 정도였다. 그러나 그가 틀림없이 의식한 바에 따르면 그것은 분명 도와 달라는 요청이었고, 귀에 대고 속삭이는 정도밖에 되지 않았으나 끔찍한 비명 소리였고, 또한 그의 가슴 언저리를 돌며 그렇게 오래 반복해서 울려 퍼지는 것이었다! 그러나 이번에는 아버지는 돌아보지 않았다.

조금 더 시간이 지난 뒤 몰이 입을 열었다.

"당신 딸을 보십시오!" 그가 말했다.

핀천 씨는 급히 앞으로 갔다. 목수는 앨리스의 의자 앞에 똑바로 서서 그 한계를 짚을 수 없는 의기양양한 힘을 나타내면서 손가락으로 처녀 쪽을 가리켰다. 사실 그 힘의 영역이란 보이지 않는 무한한 영역까지 아스라이 뻗어 가기 때문이다. 앨리스는 긴 갈색 속눈썹을 눈 위로 늘어뜨린 채 깊고 깊은 잠에 빠진 자세로 앉아 있었다.

"자, 보십시오! 말을 걸어요!" 목수가 말했다.

"앨리스! 내 딸아!" 핀천 씨가 소리쳤다. "내 딸 앨리스야!"

그녀는 꼼짝도 하지 않았다.

"더 크게!" 몰이 미소를 지으며 말했다.

"앨리스! 일어나라! 그러고 있으니 내가 불안하구나! 일어나!" 아버지가 외쳤다.

아버지는 공포에 질린 목소리로 모든 불협화음에 항상 그렇게 민감하게 반응했던 예민한 귀 가까이에 대고 큰 소리로 말했다. 그러나 분명 그 소리는 그녀에게 미치지 않는 모양이었다. 자신의 목소리가 그녀에게 미치지 못한다는 사실로 인해 멀리 떨어져 도달할 수 없는 그와 앨리스 사이의 어스레한 거리감이 아버지에게 얼마나 강하게 각인되었는지는 말로 표현할 수 없다.

"만져 보는 게 좋을 겁니다!" 매슈 몰이 말했다. "흔들어 보십시오, 그것도 아주 세게요! 내 손은 도끼와 톱, 대패 따위를 너무 많이 써서 거칠거든요. 그렇지 않다면 도와 드리겠지만."

핀천 씨는 정말로 대경실색해서 그녀의 손을 잡고 힘주어 꼭 눌렀다. 입을 맞추었는데 가슴이 너무나 심하게 고동쳐서 분명 그녀가 느낄 수 있으리라 생각했다. 그래도 아무런 반응이 없자 갑자기 분노가 치밀어서 연약한 그 몸을 얼마나 거칠게 흔들어 댔는지, 바로 그다음에는 그런 자신을 인지하고 흠칫 놀랐다. 그는 딸을 감아 안았던 팔을 풀었고, 유연하지만 완전히 무감각한 상태의 앨리스는 그녀를 깨우려는 이러한 시도를 하기 이전과 똑같은 자세로 돌아갔다. 몰이 자세를 바꾸자 그녀의 얼굴이 그쪽으로 돌아갔는데, 아주 약간이긴 했지만 그가 그녀의 깊은 잠을 이끌고 있음을 알려 주는 듯했다.

그러고는 얼마나 기이한 광경이 벌어지던지! 관례를 따르는 귀족이 어떻게 장식 가발에서 하얀 가루를 흩날렸는지! 점잖고 품위 있는 신사가 어떻게 그 위엄을 잃었고, 가슴속에서 고동치는 인간의 심장이 어떻게 분노와 공포, 슬픔으로 격동하면서 금으로 수놓은 조끼가 난롯불에 나풀거리고 번쩍였는지!

"이 망할 자식!" 핀천 씨가 부르쥔 주먹을 몰에게 흔들며 소리쳤다. "너와 네 악마가 작당해 내 딸을 빼앗아 간 거지! 옛날 마법사의 자식 놈아! 내 딸을 돌려줘! 안 그러면 너도 네 할아비를 따라 처형대에 올라가게 될 거다!"

"진정하시죠, 핀천 씨!" 경멸에 찬 채 목수가 침착하게 말했다. "괜찮다면 진정하시죠. 안 그러면 손목의 그 비싼 레이스 주름이 망가질 테니까요! 누런 양피지 문서 하나를 어떻게 손에 넣을 수 있을까 하는 알량한 생각에 당신 딸을 팔아넘긴 것이 내 죄입니까? 저기 앨리스 양이 조용히 잠든 채 있지 않습니까! 어디 목수 따위가 지금까지 봐 온 것처럼 그녀가 아직도 그렇게 거만한지 한번 시험해 봅시다!"

그가 말을 걸자 앨리스는 부드럽고 차분하게 내면으로 복종하며 그에 응했고, 부드러운 바람이 약간 불어올 때의 남포등 불꽃처럼 그에게로 몸을 약간 숙였다. 그는 손짓으로 그녀를 불렀다. 그러자 의식은 없지만 분명 피할 수 없는 확실한 자신의 어떤 중심으로 향하듯이 오만한 앨리스가 의자에서 일어나 그에게로 다가갔다. 그리고 그가 다시 가라는 손짓을 하자 앨리스가 물러나 다시 자리에 앉는 게 아닌가!

"그녀는 내 것입니다! 무엇보다 강력한 정신의 권리에 있어 내 것이란 말입니다!" 매슈 몰이 말했다.

전해 내려오는 이야기는 이후 잃어버린 문서를 찾을 목적으로 목수가 외웠다는 주문(이렇게 부를 수 있다면)에 대한 길고도 기괴한, 그리고 때로 무시무시한 설명을 늘어놓는다. 앨리스를 일종의 망원경과 같은 매체로 만들어서 그것을 통해 핀천 씨와 함께 영적 세계를 들여다보는 것이 그의 목적이었던 듯하다. 그렇게 해서 그는 그토록 소중한 비밀을 지상의 영역 너머까지 지니고 간 죽은 자들과 약간 떨어져서 일종의 불완전한 만남을 가지는 데 성공했다. 최면에 걸린 동안 앨리스는 자신의 영적인 감각에 나타난 세 사람을 묘사했다고 한다. 한 사람은 나이 지긋하고 품위 있는 엄한 얼굴의 신사였는데, 장엄한 행사에 나갈 채비를 한 듯 근엄하고 값비싼 복장을 했지만 화려하게 만들어진 넓은 넥타이에 엄청난 핏자국이 있었다. 두 번째는 초라한 복색에 어둡고 악의에 찬 표정을 한 나이 든 사람으로 목에 잘린 밧줄을 걸고 있었다. 세 번째는 앞선 두 사람만큼 나이를 먹지 않고 중년을 조금 넘긴 정도로 거친 모직 웃옷에 가죽 바지를 입고 있었고 옆 주머니에는 목수의 자가 비죽이 튀어나와 있었다. 환영으로 나타난 이 세 명이 사라진 문서에 대해 함께 알고 있었다. 사실 그 몸짓이 나타내 주는 바에 따르면 그중 한 명이, 그러니까 넓은 넥타이에 핏자국이 있는 사람이 그 문서를 손에 바짝 쥐고 있는 듯했는데, 자신이 맡은 책임을 벗어던지려는 것을 함께 있던 미지의 두 사람이 막고 있었다. 마침내 그가 자신의 영역에서 인간들의 세계에까지 들릴 정도로 큰 소리로 비밀을 발설할 태세를 취하자, 같이 있던 두 사람이 그와 몸싸움을 하면서 손으로 그의 입을 막았다. 그러자 그로 인해 숨이 막힌 것인지 아니면 비밀 자체가 그렇게 진홍색인지 모르겠지만 그의 넥타이 위로 다시 피가 흘러내렸다. 이에 초라한 복색의 두 사람은 너무나 당혹스러워하는 나이 든 고관대작을 비웃고 야유하면서 손가락으로 핏자국을 가리키는 것이었다!

이쯤에서 몰은 핀천 씨에게로 눈길을 돌렸다.

"이 일은 절대 허락되지 않을 것입니다! 후손들을 그렇게 부유하게 할 이 비밀을 간직하는 일은 당신 할아버지에 대한 천벌의 한 부분입니다. 그것이 하등의 가치도 없을 때까지 그것으로 목이 막혀 있어야 합니다. 그리고 일곱 박공의 집은 그냥 가지시오! 너무 큰 대가를 치르고 얻은 상속물인 데다 거기 씌워진 저주로 너무 무거워서 한동안은 대령의 후손에게서 떨어져 나갈 수 없을 테니까요!" 그가 말했다.

핀천 씨는 뭐라고 말을 하려 했으나 너무 분개하기도 하고 두렵기도 해서 그저 목에서 쿨럭거리듯 중얼대는 소리밖에는 나오지 않았다. 목수가 미소를 지었다.

"아, 존경하옵는 나리! 당신도 옛날 몰의 피를 마시게 되었군요!" 그가 조롱하며 말했다.

"이 인간의 탈을 쓴 악마 같으니! 왜 내 자식을 맘대로 주무르느냐?" 목이 메어 나오지 않던 말을 토해 내며 핀천 씨가 소리쳤다. "내 딸을 돌려줘! 그리고 넌 네 길을 가거라. 그럼 우리가 다시 만날 일은 절대 없을 것이다!"

"당신 딸이라고!" 매슈 몰이 말했다. "아니, 그녀는 완전히 내 것이라니까! 어쨌든 앨리스 아씨를 너무 심하게 다루면 안 되니까 당신에게 맡겨 두겠습니다. 하지만 그녀가 목수인 몰을 기억할 일이 없을지는 장담을 못합니다."

그가 위쪽으로 손을 흔들었다. 그리고 같은 동작을 몇 번 더 하자 아름다운 앨리스 핀천은 이상한 최면 상태에서 깨어났다. 깨어났으나 환영처럼 겪은 일은 조금도 기억하지 못했다. 화덕에서 잦아들던 불길이 다시 굴뚝으로 흔들리며 올라가는 만큼의 아주 잠깐 동안 일시적으로 딴생각에 빠져 정신을 놓았다가 실제의 삶을 다시 의식하게 된 것과 비슷했다. 매슈 몰을 알아보고는 약간 냉담하면서도 상냥함을 보이는 기품 있는 태도를 취했다. 목수가 얼굴에 특이한 미소를 띠고 있었고 그것이 고운 앨리스의 타고난 자존심을 건드렸기 때문에 더욱 그러했다. 그렇게 해서 동쪽에 있는 핀천 토지에 대한 사라진 권리 증서를 찾는 일은 당분간 마무리되었다. 또한 이후에도 종종 그 일이 계속되기는 했지만 핀천 집안의 그 누구에게도 그 양피지 문서가 눈에 띄는 일은 없을 것이었다.

그러나 아름답고 상냥하지만 너무나 도도했던 앨리스는 어쩔 것인가! 자신은 상상도 못할 어떤 힘이 연약한 처녀의 영혼을 그러쥐었다. 자신의 것과는 너무 다른 의지가 그녀로 하여금 기괴하고도 터무니없는 명령을 따르도록 했다. 그녀의 아버지가 에이커 대신 마일로 땅을 측정하려는 무지막지한 욕망으로 그녀를 희생시킨 사실이 드러났다. 그래서 앨리스 핀천이 살아 있는 동안 그녀는 몸을 사슬로 감싸는 속박보다 더 치욕스럽고 수천 배 더 강하게 매인 몰의 노예였다. 몰은 초라한 자신의 난롯가에 앉아 그저 손만 흔들면 되었다. 그러면 도도한 아가씨가 어디 있든지 간에, 자기 침실에 있든 아버지의 위엄 있는 손님들과 함께 있든 아니면 교회에서 예배를 드리고 있든지 간에 장소와 하는 일에 상관없이 그녀의 정신은 자신의 통제를 벗어나 몰의 말을 따랐다. "앨리스, 웃어라!" 목수는 화롯가에서 그렇게 말하거나 말하지 않고도 일부러 그렇게 하도록 만들곤 했다. 그러면 기도 중이든 장례식장에 있든 앨리스는 정신없이 웃음을 터뜨렸다. "앨리스, 슬퍼해라!" 그러면 그 즉시 눈물을 뚝뚝 흘려서 마치 모닥불에 갑자기 비가 쏟아지듯이 주변 사람들의 흥을 깨는 것이었다. "앨리스, 춤춰라!" 그러면 춤을 추었는데 그녀가 외국에서 배웠던 품격 있는 무용이 아니라, 시골 잔치에서 까불거리는 시골 처녀들에게나 어울리는 빠른 박자의 지그나 폴짝거리며 뛰는 리고동 같은 춤을 추는 것이었다. 몰이 원했던 것은 앨리스를 파멸시킨다거나 종국에는 비극적 위엄으로 그녀의 슬픔을 장식할 수 있도록 그녀에게 어떤 사악하고 엄청난 불행이 닥치게 하는 것이 아니라 천하고 비열한 경멸을 쏟아붓는 것이었다. 그렇게 해서 삶의 모든 위엄을 잃어버리도록 말이다. 그녀는 너무나 굴욕스러워서 차라리 기어 다니는 벌레와 운명을 바꾸는 게 낫겠다 싶었다.

어느 날 결혼식 파티에서(물론 그녀의 결혼식은 아니다. 그녀는 그렇게 자기 통제력을 상실한 상태에서 결혼을 한다는 것은 죄악이라고 생각했을 것이다.) 그녀는 보이지 않는 자신의 폭군에게 불려서 하늘거리는 흰 드레스를 입고 공단 신발을 신은 채 급히 거리를 따라 내려가 일꾼들이 사는 누추한 집으로 가게 되었다. 안에서는 웃음소리와 유쾌한 환호 소리가 들렸다. 왜냐하면 그날 밤 매슈 몰은 그 일꾼의 딸과 결혼을 하게 되었고 자기 신부의 시중을 들라고 불쌍한 앨리스 핀천을 불렀던 것이다. 그래서 앨리스는 하라는 대로 했다. 신랑 신부가 하나로 엮였을 때 앨리스는 마법에 걸린 잠에서 깨어났다. 그러나 앨리스는 더 이상 거만을 떨지 않고 공손하게 슬픔으로 가득한 미소를 지으며 몰의 부인에게 입을 맞추고 집을 나섰다. 날씨가 험악한 밤이었다. 남동풍에 휘날린 진눈깨비가 그녀의 얇은 옷을 뚫고 가슴속으로 파고들었고, 진흙투성이의 보도를 터벅거리며 걸어가는 공단 신발은 완전히 젖어 버렸다. 다음 날 그녀는 감기에 걸렸고 곧 기침을 계속하더니 고열로 얼굴이 붉어지고 점점 기력이 쇠한 채로 하프시코드에 앉아 온 집안을 음악으로 가득 채우는 것이었다! 천상의 성가대원의 운율이 되울려 퍼지는 그 음악! 아, 기뻐하라! 앨리스는 자신의 마지막 치욕을 견뎌 냈으니! 아, 더욱 기뻐하라! 앨리스는 단 하나의 인간적 죄를 참회해 더 이상 오만하지 않았으니!

핀천 가문은 앨리스의 장례를 장대하게 치러 주었다. 온갖 일가친척들이 모두 모였을 뿐 아니라 그 마을의 고관대작들도 모두 왔다. 하지만 장례 행렬의 마지막에 매슈 몰이 있어, 자신의 심장을 물어뜯어 두 동강이라도 낼 듯이 이를 갈고 있었다. 이제껏 망자를 따라 걸어간 사람 중에서 아마 가장 암울하고 슬픔 가득한 사람이었을 것이다. 그는 앨리스의 오만한 콧대를 꺾으려 했을 뿐이지 죽일 생각은 아니었다. 그러나 그는 한 여성의 섬세한 영혼을 무지막지하게 그러쥐어 장난을 쳤고, 그래서 그녀는 죽은 것이다!

14
피비의 작별

홀그레이브는 자기 이야기에 온 힘을 다해 빠져드는 젊은 작가들이 통상 그렇듯이 자신의 몸짓을 통해 전개되고 예시될 수 있는 부분에서 손짓 발짓을 상당히 섞어 가며 이야기했다. 그러다가 그는 아마도 독자들 자신에게도 밀려드는 졸음과는 완전히 다른 어떤 두드러진 졸음이 이야기를 듣고 있는 소녀의 감각을 뒤덮었음을 알게 되었다. 의심할 바 없이 그것은 최면을 거는 목수라는 인물을 피비가 실제로 느낄 수 있도록 하기 위해 그가 사용한 신비로운 몸짓의 결과였다. 눈꺼풀이 눈 위를 축 덮은 채, 그녀는 잠깐 눈을 떴다가는 천근만근 되는 무게에 다시 눈꺼풀이 쳐지면서 그를 향해 약간 몸을 기울인 채 그와 숨소리까지 거의 맞추고 있는 듯했다. 홀그레이브가 원고를 감아 말면서 그녀를 보았을 때, 자신이 보통 이상의 능력을 가지고 있다고 피비에게 말했던 바로 그 신기한 심리적 상태의 초기 단계임을 알아차렸다. 일종의 장막이 그녀 주변을 감싸기 시작했고, 그녀는 그 속에서 오직 그만을 보고 그의 생각과 감정 속에서 살 수 있었다. 그가 어린 처녀에게 시선을 고정했을 때 자신도 모르게 시선이 더욱 집중되었다. 그의 태도는 어떤 힘을 의식하고 있음을 나타내면서, 육체적으로 표현되는 것이 아닌 위엄을 아직 제대로 성숙하지 못한 그의 몸에 부여하고 있었다. 그가 그저 손만 흔들면서 그에 맞추어 의지를 행사하면 아직 자유로운 피비의 순결한 영혼에 대한 지배력을 완성할 수 있음이 분명했다. 이야기에 등장한 목수가 불행한 운명을 타고난 앨리스에게 행사했던 것과 마찬가지로 위험하고 아마도 그만큼 비참한 결과를 가져올 영향력을 이 착하고 순수하면서 소박한 아이에게 행사할 수 있는 것이다.

홀그레이브처럼 사색적이면서 또한 행동적인 기질의 사람에게 인간의 영혼에 대한 절대적 지배를 가질 수 있는 기회만큼 커다란 유혹은 없다. 또한 어린 처녀의 운명을 좌지우지할 수 있다는 생각만큼 젊은 청년에게 매력적인 것도 없다. 그러므로 그의 본성이나 교육에서 부족한 점이 무엇이든, 그리고 그가 아무리 교의와 제도를 경멸하더라도 다른 사람의 독자성을 존경하는 고귀하고도 드문 자질이 은판 사진사에게 있음을 인정하도록 하자. 또한 이후로 영원히 신뢰해도 될 정직함도 인정하도록 하자. 왜냐하면 그는 피비에 대한 주문을 확고하게 만들 마지막 하나의 고리를 잇는 일을 스스로에게 허락하지 않았기 때문이다.

그가 손을 들어 위쪽으로 약간 움직였다.

"당신은 정말 나를 창피하게 만드는군요, 피비!" 그가 반쯤 냉소적인 미소를 그녀에게 지어 보이며 크게 말했다. "너무나 분명한 사실이긴 하지만 내 보잘것없는 이야기가 고디나 그레이엄 같은 잡지용은 결코 아니겠지요! 신문의 비평가들에게서 정말 뛰어나고 강력하며 상상력이 뛰어나면서도 애절하고 독창적인 결말이라는 평가를 받기 원하는 내 얘기를 들으며 당신이 곯아떨어졌다는 것만 봐도 알잖아요! 뭐, 이 원고는 태워서 호롱불이나 밝혀야 할까 봐요. 정말이지 내 고상한 지루함에 그렇게 흠뻑 젖었다면 불이 붙기나 할지 모르겠지만!"

"내가 잠이 들었다고요? 어떻게 그런 말을 할 수 있어요?" 절벽 바로 앞에서 막 굴러떨어지기 직전까지 갔던 어린아이처럼 자신이 겪은 위기는 알지 못한 채 피비가 대답했다. "아니에요, 아니에요! 전 아주 주의 깊게 듣고 있었다고 생각해요. 어떤 사건이었는지 아주 확실히 기억은 나지 않지만 엄청난 괴로움과 불행이 일어났다는 느낌은 있어요. 그러니까 분명 그 이야기는 정말이지 재미있을 거예요."

이쯤에 해는 이미 기울어 머리 꼭대기로 흐르는 구름들을 밝은 색깔로 물들이고 있었는데, 그 색깔은 해가 지고 난 뒤 얼마 후에야, 그리고 지평선에서 그 선명한 화려함이 완전히 사라지고 나야 눈에 띌 것이다. 대중 정서에 널리 보급된 색깔을 취함으로써 자신의 야심찬 목적을 숨기는 야심만만한 정치가처럼, 한참 전에 머리 위로 올라와 눈에 띄지 않게 둥근 테를 창공 속으로 녹이는 달 역시 그 길의 중간쯤에서 널찍하니 둥글게 비추기 시작했다. 이미 이 은빛 광선은 여전히 머물고 있는 햇빛의 특성까지 바꾸어 놓을 정도로 강력해서, 낡은 집의 면모를 부드럽게 만들면서 아름답게 꾸몄다. 비록 여러 박공의 귀퉁이마다 깊숙이 그림자가 져서 튀어나온 층의 아래나 반쯤 열린 문 안쪽으로 조용히 들어앉아 있지만 말이다. 매 시간이 지남에 따라 정원은 갈수록 그림처럼 생생해졌다. 과실수와 관목들, 그리고 꽃나무들이 그 사이에서 어두컴컴한 모습으로 있었다. 한낮이라면 지저분한 생활이 한 세기 동안은 지속되며 축적했을 법한 평범한 특성들이 이제 로맨스의 매력으로 아름답게 바뀌었다. 바다에서 불어오는 약한 바람이 그 사이를 스치며 나뭇잎들을 흔들어 놓을 때면 수백 년의 신비로운 세월이 나뭇잎 사이로 속삭였다. 작은 정자의 지붕을 덮은 잎들 사이로 달빛이 이리저리 반짝이다가, 나뭇가지 사이 벌어진 틈새나 제멋대로 난 틈이 빛을 들이거나 가로막음에 따라 끊임없이 움직이고 노닐면서 거무스름한 바닥과 탁자, 둥근 벤치 위로 하얗게 은빛으로 떨어졌다.

열에 들뜬 듯 찌던 낮이 기운 후 공기는 그토록 기분 좋게 시원해, 여름날의 이브가 은빛 화병에 약간 쌀쌀맞은 기질을 담아 흐르는 달빛과 이슬을 뿌린다고 상상할 수도 있을 터였다. 여기저기서 이러한 상큼함이 사람의 마음에 방울방울 뿌려지고 그를 다시 젊어지게 하며 자연의 영원한 젊음과 공감하도록 했다. 그 예술가의 마음이 지금 이렇게 생기를 주는 힘이 깃드는 곳이었다. 사람들 사이에서 너무나 일찍이 거칠게 부대끼고 애쓰느라 때로는 거의 잊어버리기도 하지만, 그는 자신이 이 속에서 여전히 얼마나 젊은지를 느끼게 되었다.

“마치 한 번도, 이렇게 아름다운 저녁이 다가오는 것을 본 적도 없고 행복이라고 할 만한 것을 지금처럼 느껴 본 적도 없는 것 같아요. 어쨌든 우리가 사는 세상은 얼마나 좋은 곳인지! 얼마나 선하고 아름다운지! 정말로 썩어 버렸거나 벌레 먹은 것이라고는 없이 또한 얼마나 젊고 기운찬지! 예를 들어 때때로 목재가 썩어 가는 냄새로 정말로 숨이 막혀 버릴 것만 같은 이 오래된 집을 봐요! 그리고 내가 마치 무덤을 파는 교회 관리인이나 되는 듯이 검은곰팡이가 항상 내 삽에 들러붙어 떨어지지 않는 이 정원은 어떻고! 지금 나를 사로잡은 이 느낌을 계속 간직할 수 있다면 이 정원은 매일매일 콩이며 호박에서 최초의 땅이 가진 신선함의 향내가 나는 처녀지일 텐데. 이 집은! 이 집은 신이 창조한 가장 이른 장미가 잔뜩 피어 있는 에덴동산의 정자와 같을 거고. 달빛과 그에 반응하는 인간 마음속의 정서야말로 가장 훌륭하게 변화하고 개선되는 것이지. 그 외의 다른 개혁과 개선은 내 생각에 결국 달빛만 하지 못할 거예요!” 그가 말했다.

“저는 줄곧 지금보다 행복하게 살아왔어요. 적어도 훨씬 명랑했죠.” 피비가 생각에 잠겨 말했다. “하지만 이렇게 환한 달빛에 놀라운 매력이 있다는 건 느낄 수 있어요. 그리고 피곤하기는 하지만 하루가 그렇게 빨리 어제가 되는 것이 싫어서 내키지 않는 듯 느릿느릿 지나가는 것을 지켜보는 게 좋아요. 전에는 달빛을 그다지 좋아하지 않았는데. 오늘 달빛이 이렇게 아름다운 건 무슨 까닭인지 모르겠네요.”

"그런데 전에는 느끼지 못했다고요?" 예술가가 어스름 빛에서 진지하게 소녀를 보면서 물었다.

"한 번도요." 피비가 대답했다. "그리고 이제 그것을 느끼게 되니까 삶도 달라 보여요. 마치 지금까지는 모든 것을 환한 햇빛 속에서나, 아니면 방 전제를 춤추듯 흔들리며 비추는 유쾌한 화롯불의 불그레한 빛으로만 봐 온 게 아닌가 싶네요. 아, 한심해라!" 약간 울적하게 웃으며 그녀가 덧붙였다. "헵지바 아주머니와 불쌍한 클리퍼드 아저씨를 몰랐던 때처럼 그렇게 즐겁게 살지는 못할 거예요. 이 짧은 시간에 아주 많이 나이를 먹어 버렸나 봐요. 나이가 들고, 바라건대 더 현명해지면서, 딱히 슬픔이 많아진 것은 아니지만 확실히 내 영혼에 예전의 명랑함이 반도 남아 있지 않아요! 그분들에게 내 햇빛을 비춰 주었고, 또 그럴 수 있어서 기뻤어요. 하지만 응당 나눠 주다 보면 내 것은 줄어드는 거죠. 물론 그래도 괜찮지만요!"

"간직할 만한 가치가 있는 것이든 간직할 수 있는 것이든 당신이 잃은 것은 없어요, 피비." 잠깐 사이를 두고 홀그레이브가 말했다. "아주 젊은 시절은 중요하지 않아요. 왜냐하면 그것이 지나가 버리고 난 다음이 아니면 절대 인식하지 못하니까요. 하지만 때로는, 너무나 불행한 경우가 아니라면 항상 그렇지 싶은데, 사랑에 빠졌을 때 마음속의 기쁨에서 뿜어져 나오는 두 번째 젊음을 느낄 수 있죠. 혹은 삶의 다른 성대한 향연이 있다면 그것의 마지막을 장식하게 되겠지요. 당신이 지금 그렇듯이 맨 처음의 경솔하고 얕은 젊음의 명랑함이 사라졌다고 이렇게 슬퍼하고 또 젊음을 다시 찾으면서 이렇게 깊은 행복감을 느끼고, 우리가 잃어버린 것보다 훨씬 더 깊고 풍부한 행복을 느끼는 것이 영혼의 발전에 꼭 필요하다고 봐요. 어떤 경우에 그 두 상태가 거의 동시에 와서 하나의 신비로운 감정 속에 슬픔과 환희가 뒤섞이기도 하죠."

"당신 말을 잘 이해하지 못하겠어요." 피비가 말했다.

"당연하죠." 홀그레이브가 미소를 지으며 대답했다. "내가 이 말을 하기 직전까지 나 스스로도 거의 인식하지 못했던 비밀을 당신에게 얘기한 거니까요. 하지만 이건 꼭 기억해요. 진실이 당신에게 분명해질 때 이 달빛 풍경을 생각하라는 것!"

"이젠 완전히 달빛만 있어요. 서쪽 위로 건물들 사이에 흐릿하게 남아 있는 약간의 진홍빛을 빼고는요." 피비가 말했다. "들어가 봐야겠어요. 헵지바 아주머니는 셈이 빠르지 못해서 내가 도와 드리지 않으면 하루치 매상을 계산하느라 머리가 지끈거리실 테니까."

그러나 홀그레이브는 그녀를 좀 더 붙잡았다.

"헵지바 아주머니 말씀으로는, 며칠 있다가 당신이 시골로 돌아간다던데." 그가 말했다.

"그래요, 하지만 잠깐만 다녀올 거예요. 지금은 이 집이 내 집이라고 생각하거든요. 가서 몇 가지 정리를 좀 하고 엄마와 친구들에게도 제대로 작별 인사를 하려고요. 자신을 원하는 사람이 있어 소용이 되는 곳에서 사는 게 좋은 일인데, 여기서는 내가 그런 만족감을 가질 수 있거든요." 피비가 말했다.

"분명 당신이 이 집에서 그렇죠, 당신이 생각하는 것보다 훨씬 더." 예술가가 말했다. "이 집에 존재하는 얼마 안 되는 건강이나 편안함, 자연스러운 삶은 모두 당신이라는 사람으로 나타나요. 이 은총이 당신과 함께 왔으니 당신이 문지방을 넘는 순간 사라질 거예요. 헵지바 아주머니는 사회로부터 스스로 고립되어 사회와의 진정한 관계를 모두 상실했고, 사실상 죽은 거나 마찬가집니다. 비록 스스로에게 마구 힘을 불어넣어 사람들이 엄청 싫어하는 오만상으로 세상 사람들을 괴롭히며 계산대 뒤에 서서 삶과 비슷한 것을 영위하고는 있지만 말이에요. 불쌍한 당신의 클리퍼드 아저씨도 마찬가지로 이미 죽어서 묻힌 지 오래된 사람이죠. 주지사와 의회가 강신술 같은 기적을 행했지만 말입니다. 당신이 떠난 후 어느 날 아침 그분이 부서져 내려 흙 한 더미 외에 아무것도 안 남아 있다 해도 놀랄 일은 아니죠. 어쨌든 헵지바 아주머니는 그나마 가지고 있던 융통성조차 상실하겠지만. 그분들 모두 당신으로 인해 살아가니까!"

"정말 안된 일이지만 내 생각도 비슷해요." 피비가 근심스럽게 대답했다. "하지만 별것 아닌 내 능력을 그분들이 정말 필요로 하는 건 사실이죠. 그리고 그분들이 정말 잘 살았으면 하는 마음이 있는데, 좀 기이한 모성애처럼 말이에요, 당신이 비웃지 않았으면 좋겠네요. 그리고 솔직히 말하면, 홀그레이브 씨, 당신이 그분들이 잘되기를 바라는지 못되기를 바라는지 때로 잘 모르겠어요."

"틀림없이, 이 가난에 찌든 노쇠한 노처녀 부인과 완전히 망가져 퇴행한 신사이자 꿈이 꺾여 버린 미의 애호가에게 지대한 관심이 있어요. 무력하고 나이 많은 아이 같은 사람들이니 물론 따뜻한 관심이지요. 하지만 나의 마음이 당신의 마음과는 얼마나 다른 종류의 것인지 당신은 전혀 알지 못해요. 이 두 사람과 관련해서 그들을 돕든지 방해하든지 하는 것은 전혀 나의 방식이 아니에요. 그냥 바라보면서 분석하고, 스스로에게 그 문제를 설명하면서 당신과 내가 지금 밟고 있는 이 땅 위에서 거의 이백 년 가까이 느릿느릿 계속 펼쳐지는 드라마를 이해하고자 하는 거죠. 그 결말을 지켜볼 수만 있다면 그 방향이 어떻게 되든 거기서 확실히 도덕적인 만족을 끄집어내기는 하겠죠. 이제 그 끝이 멀지 않았다는 확신이 내겐 있어요. 하지만 비록 신의 섭리에 의해 당신은 도움을 주러 왔고 나는 단지 특전을 받은 알맞은 구경꾼으로 왔지만 이 불행한 사람들에게 내가 할 수 있는 도움은 무엇이든 줄 것을 맹세할 수 있어요!" 은판 사진사가 말했다.

"당신이 좀 더 단순하게 얘기했으면 좋겠어요!" 당혹스럽고 불편해진 피비가 큰 소리로 말했다. "특히 당신이 기독교인이자 같은 인간으로서 느낄 수 있었으면 좋겠고요! 어떻게 고통 받는 사람들을 보면서 그 무엇보다 그들을 돕고 위안을 주기를 바라지 않을 수가 있어요? 마치 이 집이 무슨 극장이나 되는 것처럼 말을 하네요. 헵지바 아주머니와 클리퍼드 아저씨의 불행과 그분들 이전 세대의 불행을, 내가 예전에 시골 호텔의 강당에서 본 것과 같은 비극 공연처럼 보는 것 같아요. 단지 이분들은 오직 당신만이 즐길 수 있다는 점만 다르군요. 맘에 안 들어요. 그런 공연은 연기자에게 너무 큰 희생을 요구하고, 게다가 관객은 너무 냉정해요!"

"신랄하군요!" 홀그레이브가 말했는데, 자신의 기분에 대한 이 통렬한 분석에 일말의 진실이 있음을 인정하지 않을 수 없었다.

"그리고" 하며 피비가 말을 이었다. "아까 말한, 끝이 멀지 않았다는 확신이 도대체 무슨 의미죠? 불쌍한 두 분에게 또 어떤 다른 어려움이 닥친다는 건가요? 그렇다면 지금 당장 말해요. 그러면 여기를 떠나지 않을 테니까!"

"용서해요, 피비!" 은판 사진사가 말하며 손을 내밀었고, 피비는 자신의 손을 내주지 않을 수 없었다. "사실을 털어놓자면 내가 좀 신비주의자예요. 최면술사의 능력과 더불어 그런 경향이 내 핏속에 흐르는데, 마녀사냥을 하던 그 옛날이라면 처형감이죠. 날 믿어요. 내가 당신의 친구들, 마찬가지로 내 친구들이기도 한 그들에게 도움이 될 만한 어떤 비밀을 정말 알고 있다면 우리가 헤어지기 전에 꼭 당신에게 알려 줄게요. 하지만 그런 비밀은 아는 바가 없어요."

"뭔가 숨기는 게 있잖아요!" 피비가 말했다.

"전혀. 내 비밀 말고는 어떤 비밀도 없어요." 홀그레이브가 대답했다. "사실은 클리퍼드 아저씨를 파멸시키는 데 커다란 역할을 했던 핀천 판사가 아직도 그분을 예의 주시하고 있단 걸 느낄 수 있어요. 하지만 무슨 동기와 의도로 그러는지는 나도 알 수 없어요. 그는 심문관에 아주 적합한 성격을 지닌 단호하고 무자비한 사람이죠. 그래서 만약 클리퍼드 아저씨를 고문해서 얻을 만한 이득이 있다면 그는 그것을 얻기 위해 그분의 사지를 서슴없이 뽑아 버릴 인간이라고 믿어 의심치 않아요. 그런데 그렇게 부유하고 특출한 데다 자신의 권력만 해도 상당하고 사방에서 사회적 지지까지 받는 사람인 핀천 판사가 허약하고 아주 무감각한, 오명을 뒤집어 쓴 클리퍼드 아저씨에게 바랄 거나 그를 두려워할 게 도대체 뭐가 있을까요?"

"어쨌든" 하고 피비가 재촉하듯 말했다. "곧 불행이 닥칠 것처럼 말하고 있잖아요!"

"아, 그건 내가 병적인 데가 있어서 그래요!" 예술가가 대답했다. "내 마음에 좀 꼬인 구석이 있거든요. 당신만 빼고 거의 모든 사람들이 그렇지만. 게다가 나 자신이 오래된 핀천 저택의 동거인이 되어 이 오래된 정원에 앉아 있는 게(들어 봐요, 몰의 우물에서 샘물이 퐁퐁 솟아나는 소리를!) 하도 이상해서 단지 이 정황 하나만으로도 운명의 여신이 파국에 이르는 5막을 준비하고 있다는 상상이 드는 걸 어쩔 수가 없어요."

"그것 봐요!" 피비가 또다시 당혹스러워하며 소리쳤다. 왜냐하면 그녀는 햇빛이 어두운 구석을 싫어하듯이 천성적으로 불가사의함에 대해 반감이 있었기 때문이다. "당신은 갈수록 정말 알 수 없군요!"

"그러면 친구로 헤어집시다!" 홀그레이브가 그녀의 손을 꼭 누르며 말했다. "아니면 친구까지는 안 되더라도 당신이 나를 아주 미워하기 전에 헤어져요, 세상의 다른 모든 사람은 사랑하는 사람인 당신이!"

"안녕히 가세요, 그럼." 피비가 솔직하게 말했다. "한참 동안 화를 낼 생각은 아니었는데 당신이 그렇게 생각하다니 유감이에요. 저기 헵지바 아주머니가 어둑한 문간에 계속 서 계셨는데, 십오 분이나 지났네! 내가 축축한 정원에서 너무 오래 있다고 생각하실 거예요. 그럼 안녕히 주무시고요, 안녕히 계세요!"

그로부터 이틀째 되는 아침에 밀짚모자를 쓰고 한쪽 팔에는 숄을 걸치고 다른 한 손엔 작은 손가방을 든 채 헵지바와 클리퍼드에게 작별 인사를 하는 피비를 볼 수 있을 것이다. 그녀는 고향 마을에서 9킬로미터 정도 떨어진 곳으로 그녀를 데려다 줄 다음 열차 칸에 자리를 잡을 것이다.

피비의 눈에 눈물이 고였다. 애정 어린 미련으로 촉촉한 미소가 상냥한 입가에서 빛나고 있었다. 이 침울한 고택에서 지낸 몇 주의 생활이 어떻게 그렇게 그녀를 사로잡게 되었는지, 그리고 자신의 관계 속으로 녹아들어서 이제 그전에 지나간 모든 것들보다 더 중요한 기억의 중심이 되었는지 스스로도 놀라웠다. 험상궂은 데다 말이 없고, 차고 넘치는 그녀의 다정다감한 마음에도 반응이 없는 헵지바가 어떻게 그렇게 많은 사랑을 받게 되었을까? 그리고 무시무시한 범죄의 비밀에 쌓여 있고 아직도 내쉬는 숨에 밀폐된 감옥의 공기가 숨어 있는, 완전히 쇠락해 없어지려다 만 클리퍼드, 그는 또 어떻게 순진무구한 아이가 되어서 피비는 자신이 그를 돌봐 줘야 한다고, 말하자면 아무도 신경 쓰지 않을 때의 신의 섭리가 되어야 한다고 느끼게 되었을까! 작별 인사를 하는 그 순간에 모든 것이 두드러지게 그녀의 시야에 들어왔다. 그녀가 어디를 바라보든, 무엇에 손을 얹든, 마치 촉촉한 인간의 심장이 그 안에 있는 듯 대상은 그녀의 의식에 반응했다.

그녀는 창문으로 정원을 내다보면서, 고향의 소나무 숲과 신선한 클로버 밭의 향기를 다시 맡게 되어 기쁘기보다는 그렇게 수십 년 잡풀이 자라서 망가진 이 검은 흙의 장소를 떠나는 것에 더욱 마음이 아팠다. 그녀는 수탉과 그의 두 아내, 그리고 소중한 병아리를 불러서 아침 식탁에서 남은 빵 부스러기를 던져 주었다. 그들은 그것을 급하게 마구 먹어 치웠고, 병아리는 날개를 펴고 피비 가까이 창틀 위로 살짝 날아와 앉아 심각하게 그녀의 얼굴을 쳐다보면서 깍깍 목쉰 소리로 마음을 표현했다. 피비는 병아리에게 자신이 없는 동안 착하게 잘 지내라고 하면서 올 때 메밀을 한 자루 가져다주겠다고 약속했다.

"아, 피비." 헵지바가 말했다. "넌 우리에게 올 때만큼 그렇게 자연스럽게 웃지 않는구나! 그때는 미소가 알아서 펴져 나왔는데, 이제는 네가 미소를 지으려고 하니 말이다. 돌아가서 잠시 동안 네 고향의 공기를 마시는 게 좋을 게다. 네 영혼에 너무 많은 짐이 얹혀 있었어. 이 집은 너무 음울하고 적적하니까. 가게는 골칫거리투성이에. 그리고 나로 말하면 무엇이든 실제보다 더 밝게 보이도록 하는 능력은 없잖니. 클리퍼드 오라버니가 너의 유일한 위안이었을 텐데!"

"이리 와라, 피비!" 아침 내내 거의 말을 하지 않던 클리퍼드가 갑자기 소리쳤다. "가까이, 더 가까이, 그리고 내 얼굴을 봐!"

피비는 그가 원하는 만큼 주의 깊게 자신의 얼굴을 볼 수 있도록 그가 앉은 의자의 양쪽 팔걸이에 작은 손을 얹고 그를 향해 얼굴을 기울였다. 헤어지는 지금 이 시간의 보이지 않는 감정이, 무뎌지고 연약해진 그의 감각을 어느 정도 되살린 것일 수도 있다. 어쨌든 피비는 곧 예언자의 심오한 통찰력까지는 아니더라도 여성적인 섬세한 감상 이상의 것이 자기 마음을 시선의 주체로 만들고 있다는 것을 느꼈다. 바로 직전까지는 어떤 것도 감추고 싶지 않았다. 그러나 지금 다른 사람의 지각을 매개로 그녀의 의식이 어떤 비밀을 슬쩍 알아채기라도 한 듯 그녀는 클리퍼드의 시선 앞에서 눈을 내리깔고 싶어졌다. 얼굴 또한 갑작스럽게 붉어졌는데, 애써 그것을 누르려 할수록 더욱 붉어져서 얼굴 전체가 완전히 붉은빛으로 변해 버렸다.

"이제 됐다, 피비!" 클리퍼드가 울적한 미소를 지으며 말했다. "처음 너를 보았을 때 세상에서 가장 예쁜 어린 처녀였는데, 이젠 깊은 아름다움을 갖게 되었구나. 소녀가 성숙해서 여자가 되었어. 꽃봉오리였던 것이 활짝 핀 거지! 이제 가려무나! 예전보다 더 외롭구나."

피비는 고독한 두 사람에게 작별 인사를 하고 가게를 통과해 지나가면서 눈꺼풀을 깜박여 눈물방울을 떨어냈다. 아주 잠깐 동안 자리를 비우는 것이므로 그에 대해 그렇게 낙담하는 게 바보 같다는 생각에, 정말 눈물이 나는 것을 인정하고 손수건으로 그것을 닦을 마음이 들지 않았기 때문이다. 문간에서 그녀는, 우리 이야기의 초반에 놀라운 식욕을 자랑했던 어린 소년을 만났다. 진열창에서 자연사에 속한 어떤 동물(눈물로 눈이 너무 흐려져서 그것이 토끼인지 하마인지 정확히 알 수가 없었다.)을 집어 작별 선물로 아이의 손에 쥐어 주고는 길을 재촉했다. 연로한 베너 아저씨가 어깨에 목마와 톱을 얹고 막 문을 나서고 있었다. 그러고는 가는 길이 같은 방향이라 거리를 터벅거리며 걸어와 주저 없이 피비와 함께 길을 갔다. 그가 비록 누더기 옷을 걸치고 낡아 빠진 모피 모자를 쓰고 아마천으로 만든 이상한 모양의 바지를 입었지만 그녀 역시 그를 지나쳐 갈 생각은 전혀 들지 않았다.

"다음 일요일 오후에 네가 보고 싶을 거야." 거리 철학자가 말했다. "어떤 사람은 정말 짧은 시간 만에도 누군가에게 숨 쉬는 것처럼 자연스러워진다는 게 정말 불가사의해. 그리고 실례가 될지 모르겠지만, 나처럼 늙은이가 그런 말을 한다고 맘 상하지는 않을 테니, 피비 양, 네가 딱 나한테 그런 존재가 되었어! 나는 너무 긴 세월을 살았고 네 삶은 이제 시작일 뿐인데도, 마치 내 어머니 집 문간에서 너를 만났고 그때부터 내내 마치 포도 덩굴이 자라듯 내가 가는 길을 따라 계속 꽃을 피워 온 것처럼 네가 나한테 정말 친숙하니 말이야. 곧 다시 돌아오렴, 아님 난 내 농장에 가 버릴지도 몰라. 이제는 허리가 아파서 톱질하는 일도 좀 버거워지기 시작했거든."

"곧 올게요, 베너 아저씨." 피비가 대답했다.

"저기 저 불쌍한 사람들을 봐서라도 되도록 빨리 와." 그가 말을 이었다. "이제 저들은 너 없으면 살지 못해. 절대로, 피비, 절대로. 하느님의 천사 하나가 함께 살면서 음산한 집을 유쾌하고 편안하게 만들어 준 다음에 그렇듯이 말이야. 이렇게 즐거운 여름날 아침에 천사가 날개를 펴고는 자기가 원래 살던 곳으로 날아가 버린다면 그들이 정말 처량한 신세가 되지 않겠어? 뭐, 너는 기차로 고향에 돌아가지만 그들이 느끼는 건 마찬가지라는 거지! 견디기 어려울 거야, 피비. 그러니까 꼭 빨리 돌아와야 해!"

"전 천사가 아니에요, 베너 아저씨." 미소를 띤 피비가 거리 모퉁이에서 그에게 손을 내밀며 말했다. "하지만 미약하나마 자신이 할 수 있는 선행을 할 때만큼 사람들이 스스로 천사 같다고 느끼는 때는 아마 없겠지요. 그러니까 전 분명 돌아올 거예요!"

홍안의 소녀와 노인은 그렇게 헤어졌다. 그리고 피비는 베너 아저씨가 그렇게 자비롭게 비유한 천사가 가진 공기의 이동 수단을 부여받기라도 한 듯이 아침의 기운찬 날갯짓을 하며 그렇게 순식간에 사라져 버렸다.

15

찌푸린 얼굴과 미소

일곱 박공의 집에서는 무겁고 황량하기 이를 데 없는 며칠이 지나갔다. 하늘과 땅 전체의 음산함을 피비가 떠났다는 단 하나의 불운한 사실로 돌리려는 게 아니라 사실 동쪽에서 태풍이 몰려와 지치는 기색도 없이 낡은 집의 거무스레한 지붕과 벽을 전보다 더욱 쓸쓸하게 만드는 데 열심이었다. 하지만 그 내부는 쓸쓸하기가 바깥 모양에 비할 바 아니었다. 불쌍한 클리퍼드는 곧바로 얼마 되지도 않는 유흥거리를 완전히 그만두었다. 피비가 없었으므로 햇빛이 바닥을 비추는 일도 없었다. 진창이 된 산책로에 잎들이 싸늘하게 물을 뚝뚝 떨어뜨리는 정자가 있는 정원은 보기만 해도 오싹해지는 모습이었다. 지붕널의 이음새마다 낀 이끼와 최근 가뭄에 말라 가던 앞쪽 두 개의 박공 사이 구석의 거대한 잡초더미 말고는, 소금기를 머금은 바다에서 불어온 돌풍이 휩쓰는 차갑고 축축하고 무자비한 대기 속에서 번성할 수 있는 것은 없었다.

헵지바로 말할 것 같으면 그녀는 그저 이 동풍에 사로잡힌 정도가 아니라 그녀 자신이 이 음침한 잿빛 날씨의 한 국면인 듯했다. 낡아 빠진 검은색 실크 옷을 입고 머리에는 먹구름을 터번처럼 두른 음침하고 험악한 동풍 말이다! 그녀의 오만상 때문에 얼마 안 되는 맥주와 그 밖의 상하기 쉬운 다른 물건들이 쉬어 버렸다는 소문이 쫙 퍼져서 가게에는 손님이 뚝 떨어졌다. 사람들을 대하는 그녀의 태도에 불평을 들어 마땅한 부분이 있었음은 아마 사실일 것이다. 그러나 클리퍼드에게는 절대 성마르거나 고약하게 굴지 않았고 예전보다 따뜻함을 덜 보인 것도 아니었다. 그 마음이 클리퍼드의 마음에 닿을 수만 있다면 말이다. 하지만 자신이 아무리 애를 써도 소용이 없었기 때문에 가련한 노부인은 무기력에 빠졌다. 그녀가 할 수 있는 일이라고는 작은 창문을 때리며 흔들리는 비에 젖은 배나무 가지 때문에 대낮에도 어두운 방 한구석에 조용히 앉아 수심에 찬 모습으로 자신도 모르게 분위기를 더욱 어둡게 만드는 것이었다. 그것은 헵지바의 잘못이 아니었다. 모든 것이, 심지어 그녀의 인생보다 서너 배는 더 긴 인생 동안 온갖 날씨를 겪어 온 낡은 의자와 탁자들까지도 마치 지금이 최악이라는 듯이 냉기가 가득하고 축축했다. 청교도 대령의 초상화는 벽에서 덜덜 떨고 있었다. 일곱 개 박공의 모든 다락방에서부터 아래로 부엌의 커다란 난로까지 집 전체가 떨고 있었다. 부엌의 화덕은 가히 저택의 심장을 상징한다고 할 수 있었는데, 온기를 주기 위해 세워진 것이 지금은 너무나 낙이 없이 공허

했던 것이다.

헵지바는 응접실에 불을 피움으로써 기운을 돋워 보려 했다. 그러나 태풍 악마가 위에서 지키고 있는지 불이 붙기만 하면 연기를 다시 아래로 내려 보내서 검댕 가득한 굴뚝 구멍이 연기로 꽉 막혀 버리는 것이었다. 그러건 말건 클리퍼드는 처참하게 태풍이 몰아치던 나흘 동안 낡은 외투로 몸을 감싸고 평소에 앉던 의자만 차지하고 앉아 있었다. 닷새째 되던 날 아침을 먹으라고 부르는 소리에 침대에서 일어나지 않겠다는 상심한 중얼거림만을 내뱉었을 뿐이다. 여동생은 마음을 돌리게끔 애쓰지 않았다. 사실 그녀가 오빠를 정말 사랑하기는 했지만, 여전히 예민하면서도 비판적이고 까다롭게 황폐해진 정신을 위한 오락거리를 찾아 줘야 하는 지독한 의무를, 게다가 얼마 안 되는 기능이 굳어서 이제 효력도 없는 그 의무를 억지로나마 의지를 발휘해서가 아니라면 더 이상 배겨 내기가 힘들었던 것이다. 오늘 그녀가 자신과 같은 문제로 힘들어하는 오빠의 단속적인 한숨을 들을 때마다 계속해서 새로이 슬픔을 느끼거나 과도한 자책감에 시달리지 않고 그저 혼자 떨면서 앉아 있는다 해도 그것은 적어도 그녀가 완전히 절망했기 때문은 아니었다.

그러나 클리퍼드는 비록 아래층에 모습을 드러내지는 않았지만 어쨌든 유흥거리를 찾아보려 분주했다. 아침나절에 헵지바는 음악 소리를 들었는데, 일곱 박공의 집에는 다른 음악적인 장치란 없었으므로 그것이 분명 앨리스 핀천의 하프시코드에서 나오는 소리임을 알았다. 그녀가 알기로 클리퍼드는 젊었을 때 세련된 음악적 취향을 지니고 있었고 실제 연주 실력도 상당했다. 하지만 지금 그녀의 귓속으로 파고드는, 아주 우울하기는 하지만 감미롭고 우아하고 고운 선율이 나타내는 그런 정도의, 매일매일 연습을 해야만 이룰 수 있을 만큼의 수준을 그가 가지고 있다는 사실은 상상하기 힘들었다. 또한 오랫동안 침묵만을 지키던 악기가 그런 선율을 만들어 낼 수 있다는 사실도 그에 못지않게 놀라웠다. 헵지바는 자기도 모르게 집안에 어떤 죽음이 임박했을 때 서곡으로 그 옛날의 앨리스가 만들어 낸다는 유령의 화음을 생각했다. 그러나 몇 번 울리더니 떨리는 소리와 함께 갑자기 음이 뚝 끊어지면서 음악이 그침으로써 유령의 손가락이 하는 일이 아님이 증명되었다.

그런데 신비로운 운율에 뒤이어 듣기 싫은 소리가 이어졌다. 헵지바와 클리퍼드에게는 가장 향기로운, 벌새와 더불어 불어온 공기를 그 하나만으로도 완전히 망쳐 버릴 만한 그런 사건이 벌어지지 않고 동쪽에서 다가오는 하루가 그냥 지나갈 리는 만무하지 않은가. 앨리스 핀천의 연주, 아니면 우리가 생각하기에는 클리퍼드의 연주의 마지막 울림은 가게의 종소리 못지않게 거칠고 불쾌한 소리에 쫓겨 사라졌다. 발걸음이 문지방을 스쳐 넘어오는 소리가 들리더니 곧 약간 육중하게 마룻바닥으로 들어서는 것이었다. 사십 년 동안 동풍과의 싸움에서 자신을 보호하기 위해 사용한 빛바랜 숄을 감싼 채 헵지바는 잠시 그대로 있었다. 그러나 기침 소리도 아니고 가벼운 헛기침도 아닌, 가슴속 깊이 널찍한 곳에서부터 말하자면 우르르 울리는 듯한 특징적인 소리를 듣고는 위험천만의 긴급 상황에서 여성들이 보통 보이는 주눅이 든 듯하면서도 격렬한 모습으로 급히 앞쪽으로 나갔다. 그런 상황에 처한 어떤 여성도 잔뜩 인상을 찌푸린 우리의 불쌍한 헵지바만큼 끔찍해 보이지는 않을 것이다. 하지만 방문객은 조용히 가게의 문을 닫고는 우산을 계산대에 기대 세워 놓고 평온한 자애심으로 가득한 얼굴을 돌려 그의 등장이 불러일으킨 놀라움과 분노의 얼굴을 맞이했다.

헵지바의 불길한 예감은 딱 들어맞았다. 그는 다름 아닌 핀천 판사로서 중앙 현관으로 들어오려다 되지 않자 가게의 입구로 들어온 것이었다.

"잘 있었나, 헵지바? 이렇게 무자비한 날씨에 클리퍼드는 어떻게 지내고 있지?" 핀천이 먼저 말을 걸었다. 그리고 정말이지 진정으로 자애로운 그의 미소에 거센 동풍이 부끄러워하거나 적어도 약간 누그러지지 않는다는 게 놀라울 지경이었다. "어떤 식으로든 그를 위해서나 너를 위해서 내가 뭔가 할 수 있을지 다시 한 번 물어보지 않고는 맘이 편치 않아서 말이야!"

"아무것도 없어요." 어떻게든 흥분을 가라앉히려 애쓰며 헵지바가 말했다. "내가 열심히 오라버니를 돌보고 있어요. 그래서 이 상황에서 가능한 만큼 편안하게 잘 지내고 있어요."

"하지만 내 보기엔 말이야, 네가 잘못하는 거야. 애정에 있어서나 친절함에 있어서나, 물론 좋은 의도에 있어서도 어쨌거나 네 오빠를 그렇게 가둬 두는 건 잘못이라고. 왜 그렇게 모든 동정심과 친절함을 가로막지? 불쌍하게도 클리퍼드는 이미 너무 오래 혼자 지내오지 않았나. 내가 그와 친교를 갖게 해 줘. 말하자면 친척이자 오랜 벗으로서의 친교 말이야. 예를 들어 그냥 클리퍼드를 만나게만 해 줘. 좋은 결과가 있을 것임은 내 장담할게." 핀천이 말했다.

"오라버니는 볼 수 없어요. 오라버니는 어제부터 침대에서 나오지 않아요." 헵지바가 말했다.

"뭐라고! 왜! 아픈가?" 핀천 판사가 깜짝 놀라 소리쳤는데 갑자기 화가 난 듯 보였다. 왜냐하면 그가 말을 하는 중에 옛날 청교도 조상이 인상을 찌푸려 방이 어두워졌기 때문이었다. "아냐, 그렇다면 내가 꼭 그를 만나 봐야겠어! 죽기라도 하면 어쩐단 말인가?"

"죽을 위험은 전혀 없어요." 헵지바가 말했다. 그러고는 더 이상 증오를 누르지 못하고 덧붙였다. "전혀요. 그 옛날 그를 처형시키려 한 사람 때문에 지금 또다시 처형되지만 않는다면요!"

"헵지바 사촌." 판사가 감동적일만큼 진지하게 말했는데, 말을 계속하는 중에 그 태도는 거의 눈물을 자아낼 만큼 연민이 넘쳐 갔다. "내가 의무감과 양심에 따라, 법에 따라, 게다가 나 자신까지 위험에 처하면서 어쩔 수 없이 할 수밖에 없었던 일을 가지고 이렇게 오래도록 줄기차게 나한테 원한을 가지는 것이 얼마나 부당하고 얼마나 매정하며, 또 얼마나 기독교인답지 않은 일인지를 어떻게 그렇게 모를 수 있지? 클리퍼드에게 해를 입히며 내가 한 일 중에서 그냥 두면 넘어갔을 일이 있나? 내게도 마찬가지이듯 네게 끊이지 않는 슬픔인 그를 위해 내가 한 일을 안다면 여동생인 네가 어떻게 이보다 따뜻한 다정함을 내게 보여 주지 않을 수 있나? 게다가 내가 그 일로 엄청난 고통을 느끼지 않았을 것 같아? 하늘이 내게 허락해 준 이 모든 번영 속에서도 매일매일 내 마음에 괴로움을 주지 않았겠어? 아니면 이 사랑하는 사촌이, 너무나 섬세하고 아름다운 성격의 이 어릴 적 친구가, 너무나 불행한(큰 죄를 지었다기보다는 너무나 불행하다고 말하기로 하지.) 우리의 클리퍼드가 요컨대 다시 살아 돌아와서 삶을 누릴 수 있게 된 데 대해, 공공의 정의와 사회의 안녕에 합치되는 한에서 내가 지금 정말로 기뻐하지 않는다는 거냐? 아, 넌 정말 나를 잘 몰라, 헵지바! 내 마음을 너무 모른다고! 그를 만나 볼 생각에 고동치는 이 심장을! 클리퍼드의 불행으로 인해 나보다 더 많은 눈물을 흘린 사람이, 너를 빼고는 또 누가 있겠어. 너 역시 나보다 눈물을 더 흘리지는 않았을 거야. 지금도 내 눈물이 보이잖아. 그가 더욱 행복해지기를 나만큼 바라고 기뻐하는 사람은 또 없어. 한번 믿어 봐, 헵지바. 네 적이자 클리퍼드의 적이라고 줄곧 여겨온 이 사람을 속는 셈치고 한번 믿어 보라고! 이 재프리 핀천을 한번 믿어 보면 가슴속 저 깊은 곳까지 진정하다는 걸 알게 될 거야!"

"하늘의 이름으로" 하고 냉엄한 성격의 사람이 쏟아 낸 이루 말할 수 없이 다정한 말에 오히려 더욱 화가 치밀어 오른 헵지바가 외쳤다. "당신이 모욕한 신, 그리고 당신이 그렇게 거짓된 말을 쏟아 놓는 데도 혀를 마비시키지 않고 그 말을 다

들어주는 걸 보니 그 권능이 거의 의심스러운 신의 이름으로 간청하는데, 당신이 희생시킨 사람에 대한 이 허울 좋은 역겨운 애정을 집어치워요! 오라버니를 증오하잖아! 남자답게 그렇게 말해요! 지금 이 순간에도 마음속에는 그를 해하려는 시커먼 의도가 숨어 있잖아! 그냥 내뱉어 버려요! 아니면, 정말 그 목적이 잘 달성되기를 바란다면 마침내 이루게 될 때까지 잘 숨기든가. 하지만 내 불쌍한 오라버니를 사랑하느니 어쩌느니 하는 얘기는 절대 하지 마요! 정말 참을 수가 없어! 여자로서의 품위조차 지킬 수가 없게 한다니까! 미쳐 버릴 것 같다고! 하지 마요! 한마디도 더 하지 마! 당신을 정말 이 집에서 몰아내 버릴지도 몰라!"

딱 한 번 헵지바의 분노가 그녀에게 용기를 불어넣었다. 말을 해 버린 것이다. 하지만 결국 핀천 판사의 정직함에 대한 누를 수 없는 이 불신이, 그리고 인간적인 동정심에 함께한다는 그의 주장에 대한 완전한 부정이 그의 인간성에 대한 정당한 인식에 기초한 것인가, 아니면 아무 근거도 없는 여성의 터무니없는 편견에서 나온 것인가?

의심할 바 없이 핀천 판사는 누구보다도 존경받을 만한 사람이었다. 교회도 인정했고, 나라도 인정했다. 그 사실을 부정하는 사람은 아무도 없었다. 공적인 관계건 사적인 관계건 그를 아는 상당한 규모의 사람들 중에서, 헵지바나 은판 사진사처럼 제멋대로인 사람, 그리고 아마 몇몇 정치적 적수를 제외하고는 그가 세상 사람들이 보기에 고귀하고 영예로운 자리를 차지할 자격이 있음을 심각하게 부정할 생각을 꿈에라도 하는 사람은 단 한 명도 없었다. 또한 정당하게 말하자면 핀천 판사 자신도 아마 부러움을 살 만한 그의 명성이 마땅히 그가 받을 만하다는 사실에 대해 자주 많은 의심을 가지지 않았을 것이다. 따라서 그의 양심도, 보통 한 사람의 고결함에 대한 확실한 증거라 여겨지는 그의 양심도 하루 스물네 시간 중 한 오 분 정도랄까 아니면 일 년이 한 번 지나갈 동안 가끔 음산한 날이랄까 그 정도를 제외하고는 그를 칭찬하는 세상 사람들의 목소리와 딱 맞는 증언을 했다. 그러나 이러한 증거가 너무나 확실해 보이더라도, 판사나 그와 생각이 같은 세상 사람들이 옳고 혼자서만 독단적인 편견을 가진 헵지바는 그르다는 주장에 우리의 양심을 걸기는 좀 망설여진다. 사람들에게 보이지 않게, 스스로에게도 망각되었거나 조각되고 장식된 과시적인 행동의 더미 아래 아주 깊이 묻혀 일상적인 삶에서 전혀 눈에 띄지 않는 채로 어떤 추하고 악한 것이 숨어 있을지도 모른다. 아니, 그보다 더 나아가 그 자신이 매 순간 꼭 인식하지 않고도 그에 의해 일상적으로 죄가 저질러지고 계속해서 새로이 저질러지고 계속 붉게 퍼져 나온다고까지 말할 수도 있겠다.

강인한 정신과 대단한 인격적 힘, 그리고 견고한 감수성의 막을 지닌 사람들은 이러한 종류의 실수에 빠지기가 아주 쉽다. 그들은 보통 형식을 무척이나 중요하게 생각하는 사람들이다. 그들이 활동하는 장은 삶의 외적인 현상들에 놓여 있다. 그들은 금이라든지 부동산, 명예직이나 보수를 받는 직무라든지 공적인 명예처럼 거대하고 육중하면서 견고한 비현실성을 그러쥐고 배치하고 자기 것으로 차지하는 능력이 엄청나다. 이러한 부류의 사람은 위와 같은 재료와, 다른 사람들이 보는 데서 행해지는 칭찬할 만한 외양을 띤 행위로 말하자면 높고도 웅장한 건물을 지어서, 그것이 다른 사람이 보기에, 그리고 궁극적으로는 자신이 보기에도 자신의 품성이나 그 사람 자체를 나타낸다고 생각되는 것이다. 궁전을 보라! 그 휘황찬란한 홀과 널찍하고 화려한 방은 값비싼 대리석으로 만든 모자이크 작품으로 바닥을 깐다. 방마다 바닥부터 천장까지 이르는 창문은 아주 투명한 판유리를 통해 햇빛을 가득 받아들인다. 높은 코니스는 금박이 되어 있고 천장은 호화롭게 색칠되어 있다. 사이에 가로막는 것이 아무것도 없다면 중앙의 포장된 통로에서 하늘을 올려다볼 수 있는 높다란 둥근 천장이 그 모두의 정점을 이룬다. 자신의 인품을 나타내기에 이보다 더 멋지고 고귀한 어떤 상징이 있을 수 있단 말인가? 아, 그러나 어둑한 낮은 구석에, 문을 닫고 잠근 후 빗장까지 걸어서 열쇠는 던져 버린 1층의 어떤 좁은 방이라든가 혹은 위쪽으로는 화려한 모자이크 장식이 있지만 대리석 깔린 길 아래 고여 있는 물웅덩이 같은 곳에, 반쯤 썩은, 여전히 썩어 가면서 궁궐 전체에 죽음의 냄새를 풍기는 시체가 있을지도 모르는 것이다! 오랫동안 일상적으로 맡아 왔기 때문에 그 안에 살면서도 의식하지 못할 수도 있다. 방문객도 그러할 것이다. 왜냐하면 그들은 주인이 온 궁궐에 공들여 뿌려 놓은 진한 향수 냄새와 자신들이 가져와 그 앞에서 기꺼이 피우고자 하는 향냄새만을 맡을 테니까! 이따금 우연히 현자가 들어오면 천부적 재능이 있는 그의 눈앞에서는, 안됐지만 건물 전체가 공기 중으로 녹아 사라지고 오직 숨겨진 구석과 잊힌 문 위로 거미줄이 잔뜩 걸린 빗장 질러진 작은 방, 아니면 포장된 통로 아래 무시무시한 구멍과 그 안에서 썩어 가는 시체만이 나타날 것이다. 그렇다면 여기에서 인격의 진정한 상징과 얼마가 되었든 자신이 가진 현실성을 한 사람의 삶에 부여하는 행위의 상징을 구해야 할 것이다. 그래서 대리석 궁전의 외양 아래, 수많은 추잡한 죄로 더럽혀지고 아마 핏자국까지 있을지도 모르는, 어쩌면 그 자신은 기억도 못한 채 그 위에서 매일의 기도를 올리는 혐오스럽게 숨겨진 그 고인 물웅덩이가 바로 그의 비참한 영혼일 수도 있는 것이다!

이렇게 이어지는 생각을 핀천 판사에게 좀 더 밀접하게 적용해 보라! 그처럼 뛰어난 품위를 지닌 사람에게 어떤 범죄 행위를 들씌우려는 심사는 조금도 없지만, 판사 스스로를 번거롭게 했던 것보다 더 활동적이고 미묘한 양심을 덮어 가리고 마비시키는 겉만 번지르르한 쓰레기 같은 것들이 그의 삶에는 충분히 있다고도 할 수 있을 것이다. 판사석에 앉아 있을 때 판사로서 갖는 인격의 순수함, 그보다 부차적인 직무에서 공적인 임무를 수행할 때의 충실함, 자신의 당에 대한 헌신과 그 원칙을 고수하거나 어쨌든 조직된 움직임과 보조를 맞추는 엄격한 일관성, 성경 협회장으로서 보이는 눈에 띄는 열성, 미망인과 고아를 위한 기금 단체의 회계 담당으로서 흠잡을 데 없는 정직함, 높이 평가받는 두 종류의 배 종자를 만들어 냄으로써 원예 농업에 기여하고 유명한 핀천 황소를 이용해 농업에 혜택을 준 일, 흥청망청하고 방탕한 아들을 모질게 꾸짖어 내쫓은 뒤 그 젊은이가 죽기 반시간 전이 되어서야 용서해 준 일, 아침저녁으로 기도하고 식사 때마다 감사 기도를 올리며 금주 운동을 촉진하기 위해 애쓴 일, 지난번 풍을 맞은 이래 셰리주를 하루 다섯 잔만 마시는 것, 눈처럼 새하얀 셔츠와 반짝거리는 신발, 멋진 금 머리 장식이 달린 지팡이와 단정하고 풍성한 외투, 고급스러운 재료와 전체적인 옷과 장비를 꼼꼼하게 예의범절에 맞게 갖추는 것, 거리에서 사람들이 아는 척을 할 때 가난하건 부유하건 온갖 종류의 아는 사람들이라면 모두에게 고개를 숙이거나 모자를 들어 올리거나 고개를 까닥하거나 손짓을 하는 등 때에 따라 꼼꼼히 챙기고, 온 세상을 기쁘게 할라 치면 하해와 같이 자비로운 미소를 짓는 것, 이런 식의 용모로 이루어진 초상화의 어디에서 과연 악한 특성을 발견할 수나 있단 말인가! 바로 이 얼굴이 그 자신이 거울에서 보는 얼굴이었다. 이렇게 나무랄 데 없이 정돈된 삶이 그가 하루하루를 지내면서 의식하는 것이었다. 그렇다면 그 자신이 그 결과이자 총체라고 주장하면서 스스로와 주변 사람들에게 "저기 핀천 판사를 보라." 하고 말할 수 있는 것 아닌가?

게다가 아주 수년 전 분별없던 젊은 시절에 어떤 잘못된 행동을 한 번 했다손 치더라도, 혹은 현재에라도 칭찬받을 만한 일들, 아니면 적어도 흠잡을 데 없는 일들을 수없이 많이 하는 와중에 어떤 불가피한 상황에 몰려서 가끔 수상스러운 행동 하나를 하게 된다손 치더라도, 단지 어쩔 수 없는 행동이나 이젠 잘 기억도 안 나는 그 행동 하나로 판사를 규정해 일생 동안의 훌륭한 면모가 빛을 잃게 할 수 있단 말인가! 도대체 악에 어떤 무지막지한 것이 있기에, 엄지손가락 정도밖에 안 되는 그것이 저울 반대편에 산더미처럼 쌓인 악하지 않은 많은 것들을 압도한단 말인가! 이 저울과 균형추는 핀천 판사와 동료 관계에 있는 사람들에게는 호의적이다. 불행한 상황에 놓여 좀처럼, 혹은 아예 내면을 들여다보는 일 없이 사람들의 견해라는 거울에 비춘 자신의 이미지라고 주장하는 것에서 자신에 대한 인식을 단호하게 끌어오는 매정하고 차가운 사람은 재산이나 명성을 잃을 때가 아니라면 진정한 자기 인식에 이르기가 힘들다. 병에 걸렸더라도 항상 자기 인식을 얻는 데 도움이 되지는 않을 것이고 죽음이 임박한 순간도 마찬가지일 것이다!

하지만 지금 우리의 관심사는 갑자기 격렬하게 터져 나온 헵지바의 분노를 마주하고 서 있는 핀천 판사이다. 앞서 생각한 바도 없이, 자신도 놀라울 뿐 아니라 정말이지 두렵기까지 할 정도로 그녀는 삼십 년 동안 가슴속에 담아 왔던 사촌에 대한 뿌리 깊은 증오를 딱 한 번 터뜨려 버렸던 것이다.

지금까지 판사의 얼굴은 관대한 인내심과 사리에 어긋나는 사촌의 난폭함에 대한 근엄하면서도 거의 부드러운 나무람, 그녀의 말이 가한 잘못에 대한 기독교인다운 대범한 용서를 나타냈다. 그러나 위와 같은 말들이 다시 주워 담을 수 없이 내뱉어지자 그의 표정은 매서움과 함께 자기 권위에 대한 인식, 그리고 누그러뜨릴 수 없는 단호함을 띠게 되었다. 게다가 그 변화가 알아차릴 수도 없이 너무나 자연스러워서 처음부터 여기 서 있던 사람이 절대 유순한 사람이 아니라 냉혹한 사람이었던 듯했다. 그 효과란 마치 부드럽게 주위를 물들이던 가볍고 옅은 구름이 순식간에 사라지고 깎아지른 듯한 바위투성이 절벽의 가장자리가 드러나면서 한없이 계속될 것처럼 느껴지는 찌푸린 인상만을 남겨 두는 것과 같았다. 헵지바는 자신이 지금 막 마음속 원한을 쏟아 부은 사람이 지금의 판사가 아니라 옛날 청교도 조상이었다는 정신 나간 생각을 거의 했을 정도였다. 이 위기의 순간에 안쪽 방에 걸린 초상화와 의심의 여지없이 똑 닮아서 자신에게 이어지는 계보를 핀천 판사보다 더 강력하게 증명하는 사람은 절대 없었을 것이다.

"헵지바 사촌." 그가 아주 침착하게 말했다. "이제 이 일을 마무리 지어야 할 시간이야."

"기꺼이!" 그녀가 대답했다. "그렇다면 우리를 계속 괴롭힐 이유가 뭐가 있어요? 불쌍한 클리퍼드 오라버니와 나를 그냥 좀 내버려 둬요. 우리 둘 다 그 이상은 바라지도 않는다고요!"

"이 집을 나서기 전에 클리퍼드를 꼭 보겠다는 게 내 결심이야." 판사가 말을 이었다. "미친년처럼 굴지 마, 헵지바! 난 그의 유일한 친구이고 게다가 아주 권세 있는 친구지. 단지 동의하는 정도가 아니라, 내가 노력하고 진정하고, 정치적으로 개인적인 영향력과 관직에 따르는 영향력 모두를 발휘하지 않고서야 클리퍼드는 절대 네가 말하는 자유로운 몸이 될 수 없었을 거라는 생각이 그렇게 네 머릿속엔 떠오르지 않나? 그 사실이 안 보일 정도로 눈이 먼 건가? 그가 풀려남으로써 나한테 이기기라도 했다고 생각했나? 그렇지 않아, 착한 사촌. 절대 그렇지 않다고! 사실은 그것과 너무나 동떨어져 있다고! 아니야! 그건 내 쪽에서 오랫동안 공들여 왔던 목적을 달성한 것이었지. 내가 그를 자유의 몸으로 만들었으니까!"

"당신이!" 헵지바가 대답했다. "그 말은 절대 믿을 수 없어! 당신 때문에 오라버니가 지하 감옥신세를 졌는데, 그를 풀어줬다고, 맙소사!"

"내가 풀려나게 했네!" 말할 수 없이 침착하게 핀천 판사가 재차 단언했다. "그리고 이제 그가 자유를 계속 지녀도 될지를 결정하려고 내가 여기에 온 거야. 그건 전적으로 그에게 달려 있지. 때문에 내가 그를 꼭 만나야겠어."

"절대 안 돼! 오라버니는 미쳐 버릴 거라고요!" 헵지바가 소리쳤지만, 그 기세가 많이 죽었음을 판사의 예리한 눈은 알아차릴 수 있었다. 그가 좋은 의도를 가지고 있을 거라는 믿음은 손톱만큼도 없지만 가장 무시무시한 일이 굴복하는 데 있는지 저항하는 데 있는지 알 수가 없었던 것이다. "그런데 제 정신이라고는 거의 남아 있지 않고 애정을 보이지 않는 눈으로부터는 얼마 안 되는 그것조차 감추려는, 완전히 망가진 이 비참한 사람을 도대체 왜 보겠다는 거예요?"

"그게 전부라면 내 눈 속에 충분히 애정이 담겨 있음을 알게 될 거야!" 판사가 자신의 모습의 자애로움에 대한 확고한 자신감을 보이며 말했다. "하지만 헵지바, 네가 털어놓은 많은 얘기가 아주 적절하군. 자, 들어 봐. 내가 클리퍼드를 굳이 만나고자 하는 이유를 솔직히 설명할 테니. 삼십 년 전 재프리 삼촌이 임종할 당시, 그 사건을 둘러싸고 더 슬픈 사건들이 많았으니 이 상황에 네가 그다지 관심을 보일 것 같진 않지만, 그때 그가 가진 모든 유형의 재산을 따져 보니 그때까지 추정했던 액수에 크게 못 미친다는 사실을 알게 되었지. 삼촌이 엄청나게 부자라고 생각들을 했으니까. 그 당시 가장 세력 있는 사람에 든다는 사실을 아무도 의심하지 않았지. 그런데 삼촌은 아주 어리석다고는 할 수 없지만 어쨌든 괴팍스럽게도 아마 다른 사람의 이름으로 먼 외국에 투자를 한다든지, 자본가들에게는 잘 알려져 있지만 여기서 굳이 상세히 말할 필요는 없는 그 밖의 여러 방법을 써서 자기 재산이 전부 얼마나 되는지를 숨겨 왔어. 너도 알다시피 재프리 삼촌의 마지막 유서와 유언장에 따라 그의 전 재산이 나에게 상속되었지. 이 오래된 집안의 저택과 그에 딸린 주변의 세습 토지에 대해서 너에게 종신 재산권이 주어진 것을 제외하고는 말이야."

"그래서 그것까지 우리에게서 뺏고 싶은 건가요?" 쓰디쓴 경멸을 참지 못하고 헵지바가 말했다. "그것이 불쌍한 오라버니가 처형되는 일을 막은 대가인가요?"

"당연히 아니지, 사촌!" 사람 좋아 보이는 미소를 지으며 판사가 대답했다. "너 자신도 인정하지 않을 수 없다시피 오히려 반대로 사촌으로서 내가 베풀고자 하는 친절을 받아들이겠다고 네가 마음만 먹으면 언제든지 기꺼이 너의 자산을 두세 배 늘려 주겠다는 내 마음을 줄곧 표현해 왔지 않아. 아니, 그게 아니야. 하지만 바로 여기 문제의 핵심이 있어. 내가 말했듯이 삼촌이 돌아가신 후 확실히 거대한 그 자산 중에서 반도, 아니, 확신하건대 삼분의 일도 드러나지 않았어. 그리고 그 나머지를 찾을 수 있는 단서를 바로 네 오빠 클리퍼드가 가지고 있다고 믿을 만한 충분한 근거가 있단 말이야!"

"오라버니가? 오라버니가 숨겨진 재산에 대해 알고 있다고요? 그래서 당신을 부자로 만들어 줄 수 있다고요?" 그 얘기에서 터무니없다는 느낌을 받은 노부인이 외쳤다. "말도 안 돼요! 잘못 생각한 거예요. 정말 웃기는 얘기로군요!"

"내가 지금 여기 서 있는 것만큼이나 확실해!" 핀천 판사가 말했는데, 실제 그의 몸 전체로 자신의 확신을 더 강력하게 표현하기라도 하려는 듯이 금 머리 장식 지팡이를 바닥에 내려치고 동시에 발을 굴렀다. "클리퍼드가 직접 나에게 그렇게 얘기했다고!"

"아니, 그럴 리 없어요." 헵지바가 믿을 수 없다는 듯이 부르짖었다. "그건 몽상이에요, 재프리 사촌!"

"난 몽상이나 하는 사람이 아니야." 판사가 조용히 말했다. "삼촌이 돌아가시기 몇 달 전에 클리퍼드가 셀 수 없이 엄청난 재산의 비밀을 가지고 있다고 자랑을 했네. 나를 약 올리면서 내 호기심을 자극하려는 목적이었지. 나도 잘 알아. 하지만 그때 했던 대화의 특정한 내용을 나중에 아주 똑똑히 떠올려 보니 그가 한 말에 진실이 있음을 전적으로 확신하게 되었지. 지금 클리퍼드는 하려고만 한다면, 물론 그래야 하겠지만, 사라진 재프리 삼촌의 엄청난 재산과 관련한 조사표와 서류, 증거들을, 그게 어떤 형태로 존재하든 그 모두를 어디서 찾을 수 있을지 내게 알려 줄 수 있는 거지. 그에겐 비밀이 있고 그가 떠벌린 말은 빈말이 아니었어. 명백하고 비중도 있고 구체적이어서 애매한 그의 말 속에 견실한 의미의 고갱이가 있음을 알 수 있었지."

"하지만 오라버니가 그렇게 오랫동안 그것을 숨겨 왔을 이유가 뭐가 있겠어요?" 헵지바가 물었다.

"타락한 우리 본성이 지닌 나쁜 본능 때문이었지." 판사가 눈을 들어 위를 바라보며 대답했다. "그는 나를 적수로 보았으니까. 내가 자신의 지독한 치욕과 임박한 죽음의 위험, 그리고 만회할 수 없는 파멸의 원인이라고 생각한 거야. 그러니까 지하 감옥에 갇힌 채 나를 더욱더 번창하게 할 정보를 자발적으로 나에게 알려 줄 가능성이란 거의 없었던 걸세. 하지만 이젠 그가 비밀을 털어놓아야 할 때야."

"거부한다면 어쩔 건가요?" 헵지바가 물었다. "아니면, 내가 굳게 믿는 것처럼 오라버니가 그 재산에 대해 아는 바가 전혀 없다면요?"

"이봐, 사촌." 어떤 폭력적 행동보다 훨씬 더 위협적으로 보일 수 있는 침착함을 보이며 그가 말했다. "네 오빠가 돌아온 이후 난 줄곧 그의 일거수일투족을 항상 주의 깊게 감독하게끔 신경을 써 왔어. 그러한 상황에 처한 사람의 가까운 친척이자 혈연적 후견인으로서 너무나 합당한 일이었지만. 정원에서 벌어지는 일은 무엇이든 이웃들이 지켜보았지. 푸줏간 주인과 빵집 주인, 생선 장수와 가게 손님들 몇몇, 그리고 남일 캐기 좋아하는 여인네들이 안에서 벌어지는 여러 비밀들을 내게 얘기해 주기도 했고. 또 더 많은 범위의 사람들이, 나는 그 안에 들어가지 않네만, 아치형 창문에서 벌어진 무절제한 일들을 지켜볼 수 있었지. 그가 한두 주 전쯤 거기서 거리 아래로 뛰어내리려 했던 것도 수천 명이 보았으니까. 그 모든 증언들을 보았을 때, 나 자신은 내키지 않고 무척이나 마음이 아프지만, 자신에게 닥친 불행으로 인해 결코 강인하지도 않던 그의 정신이 너무 손상되어 계속 그렇게 풀어 두는 것이 안전하지 않다는 결론에 이르렀네. 당연히 알겠지만 그에 대한 대안과 그것을 적용할지 말지는 전적으로 내가 곧 내리려는 결정에 달려 있을 거야. 대안은 아마도 남은 일생 동안 그처럼 불운한 정신 상태를 가진 사람들을 위해 마련된 공공시설에 가둬 두는 것이지."

"정말 그럴 마음은 아니겠죠!" 헵지바가 날카롭게 부르짖었다.

"만약 클리퍼드 사촌이" 하고 핀천 판사가 전혀 동요도 없이 말을 이었다. "순전히 악의에서, 그리고 그 이해관계가 당연히 그에게도 중요할 사람에 대한 증오(다른 종류의 것과 마찬가지로 이 역시 정신적인 질병을 나타내는 감정 상태인데) 때문에 그가 분명 가지고 있을, 나에게 너무나 중요한 정보를 알려 주지 않는다면 그의 정신 상태가 역시 비정상인 게 분명하다고 결론 짓기 위해 꼭 필요한 작은 증거로 삼을 걸세. 그렇게 해서 양심에 따라 취해야 할 방침을 일단 내가 확신하면, 헵지바 사촌, 나를 너무 잘 아니까 내가 그것을 실제로 이행하지야 않겠지라는 생각은 할 리 없을 거라고 보네."

"아, 재프리 오라버니, 재프리 사촌." 헵지바가 열렬하다기보다는 슬픔에 가득 차서 외쳤다. "정신에 병이 든 것은 클리퍼드 오라버니가 아니라 당신이에요! 당신의 엄마도 여자였다는 사실을 잊었군요! 여자 형제와 남자 형제, 자식들이 있다는 사실도! 혹은 이 참혹한 세상에 인간과 인간 사이의 애정, 아니면 한 사람이 다른 사람에게 보이는 동정이라는 게 있다는 것도! 그렇지 않고서야 어떻게 그런 일을 꿈에서라도 생각하겠어요? 당신은 이제 젊지도 않잖아요, 재프리 사촌. 중년도 아니고 이젠 노인이에요. 머리도 하얗게 셌잖아요! 몇 년을 더 살 수 있을 것 같아요? 그 얼마 안 남은 시간을 생각하면 이미 충분히 부유하지 않나요? 지금부터 무덤에 들어갈 그 순간까지 배가 고프겠어요, 입을 옷이 없겠어요, 아니면 지낼 곳이 없겠어요? 아니죠, 지금 가진 것의 반만 가지고도 값비싼 음식과 와인을 맘껏 즐기고 지금 사는 집보다 두 배는 더 크고 화려한 집을 짓고 세상 사람들 앞에 더 멋진 모습을 자랑하며 살고도, 여전히 많은 재산을 하나 있는 아들에게 남겨 줄 수 있어서 그가 당신의 임종 시간을 축복하게 될 정도잖아요! 그런데 도대체 왜 이렇게 잔인하고 모진 일을 하는 건가요? 너무나 말도 안 돼서 악한 일이라고 불러도 되는지도 모르겠어요! 아, 재프리 사촌, 이 매정하고도 탐욕스러운 영혼이 이백 년 동안 계속 우리 피에 흐르고 있다니! 당신에 앞서 조상들이 했던 일을 다른 형태로 다시또 하면서 그로부터 전해 내려온 저주를 후손에게 전해 주고 있는 거라고요!"

"제발 말이 되는 소리를 좀 해, 헵지바!" 사업 문제를 얘기하는데 이처럼 완전히 얼토당토않은 말을 하는 것을 들을 때

합리적인 사람들이 당연히 그렇듯이 판사가 짜증을 내면서 소리쳤다. "내 결심은 이미 얘기했다. 난 쉽게 마음이 변하는 사람이 아니야. 클리퍼드는 비밀을 털어놓든지 아니면 그 결과를 감수해야 할 거야. 그리고 빨리 결정하라고 해라. 오늘 아침에 처리해야 할 일이 몇 가지 있고 정치적 동료들과 중요한 저녁 약속도 있으니까."

"클리퍼드 오라버니는 비밀 같은 건 없어요!" 헵지바가 대답했다. "당신이 생각하는 일을 하도록 신이 허락지 않을 거예요!"

"어디 두고 보지!" 판사가 미동도 않고 말했다. "그 동안, 클리퍼드를 불러서 두 사촌 간이 만나 이야기 할 기회를 줌으로써 이 일을 좋게 해결할지, 아니면 나로 하여금 어쩔 수 없이 분명 내가 웬만하면 피하고 싶었던 좀 더 가혹한 조치를 취하게 할 건지 결정해. 책임은 온전히 너에게 있어."

"당신은 나보다 강한데" 하며 헵지바가 잠깐 생각한 후 말했다. "그 힘에 동정심은 전혀 없군요. 오라버니는 지금 정신이 이상하지 않아요. 하지만 굳이 우겨서 오라버니를 만나 얘기를 나눈다면 그렇게 될지도 몰라요. 그렇더라도 내가 당신을 모르는 게 아니니 오라버니가 어떤 중요한 비밀을 과연 가지고 있을 수나 있는지 당신 스스로 판단하도록 하는 게 분명 최선의 방책이겠네요. 오라버니를 불러올게요. 제발 자비롭게 대해 주세요. 당신의 마음이 시키는 것보다 훨씬 자비롭게! 하늘이 당신을 지켜보고 있으니까요, 재프리 사촌!"

판사는 사촌을 따라 이제까지의 대화가 이루어졌던 가게에서 나와 응접실로 들어가서 조상 대대로 내려오는 커다란 의자에 무겁게 몸을 던졌다. 예전에 많은 핀천 가문 사람들이 그 널찍한 의자의 품에서 휴식을 구했다. 놀고 난 후 볼이 발그레해진 아이들과 사랑으로 꿈꾸듯 몽롱한 청년들, 걱정거리로 지친 성인 남자들과 겨울 날씨에 시달리는 노인들. 그들이 생각에 빠지고 잠을 잤으며 더 깊은 잠인 죽음으로 떠나갔다. 좀 의심스럽기는 하지만 옛날부터 전해 내려오는 이야기에 따르면, 판사의 뉴잉글랜드 조상 중 아주 초기의 조상, 초상화가 여전히 벽에 걸려 있는 그 조상이 집에 모인 많은 저명한 손님들을 말없고 근엄한 죽은 자의 모습으로 맞을 때 앉아 있었다는 의자가 바로 이 의자였다고 한다. 그의 마음속 깊이 숨겨진 것은 알 수 없지만, 아마도 불길한 전조가 서렸던 그때부터 지금까지를 통틀어 이 의자에 앉았던 사람들 중에서 잠깐 전에 누구보다 매정하고 단호한 모습을 보인 바로 이 핀천 판사만큼 슬프고 피로한 사람은 없었을 것이다. 확실히 그는 자신의 영혼을 강철처럼 단련하기 위해서 적잖은 대가를 지불해야 했던 것이다. 그러한 냉정함은 약한 자가 보이는 난폭한 행동보다 더 커다란 노력을 필요로 한다. 게다가 해야 할 중요한 일이 또 남아 있지 않은가! 삼십 년이 지난 지금 산 자들의 무덤에서 나온 친척을 만나서 비밀을 끄집어내거나 아니면 그를 다시 산 자들의 무덤으로 보내야 하는 그 일이, 한순간에 생각해 냈다가 다음 순간 바로 잊을 수 있는 그렇게 하찮은, 그렇게 사소한 문제겠는가?

"뭐라고 했어요?" 헵지바가 응접실 문지방을 넘다가 돌아

보며 물었다. 판사가 어떤 소리를 내지 않았나 하는 느낌이 들었고, 그것이 혹시 마음을 누그러뜨리는 기색일지도 모른다고 생각하고 싶었기 때문이다.

"아냐, 아냐!" 핀천 판사가 사납게 인상을 찌푸리며 통명스럽게 대답했는데, 어둑한 방에서 그의 이마는 거의 어두운 자줏빛이 되었다. "내가 왜 널 다시 부르겠니? 시간 없다! 빨리 클리퍼드에게 오라고 해!"

판사는 조끼 주머니에서 시계를 꺼내서는 클리퍼드가 나타나기까지 시간이 얼마나 경과할지를 재 볼 요량으로 손에 쥐었다.

16
클리퍼드의 방

그 끔직한 심부름을 하러 나설 때만큼 불쌍한 헵지바에게 낡은 집이 그렇게도 스산하게 보인 적은 없었다. 거기에는 뭔가 낯설고 기이한 면도 있었다. 발길에 닳은 복도를 터덜터덜 걸어서 덜컥거리는 문을 하나씩 여닫고 삐걱거리는 계단을 올라가면서 그녀는 뭔가를 소망하듯, 주변을 두려운 듯 둘러보았다. 불안하게 들썽거리는 그녀의 마음 상태로 보았을 때 옆이나 뒤에서 죽은 자들의 옷자락이 바스락거리는 소리가 들린다든지, 위쪽 계단참에서 백짓장 같은 얼굴이 기다리고 있다 해도 놀랄 일은 아니었을 것이다. 지금 막 힘겹게 겪은 격렬한 감정과 공포의 장면들로 인해 그녀의 신경은 온통 곤두서 있었다. 신체적으로나 성격적으로나 이 집안의 창시자를 너무나도 꼭 빼닮은 핀천 판사와 가진 대화가 무시무시한 과거를 다시 생각나게 했다. 그것이 그녀의 가슴을 무겁게 짓눌렀다. 핀천가의 행운이나 불행과 관련해 옛날 고모들이나 할머니들에게서 들었던 것이, 그것과 연관된 화롯가의 불빛으로 여전히 식지 않고 기억에 생생한 모든 이야기들이, 울적한 기분에 가만히 떠올려 보면 집안사의 모든 단계들이 그러하듯이 지금 음침하고 차갑고 소름 끼치도록 무섭게 그녀에게 떠올랐다. 그 전부가 윤곽을 빼고는 거의 변화도 없이 하나의 공통된 색으로 채색된 채 세대를 거듭하면서 죽 이어지며 재생산되는 일련의 비운이라 할 수 있었다. 하지만 헵지바는 판사와 클리퍼드 그리고 자신, 이렇게 셋이서 지금 벌이게 될 사건이 죄와 슬픔의 선명한 윤곽으로 튀어나와 지금까지의 어떤 사건보다 두드러지는 또 하나의 사건으로 집안 연혁에 기록될 일을 벌일 찰나라고 느꼈다. 그렇게 지나가는 한순간의 슬픔은 스스로 독특한 개성과 클라이맥스의 특성을 취하지만, 얼마 있으면 그것을 모두 잃고 점점 흐려져 수년 전의 근심스러운 일이나 기쁜 일들과 마찬가지로 어두운 잿빛 직물 속으로 사라지는 법이다. 어떤 일이 이상해 보이거나 놀라워 보이는 것은 상대적으로 한순간일 뿐이다. 감미롭기도 하고 쓰디쓰기도 한 진실이 아닌가!

하지만 헵지바는 그 순간 진행되고 곧 이루어질 일이 전례없는 일이라는 느낌을 지울 수 없었다. 신경이 온통 후들거렸다. 본능적으로 아치형 창문 앞에 잠시 멈춰 거리를 내다보았는데, 정신의 힘으로 어떤 영원한 대상을 그러쥐어 지금 직접적인 자신의 영역을 뒤흔드는 현기증과 동요로부터 자신을 붙들 수 있을까 해서였다. 찬란한 햇빛과 음침한 태풍의 차이를 제외하고는 보이는 모든 것이 전날이나 그 이전의 수많은 날들과 똑같은 모습을 하고 있다는 사실에 일종의 충격을 받았다고도 말할 수 있겠다. 그녀의 눈은 이 집 현관에서 저 집 현관으로 거리를 훑으면서 비에 젖은 보도와 빗물이 차기 전까지는 보이지 않았던 우묵한 곳에 만들어진 물웅덩이를 보았다. 어떤 창문에 시선이 머물자 좀 더 분명하게 보려고 이마를 찡그려 흐릿한 시력을 모아 봤는데, 거기엔 양복점의 침모가 앉아서 일을 하는 모습이 반은 보이고 반은 추측할 수 있었다. 그렇게 멀리 떨어져 있는데도 헵지바는 알지도 못하는 그 여성과 같이 있고 싶다는 생각에 매달렸다. 그러다가 빠르게 지나가는 이륜마차에 눈길이 끌려서는, 두려움에 질렸고 너무나 무겁기 때문에 하릴없이 희롱하는 그녀의 마음을 더 이상 싣고 가지 않겠다며 모퉁이를 돌아 사라질 때까지 물기에 젖어 반짝이는 마차 지붕을 바라보았다. 마차가 사라졌는데도 여전히 잠깐을 더 거기서 머뭇거렸다. 왜냐하면 착한 베너 아저씨의 누덕누덕한 모습이 보였기 때문인데, 그는 통풍이 관절을 파고들어 관절염이 도진 다리를 절뚝거리며 거리 꼭대기에서부터 천천히 아래쪽으로 걸어 내려오고 있었다. 헵지바는 그가 더욱 천천히 지나가서 몸서리나는 외로움에 조금이라도 더 친구가 되었으면 하고 바랐다. 그녀와 그녀에게 닥친 일 사이에 어떤 사람이든 끼워 넣어 애통한 이 순간에서 그녀를 벗어나게 할 수 있다면 무엇이든, 그녀가 하지 않으면 안 되는 그 일을 잠깐이라도 미룰 수 있게 해 준다면 어떤 방해물이든 환영이었다. 가볍고 발랄한 마음 옆에 있으면 천근

만큼 무거운 마음도 쾌활해지기 쉬운 것이다.

헵지바에겐 자신의 몫인 고통을 견딜 강인함도 거의 없는데다 클리퍼드에게 가해야 하는 고통에 대해서는 더 말할 것도 없었다. 워낙 약해 빠진 천성에 지금까지의 불행으로 인해 너무나 망가졌기 때문에, 평생 동안 그의 흉악한 운명이었던 모질고 무자비한 그 사람과 대면하게 되면 정말 완전히 파멸하고도 남을 것이었다. 아마 그 둘 사이에 쓰라린 기억이 없고 지금 어떤 적대적인 이해관계도 걸린 게 없다 하더라도, 섬세한 사람이 거대하고 육중하며 무감하고 무신경한 사람에게 느끼는 본능적인 혐오만으로도 섬세한 사람에게는 치명적인 결과를 가져올 것이 분명했다. 그것은 마치 이미 금이 가 있는 도자기 화병을 화강암 기둥에 집어 던지는 격이었다. 헵지바가 지금처럼 재프리 사촌의 강력한 성격을 적절하게 평가한 적은 없었다. 지능과 의지력, 사람들 사이에서 움직여 온 오랜 습관으로, 그리고 그녀가 생각하기에 분명 눈 하나 깜짝 않고 사악한 수단으로 이기적인 목적을 줄곧 추구해 옴으로써 강력해진 특성 말이다. 클리퍼드가 가지고 있을 거라고 여기는 비밀에 대해 핀천 판사가 미몽에 빠져 있다는 사실은 어려움을 더욱 가중시킬 뿐이었다. 그처럼 강한 목적의식과 통상적인 명민함을 지닌 사람이 실제적인 문제에 있어서 어쩌다가 잘못된 생각을 가지게 되고 그것을 사실이라고 알려진 것들 사이에 쐐기를 박듯 끼어 넣어 꽉 고정해 버리면, 그 마음속에서 그것을 잡아 빼내는 일은 떡갈나무를 뽑는 것과 마찬가지로 어려운 법이다. 그렇게 판사가 클리퍼드에게 불가능한 것을 요구하므로 그것을 수행할 수 없는 클리퍼드는 파멸할 수밖에 없을 것이다. 음악적 선율의 흐름과 리듬에 맞추어 사는 아름다운 향유의 삶을 살아온 일 외에 어떤 다루기 힘든 임무도 해 본 적이 없는 클리퍼드의 연약한 시적 본성이 이렇게 완강한 사람의 손아귀에 잡힌다면 어떻게 되겠는가! 사실 이미 초래된 결과가 무엇인가? 완전히 부서지고 황폐해지지 않았나! 거의 파괴되어 소멸된 상태인데, 곧 완전히 그렇게 될 테니!

판사가 주장한 대로 클리퍼드가 정말로 죽은 삼촌의 사라진 재산에 대해 뭔가를 알고 있는 게 아닐까 하는 생각이 잠깐 헵지바의 머리를 스쳤다. 그 가정 자체가 아주 허무맹랑한 게 아니라면 오빠가 그렇게 해석될 수도 있는 모호한 암시를 한 적이 있다는 것이 기억났다. 외국으로 여행을 하고 그곳에서 살 계획들을 세우고 고향에서 화려한 생활을 하는 몽상에 잠기고 온갖 눈부신 공중누각을 꿈꿨는데, 그것들을 실제로 짓고 현실화하려면 엄청나게 많은 재산이 필요할 것이었다. 그러한 재산이 자신의 손에 있다면, 클리퍼드가 쇠락한 낡은 집에서 은둔해 자유롭게 살 수만 있다면 그것을 찔러도 피 한 방울 나오지 않을 사촌에게 얼마나 기꺼이 넘겨주겠는가! 그러나 오빠의 계획이란 아이가 엄마 무릎 곁의 작은 의자에 앉아 미래의 삶을 그려 보는 것과 마찬가지로 실제적인 내용이나 의미가 결여되어 있는 것이라고 헵지바는 믿었다. 클리퍼드가 가진 것이라고는 환영에 불과한 금궤이고, 그런 것으로는 핀천 판사를 만족시킬 수 없는 것이다!

그렇게 극단적인 둘 사이를 어떻게 해 볼 도리가 없는 걸까? 마을로 둘러싸여 있으면서도 도와줄 사람이 아무도 없다는 것이 이상해 보일 수도 있다. 그냥 창문을 열어젖히고 비명을 지르는 일이야 얼마나 쉬운가! 그러면 사람들이 고통에 찬 기이한 비명을 듣고는 그것이 무시무시한 위기에 처한 인간 영혼의 외침임을 깨닫고 급히 도움을 주러 올 텐데. 하지만 누가 도움을 주러 오건, 아무리 선한 의도를 가지고 왔더라도 강한 자의 편을 들 것임이 분명하다는 사실은 얼마나 얼토당토않으면서도 거의 우스꽝스럽기까지 한, 그러면서 또한 헵지바가 생각하기에 지루하고 정신 나간 듯한 세상에서 또 얼마나 계속해서 벌어지는 치명적 불행인가! 힘과 부정(不正)이 결합되면 마치 자기(磁氣)가 흐른 쇠처럼 저항할 수 없는 흡인력을 갖게 된다. 여기 핀천 판사가 있다. 사람들이 보기에 뛰어난 인물에 지위도 높고 엄청난 재력가인 데다 박애주의자에 국회의원이자 교회의 회원, 그리고 그 밖에 이름을 날릴 것이라면 어떤 것이든 밀접하게 관련을 맺고 있는 사람. 이렇게 훌륭함이라는 측면에서 보았을 때 그 모습이 얼마나 위압적인지, 헵지바 자신도 고결함과 정직함에 있어서는 그가 속빈 강정이라는 자신의 결론에서 무르춤하지 않을 수 없었다. 이 한편에 핀천 판사! 그러면 다른 편에는 누가 있는가! 죄인 클리퍼드! 옛날에 손가락질을 받았던 죄인! 지금은 흐릿하게 기억될 뿐인 치욕!

하여튼 판사가 사람들의 모든 지지를 자신의 쪽으로 끌어들일 것이라고 느끼면서도 헵지바는 스스로 알아서 행동하는 일에 너무 익숙하지 않았기 때문에 누가 조언 삼아 한마디만

하면 어떤 양식의 행동으로든 기울게 될 것이었다. 어린 피비 핀천이 있었다면 딱히 쓸 만한 제언을 줄 수 있어서라기보다 그냥 따뜻하고 쾌활한 성격으로 즉시 분위기 전체를 바꿔 놓았을 텐데. 헵지바는 문득 예술가를 떠올렸다. 젊고 알려지지도 않은, 그저 방랑하는 모험가일 뿐이지만 헵지바는 홀그레이브가 가진 어떤 힘을 의식할 수 있었고, 그것이 아마도 그를 위기관리에 뛰어난 사람으로 만들었을지도 모를 일이었다. 마음에 그런 생각을 품고, 예전에는 자신이 사는 구역과 방랑하는 은판 사진사가 지금 임시로 거처하는 박공 사이를 연결하는 통로로 쓰였지만 이젠 오랫동안 쓰지 않아 거미줄이 낀 문의 걸쇠를 풀었다. 은판 사진사는 거기 없었다. 탁자 위에 뒤집어엎어 놓은 책과 원고 뭉치, 반쯤 적힌 종이와 신문, 현재 그의 직업에 쓰이는 도구들과 거절당한 몇몇 은판 사진들이 마치 그가 가까이에 있는 듯한 인상을 주었다. 그러나 헵지바도 예상했듯이 이 시간에 은판 사진사는 그가 일하는 작업실에 있었다. 무거운 생각들이 가슴을 짓누르는 와중에도 반짝 생겨난 별 뜻 없는 충동적 호기심으로 은판 사진 하나를 보았는데, 거기서 핀천 판사가 그녀를 향해 무섭게 인상을 쓰고 있는 게 아닌가! 운명이 정면으로 그녀를 쏘아보고 있었다. 헵지바는 찾는 이를 만나지 못한 채 가슴이 덜컹 내려앉는 실망감으로 몸을 돌렸다. 혼자 은둔해 살아온 그 오랜 세월 내내 지금처럼 정말 혼자라는 느낌을 받아 본 적은 한 번도 없었다. 마치 집이 사막 한가운데 있거나, 어떤 마법으로 인해 주변에 살거나 곁을 지나가는 사람들에게는 보이지 않게 된 듯했다. 그래서 어떤 종류의 불행이나 비참한 사건, 혹은 범죄가 일어난다 한들 그 어디서도 도움을 받지 못하는 것이다. 슬픔과 상처받은 자존심 때문에 헵지바는 스스로 친구를 만들지 않은 채 평생을 보냈다. 신이 피조물들로 하여금 서로에게 받도록 정해 준 도움을 의도적으로 집어던진 것이다. 그래서 이제 그 벌로 그녀와 클리퍼드가 적수인 사촌의 손쉬운 희생양이 된 것이다.

아치형 창문으로 되돌아 온 그녀는 두 눈을 들어 위를 보았다. 오만상을 찡그린 불쌍한 근시의 헵지바가 하늘을 정면으로 보고 자신의 기도가 빽빽한 잿빛 구름층을 뚫고 올라가도록 무진 애를 썼다. 그 뿌연 안개는 이 땅과 저 위의 좋은 세상 사이에서 덮어 누르는 인간적 괴로움과 의심, 혼돈과 냉랭한 무관심의 거대한 덩어리를 상징하는 것 같았다. 그녀의 믿음이 너무 약했다. 기도가 너무 무거운 나머지 위쪽으로 올라가지 못한 채 납덩어리처럼 가슴 위로 도로 떨어져 내렸다. 신께서는 한 인간이 다른 인간에게 저지르는 이러한 사소한 악행에 개입하지도 않을 것이고 고독한 영혼의 소소한 고통을 달래 주지도 않을 것이며, 오히려 대낮같이 밝은 빛으로 한 번에 휩쓸 듯이 정의와 자비를 우주의 반쪽에 뿌릴 것이라는 비참한 확신이 그녀를 강타했다. 너무나 광대하게 퍼지므로 개별적으로는 별것 아닐 것이다. 그러나 어느 오두막 창문에나 햇빛이 비추듯이 신의 보살핌과 연민은 각 개인의 필요에 따라 주어진다는 사실을 헵지바는 알지 못했다.

결국 클리퍼드에게 가해야 할 고통(창가에서 미적대고 예술가를 찾아보고 심지어 되다 만 기도까지 해 보려 했던 진짜 이유가 바로 그것을 하기가 너무 싫어서인데)을 미룰 만한 더 이상의 핑계를 찾지 못하고 비탄에 빠진 창백한 모습으로, 황폐한 여성의 모습으로 거의 마비된 듯한 사지를 천천히 움직이며 오빠의 방문 앞으로 가서 문을 두드렸다.

아무 대답이 없다!

어떻게 대답이 있겠는가! 기피하고 싶은 그 목적으로 인해 그녀의 손이 부들부들 떨려서 너무나 힘없이 문을 두들겼기 때문에 그 소리가 안쪽까지 들리지도 않았는데 말이다. 다시 문을 두드렸다. 여전히 대답이 없다! 그 역시 놀라운 일은 아니었다. 그녀는 심장이 쿵쾅거리는 만큼 온 힘을 다해 문을 내려쳐서 어떤 미묘한 자력으로 소환장에 자신의 두려움을 전달했기 때문이다. 클리퍼드는 밤중에 놀라서 깬 아이처럼 베개에 얼굴을 묻고 침대 시트로 머리를 덮고 있을 것이다. 그녀는 세 번째로 문을 두드렸는데 이번에는 분명한 의미를 담아서 부드러우면서도 아주 뚜렷하게 규칙적으로 세 번을 두드렸다. 아무리 주의를 기울여 감추려고 해도 손은 무감각한 나무에 대고서라도 우리가 느끼는 어떤 가락을 연주하지 않을 수 없는 것이다.

클리퍼드는 여전히 대답이 없었다.

"오라버니! 클리퍼드 오라버니! 들어가도 돼요?" 헵지바가 말했다.

침묵!

헵지바는 두세 번인가 그 이상 계속 이름을 불렀지만 소용이 없었다. 그래서 오빠가 어느 때보다도 깊이 잠이 들었나 보다 하면서 문을 열고 들어갔는데 방이 비어 있었다. 어떻게 그녀가 모르는 새 나갈 수 있었을까? 그리고 언제? 혹시 폭풍우 치는 날씨임에도 집 안에 있는 게 넌더리가 나서 습관처럼 정원으로 산책을 나갔다가 쓸쓸한 정자 안에서 떨고 있는 걸까? 그녀는 황급히 창문을 열어젖히고, 터번 쓴 머리와 여윈 몸을 반쯤이나 내밀고 흐릿한 시력으로 할 수 있는 한 꼼꼼하게 정원을 전부 훑어보았다. 둥그렇게 만들어진 의자가 놓인 정자 안쪽이 보였는데 지붕에서 떨어진 빗물로 젖어 있었다. 거기 앉아 있는 사람은 없었다. 주변에 클리퍼드는 보이지 않았다. 헵지바가 잠깐 상상했던 것처럼 정말로 그가 호박 덩굴이 울타리에 아무렇게나 비스듬히 놓인 낡은 나무 얼개를 타고 엎치락뒤치락 감아 올라가서 만들어진, 서로 엉켜 한 덩어리가 된 널찍한 잎의 크고 축축한 그림자 속으로 기어 들어가 숨어 있지 않은 다음에야 말이다. 하지만 그럴 리는 없었다. 클리퍼드는 거기 없었다. 왜냐하면 헵지바가 바라보는 사이 기묘하게 생긴 고양이 한 마리가 바로 그 자리에서 스르륵 기어 나와 정원을 가로질러 지나갔기 때문이다. 두 번쯤 멈춰 서서 하늘에 대고 킁킁 냄새를 맡고는 다시 응접실 창문 쪽으로 향해 갔다. 그것이 원래 고양이들이 공통적으로 살금살금 여기저기를 살피는 습성을 가지고 있기 때문이든 그 고양이가 특히 나쁜 생각을 품고 있기 때문이든, 노부인은 무척 당황한 와중에도 그것을 쫓아 버려야겠다는 마음이 들었고 그래서 창문 지지대를 집어던졌다. 고양이는 들킨 도둑이나 살인자라도 되는 듯 그녀를 올려다보더니 바로 도망쳐 버렸다. 이제 살아 있는 존재는 정원에 아무도 없었다. 수탉과 그의 가족들은 그치지 않고 계속되는 비에 축 처져서 아예 닭장의 홰를 떠나지 않았거나, 그다음으로 적절한 일로서 마침맞게 그리로 돌아갔을 것이다. 헵지바는 창문을 닫았다.

그런데 클리퍼드는 어디 있는 걸까? 자신의 사악한 운명이 다가온 사실을 알고는 판사와 헵지바가 가게에서 얘기를 하는 동안 조용히 층계를 내려와 가만히 현관문의 걸쇠를 풀고 거리로 도망가 버린 걸까? 그런 생각이 들자 그녀는 집 안에 있을 때 입는 구식 복장을 한, 백발이 성성하고 주름이 자글거리면서도 아이 같은 그의 모습이 보이는 듯했다. 온 세상이 자신을 지켜보는 불안한 꿈속에서 보통 자신의 모습으로 상상하는 그런 모습 말이다. 가엾은 오빠는 그런 모습으로 마을 여기저기를 돌아다니며 마치 유령처럼 사람들의 시선을 끌고 놀라움과 혐오스러움을 끌어낼 것이며, 대낮에 출몰했으므로 사람들은 더욱 몸서리치게 될 것이다. 그를 알지 못하는 젊은 무리들은 비웃고 조롱할 테고, 그의 옛날 모습을 기억할지도 모르는 몇몇 노인들은 더욱 분개하며 심하게 경멸할 것이다! 거리를 뛰어다닐 만한 나이가 된 아이들, 악마가 아버지이기라도 한 듯 아름답고 성스러운 것에 대한 경외심도 없고 불운에 대한 연민도 없는, 인간의 형상으로 나타나 그것을 신성하게 하는 성스러운 불행이 뭔지 전혀 알지 못하는 아이들의 놀림거리가 될 텐데! 그들의 조롱과 시끄럽고 날카로운 외침, 잔인한 웃음에 시달리고 그에게 집어던지는 길가의 더러운 쓰레기로 모욕당할 텐데. 아니면 아무도 그렇게 인정 없는 말을 던지지 않더라도 단지 처한 상황이 너무나 생소해서 갈팡질팡할 텐데, 클리퍼드는 누가 봐도 정신 나간 것으로 보이는 그런 어처구니없는 짓을 왜 갑자기 하게 된 것일까? 그렇게 핀천 판사의 잔인한 계획은 손쉽게 달성이 될 텐데 말이다!

그러다가 헵지바는 마을이 거의 완전히 물에 둘러싸여 있다는 것을 기억해 냈다. 항구의 중앙 쪽으로 부두가 쭉 이어져 있는데 보통 거기서 북적거리는 상인과 일꾼, 선원들이 이렇게 험악한 날씨에는 얼씬도 않기 때문에, 안개 자욱한 부두마다 배들이 이물에서 고물까지 단단히 정박되어 있을 뿐 사람 그림자 하나 없었다. 그녀의 오빠가 정처 없이 걷다가 우연히 그쪽으로 가게 되어 잠깐이라도 몸을 구부려 깊고 시커먼 바닷물을 들여다보게 된다면, 여기가 바로 그가 이를 수 있는 휴식처이며 한 발만 더 디디면 혹은 약간이라도 몸의 균형을 잃으면 사촌의 손아귀에서 영원히 빠져나갈 수 있을 거라고 생각하지 않을까? 아, 그 유혹! 육중하게 짓누르는 슬픔에서 안전함을 얻고 싶은! 납덩이 같은 무게로 깊이 가라앉아 다시는 떠오르지 않기를 원하는!

마지막에 떠오른 이 생각은 헵지바가 감당하기에는 너무나 엄청난 공포였다. 지금 당장 재프리 핀천의 도움이라도 받아야 한다! 그녀는 날카롭게 소리를 지르며 정신없이 계단을 뛰어 내려갔다.

"클리퍼드 오라버니가 사라졌어요!" 그녀는 소리쳤다. "오라버니를 찾을 수가 없어요! 도와줘요, 재프리 핀천! 뭔가 안 좋은 일이 일어날 거예요!"

그녀는 응접실 문을 열어젖혔다. 하지만 창문을 가로지르는 나뭇가지의 그림자와 연기에 검게 그을린 천장, 그리고 어두운 떡갈나무 판자를 붙인 벽 때문에 방 안에는 거의 햇빛이 들지 않아서 헵지바는 잘 보이지 않는 눈으로 판사의 모습을 정확하게 구분해 낼 수 없었다. 하지만 창문 쪽을 보는 듯 얼굴을 약간 돌리고 마루 중간쯤 고색창연한 일인용 소파에 앉은 그를 분명 보았다고 생각했다. 핀천 판사처럼 강인하고 과묵한 신경 체계를 지닌 사람이라면 아마 그녀가 방을 떠난 후 한 번 이상은 몸을 움직이지 않고 냉정하게 성질을 가라앉힌 채 우연히 처음 앉게 된 그 자리를 계속 지키고 있을 만했다.

"이봐요, 재프리 사촌." 다른 방을 찾아보기 위해 응접실 문에서 돌아서며 헵지바가 조급하게 외쳤다. "오라버니가 방에 없다고요! 찾아봐야 하니 좀 도와줘요!"

그러나 핀천 판사는 히스테릭한 여성이 위급하다며 소란을 떤다고 해서 자신의 위엄이나 폭넓은 개인적 원칙에 어울리지 않게 허둥대며 안락의자에서 벌떡 일어날 사람이 아니었다. 하지만 이 문제에 자신의 이해관계가 걸려 있음을 생각하면 조금은 더 재빠르게 움직일 법하지 않은가!

"내 말 안 들려요, 재프리 사촌?" 다른 곳을 찾아봤으나 소용이 없자 헵지바가 다시 응접실 문으로 다가오며 빽 소리쳤다. "클리퍼드 오라버니가 사라졌다고요!"

바로 그 순간, 안쪽에서 응접실의 문지방 위로 클리퍼드 자신이 모습을 드러내는 것 아닌가! 그의 얼굴은 불가사의할 정도로 창백했다. 정말이지 죽은 사람처럼 얼마나 창백한지 빛이 희미하게 가물거려 불분명한 복도에서도 헵지바는 그에게만 빛이 내리쬐는 듯 그의 모습을 분명히 분간할 수 있었다. 마찬가지로 그 모습의 강렬하면서도 거친 표현이 스스로를 밝히기에 충분한 듯했다. 그것은 그의 손짓이 나타내는 감정과 일치하는 경멸과 조롱의 표현이었다. 클리퍼드는 문지방에 서서 반쯤 몸을 뒤쪽으로 돌리고 응접실 안쪽으로 손가락을 가리키면서 가볍게 흔들었는데, 마치 뭔가 상상도 할 수 없이 우스꽝스러운 것이 있으니 와서 보라며, 헵지바만이 아니라 온 세상 사람들을 다 부르는 것 같았다. 다른 어떤 들뜬 느낌보다도 기쁨을 나타내는 표정을 또한 동반한, 너무나 상황에 맞지 않고 얼토당토않은 이 행동으로 인해 헵지바는 냉혹한 친척의 불길한 방문 때문에 불쌍한 오빠가 완전히 미쳐 버린 것이 아닌가 걱정했다. 또한 클리퍼드가 이렇게 정신 나간 듯한 증상을 보이는 동안 판사가 가만히 있는 이유를, 그가 교활하게 지켜보기 때문이라고밖에는 달리 설명할 수 없었다.

"조용히 해요, 오라버니!" 주의를 주기 위해 손을 올리며 여동생이 속삭였다. "아, 제발, 조용히 좀 해요!"

"재나 조용히 하게 둬! 그것 말고 뭘 달리 할 수 있겠어?" 클리퍼드가 여전히 정신없는 손짓으로 막 나선 방 안쪽을 가리키며 대답했다. "우리는 말이야, 헵지바, 이젠 신나게 춤을 춰도 돼! 노래도 부르고 웃고 떠들고, 하고 싶은 건 뭐든지 해도 된다고! 우리를 압박하던 것이 사라졌어, 헵지바. 이 오래되어 지친 세상에서 사라졌다고. 그러니까 우리는 어린 피비처럼 가벼운 마음으로 살아도 돼!"

그러고는 여전히 손가락으로 헵지바에게는 보이지 않는 응접실 안쪽의 뭔가를 가리키며 그 말에 따르기라도 하듯 웃기 시작했다. 그녀는 문득 뭔가 무시무시한 일이 벌어졌음을 직감했다. 그녀는 클리퍼드를 지나쳐 황급히 방 안쪽으로 사라지는가 싶더니 비명이 목에 걸린 채 꺽꺽거리며 곧 다시 나타났다. 그녀는 정신없이 부들부들 떨면서 두려움이 가득한 시선으로 뭔가를 물어보듯 오빠를 머리부터 발끝까지 뚫어지게 보았다. 이렇게 격렬한 감정이나 놀라움으로 동요하는 중에도 터져 나왔던 그의 즐거움은 여전히 남아 있었다.

"세상에! 우리는 어떻게 되는 거지!" 헵지바는 숨이 멎는 듯했다.

"가자!" 클리퍼드가 평소 모습과는 너무나 다르게 순식간에 결정을 내리는 말투로 말했다. "여기 너무 오래 있었어! 이 오래된 집은 재프리 사촌에게 줘 버리자고! 걔가 잘 관리하겠지!"

그때서야 헵지바는 클리퍼드가 동쪽에서 태풍이 몰려든 요즈음 줄곧 몸에 두르고 있던 오래된 외투를 입고 있음을 알아챘다. 그는 손짓을 하면서, 그녀가 이해하기로는 함께 집을 떠나자는 의도를 표현했다. 진정한 인격적 힘이 모자라는 사람들은 살다가 혼란스럽고 맹목적이거나 뭔가에 취한 듯한 순간을 겪게 되는데, 무엇보다도 용기가 가장 전면에 나서야 하는 시험의 순간이지만 그러한 사람들은 혼자 내버려 두면 목적을 잃고 비틀거리거나 우연히 자신을 인도하게 된 사람이라면 심지어 어린아이일지라도 누구든 무조건 쫓아가게 마련이다. 아무리 터무니없고 말도 안 되는 목적이라도 그것은 신이 정해 준 것과 마찬가지인 것이다. 헵지바는 바로 이러한 지점에 이르렀다. 행동이나 책임감에 익숙하지 않고, 목격한 장면으로 인해 공포에 휩싸인 데다 어떻게 그러한 일이 벌어졌는지 물어보기가 두렵지만 거의 상상할 수 있게 된 그녀는, 자신의 오빠를 쫓아오는 듯한 운명적 불행에 겁을 집어먹고 마치 죽음의 냄새인 듯 집 안을 가득 채우면서 명료하게 생각할 수 없게 만드는 어둑하고 탁한, 숨이 막힐 듯한 두려움의 공기에 완전히 마비되어 한마디 물어보지도 않고 바로 그 자리에서 클리퍼드가 하자는 대로 따르고 말았다. 그녀 자신은 의지가 항상 잠들어 있는 꿈속에 빠진 사람 같았다. 하지만 보통 의지라는 작용이 부족한 클리퍼드는 위기의 긴장감 속에서 그것을 끌어냈다.

"왜 이렇게 꾸물거려?" 그가 호되게 소리쳤다. "외투든 모자든, 아무거나 걸치고 싶은 걸 빨리 걸치라고! 네가 뭘 입건 아름다워 보이지도 않고 멋지지도 않잖아, 헵지바! 지갑에 돈을 넣어서 빨리 나와!"

할 수 있는 일도, 생각할 수 있는 일도 달리 없다는 듯이 헵지바는 이 지시에 따랐다. 사실 그녀는 왜 자신이 잠에서 깨지 않는지, 얼마나 더 참을 수 없을 정도로 머리가 빙빙 돌도록 괴로워해야 정신이 기를 쓰고 미로에서 빠져나와 이 모든 것이 실제로 일어난 일이 아님을 의식하게 될지 의아할 뿐이었다. 물론 이건 진짜가 아니야. 이렇게 동풍이 몰아치는 어두컴컴한 날은 아예 시작하지도 않았어. 핀천 판사와 나는 얘기를 나눈 적도 없어. 클리퍼드는 웃음을 터뜨리지도 않았고 손가락질을 하면서 자신과 함께 가자고 손짓하지도 않았다고. 혼자 잠에 빠진 사람들이 종종 그렇듯이 그저 아침잠에 빠졌다가 엄청나게 말도 안 되는 황당한 불행에 시달리고 있을 뿐이야!

'자, 자, 이제 분명 잠이 깨었을 거야!' 얼마 되지도 않는 차비를 하느라 이리저리 왔다 갔다 하면서 헵지바가 생각했다. '더 이상은 못 참겠어! 이제 잠에서 깨라고!'

그러나 잠에서 깨어나는 순간은 오지 않았다! 심지어 그들이 집을 막 나서기 전에 클리퍼드가 살그머니 응접실 문으로 가서 방에 혼자 남아 있는 사람에게 떠난다는 인사를 할 때도 그 순간은 오지 않았다.

"저 친구가 지금 얼마나 이상한 모습을 하고 있는지 몰라!" 그가 헵지바에게 속삭였다. "나를 완전히 꼼짝 못 하게 만들었다고 막 생각한 순간에 말이지! 자, 자, 서두르자. 안 그러면 그가 기독교인과 희망에 찬 사람을 쫓는 절망의 거인*처럼 벌떡 일어나 우리를 잡을지도 몰라!"

클리퍼드는 거리로 나서면서 앞쪽 현관 기둥에 있는 무엇인가로 헵지바의 주의를 돌렸다. 그것은 단지 자기 이름의 머리글자였는데 글자 모양을 특히 세련되게 쓸 수 있었던 그가 어렸을 때 직접 새긴 것이었다. 핀천 판사는 조상 대대로 내려오는 옛집에 혼자 앉은 채 내버려 두고 남매는 그렇게 집을 떠

* 존 버니언이 쓴 『천로역정』에 나오는 인물.

났다. 그는 너무나 묵직한 덩어리 같아서 죽어 버린 악몽과 다를 바 없다고도 볼 수 있을 것이다. 악행을 저지르는 중에 파멸해서 없앨 수 있으면 없애 보라는 듯이 고통 받은 사람의 가슴에 축 늘어진 시체를 남겨 놓은 악몽!

17
두 올빼미의 도주

여름이긴 했지만 헵지바와 클리퍼드가 마을 중심부를 향해 핀천 길을 걸어 올라갈 때 정면에서 불어오는 동풍 때문에 얼마 남지 않은 헵지바의 이가 추위로 딱딱 부딪쳤다. 특히 그녀의 손발이 그 어느 때보다 꽁꽁 얼어 있었지만, 그녀가 그렇게 덜덜 떠는 것은 단지 이 무자비한 돌풍이 몸속으로 스며들어서만이 아니었다. 도덕적 흥분 상태가 육체적인 냉기와 뒤섞여 그녀로 하여금 육체적으로보다 정신적으로 더욱 떨게 만들었던 것이다. 거칠 것 없이 살을 에는 듯한 세상의 공기는 얼마나 막막한지! 심지어 가장 따뜻한 삶의 조수가 혈관을 따라 부글거리며 흐르는 젊은 시절에 세상에 뛰어들었더라도 새로이 모험을 시작하는 사람이라면 다들 그런 인상을 받을 것이다. 그렇다면 오랜 세월을 살았지만 아이처럼 서투른 헵지바와 클리퍼드가 현관 계단을 내려와 넓게 뻗은 핀천 느릅나무 아래를 지나갈 때 그들의 기분은 어떠했겠는가! 그들은 주머니에 6펜스 동전과 비스킷 하나를 넣고 세상 끝까지 가 보겠다며 어린아이가 종종 떠올리는 바로 그런 여행길에 올라 온 세상을 방랑하는 듯했다. 헵지바의 마음에는 표류하며 떠다니는 듯한 참담한 느낌이 있었다. 그녀는 스스로 길을 찾는 능력을 상실했지만, 지금 처해 있는 어려움을 생각하면 그것을 다시 찾기 위해 애를 쓴다는 것이 의미 없게 느껴졌고, 더구나 그렇게 할 수도 없을 것이었다. 생소한 여행길에 올라 계속 나아가면서 그녀는 이따금 곁눈으로 클리퍼드를 바라보았는데, 그가 강렬한 감정 상태에 빠져 휘둘리고 있음을 알아차리지 않을 수 없었다. 그 즉시 저항할 수 없이 강하게 그녀의 행동을 통제할 수 있는 힘을 행사했던 것은 정말이지 바로 그 때문이었다. 그것은 술에 취해 기분이 좋아진 것과 꽤 유사했다. 혹은 기발하게 비유하자면 열광적으로 활발하게 연주하지만 조율이 안 된 악기로 연주하는 명랑한 음악과도 같았다. 신경을 거슬리는 버성긴 소리가 계속해서 들리고, 멜로디가 최대로 고양되었을 때 그 불쾌한 소리도 가장 큰 것처럼, 클리퍼드의 온몸을 끊임없이 흔들어 대는 전율이 있어 그가 의기양양한 미소를 짓고 걸으면서 거의 깡충깡충 뛰고 싶어 할 때 오히려 그를 가장 떨게 만들었다.

한적한 일곱 박공의 집 주변 동네를 벗어나 마을에서 보통은 사람들이 가장 북적이고 번잡한 지역에 들어서도록 그들이 마주친 사람은 거의 없었다. 울퉁불퉁한 표면을 따라 여기저기 작은 빗물 웅덩이가 생긴 젖은 보도와, 마치 장사의 생명이 오직 그 하나의 물건에 걸려 있는 것처럼 가게 유리창에 과시하듯 걸려 있는 우산들. 때 이르게 돌풍으로 떨어져 도로에 흩어져 있는 칠엽수인지 느릅나무의 젖은 잎사귀들, 길 한가운데 볼썽사납게 쌓인 진흙과 오랫동안 공들여 닦았는데도 그 때문에 빙퉁그러지게도 더 더러워진 거리하며 그 모든 것들이 아주 음산한 그림을 더욱 분명하게 보여 주었다. 사람들의 생활과 움직임을 가로막으면서 승합마차나 역마차가 덜거덕거리며 급히 지나갔는데, 마부는 머리와 어깨에 방수 덮개를 덮어 비를 막고 있었다. 어딘가 저 아래 지하의 하수구에서 기어 나온 듯한 의지가지없는 노인네 한 사람이 몸을 잔뜩 구부리고 길가 도랑을 따라 막대로 젖은 쓰레기 더미를 휘저으며 녹슨 못을 찾고 있었다. 우체국 문 앞에서는 상인 한두 명이 편집자와 다방면의 정치가와 함께 늦어진 우편물을 기다리고 있었다. 텅 빈 거리를 멍하니 바라보며 날씨 욕을 해 대고, 사적인 잡담거리도 없고 사회의 뉴스거리도 없다고 안달들을 하는 은퇴한 선장들 얼굴 몇이 보험 사무실 창문으로 보였다. 헵지바와 클리퍼드가 간직하고 있는 비밀을 추측이라도 할 수 있다면 참견하기 좋아하는 나이 지긋한 그들에겐 그것이 얼마나 귀중한 발굴물이 될지! 그러나 그 두 사람의 모습은 거의 사람들의 주의를 끌지 않았다. 그것은 동시에 옆을 지나가던 어린 소녀의 경우도 마찬가지였는데, 그녀는 어쩌다가 발목이 보이도록 치마를 약간 높이 들어 올렸는데도 그러했다. 화창하고 기분 좋은 날이었다면 그들은 이러쿵저러쿵 말을 듣지 않고는 거리를 그냥 지나갈 수 없었을 것이다. 아마도 그들은 지금의 음산하고 궂은 날씨와 어울린다고 느껴졌다. 그래서 햇볕이 그들을 쪼일 때처럼 너무 두드러지게 눈에 띄지 않고 잿빛의 어두한 그림자 속으로 녹아들어 가 지나가자마자 잊혔다.

불쌍한 헵지바! 그녀가 이 사실을 알았다면 그녀에게 조금이나마 위안이 되었을 텐데. 이상하게 들리겠지만 그 모든 괴로움에 덧붙여 그녀는 차림새가 꼴사납다는 느낌에서 비롯된 여성이자 노처녀로서의 정신적 고통도 느끼고 있었기 때문이다. 그래서 그녀는 점점 더 안으로 쪼그라들고 싶었다. 마치 여기에는 그저 닳아서 나달나달해지고 말할 수 없이 색이 바랜 외투와 머리 덮개가 폭풍 치는 중에 통풍하러 나왔을 뿐 그 안에 사람은 없다고 사람들이 생각하기를 바라듯이 말이다!

길을 걸어감에 따라 불분명한 비현실감이 희미하게 그녀 주변을 계속 떠돌면서 몸속까지 들어와 퍼져 한 손으로 다른 손을 만져도 거의 만지는 감각이 없었다. 어떤 확실함도 이보다 나을 것 같았다. 그녀는 스스로에게 "내가 깨어 있는 거야? 깨어 있는 게 맞아?"라고 수없이 되뇌었고 이따금 그 사실을 난폭하게나마 확신하기 위해 얼굴을 후려치는 차가운 바람에 일부러 얼굴을 내놓기도 했다. 클리퍼드의 목적이 그러했는지, 아니면 우연히 그곳에 이르렀는지는 모르겠지만 그들은 이제 회색 돌로 지어진 커다란 건물의 아치형 입구 아래를 지나가게 되었다. 안쪽으로는 널찍한 공간이 있었고 바닥에서 천장까지도 충분한 높이여서 공기가 잘 통했는데, 지금 그 한편은 위쪽으로 엄청나게 소용돌이치며 뿜어져 나온 연기와 증기로 가득 차 머리 위에서 가짜 구름층을 이루고 있었다. 기관차는 앞으로 곤두박질치듯이 뛰쳐나가고 싶어 조바심 내는 말처럼 증기를 뿜어내며 안달하고 있었다. 재촉받는 우리 생애에서 삶이 우리에게 허용해 준 짧은 소환을 잘 표현하는 종소리가 급히 울려 댔다. 아무것도 묻지 않고 주저함도 없이, 너무나 불가사의하게 그를 사로잡고, 그를 통해 헵지바까지 사로잡은 저항할 수 없는 결단력, 차라리 무모함이라고 불러야 할지도 모를 결단력으로 클리퍼드는 그녀를 차량 안으로 밀어 넣으며 열차에 올라타도록 도와주었다. 신호가 떨어지자 엔진이 짧고 빠르게 숨을 뿜어내면서 열차가 움직이기 시작했다. 그리고 백여 명의 다른 승객들과 함께 기차에 익숙하지 않은 이 두 여행객도 바람처럼 빠르게 앞으로 나아갔다.

그러므로 마침내 그들은, 세상이 수행하고 즐기는 모든 것들에게서 너무나 오랫동안 떨어져 살다가 그렇게 인간 삶의 거대한 흐름으로 빨려 들어 운명 자체가 그들을 빨아들이기라도 하듯 그 물결에 휩쓸려 버렸다.

핀천 판사의 방문까지 포함해 지난 사건들 중 어느 것도 실제일 리 없다는 생각에 여전히 사로잡힌 일곱 박공의 집의 은둔자는 오빠의 귀에 대고 중얼거렸다.

"클리퍼드 오라버니! 이게 꿈은 아닌 거죠?"

"꿈이라니, 헵지바!" 거의 면전에 대고 웃을 듯이 그가 말했다. "오히려 반대로 지금처럼 정신이 말짱한 적은 여태껏 없었어!"

그동안 창밖으로 세상이 빠르게 그들을 스쳐 지나가는 것을 볼 수 있었다. 잠깐 동안 아무것도 없는 허허벌판을 달리는가 싶더니 곧바로 주변을 둘러싸고 마을이 나타났다. 숨 몇 번 쉴 짬이 지나자 마치 지진이라도 만난 듯이 다시 흔적도 없이 사라졌다. 마을 공회당의 뾰족탑이 마치 기반에서 떨어져 나와 떠다니는 듯했다. 아래편이 널찍한 언덕이 미끄러져 사라졌다. 모든 것이 오래된 기반에서 풀려나 그들이 가는 방향과 반대 방향으로 회오리치듯 빠르게 움직여 갔다.

차량 안은 기차 안에서 보통 볼 수 있는 모습이 전개되어 다른 승객들에게는 딱히 볼거리가 못 되었지만, 이상하게 풀려난 죄수인 이 한 쌍에게는 신기한 광경으로 가득했다. 오십 명의 사람들이 하나의 길고 좁은 지붕 아래 서로 가까이 붙어서 두 사람을 지배하는 강력한 영향력에 의해 앞으로 끌려 나가는 것은 정말이지 아주 신기했다. 그렇게나 시끄러운 엔진이 그들 대신 일을 하는 동안 이 모든 사람들이 아주 조용히 자리에 앉아 있을 수 있다는 것도 놀라워 보였다. 모자에 기차표를 넣어 둔 몇몇 사람은, 보통 앞으로 갈 길이 160여 킬로미터는 남은 장거리 여행자들인데, 소책자를 들고 그 안의 영국 풍경과 모험에 뛰어들어 공작과 백작들을 사귀고 있었다. 가는 길이 짧아서 그렇게 심오한 공부에 몰두할 수 없는 다른 사람들은 싸구려 대중 잡지로 여행의 지루함을 달래고 있었다. 차량 건너편에는 여자아이들 한 무리와 청년 한 명이 무척 재미있게 공놀이를 하고 있었다. 공을 앞뒤로 던지며 까르르 웃음을 터뜨렸는데, 그 소리가 십 리 밖에서도 들릴 정도였다. 왜냐하면 즐겁게 놀이하는 사람들이 자기도 모르게 재빠른 공이 날아가는 것보다 더 빠른 속도로 휙 지나가서, 자신들의 유쾌함의 자국을 뒤로 멀리 남겨 두면서 게임을 시작한 것과는 다른 곳에서 게임을 끝내게 되기 때문이다. 사과와 케이크, 사탕, 여러 가지 색깔을 입힌 마름모꼴 과자 통처럼 헵지바로 하여금 버려둔 채 떠난 가게가 생각나게 하는 물건들을 든 남자아이들이 잠깐씩 기차가 서는 곳마다 나타나서는 기차간의 시장이 자기들까지 강탈해 가지 않도록 서둘러 거래를 끝내거나 중간에 끊어 버리곤 했다. 끊임없이 새로운 사람들이 들어왔다. 친해진 사람들(이렇게 모든 일이 신속하게 움직이는 상황에서는 사람들도 빨리 친해지니까) 역시 끊임없이 떠나갔다. 여기저기 덜커덩거리고 떠들썩한 와중에도 앉아서 자는 사람들이 있었다. 잠과 놀이, 사업, 심각하거나 가벼운 공부. 그리고 다 함께 어쩔 수 없이 계속 앞으로 나아가는 흐름, 이것이야말로 삶 그 자체가 아닌가!

원체 강렬한 클리퍼드의 공감 능력이 완전히 깨어나 활동하기 시작했다. 주위에서 지나가는 색채는 모두 붙잡아 자신이 받았던 상태보다 더욱 생생하게 만들어 되돌려 주었는데, 어쨌거나 약간 무시무시하면서도 불길한 색조와 섞여 있었다. 그와 달리 헵지바는 자신이 떠나 온 은둔처에 살 때보다 더욱 사람들에게서 분리되어 있는 느낌을 받았다.

"넌 즐겁지 않구나, 헵지바!" 떨어져 앉은 클리퍼드가 책망하는 목소리로 말했다. "그 음산한 고택과 재프리 사촌을 생각하는 거지." 이때 클리퍼드의 몸 전체가 전율했다. "아무도 없이 혼자 거기에 앉아 있는 재프리 사촌을 말이야! 내 말을 들어. 그리고 내가 하듯이 그런 것들은 마음속에서 치워 버리라고. 우린 여기 세상 속에 있잖아, 헵지바, 삶의 한가운데에! 동료 인간들의 무리 속에! 행복해지자고! 저기 공을 가지고 노는 젊은이랑 예쁜 아가씨들처럼 말이야!"

'행복이라니!' 그 단어로 인해 가슴속에 얼어붙은 고통을 담은 활기 없고 무거운 마음을 쓰디쓰게 떠올리며 헵지바가 생각했다. '행복이라니! 오라버니는 이미 미쳐 버린 게야. 하긴 한 번이라도 내가 완전히 잠이 깬 제정신이라고 느낀다면 나 역시 미쳐 버리겠지!' 만약 어떤 생각이 머릿속에 박혀 떠나지 않는 상태가 미친 것이라면 그녀는 아마 거기서 멀지 않을 것이다. 덜컹거리고 덜거덕거리며 철길을 따라 멀리멀리 가는 와중에도 헵지바의 마음속 그림으로는 그저 핀천 길을 오르락내리락하는 일과 진배없었기 때문이다. 지금까지 몇 킬로미터를 달려오면서 다양한 풍경들이 지나갔지만 그녀에게는 이끼 낀 일곱 박공의 뾰족지붕과 그 한 모퉁이의 잡초 덤불, 가게 진열창과 문을 흔들어 대는 손님들과 그 때문에 작은 종이 마구 시끄럽게 울려 대는 모습밖에는 보이지 않았다. 그 시끄러운 종소리에도 핀천 판사는 깨어나지 않고! 이 하나의 고택이 어디를 가나 있는 것이다! 우르르 움직이는 그 거대한 덩어리가 기차 속도보다 더 빠르게 옮겨 와 그녀가 눈을 두는 곳이면 어디나 냉담하게 자리를 잡고 앉는 것이었다. 헵지바의 마음은 특성상 너무나 뻣뻣하고 완고해서 클리퍼드처럼 그렇게 쉽게 새로운 인상을 받아들이지 못했다. 그의 천성이 날개 달린 종류라면 헵지바는 식물에 가까워서 뿌리가 뽑히면 오래 살아 있기 힘들었다. 그래서 지금까지 오빠와 그녀 사이에 존재했던 관계의 유형이 바뀌게 된 것이다. 집에서는 그녀가 오빠의 보호자였다면 여기서는 클리퍼드가 그녀의 보호자가 되어 유별나게 빠른 이해력으로 새롭게 바뀐 자신들의 처지에 따른 것들은 모두 이해하는 듯했다. 상황이 주는 충격 속에서 갑작스럽게 남성다움과 지적인 활기를 가지게 되었다고나 할까. 아니면 병적이고 일시적이긴 할지라도 적어도 그와 비슷한 상태를 갖게 되었다는 것이다.

이제 차장이 차표 검사를 하러 왔다. 그러자 지갑을 가지고 있던 클리퍼드가 다른 사람들이 하던 대로 지표를 그의 손에 쥐어 주었다.

"손님과 부인 것입니까? 어디까지 가시는지요?" 차장이 물었다.

"이 기차가 가는 데까지지요. 아무 상관없어요. 우린 단지 재미 삼아 타는 거니까요!" 클리퍼드가 말했다.

"그러기엔 좀 날씨가 안 어울리는 때를 고르셨군요!" 차량의 반대쪽에 있던 날카로운 눈의 노신사가 그들이 어떤 사람들인지 알아내려는 듯이 클리퍼드와 그의 동반자를 쳐다보며 말했다. "동풍이 불어 닥칠 때 누릴 수 있는 가장 좋은 즐거움은, 제 생각에는, 벽난로에 따뜻하게 불을 지펴 놓고 자기 집에 있는 것일 텐데요."

"제 생각은 딱히 그렇지 않습니다." 클리퍼드가 예의 바르게 노신사에게 고개 숙여 인사를 하는 동시에 그가 제공한 대화의 끈을 잡아 이으며 말했다. "오히려 반대로 이 놀라운 철도의 발견은, 속도에 있어서나 편리함에 있어서나 우리가 바라는 만큼 광범위하고 불가피하게 점점 향상되면서 가정과 난롯가라는 그 케케묵은 생각을 없애 버리고 그보다 나은 것으로 대체할 것입니다."

"상식적으로 말해서, 자기 집 거실과 벽난로 앞보다 더 좋은 게 뭐가 있을 수 있단 말이오?" 노신사가 다소 퉁명스럽게 대답했다.

"많은 선한 사람들이 거기 있다고 생각하는 장점이 사실 거기에는 없어요." 클리퍼드가 대답했다. "한마디로 간단히 말하자면 그것들은 형편없는 목적에 잘못 공헌해 왔다고 할 수 있겠죠! 놀라울 정도로 향상되었고 계속 향상하고 있는 교통 시설이 분명 우리를 다시 유목민의 상태로 되돌려 놓을 거라는 게 제가 받은 인상입니다. 아시겠지만, 분명 경험상 인식하셨겠죠? 모든 인류의 진보는 순환합니다. 그보다 더 정확하고 훌륭한 비유를 사용하자면 나선형으로 돌며 상승한다고나 할까요. 똑바로 나아가서 매 단계마다 완전히 새로운 지점의 상황에 도달했다고 상상하지만 사실은 오래전에 이미 한번 해봤다가 버려진 것을 그 이상(理想)에 비추어 더욱 정교화되고 세련되고 더 완벽해진 상태로 발견하게 되는 거지요. 과거는 현재와 미래에 대한 조악하고 감각적인 예언일 뿐입니다. 이 진리를 지금 얘기하는 주제에 적용해 봅시다! 인류 초기에 인간은 새의 둥지처럼 쉽게 만들 수 있는 일시적인 오두막이나 나무로 엮은 암자에서 살았습니다. 그들이 지은 그 주거지는, 여름 해가 중천에 있을 때의 그 안락한 집은 손으로 만든다기보다 그냥 자라난다고 할 수 있기에 그것을 지었다고 할 수 있을지 모르겠습니다만, 그것은 또한 자연의 도움을 받아 사람들이 기른 것이라고도 할 수 있는데, 그곳에 과일이 풍성하고 물고기와 사냥감도 풍족했으며 무엇보다 그 어느 곳에서보다 사랑스러운 나무 그늘과 더욱 절묘하게 조화를 이룬 호수와 숲, 언덕 등을 통해 미적 감각이 충족될 수 있었던 겁니다. 이러한 삶이 지녔던 매력은 인간이 그 생활 방식을 포기한 이후 완전히 사라지게 되었습니다. 그래서 그 자체보다 더 나은 어떤 것을 상징하게 되었죠. 물론 단점도 있었습니다. 허기와 목마름, 험악한 날씨, 뜨거운 태양, 그리고 기름지고 아름다운 땅을 찾아 황폐하고 메마른 길을 가로지르며 진이 빠지고 발이 부르트도록 걸어가야 하는 것이라든지. 하지만 상승하는 나선형의 움직임 속에서 우리는 이 모든 것을 벗어날 수 있습니다. 기적 소리가 좀 더 듣기 좋은 음악 같고, 덜커덩거리고 끼익 끌리는 소리를 없앨 수만 있다면 이 철도는 확실히 많은 세월을 거쳐 우리에게 마련된 가장 커다란 축복입니다. 우리에게 날개를 달아 준 것과 같아요. 오랜 여행의 노고와 지저분함을 완전히 없애 준 거죠. 여행을 고상하게 승화시킨 겁니다! 이동이 이렇게 손쉬운데 한곳에서 미적거릴 이유가 뭐 있겠어요? 그러니까 무엇 때문에 바로 쉽게 가지고 갈 수 있는 것보다 거추장스러운 거주지를 짓겠어요? 무엇 때문에 벽돌과 돌, 벌레 먹은 오래된 목재 안에서 평생 죄수처럼 지내야 합니까? 아주 손쉽게, 어떤 의미에서는 아무 데서도 살지 않을 수 있고, 그보다 나은 의미에서는 적절함과 아름다움이 그에 맞는 집을 제공하는 곳이면 어디서든 살 수 있는데 말이죠."

이러한 이론을 펼쳐 놓을 때 클리퍼드의 얼굴이 달아올랐다. 젊은이의 특성이 안에서부터 비추어 나와 노인의 주름살과 해쓱한 음침함을 거의 투명한 가면으로 바꾸어 놓았다. 명랑한 아가씨들이 공을 바닥에 떨어뜨린 채 그를 바라보았다. 아마 지금 쇠락해 가는 이 사람이 머리가 희어지고 이마에 굵은 주름살이 새겨지기 전에는 많은 여성들의 가슴에 그의 인상을 강하게 박아 놓았을 것이라고 마음속으로 생각하고 있는지도 모른다. 그러나 안타까워라, 얼굴이 아름다웠을 때 그를 본 여자는 아무도 없었던 것이다!

"어디든지 살 수 있으면서 또한 아무 데서도 사는 게 아닌 그것을, 나로서는 별로 진보된 상태라고는 부르고 싶지 않군요." 클리퍼드와 새로 안면을 튼 노신사가 말했다.

"그래요?" 클리퍼드가 독특한 활기를 보이며 외쳤다. "인간의 행복과 향상으로 나아가는 길에 가장 걸림돌이 되는 것이 바로 모르타르로 굳게 결합한 벽돌과 돌 더미, 아니면 대못으로 연결하여 고정한 목재라는 사실이 내게는 하늘의 태양처럼, 하늘에 태양이 있다면요, 명백한데요. 사람들은 스스로를 고문하듯이 그런 것들을 애써 고안해 내고는 집이니 가정이라고 부른단 말이에요! 영혼에게는 공기가 필요합니다. 광범위하게 휩쓸고 지나가고 수시로 바뀌는 공기 말이죠. 수없이 겹친 다양한 형태로 존재하는 병적인 기운이 난롯가 주위에 모여 집 안의 생명을 오염시켜요. 죽은 조상과 친척들로 인해 유독해진 오래된 집의 공기만큼 건강하지 않은 공기는 없어요! 내가 경험해서 안다니까요! 내 기억 속에서 익숙한 것 중에 그런 집이 있어요. 가끔씩 조상들이 살던 마을에서 볼 수 있는 뾰족지붕을 가진 박공과, 박공은 일곱 개인데요, 위층이 튀어나온 건물 말이에요, 곰팡이가 슬고 삐걱거리고 무너질 것 같은 데다, 바싹 말라 썩고 습기 때문에 썩고 거무죽죽하고 음침하고 참담한 오래된 지하실에 현관 위로는 아치형 창문이 있고 한편으로는 가게 문이 있고 집 앞에는 침울한 큰 느릅나무가 있는 집이죠. 제 머리에 자꾸 이 일곱 박공의 저택이 떠오를 때마다, 이 사실은 너무나 기묘하기 때문에 제가 꼭 언급을 해야겠어요, 셔츠 앞자락에 볼썽사나운 핏자국을 묻힌 채 떡갈나무 안락의자에 앉아 죽어 있는, 완전히 죽은, 유달리 냉엄한 표정을 지닌 나이 지긋한 사람의 환영이랄까 그런 모습이 곧바로 떠오릅니다. 제 기억으로는 그가 집 전체를 오염시켜요. 그래서 거기서는 성공할 수도 없고 행복할 수도 없고 신이 내게 행하고 즐기라고 지정해 준 일을 할 수도 없고 즐길 수도 없다니까요!"

그의 얼굴이 어두워지더니 수축하면서 완전 쪼그라들어 노인네로 시들어 버린 듯했다.

"절대로 말입니다! 거기서는 절대 유쾌한 숨을 쉴 수가 없다고요!" 그가 반복했다.

"그럴 것 같군요." 노신사가 클리퍼드를 진지하면서도 약간 걱정스럽게 응시하며 말했다. "머릿속에 그런 생각이 있다면 그럴 수 없겠지요!"

"확실히 그렇습니다." 클리퍼드가 말을 이었다. "그래서 그 집이 부서져 내리거나 불에 타 버려서 이 땅에서 완전히 없어진 후 그 자리에 풀들이 무성하게 자란다면 정말 안심할 겁니다. 그렇다고 그 자리를 내가 다시 찾아가 보겠다는 말은 아닙니다! 왜냐하면 거기서 가능한 한 멀리 떠날수록 더 많은 기쁨과 쾌활한 신선함, 심장박동, 지적인 유희, 그러니까 한마디로 젊음, 그래요, 내 청춘! 내 청춘이 내게 돌아올 것이니까요. 바로 오늘 아침만 해도 난 늙고 힘이 없었어요. 거울을 보면서 내 백발과 깊이 팬 많은 주름살들, 미간을 가로지른 것 하며 볼을 따라 내려온 고랑 같은 것, 그리고 이마 주변으로 엄청나게 생긴 눈초리의 주름들을 보며 의아해한 게 기억나요. 정말 한순간이라까요! 참을 수가 없어요! 세월은 그렇게 와서는 안 되었잖아요! 난 제대로 살지도 않았는데! 하지만 지금 제가 늙어 보이나요? 그렇다면 내가 내 모습에 속고 있는 건가 봐요. 육중하게 내 마음을 누르던 것이 사라지고 나니 난 마치 온 세상과 나의 청춘 시절이 내 앞에 있어 청춘의 한창 때를 맞고 있는 느낌인데 말이죠!"

"분명 그렇게 느낄 거라고 믿습니다." 클리퍼드의 황당한 얘기가 그들 둘 다를 끌어들여 이르게 된 결론을 회피하고 싶은 듯 노신사가 약간 당황하면서 말했다.

"제발, 클리퍼드 오라버니, 조용히 좀 해요!" 여동생이 속삭였다. "사람들이 오라버니를 미쳤다고 생각할 거라고요!"

"너나 조용히 해, 헵지바!" 그녀의 오빠가 맞받아쳤다. "좋을 대로 생각하라지! 난 미치지 않았으니까. 삼십 년 만에 처음으로 생각이 마구 솟구쳐 올라 금방이라도 말로 표현할 수 있겠는데. 얘기를 해야 해, 얘기를 할 거라고!"

그는 노신사 쪽으로 몸을 돌려 대화를 다시 시작했다.

"그렇습니다. 그렇게도 오랫동안 뭔가 신성한 것을 구현한다고 여겨졌던 지붕 아래와 화롯가라는 조건은 곧 사람들의 일상적인 삶에서 쓸려 나가 잊힐 것이라는 게 저의 굳건한 믿음이자 희망입니다. 이러한 단 하나의 변화만으로 얼마나 많은 인류의 악이 사라져 갈지 잠깐 상상만이라도 해 보세요! 우리가 부동산이라 부르는, 집을 지을 단단한 집터는 이 세상의 거의 모든 죄가 기초하는 광범위한 기반입니다. 자신이 그 안에서 생을 마감하고 그 후손들이 비참하게 생활을 영위할 음산하고 어둑한 방을 가진 거대한 저택을 짓기 위해서라면 사람들은 어떤 악행이라도 저지를 것입니다. 화강암처럼 단단하고 무지막지한 사악함을 계속 쌓아 올려 이후 영원히 영혼을 무겁게 짓누르겠죠. 토대를 보강한 지지대 아래 죽은 시체를 누이고 인상을 찡그린 초상화를 벽에 걸며, 그렇게 스스로 불행한 운명으로 변해 버리고서 몇 대 후손들까지 거기서 행복하기를 바라다니요! 황당무계한 소리를 하는 게 아닙니다. 내 마음속에서 그러한 집을 보고 있거든요."

"뭐, 그렇다면야, 그곳을 떠난다고 당신에게 잘못이 있진 않겠군요." 노신사가 그 주제에 대한 얘기를 그만하기를 바라며 말했다.

"이미 태어난 아이들이 죽기 이전에" 하고 클리퍼드가 말을 이었다. "이 모든 것들이 없어질 것입니다. 세계는 갈수록 지극히 무형의 정신적인 것으로 변해 가기 때문에 이러한 거대한 몸뚱어리를 앞으로도 오래 지탱할 수는 없어요. 제가 보기에는, 제가 비록 상당한 기간을 주로 은둔해 지내서 다른 사람들에 비해 아는 바가 별로 없긴 하지만, 그런 제가 보기에도 더 나은 시대를 알리는 전령사는 의심의 여지 없이 분명합니다. 지금의 최면술을 보세요! 그것이 인간의 삶에서 천함을 씻어 없애 버리는 데 어떤 역할을 하지 않겠습니까?"

"다 허튼수작이지요!" 노신사가 호통을 쳤다.

"어린 피비가 지난번 얘기해 준, 문을 두드린다는 정령들 말입니다." 클리퍼드가 말했다. "그것들이 실체의 문을 두드리는 정신적 세계의 전령사가 아니고 무엇이겠습니까? 그러면 그 문이 활짝 열리게 될 겁니다!"

"역시 허튼 소리!" 클리퍼드의 형이상학을 이렇게 조금씩 들여다보게 되면서 갈수록 짜증이 나기 시작하던 노신사가 소리를 질렀다. "그런 허무맹랑한 소리를 퍼뜨리고 다니는 멍청이들의 텅 빈 머리통을 실한 막대기로 두들겨 주고 싶을 지경이군!"

"그렇다면 전기를 생각해 보세요. 악마이자 천사, 강력한 물리적 힘이자 어디에나 세력을 떨치는 지능!" 클리퍼드가 외쳤다. "그것도 속임수인가요? 내 백일몽에 불과한 게 아니라면, 전기로 인해 물질계가 눈 깜짝할 사이에 수천 킬로미터를 진동하는 거대한 신경조직이 되었다는 게 사실이 아닌가요? 아니, 둥근 지구가 일종의 거대한 머리이자 지능이 가득한 뇌입니다! 아니면 그것이 사고력일 뿐이라고, 오직 사고력일 뿐 이제는 우리가 생각하듯 물질이 아니라고 말할 수도 있을까요?"

“전신 얘기를 하는 거라면” 하고 노신사가 철길을 따라 이어지는 전신줄 쪽으로 시선을 돌리며 말했다. “그건 아주 훌륭한 거지요. 그러니까 물론 면화업과 정치계의 투기꾼들이 차지하지만 않는다면요. 정말로 대단해요. 특히 은행 강도나 살인자들을 잡아내는 데 그러하지요!”

“그런 관점에서는 별로 그것이 마음에 들지 않습니다.” 클리퍼드가 대답했다. “은행 강도라든지, 마찬가지로 살인자라고 불리는 사람들도 그들 나름의 권리는 있습니다. 사회 대부분이 그들의 존재를 아예 부정하는 경향이 있기 때문에 계몽된 인류애와 양심을 가진 사람이라면 더더군다나 그 권리를 좀 더 자유주의적인 정신으로 바라볼 필요가 있어요. 전신과 같은 거의 정신적인 매체는 고귀하고 심오하며 즐겁고 성스러운 임무에 헌신해야 합니다. 연인들이 날이면 날마다, 혹은 마음이 동한다면 한 시간이 멀다 하고 ‘영원히 당신을 사랑해요,’ ‘사랑을 가득 싣고 내 마음이 달려가요,’ ‘말할 수 없이 당신을 사랑해요,’ 같은 말들을 실어 메인 주에서 플로리다 주까지 그들의 심장박동을 보낼 수 있겠죠. 그리고 또 그다음 전신에는 ‘내가 한 시간을 더 살았는데 당신에 대한 사랑은 두 배가 되었어요.’라고 쓰고 말이죠. 또는 착한 사람이 세상을 떴을 때 멀리 있는 그의 친구는 ‘당신의 사랑하는 친구가 하늘나라의 축복 속에 있습니다.’라고 말하는 전신의 떨림을 마치 행복한 영혼의 세계에서 온 것인 양 느낄 수도 있을 거고요. 혹은 집을 떠나 있는 남편에게 ‘당신의 자식인 불멸의 존재가 지금 막 신에게서 우리에게로 왔어요!’라는 전언을 받으면 그 즉시 아기의 여린 목소리가 그 멀리까지 닿아서 그의 마음에서 메아리치겠지요. 그렇지만 이 불쌍한 악당들의 경우는, 그런데 사실 은행 강도는 어떤 정식 절차를 좀 무시하고 거래 시간이 아닌 한밤중에 거래하는 쪽을 택했다는 점만 빼면 열에 아홉은 정직한 사람들이지요. 그리고 당신이 말하는 살인자들은 그러한 행위를 하게 된 동기에 있어서 용서받을 여지가 있고 그 결과만을 놓고 보자면 오히려 사회적 은인에 들어갈 자격이 있습니다. 어쨌든 이 놀라운 무형의 힘이 하는 일 가운데 이렇게 불행한 사람들을 전 세계적으로 뒤쫓아 잡아들이는 일을 포함해서 그에 성원을 보낼 수는 없어요!"

"그럴 수는 없다?" 매서운 표정으로 노신사가 외쳤다.

"절대로, 못합니다!" 클리퍼드가 대답했다. "그렇게 되면 그들이 너무나 말할 수 없이 불리하잖아요. 예를 들어 말입니다, 천장으로 들보가 가로지르는 널벽이 있는 어둡고 낮은 오래된 집의 방에 셔츠 앞자락에 핏자국이 묻은 남자가 안락의자에 앉은 채 죽어 있다고 합시다. 그리고 또 한 사람이 있어 죽은 자의 존재가 가득 들어찬 그 집에서 뛰쳐나온다고 가정해 봅시다. 마지막으로 그 사람이 기차를 타고 허리케인이 몰아치는 속도로 어딘지 모를 곳으로 도망을 치고 있다고 상상해 봅시다. 자, 그 도망자가 멀리 떨어진 어느 마을에 내렸는데, 모든 사람이 그가 보기도 싫고 생각하기도 싫어서 그렇게 멀리 도망쳐 온 바로 그 죽은 사람 얘기를 떠들어 대고 있다면, 그의 천부적 권리가 침해되었다고 말할 수 있지 않을까요? 그는 은신처가 될 마을을 박탈당했고 주제넘은 제 소견으로는 엄청나게 부당한 일을 당한 거 아니겠습니까!"

"당신은 참 이상한 사람이군요!" 마치 거기에 구멍이라도 낼 듯이 노신사가 날카로운 눈매를 모아 클리퍼드를 뚫어지게 보면서 말했다. "알다가도 모르겠어요!"

"그럼요, 당연히 그렇겠지요!" 클리퍼드가 웃으며 외쳤다. "그러면서도 나는 몰의 우물만큼 투명하답니다. 그런데 이제 가자, 헵지바! 한 번의 여행 치고는 충분히 왔다. 새들처럼 날아 내려서 가장 가까운 나뭇가지에 홰를 치고 앉아 다음에 어디로 갈지 의논해 보자꾸나!"

마침 바로 그때, 기차는 한적한 간이역에 도착했다. 잠깐 쉬는 짬을 이용해 클리퍼드는 헵지바를 끌고 기차에서 내렸다. 바로 다음 순간 기차는 클리퍼드가 너무나 눈에 띄게 행동했던 열차 칸 안에서 벌어진 삶 모두를 싣고 저 멀리 미끄러져 갔고 순식간에 하나의 점이 되었다가 바로 사라져 버렸다. 세상이 이 두 방랑자에게서 멀리 달아나 버린 것이다. 그들은 처량하게 주변을 바라보았다. 약간 떨어진 곳에 나무로 지은 교회가 하나 서 있었는데, 오래되어 거무죽죽한 데다 창문은 깨져 있었고 건물에 커다란 금이 가 있었으며 사각의 탑 꼭대기에 서까래가 대롱대롱 매달려 있는 것이 다 망가지고 쓰러져 가는 황폐한 상태였다. 더 멀리로는 교회만큼 고색창연하게 거무스름한 옛날 양식의 농장이 있었는데, 지붕이 3층 꼭대기에서부터 땅에서 사람 키 높이 정도까지 경사를 이루고 있었다. 사는 사람은 아무도 없어 보였다. 사실 땔감이 문가에 여전히 쌓여 있었지만 나무토막과 여기저기 흩어진 통나무 위로는 풀이 싹을 내밀고 있었다. 자잘한 빗방울이 사선으로 내리쳤다. 바람은 거세진 않았지만 찌무룩했고 냉랭한 습기를 가득 머금고 있었다.

클리퍼드는 머리끝에서 발끝까지 부들부들 떨었다. 마구잡이로 끓어올라서는 너무나 기꺼이 생각과 환상들, 기이한 말재주를 조달하고 단지 이렇게 부글거리며 솟아오르는 관념들을 쏟아 놓아야 했기 때문에 그로 하여금 말을 하게 만들던 기분이 완전히 잦아들었다. 강한 흥분 상태가 그에게 에너지와 생기를 주었더랬다. 그 작동이 멈추자 그는 바로 가라앉기 시작했다.

"이젠 네가 인도해라, 헵지바!" 그가 내키지 않는 둔한 발음으로 중얼거렸다. "네가 원하는 대로 알아서 해!"

그들이 서 있던 플랫폼 위에서 그녀는 무릎을 꿇고 마주 쥔 두 손을 하늘을 향해 들어 올렸다. 무거운 잿빛 구름이 두껍게 끼어 하늘은 보이지 않았다. 그러나 지금은 의심할 때가 아니었다. 저 위에 하늘이 있고 거기서 전능하신 아버지께서 우리를 내려다보고 있음을 의심할 계제가 아니었던 것이다!

"오, 하느님!" 해쓱해진 불쌍한 헵지바가 외마디를 토했다. 그러고는 다음 기도가 무엇이 되어야 할지 생각하느라 잠깐 멈추었다가 말했다. "오, 하느님 아버지시여, 우리도 당신의 자녀가 아닙니까? 우리에게 자비를 베푸소서!"

18
핀천 주지사

두 친척이 그렇게 앞뒤 가릴 것 없이 황급하게 달아나는 동안 핀천 판사는 여전히 오래된 응접실에 앉아 원래의 주인이 없는 틈에, 시쳇말로 집을 보고 있었다. 환한 햇빛에 당황해 급히 속 빈 나무로 날아가는 올빼미처럼 그에게로, 그리고 고색창연한 일곱 박공의 집으로 이제 이야기를 돌려 보자.

판사는 지금까지도 한참 동안 자세를 바꾸지 않고 있다. 손도 발도 꼼짝하지 않았고 방구석으로 붙박인 시선을 손톱만큼도 거두지 않았다. 헵지바와 클리퍼드의 발걸음이 삐걱거리며 통로를 지나고 그들이 나간 뒤에 바깥쪽 문이 조심스럽게 닫힌 뒤로도 계속해서. 왼손에 시계를 쥐고 있었지만 그러쥔 손 때문에 시계침은 보이지 않았다. 얼마나 심오하게 사색에 빠져 있는지! 그게 아니라 잠을 자는 것이라면, 깜짝 놀란다든지 경련이나 씰룩거림이 있다든지 꿈꾸듯 중얼거리거나 콧속에서 나팔 부는 소리가 난다든지, 심지어 조금이라도 불규칙한 숨을 쉬면서 잠을 방해받는 일이 전혀 없는 것으로 보아 얼마나 아기 같은 평온한 양심과 건강한 위장을 지니고 있는 것인지! 그가 숨을 쉬기나 하는 건지 확실히 알아보려면 당신의 숨을 잠깐 멈춰야 한다. 도무지 들리지 않으니까. 시계가 째깍거리는 소리가 들리는데 그의 숨소리는 들리질 않는다. 정말로 피로를 풀어 주는 숙면이 아닌가! 그런데 판사는 잠이 든 것일 수 없다. 눈을 뜨고 있는 것이다! 그처럼 노련한 정치가는 절대 눈을 크게 뜬 채 잠이 들지 않을 것이다. 그러는 동안 그의 정적(政敵)이라든지 이간질쟁이가 그가 모르는 사이에 기회를 잡아 그렇게 열린 창문으로 의식을 들여다보고, 그가 지금까지 아무에게도 털어놓지 않은 옛 기억들과 계획, 희망과 걱정거리들, 단점과 장점들 중에서 이상한 것을 발견하게 될지도 모르니까 말이다. 옛말에 신중한 사람은 한쪽 눈을 뜨고 잔다는 말이 있다. 그것은 지혜로운 일일는지 몰라도 두 눈을 다 뜨고 자는 것은 아니다. 왜냐하면 그것은 부주의함을 나타내는 것이니까! 아니, 그러니까 핀천 판사는 잠이 든 것일 수 없다.

하지만 수많은 약속이 있고, 또한 시간을 잘 지키기로 유명한 신사가 이 집에 오는 것을 한 번도 좋아한 적이 없음에도 이 적막한 고택에 미적거리고 있다니 참 이상하기도 하다. 분명 널찍한 떡갈나무 의자가 그를 그렇게 붙드는가 보다. 정말이지 그 의자는 널찍하고, 그것이 만들어진 시대가 미숙한 시대였다는 점을 감안하면 웬만큼 자리가 편안하고 그 용적이 충분해 판사의 거구도 거치적거림이 없었다. 몸집이 더 큰 사람도 충분히 편안히 앉을 것이었다. 지금 벽에 걸린 그의 조상도 영국적인 좋은 체격을 가지고 있었지만 이 의자의 한쪽 팔걸이에서 다른 쪽 팔걸이를 다 채울 수 없었고 바닥의 쿠션 전체를 다 차지할 수도 없었다. 그러나 이것보다 더 좋은 의자는 많았다. 마호가니나 검은 호두나무, 자단나무로 만든 의자라든지, 아래에 스프링이 있고 다마스크 방석을 놓은 의자, 다양하게 굴곡이 지고, 편안하게 하면서도 너무 단조로운 편안함으로 진력나는 것을 미연에 방지하기 위해 마련된 수많은 고안물들, 그렇게 많은 의자들이 핀천 판사가 앉기만을 기다리고 있었다. 그래, 응접실로 치자면 버선발로 뛰어나오듯 그를 환대할 응접실은 많았다. 어머니는 두 손을 뻗으며 그를 맞으러 나오고, 그가 이제 나이를 먹긴 했지만(미소를 지으며 스스로를 나이 많은 홀아비라고 부르곤 했다.) 처녀 딸들은 판사를 위해 방석을 잘 매만지고 그가 편안하도록 할 수 있는 한 최선을 다할 것이다. 판사는 부유한 사람이었으니까. 더구나 그는 다른 사람들처럼 나름의 계획을 지니고 있었는데 대부분의 다른 사람들보다는 상당히 전망이 밝았다. 아니, 적어도 반쯤만 잠이 깬 기분 좋은 상태로 침대에 누워 그날의 일을 계획하고 향후 십오 년 동안의 가능성에 대해 생각하던 오늘 아침까지만 해도 그랬다. 건강도 굳건하고, 나이도 그의 건상에 별로 영향을 주지 않았으므로, 십오 년이나 이십 년, 그래, 어쩌면 이십오 년 까지도 충분히 자기주도적으로 살 수 있을 것이었다. 이십오 년 동안 읍내와 시골에 있는 부동산을 향유하고,

철도와 은행, 보험금, 그가 가진 국채, 그러니까 한마디로 어떤 방식으로 투자가 되었건 지금 소유하고 있거나 곧 획득하게 될 그의 자산들을 누릴 것이었다. 또한 그에게 주어진 사회적 명예와 앞으로도 계속 얻게 될 더 중요한 명예들! 훌륭하지 않은가! 충분치 않은가!

그런데도 아직 낡은 의자에서 미적거리다니! 그렇게 낭비해도 되는 시간적 여유가 좀 있다면 왜 종종 그랬듯이 보험 사무실을 찾아가지 않는 것일까? 그곳의 푹신한 가죽 소파에 잠시 앉아 그날의 잡다한 소식들을 들으면서, 내일 얘깃거리가 되도록 깊은 의도를 가진 말을 아무렇지도 않게 몇 마디 던지는 게 나을 텐데. 게다가 은행 이사장들의 회의가 있어서 거기에 참석해야 하고 그 회의를 주재하는 것이 그의 일이 아니던가? 사실 그렇다. 그리고 그 시간이 카드에 적혀 있고 그 카드는 핀천 판사의 오른쪽 조끼 주머니에 있거나 있어야 할 것이다. 그가 그리로 가서 자기 돈 자루 위에 편안하게 늘어져 있어야 할 텐데. 이미 낡은 의자에서는 빈둥거릴 만큼 빈둥거렸으니까.

오늘은 정말로 바쁜 날이었는데! 우선 클리퍼드를 만나야 했는데, 판사의 계산으로는 삼십 분이면 충분했다. 그보다 덜 걸릴 수도 있지만 일단 헵지바를 상대해야 하고, 헵지바는 한두 마디로 될 얘기를 여러 말 하게 한다는 점을 고려하면 삼십 분 정도는 예상하는 게 안전할 것이다. 삼십 분? 이런, 판사 양반, 절대 어긋나는 법이 없는 당신의 정밀 시계로는 벌써 두 시간이 지났어! 눈을 내려서 시계를 보라고. 아, 그는 충실한 시계를 시야 안으로 들이기 위해 고개를 숙이거나 손을 올리는 정도의 수고도 하려 하지 않는다. 갑자기 시간이 판사에게 전혀 중요하지 않은 문제가 된 건가!

게다가 일정표에 있는 다른 일들은 모두 잊었단 말인가? 클리퍼드와의 일을 마무리 지은 뒤 그는 어쩌다 보니 투자하지 않고 그냥 가지고 있던 용도 미정의 돈 몇천 달러에 대해 아주 안전한 어음으로 높은 이자율을 확보해 주기로 한 스테이트가(街)*의 중개인을 만나기로 되어 있었다. 주름이 자글거리는 고리대금업자는 기차까지 타고 왔으나 허탕을 치게 될 것이다. 그로부터 삼십 분 후에는 그 옆 거리에서 부동산 경매가 있을 예정이었는데, 그 부동산에는 원래 몰의 마당에 속했던 옛 핀천가 재산의 일부가 포함되어 있다. 그 땅은 팔십 년 전에 매각된 채 핀천가에서 다시 차지하지 못하고 있었다. 그러나 판사는 줄곧 그 땅에 눈독을 들이면서 다시 그 땅을 사서 일곱 박공의 집 주변에 아직 남아 있는 작은 소유지와 합하겠다고 마음을 먹었다. 그런데 이제 이렇게 이상야릇하게 모든 걸 잊고 있는 사이 마지막 망치가 내려쳐지고 옛 조상의 세습 재산은 다른 낯선 소유주에게로 넘어갈 텐데! 어쩌면 날씨가 좀 더 좋아진 후로 경매가 연기되었을 수도 있다. 그렇다면 판사는 가까운 시일에 거기 참석해서 자신의 경매가로 경매인에게 호의를 베풀 것인가?

그다음 볼일은 자신이 탈 말을 사는 일이었다. 하나 있는,

* 금융 관련 회사들이 몰려 있는 보스턴의 거리.

그러니까 가장 아끼는 말이 바로 오늘 아침 읍내로 가는 길에 비틀거리며 넘어질 뻔했기 때문에 바로 버려야 했다. 비틀거리는 말처럼 어떻게 될지 모르는 상황에 너무나 소중한 핀천 판사의 목을 걸 수는 없는 노릇이었기 때문이다. 위의 일들이 모두 순조롭게 잘 끝나면 자선 협회 모임에 참석하려 했다. 그런데 그가 자선을 베푸는 일이 워낙 많다 보니 협회 이름은 새카맣게 잊었다. 그래서 이 약속은 안 지키고 넘어가도 별다른 문제가 생기지 않을 것이다. 그리고 긴급한 일들이 이렇게 밀어닥치는 와중에도 시간이 좀 난다면 핀천 부인의 비석을 새로 교체하기 위한 조처를 취해야 했다. 왜냐하면 관리인이 말하기를 대리석으로 된 비석이 정면으로 쓰러져서 완전히 반으로 금이 갔다고 했기 때문이다. 핀천 부인은 신경이 예민하고 눈물이 너무 헤펐으며 커피를 두고 바보같이 야단을 떨었지만 그만하면 칭찬할 만한 여성이었다고 판사는 생각했다. 게다가 아주 시의적절하게 세상을 떠나 주었기 때문에 두 번째 비석을 세우는 것쯤은 아깝지 않았다. 적어도 비석이 아예 필요도 없을 경우보다야 낫지 않은가! 일정표에 적힌 다음 일은 다가오는 가을에 시골 별장으로 진귀한 품종의 과일나무 몇 그루를 배달하도록 주문을 넣는 것이었다. 그래, 무슨 수를 써서라도 그것을 사라, 핀천 판사. 잘 익은 복숭아가 네 입에서 살살 녹을 수 있게! 이 일 다음에는 좀 더 중요한 일이 있다. 그의 정당 위원회가 가을 선거운동을 수행하기 위해 지난번의 지출금에 덧붙여 일이백 달러를 더 달라고 요청했다. 판사는 애국자였다. 나라의 운명이 11월 선거에 달려 있었다. 게

다가 뒤에 가면 곧 어렴풋이 드러나겠지만, 이 거대한 경기에 걸린 자신의 이해관계는 눈곱만큼도 없었다. 위원회가 요구하는 것은 다 해 줄 것이다. 아니, 그들이 기대하는 것보다 더 넉넉히 줄 것이다. 필요하다면 500달러짜리 수표나 그 이상을 줄 수도 있다. 그다음엔 뭐더라? 세상을 뜬 어릴 적 친구의 미망인이 아주 절절한 편지를 써서 그에게 자신의 궁핍함을 호소했다. 그녀와 아름다운 딸이 먹을 것조차 거의 없다고 했다. 할 수도 있고 안 할 수도 있지만, 혹시 짬이 나고 작은 액수의 은행권이 있으면 오늘 그 집을 방문해야겠다고 대충 맘을 먹었다.

또 다른 일은 가정 주치의에게 가는 일이었는데, 사실 그는 그 일에 전혀 비중을 두지 않는다. 알다시피 자신의 건강에 대해 주의를 기울이는 건 좋지만 너무 지나치게 걱정하는 건 안 좋으니까. 그런데 도대체 무슨 일로? 글쎄 그 증상을 설명하기가 좀 난감하다. 그저 눈이 침침해지고 머리가 어질한 것, 그건가? 아니면 해부학 의사들이 흉강이라고 부르는 그 부분이 기분 나쁘게 답답하거나 숨이 막히고 꾸르륵거리고 부글거려서인가? 아니면 심장이 너무 심하게 쿵쾅거리며 뛰어서인가? 심장이 판사의 신체 기관에서 완전히 사라지지는 않았음을 보여 주려면 그렇게 뛰는 게 나을 테지만. 무슨 문제든 상관없다. 아마 의사는 전문가다운 태도로 그런 하찮은 얘기를 들으며 미소를 지을 것이고, 판사도 그에 따라 미소를 지을 것이다. 그리고 서로 눈을 맞추며 함께 껄껄 웃겠지! 그러나 의사로서의 견해라니, 웃기고 있네! 판사는 신경도 쓰지 않을 것이다.

제발, 핀천 판사, 이젠 시계를 좀 봐요! 뭐야, 눈길도 안 주나요? 저녁 시간이 십 분밖에 안 남았는데! 진정 오늘 저녁 식사가 이후의 영향력에 있어서 당신이 지금까지 해 온 모든 식사보다 더 중요하다는 사실을 깜박할 리는 없을 텐데요. 그래요, 정말로 가장 중요하잖아요. 물론 얼마간 훌륭했던 지금까지의 이력 중에서 당신이 화려한 연회의 아주 윗자리에 앉아, 아직도 웹스터의 웅장한 오르간 선율이 울리는 사람들의 귀에 경축 연설을 쏟아 낸 적은 있었지만요. 그런데 이번 것은 사교 만찬이 아니었다. 그저 전국의 여러 지역에서 온 열두서너 명의 친구들이 모이는 모임일 뿐이다. 출중한 인격과 영향력을 지닌 사람들이 거의 격식을 차리지도 않고, 마찬가지로 출중한 그중 한 친구네 집에서 모이고 주인은 평소보다 약간 나을 정도의 대접만을 하는 것이다. 프랑스 요리 쪽으로는 아무것도 없지만 그래도 훌륭한 저녁 식사! 아마도 진짜 바다거북 스프에 연어, 감성돔, 북미산 들오리, 돼지고기, 영국식 양고기, 상급의 구운 소고기, 아니면 이 고귀한 사람들이 대부분 그렇듯이 재산 많은 지방 부호들에게 어울리는 제대로 된 별미들이 나올 것이다. 한마디로 그 계절의 진미에, 여러 해에 걸쳐 최고로 쳤던 옛날 마데이라산 포도주를 곁들이는 것이다. 그것은 그중 주노 상표이다. 향기롭고 부드러운 힘이 가득한 유명하고 고귀한 와인. 나중에 사용하려고 아껴 둔 병에 든 행복감. 액체 형태의 금보다 더 가치 있는 황금의 액체. 내로라하는 와인 애주가들이 맛보면 신기원이 열린다고 하는 그

술! 모든 마음의 상처를 싹 쓸어 버리면서 그 대신 두통을 유발하지도 않는다는! 판사가 그 술을 한잔만 들이켤 수 있다면 이렇게 중대한 만찬에 늦도록 만든(그사이 십 분이 이미 지났고 덧붙여 오 분이 더 지났으므로) 알 수 없는 이 무기력을 단번에 떨쳐 버릴 수 있을 텐데 말이다. 죽은 사람도 거의 회생시킬 수 있을 텐데! 한 모금 마시겠어요, 핀천 판사?

맙소사, 이 만찬! 그 진짜 목적이 뭔지 정말 잊은 건가요? 그렇다면 조용히 말해 드리죠. 『코머스』*의 의자나 점술사 몰 피처**가 당신 아버지를 꼼짝 못하게 앉혀 뒀던 의자처럼 정말로 마법에 걸린 듯한 그 의자에서 당신이 소스라치게 놀라서 벌떡 일어나도록 말이죠. 야망이 마법보다 더 강력한 부적이니까요. 그러니 그들이 생선 요리가 못 쓰게 되기 전에 식사를 먼저 시작하자고 하지 않도록 벌떡 일어나서 거리를 마구 달려 그들이 있는 곳으로 뛰어 들어가라고요. 그들이 당신을 기다립니다. 그런데 그들이 기다리는 건 당신을 위해서가 아니지요. 이 신사분들은(다시 얘기해 드릴 필요나 있겠어요?) 아무 이유 없이 전국 각지에서 모여든 게 아니랍니다. 그들은 각자가 모두 노련한 정치가들로 자신들의 지도자를 제 손으로 뽑을 권력을 사람들에게서 쥐도 새도 모르게 빼앗을 준비 작업을 할 능력이 있답니다. 다음 주지사 선거에서 대중들이 내는 목소리는 천둥소리처럼 클지는 모르겠으나, 사실은 이 신사

---

* 존 밀턴이 쓴 가면극.

** 18세기 후반부터 19세기 초반까지 뉴잉글랜드 지방에서 유명했던 점술사이자 천리안을 가졌다는 예언가.

분들이 당신 친구의 만찬 식탁을 앞에 두고 숨죽여 얘기하는 것의 메아리에 불과할 것입니다. 그들은 후보를 결정하기 위해 모였지요. 이 작은 교활한 책략가 무리가 대표자 회의를 통제할 것이고 그를 통해 당에 지시할 것입니다. 그렇다면 바로 이 앞에 있는 핀천 판사보다 더 적합한 후보가 어디 있겠습니까? 더 현명하고 박식하고, 박애주의적 측면에서 더 관대하다고 소문난 후보가, 그리고 안전한 원칙에 더 충실하고 대중의 시험대에 더 자주 올랐으며 개인적 성품에 있어 더 깨끗한 후보가, 사회의 복지에 더 큰 이해관계를 가지면서 그 조상의 계보에 따르면 청교도의 믿음과 실천에 더 충실한 후보가 또 어디 있겠으며, 이 모든 우두머리 지도자로서의 자격을 모두 훌륭하게 겸비해 민중의 참정권을 대표해서 나설 사람이 핀천 판사 말고 또 어디 있겠습니까?

그러니까 서두르십시오! 당신이 할 역할을 해요! 당신이 지금까지 얻기 위해 그렇게 노력하고 싸우고 기어 가며 어렵게 오른 데 대한 보상을 이제 바로 거머쥐기만 하면 돼요! 만찬에 참석해야 해요! 그 고귀한 와인을 한두 잔 마시고 가능한 한 나직한 목소리로 선서를 해야죠! 그러면 식탁에서 일어날 때 사실상 당신은 오래된 주의 영예로운 주지사가 되는 겁니다! 매사추세츠 주의 핀천 주지사!

그런데 이 정도로 확실한 일도 강력하게 기운을 북돋우는 강심제가 못 되는 겁니까? 그것을 얻는 게 당신이 반평생 동안 추구한 목적이었을 텐데요. 받아들이겠다는 표시만 하면 되는 지금, 당신은 왜 주지사의 자리보다 그것이 더 좋다는 듯이 3대조 할아버지의 떡갈나무 의자에 그렇게 둔하고 무겁게 앉아만 있는 것입니까? 통나무 왕*에 대해 우리 모두가 들은 바는 있지만 이렇게 서로 밀고 밀리는 시대에는 왕족의 누구라도 선거를 통해 선출되는 행정부 수장의 자리를 얻기는 힘들 겁니다!

이런, 이제 저녁 식사에는 완전히 늦어 버렸다. 바다거북과 연어, 감성돔과 도요, 삶은 칠면조와 사우스다운 종의 양고기, 돼지고기, 구운 소고기가 모두 사라졌거나, 식어 버린 감자와 굳은 지방으로 덮인 고깃국 소스와 함께 그저 부스러기만 남아 있을 뿐이다. 다른 건 고사하고라도 판사가 나이프와 포크를 이용해 훌륭한 일을 해냈을 텐데. 알다시피 그의 괴물 같은 식성과 관련해, 창조주가 그를 거대한 동물로 창조했는데 저녁 시간만 되면 그가 야수가 된다는 말들을 하곤 했으니까. 그렇게 엄청난 감각적인 기능을 타고난 사람들은 밥 먹는 시간 동안은 이해해 줘야 할 것이다. 그런데 다시 마지막으로 판사는 이제 저녁 식사에 너무 늦어 버렸다. 안됐지만 와인을 함께 들기에도 너무 늦은 것이다! 모인 손님들은 훈훈하고 명랑하다. 판사에 대해서는 포기한 채, 자유토지당**에서 그를 데려갔으리라 결론을 내리고 다른 후보자를 결정할 것이다. 우리 친구 판사가 지금 사나우면서도 둔하게 눈을 휘둥그레 뜨고

---

* 왕을 뽑기 위해 다투던 개구리들의 요구에 신이 보내 줬다는 통나무 왕. 『이솝 이야기』에 등장한다.

** 멕시코와의 전쟁으로 새로 차지하게 된 땅에서 노예제를 없애려는 시민들이 결성한 제3당.

그들 사이로 성큼 걸어 들어간다면 그의 불쾌한 존재가 그들의 기분을 망쳐 놓을 것이다. 게다가 셔츠 앞자락에 진홍색 얼룩을 묻힌 채 만찬 자리에 나타난다면 통상 복장에 있어서 아주 꼼꼼한 핀천 판사답지 않은 것이다. 그런데 그 얼룩이 어떻게 거기 묻었지? 어쨌든 아주 볼썽사납군. 판사에게 있어 가장 적절한 방법은 가슴 위까지 외투 단추를 채우고 마구간에 맡겨 놓은 말과 마차를 꺼내 타고 전속력으로 집으로 달려가는 것이다. 집에서 물 탄 브랜디 한 잔과 함께 자른 양고기 요리와 비프스테이크, 구운 닭고기를 먹든지, 아니면 급하게 차린 간단한 점심 겸 저녁을 먹고 화롯가에서 저녁 시간을 보내는 것이 좋을 것이다. 슬리퍼를 한참 동안 불에 쬐여야 할 것이다. 이 흉악한 고택의 공기가 퍼뜨려 그의 피를 얼어붙게 하는 냉기를 없애려면 말이다.

그러니까 일어나요, 핀천 판사, 일어나라고요! 하루를 다 낭비했고 곧 내일이 올 거예요. 늦지 않게 일어나서 그나마 할 수 있는 일을 하지 그래요? 내일이라고요! 내일! 내일! 살아 있는 우리는 내일 일찍 일어날 거예요. 오늘 세상을 뜬 사람에게 내일은 부활의 아침이 될 테고요.

그동안 석양이 방구석에서부터 위쪽으로 어둑하게 퍼져 가고 있다. 높은 가구의 그림자는 깊어지면서 처음에는 뚜렷해진다. 그러다가는 넓게 펼쳐지면서, 이런저런 물건들과 그 속에 앉아 있는 한 사람의 형상 위로 천천히 기어오르는, 말하자면 망각의 음침한 잿빛 물결에 쓸려 뚜렷한 윤곽을 잃어버린다. 어두움은 밖에서 들어온 것이 아니다. 그것은 하루 종일 이곳을 조용히 덮고 있었는데, 지금 필연적인 자신의 시간을 맞아 모든 것을 차지해 버릴 것이다. 정말이지 경직되고 유달리 하얀 판사의 얼굴은 모든 것을 녹이는 이 용해제로 녹아 들어가지를 않는다. 빛은 점점 약해져 간다. 마치 또 다른 어둠을 양손 가득 공기 중에 뿌려 놓은 듯하다. 이젠 잿빛이 아니라 검은빛. 창가는 아직 흐릿하게 모습이 보인다. 붉게 타는 빛도 아니고 어렴풋한 빛도 아니고 아주 흐릿한 빛도 아니고, 빛을 나타내는 어떤 단어든 너무 밝은 것이어서 거기 창문이 있다는 이 미심쩍은 지각, 혹은 감각을 표현하지는 못 할 것이다. 이제 사라졌나? 아니! 아직 완전히는 아니야! 그리고 여전히 가무잡잡하게 하얀(서로 어울리지 않는 이 두 단어를 한번 같이 사용해 본다면) 핀천 판사의 얼굴이 보인다. 윤곽은 모두 사라지고 단지 그 창백함만이 남아 있다. 이제는 어떤가? 창문도 사라졌다! 얼굴도 사라졌고! 헤아릴 수 없는 무한한 암흑이 모든 광경을 집어 삼켰다. 우리의 세계는 어디 있는가? 모두 부서져 우리에게서 멀어졌다. 그리고 혼돈 속에서 떠도는 우리는 한때 세계였던 것을 찾아, 주변에서 한숨 쉬고 중얼거리며 집 잃은 바람이 휙 불어 지나가는 소리에 귀를 기울일 것이다.

들리는 다른 소리는 없나? 무시무시한 또 하나의 소리가 있다. 헵지바가 클리퍼드를 찾으러 방을 나간 이후 줄곧 판사가 손에 쥐고 있던 시계가 째깍거리는 소리. 꼼짝도 않는 핀천 판사의 손안에서 바쁘게 규칙적으로 작은 왕복운동을 계속하는, 이 작고 조용한, 끊이지 않는 시간의 맥박 뛰는 소리는 그 이유가 무엇이든 그 장면의 다른 어떤 부속물에서도 발견할 수 없는 공포를 주는 것이다.

그런데, 들어 보라! 휙 부는 바람 소리가 더 커졌다. 지난 닷새 동안 자신을 한탄하며 모든 인간들을 마찬가지의 슬픔에 빠지게 했던 처량하고 찌무룩한 음조와는 다른 음조를 지녔다. 바람의 방향이 바뀐 것이다! 이제는 북서쪽에서부터 요란스럽게 불어와 일곱 박공의 노쇠한 뼈대를 잡아서는 적수를 붙들고 힘을 쓰는 레슬링 선수처럼 그것을 흔드는 것이다. 돌풍이 한 번 더 거칠게 몰아치고 그리고 또 한 번! 낡은 집은 다시 삐걱거리면서 검댕이 낀 목에서, 그러니까 넓은 굴뚝의 연도에서 소란스러우면서 잘 알아들을 수 없는 울부짖음을 뱉어 냈는데, 한편으로는 무례한 바람에 대한 불만의 표시였지만 그보다는 서로 거칠게 맞서 온 한 세기 반에 걸친 적대적 친교에 어울리는 것이었다. 우르릉거리며 사납게 휘몰아친 바람이 섬유판 뒤에서 울부짖는다. 위층에서 문이 꽝 닫혔다. 아마 창문이 열려 있었든지, 아니면 제멋대로인 돌풍이 휘몰아쳐 열렸을 것이다. 이 오래된 목재 저택이 얼마나 훌륭한 관악기인지, 그래서 얼마나 온갖 기이한 소리들이 수시로 찾아드는지 예전에는 상상도 못했을 것이다. 창문이 열려 있을 때를 포착해 돌풍이 감쪽같이 안으로 들어올 때마다 기이한 소리들이 즉시 노래하다가는 한숨짓고, 흐느끼다가 비명을 지르고, 멀리 떨어진 방에서는 공기처럼 형체는 없지만 아주 육중한 쇠메를 내리치며, 기세등등한 발걸음으로 입구를 따라 쿵쿵 걸어가다가 놀랍도록 빳빳한 비단 자락을 끌듯이 바스

락거리며 잽싸게 계단을 오르락내리락하기 시작한다. 우리가 이곳에서 시중을 드는 영혼이 아니기를! 너무나 무시무시하다! 적막한 집을 관통하는 이 바람과 눈에 띄지 않게 앉아 있는 판사의 정적, 그리고 고집스럽게 계속되는 그의 시계의 째깍거림!

하지만 핀천 판사가 눈에 띄지 않는다는 점에 있어서는, 문제는 곧 해결될 것이다. 북서풍이 하늘에서 구름을 몰아갔으니까. 창문이 뚜렷하게 드러난다. 게다가 바깥쪽에서 불규칙적으로 끊임없이 펄럭거리며 이번엔 이쪽에, 다음엔 저쪽으로 별빛을 조금씩 들이는, 덩어리진 거무스름한 잎들의 움직임을 창틀 너머로 흐릿하게나마 포착할 수 있다. 이렇게 언뜻언뜻 비치는 빛은 무엇보다 판사의 얼굴을 더 자주 비춘다. 그러나 그보다 더 효과적인 빛이 들어온다. 배나무 위쪽 가지에서, 그리고 아래쪽 가지에서, 그러고는 나뭇가지 전체에서 살랑거리는 은빛 춤을 보라. 그렇게 자리를 바꾸며 얽히고설키는 중에 달빛이 비스듬히 방 안으로 떨어져 들어온다. 달빛은 판사의 모습 위에서 노닐면서 어둠이 짙게 깔렸던 시간 내내 그가 꼼짝도 하지 않았음을 보여 준다. 그렇게 변하지 않는 모습을 가로지르면서 유희하듯 모습을 바꾸며 달빛이 그림자를 쫓아간다. 그의 시계를 비춘다. 그러쥔 손아귀에 시계 문자판이 가려져 있다. 그러나 충실한 시침들이 이제 만났음을 우리는 안다. 마을의 시계 하나가 자정을 알리고 있으니까.

핀천 판사처럼 완강한 이해력을 가진 사람은 낮 12시만큼이나 밤 12시도 개의치 않는다. 이 책의 앞부분에서 그의 청교도 조상과 그를 비교해 그린 대칭이 아주 정당하긴 하지만 이 점에서는 그 대칭이 들어맞지 않는다. 두 세기 전의 핀천은 당대 사람들 대부분이 그랬듯이 영혼의 행사를 굳게 믿는다고 공언했다. 비록 그것이 주로 사악한 종류의 것이라고 여겼지만 말이다. 저편 의자에 앉아 있는 오늘날의 핀천은 그런 얼토당토않은 소리는 전혀 믿지 않는다. 적어도 몇 시간 전까지는 그랬다. 따라서 벽난로 가에 의자가 옹기종기 모이고 나이 든 사람들이 앉아 과거의 재를 쑤석거리며 벌겋게 타는 석탄처럼 옛이야기를 긁어낼 때 조상 대대로 내려오던 이 집의 바로 이 방에 대해 사람들이 하곤 했던 얘기를 들어도 그의 머리가 쭈뼛거리는 일은 없을 것이다. 사실 그런 얘기는 너무 터무니없어서 아이들을 오싹하게 만들지도 못할 것이다. 자정만 되면 죽은 핀천가의 사람들이 바로 이 응접실로 모두 꼭 모인다는 터무니없는 얘기가 도대체 말이 되며, 거기서 무슨 의미를, 예를 들어 심지어 귀신 얘기라도 담고 있기 마련인 무슨 교훈인들 찾을 수 있단 말인가! 게다가 뭐 하러 모인단 말인가? 그가 유언장에서 지시한 대로 조상의 초상화가 벽에 잘 걸려 있는지 보려고? 겨우 그 정도가 무덤에서 나올 이유란 말인가?

그런 생각을 좀 더 가지고 놀고 싶은 마음이 좀 든다. 어쨌거나 이제 귀신 이야기를 심각하게 받아들이는 일은 거의 없을 테니까. 죽은 핀천가 사람들의 가족 파티는 이렇게 진행될 것이다.

맨 처음으로 검은 외투와 무릎까지 오는 펑퍼짐한 바지를 입고 뾰족한 모자를 쓰고 가죽 벨트로 허리를 두른 뒤 거기에 강철 손잡이가 달린 검을 찬 시조(始祖) 할아버지가 들어 온다. 나이 지긋한 신사들이 보통 가지고 다니는 긴 지팡이를 손에 들었는데, 그에 의지하기 위해서이기도 하지만 지팡이가 주는 위엄 때문이기도 하다. 그가 고개를 들어 초상화를 본다. 실체 없는 존재가 그림 속 자신의 이미지를 뚫어지게 보다니! 모든 것이 무사하다. 그림은 여전히 거기 있다. 본인은 썩어서 무덤의 잔디로 돋아난 후에도 그의 머릿속 목표는 그렇게 오랫동안 성스럽게 지켜지는 것이다. 보아라. 그가 소용도 없는 손을 들어 액자 틀을 쓰다듬어 본다. 모든 게 무사해! 하지만 지금 그것이 미소인가? 오히려 자기 모습의 그림자 위로 어두컴컴하게 드리우는 치명적인 의미를 지닌 찡그린 얼굴이 아닌가? 강건한 대령이 불만스러워하는 것이다! 불만스러운 표정이 너무나 단호해서 그의 모습이 더욱 두드러져 보인다. 그렇더라도 달빛은 그를 통과해 지나가 그 너머 벽 위에서 흔들리며 깜박인다. 뭔가 이상하게 조상님의 기분을 상하게 했나 보다! 그가 매서운 표정으로 고개를 절레절레 흔들며 돌아선다. 이제 대여섯 세대에 걸친 핀천 가문 전체의 다른 유령들이 그림 쪽을 향해 서로를 밀치고 제치며 온다. 나이 많은 노인들과 노파들, 그리고 복장에 있어서나 태도에 있어서나 청교도적 뻣뻣함을 여전히 지니고 있는 성직자와 옛날 프랑스와의 전쟁에 참여했던 붉은 제복의 장교가 보인다. 그리고 한 세기 전 가게를 열었던 핀천이 소매 주름을 손목 위로 접어 올린 채 나온다. 그리고 저기 예술가의 이야기에 나왔던 신사가 가발을 쓰고 양단으로 만든 옷을 입고 나오고 그와 함께 수심에 잠긴 아름다운 앨리스가 도도함이라고는 전혀 없이 처녀로 묻힌 무덤에서 나온다. 모두 그림 액자에 손을 대 본다. 이 유령들은 무엇을 구하는 걸까? 엄마는 아이를 들어 올려 작은 손으로 그것을 만질 수 있게 하는 것이다! 이 가련한 핀천 가문의 사람들이 영면해야 할 때인데 그들을 당혹스럽게 하는 불가사의함이 그림에 있는 것이 분명하다. 그동안 한구석에는 짧은 가죽 상의와 짧은 바지를 입은 나이 지긋한 사람의 모습이 서 있었는데, 옆 주머니에는 목수의 자가 비죽이 나와 있다. 그는 턱수염이 난 대령과 그 후손들을 손가락으로 가리키면서 머리를 끄덕거리고 조롱하고 야유하더니 급기야는 들리지는 않지만 갑자기 커다랗게 웃음을 터뜨렸다.

이 색다른 장난으로 맘껏 상상의 나래를 펴느라, 신중을 기하며 지침을 따르는 힘을 얼마간 잃어버린 듯하다. 이 환영적 장면에서 예기치 않은 뜻밖의 인물이 눈에 띈다. 이 옛날 사람들 중 오늘날의 복장을 그대로 한 젊은이가 있다. 그는 긴 끝자락이 거의 없는 프록코트에 회색 바지를 입고 각반을 두른 에나멜 부츠를 신었으며 가슴에 섬세하게 세공된 금목걸이를 하고 손에는 은 머리 장식이 달린 고래 뼈 지팡이를 들었다. 대낮에 그를 마주쳤다면 지난 이 년 동안 외국 여행을 하면서 지내 온, 판사의 살아남은 유일한 자식인 젊은 재프리 핀천으로 보일 것임이 분명하다. 그가 아직 살아 있는데 어째서 그의 그림자가 이리로 왔단 말인가? 만약 죽은 것이라면 얼마나 큰 불행인가! 이 젊은이의 아버지가 차지해 온 엄청난 부동산을 포함한 핀천 가문의 세습 재산은 누구에게 넘어간단 말인가?

불쌍하고 바보 같은 클리퍼드와 해쓱한 헵지바, 그리고 촌스러운 어린 피비에게! 그런데 또 다른, 더 놀라운 광경이 우리 앞에 펼쳐진다. 보고도 우리 눈을 믿을 수 없을 정도이다. 강건하고 나이 지긋한 신사가 나타난 것이다. 상당한 사회적 지위를 가진 듯 보이고 넉넉한 품의 검은 외투와 바지를 입은 그는, 눈처럼 흰 넥타이를 가로질러 셔츠 앞자락 아래쪽까지 진홍빛 얼룩이 넓게 물든 것을 제외하면 옷차림새에 있어서 빈틈없이 말쑥해 보인다고 분명히 얘기할 만했다. 저 사람이 판사인가 아닌가? 어떻게 저 사람이 핀천 판사일 수 있단 말인가? 흔들리며 비추는 달빛에 비쳐 나타나는 만큼은 분명하게, 여전히 떡갈나무 의자에 앉아 있는 그의 모습을 알아볼 수 있는데 말이다! 그것이 누구의 혼령이건 그것은 그림 앞으로 나아가 액자를 붙드는 것 같더니 그 뒤를 들여다보려 했다. 그러고는 조상님처럼 말할 수 없이 험악하게 인상을 쓰면서 몸을 돌렸다.

그저 암시만 주었을 뿐인 이 환상적인 장면이 우리 이야기의 실제적인 한 부분을 이룬다고 절대 생각해서는 안 된다. 떨리는 달빛 때문에 잠깐 이렇게 터무니없는 생각에 무심코 빠져들었을 뿐이니까. 달빛은 그림자와 함께 손을 맞잡고 춤을 추면서 거울에 반사되는데, 여러분도 알겠지만 거울이란 언제나 영혼의 세계로 들어가는 일종의 창문이나 출입문인 것이다. 게다가 오로지 의자에 앉아 있는 저 인물만을 너무나 오래 주시해 왔기 때문에 거기에서 약간 벗어나 기분 전환을 할 필요도 있었다. 이 거친 바람 역시 우리 생각을 요상하게 휘저어 놓았지만 그렇다고 생각의 확고한 중심에서 벗어나게 할 정도는 아니었다. 저쪽에 납덩이처럼 무거운 판사가 꼼짝도 않고 우리 영혼을 짓누른다. 그는 앞으로 절대 살아 움직이지 않을 것인가? 그가 꼼짝을 안 한다면 우리가 미쳐 버릴 것 같은데! 그가 얼마나 조용한지는 작은 쥐 한 마리가 한 줄로 새어 든 달빛을 받으며 겁도 없이 핀천 판사의 발치에 뒷다리로 서서 이 거대한 검은 몸집 위로 올라가 볼까 말까 생각을 하고 있는 것을 보면 더 잘 이해할 수 있을 것이다. 아! 재빠른 작은 쥐가 무엇에 놀란 걸까? 주도면밀하게 살펴보려고 창문 밖에 자리를 잡은 고양이의 얼굴 때문이로군. 이 고양이는 정말 추하게 생겼다. 쥐를 잡으려고 주시하는 고양이인가, 아니면 인간 영혼을 노리는 악마인가? 그를 놀래 창문에서 떨어져 나가게 할 수 있다면!

고맙게도 밤이 거의 지나가고 있다! 달빛은 이제 더 이상 그렇게 은빛으로 빛나지 않고 달빛이 비춘 주변의 검은 그림자와 그렇게 뚜렷하게 대조를 이루지도 않는다. 이제 점점 창백해진다. 그림자도 이젠 시커멓지 않고 회색이 되었다. 야단법석을 하던 바람도 잦아들었다. 시간이 어떻게 될까? 아! 드디어 시계가 째깍거림을 멈추었군! 판사의 손이 여느 때처럼 보통 잠자리에 들기 한 삼십 분 전인 10시쯤에 시계태엽을 감아 주는 일을 잊고 하지 않았기 때문이다. 그래서 오 년 만에 처음으로 태엽이 멈춰 버렸다. 하지만 시간을 알리는 세상의 거대한 시계는 여전히 째깍거리며 움직인다. 음산한 밤이, 아, 뒤편으로 물러나는 유령이 출몰하는 황무지는 얼마나 음산한

지, 그 음산한 밤이 구름 한 점 없이 신선하고 투명한 아침에 자리를 내준다. 은혜로운, 은혜로운 광휘여! 아침의 빛이, 항상 어두컴컴한 이 응접실로 겨우 들어오는 얼마 안 되는 빛조차도 악을 지워 없애며 모든 선함을 가능하게 하고 행복을 얻을 수 있게 하는 보편적인 축복의 일부인 듯하다. 이제 핀천 판사가 의자에서 일어나려나? 앞으로 나가 이른 아침의 빛을 얼굴에 받으려나? 이 새로운 아침을, 신이 미소 지으며 축복과 함께 인류에게 보내 준 이 아침을, 지금까지 잘못 보내 온 많은 날들과는 달리 좋은 목적으로 시작할 텐가? 아니면 깊이 자리 잡은 어제의 계획을 여전히 마음속에 고집스럽게 지낸 채 머리를 바삐 돌리고 있는 것일까?

후자의 경우라면 할 일이 많을 것이다. 판사는 여전히 클리퍼드를 만나겠다고 헵지바에게 요구할 것인가? 나이 든 신사가 살 만한 안전한 말도 살 것인가? 옛날 핀천가의 재산을 산 사람에게 그것을 자신에게 유리하게 넘기라고 설득할 것인가? 가정 주치의도 만나서 그의 가문에 더할 나위 없는 명예와 은혜가 되도록 가장으로서 가능한 한 오래오래 살 수 있게 해 주는 약을 받을 것인가? 그리고 무엇보다도 핀천 판사는 어제 모였던 고귀한 친구들에게 도리에 맞게 사죄하고 만찬 자리에 참석하지 못한 것이 불가피했음을 납득시킴으로써, 매사추세츠의 주지사가 될 수 있도록 다시 자신에 대한 그들의 신뢰를 완전히 회복할 것인가? 그리고 이런 커다란 일들을 다 이룬 후에는 일부러 정성스럽게 지은 자비로움의 미소를 발산하며 거리를 걸어 다닐 텐가? 너무 후덥지근해서 파리들이 날아들어 윙윙거릴 정도인 그 삼복더위 같은 미소를 말이다. 아니면 어제 낮과 밤에 무덤 속 같은 은둔의 시간을 보낸 후 참회하는 겸손한 사람이 되어, 친절하고 슬픔이 가득한 채 자신의 이익을 구하지 않고 세속의 명예를 꺼리며, 감히 신을 사랑할 엄두는 내지 못하지만 동료 인간들을 사랑하며 그들을 위해 자신이 할 수 있는 일을 하며 살 것인가? 그 가장된 모습이 뻔뻔스럽고 그 거짓됨이 혐오스러운, 일부러 꾸민 자애로움의 태도가 아니라, 자신이 저지른 죄의 무게로 마침내 부서져 뉘우치는 마음이 보이는 부드러운 슬픔을 지니게 될 것인가? 그가 아무리 번지르르한 명예를 산처럼 쌓아 올린들 이 사람 존재의 밑바닥에는 육중한 죄가 깔려 있다는 것이 우리가 믿는 바이니 말이다.

일어나라, 핀천 판사! 아침 태양빛이 나뭇잎 사이로 반짝거리고 그것이 아름답고 성스러움에도 당신의 얼굴 역시 피하지 않고 비춘다. 일어나라, 교활하고 세속적이며 이기적이고 냉혹한 위선자여! 일어나서 계속 그렇게 교활하고 세속적이며 이기적이고 냉혹하고 위선적으로 살 것인지, 아니면 그러한 죄악을 당신의 본성으로부터 찢어 내 버릴지 결정하라! 그로 인해 생명의 피까지 함께 떨어져 나갈지라도 말이다! 복수의 여신이 당신을 향한다! 너무 늦기 전에 일어나라!

이런! 이 마지막 호소에도 당신은 꿈쩍하지도 않는단 말인가! 조금의 꿈틀거림도 없군! 그런데 파리 한 마리가, 창문가에서 항상 윙윙대는, 집에서 흔히 보이는 파리 한 마리가 핀천 주지사의 냄새를 맡고는 이마에 앉았다가는 턱으로, 그다음엔, 맙소사, 콧등을 타고 기어올라 미래의 우두머리 행정관의 크게 뜬 눈으로 가지 않는가! 그것을 손으로 털어내 날려 버릴 수도 없나? 그렇게 게을러 터졌단 말인가? 어제는 그렇게 급하게 처리해야 할 일들이 많았던 당신! 그렇게 강했던 당신이 이제는 너무나 유약하단 말인가? 파리 한 마리 털어 버리지 못할 정도로! 그래, 그렇다면 이제 포기하겠다!

들어 보라! 가게의 종이 울린다. 이 몇 시간 내내 무거운 얘기를 전해야 했는데, 저기에 사람 사는 세상이 있고 이 낡고 적막한 저택조차도 그 세상과 어떤 식으로든 연결이 되어 있음을 깨닫게 되니 좋은 일이다. 핀천 판사와 함께 있던 곳에서 벗어나 일곱 박공 앞의 거리로 나오니 이제 좀 더 편하게 숨을 쉴 수 있구나.

19
앨리스의 꽃다발

태풍이 온 다음 날, 외바퀴 손수레를 밀고 가는 베너 아저씨가 근방에서 가장 일찍 활동을 시작한 사람이었다. 일곱 박공의 집 앞 핀천 길은, 추레한 울타리가 늘어서 있고 더 가난한 부류의 목재 가옥들이 경계를 이루는 골목길에서 어느 정도 예상할 수 있는 모습보다 훨씬 활기찬 모습이었다. 그날 아침엔 자연이 앞선 닷새 동안 계속되었던 험한 날씨를 보상해 줄 만한 멋진 것들을 마련해 놓았다. 그저 햇빛으로 다시금 온화하고 쾌적해진 광활한 창공의 은총을 올려다보거나, 아니면 집들 사이로 보이는 정도만 바라보는 것만으로도 충분히 사는 낙이 될 수 있을 듯했다. 전체적으로 바라보든 자세하게 검사해 보든 모든 물체들이 상쾌했다. 예를 들어 비에 깨끗이 씻긴 보도의 자갈과 조약돌이 그러했고, 거리 중간에서 하늘을 비추는 웅덩이조차도 그랬다. 그리고 울타리의 아래쪽을 따라 뻗어 가는, 이제 생기 있고 파릇파릇해진 풀들도 그러했는데, 울타리 반대쪽을 넘겨다보면 다종다양한 식물들이 가득한 정원이 보였다. 어떤 종류든 매달린 야채들은 그 생명의 즙 많은 따스함과 풍요로움으로 눈에 띄게 행복해 보였다. 핀천 느릅나무는 거대한 둘레로 감싸 안은 전체가 모두 생기에 넘쳐 마침맞은 정도로 불어오는 약한 산들바람과 아침 햇살을 가득 받고 있었는데, 바람이 잠깐 푸른 잎 사이에 머물면서 수천의 잎들이 한꺼번에 속삭이는 소리를 냈다. 이 오래된 나무는 돌풍에도 전혀 영향을 받지 않은 듯했다. 떨어져 나간 나뭇가지도 없고 여전히 창창하게 푸름을 지키는 나뭇잎들도 모두 그대로였는데, 다만 때로 느릅나무가 가을을 먼저 예고하는 이른 변화로 인해 가지 하나만 밝은 금색으로 변해 있었다. 그것은 마치 아이네이스와 시빌레를 하데스로 들어가게 해 준 황금 가지*와 같았다.

이 신비로운 가지가 일곱 박공의 중앙 현관 앞쪽으로 휘어져 내려와 있었는데, 워낙 땅에 가깝게 휘어져서 지나가는 사람이면 누구든 까치발만 하면 꺾을 수 있을 정도였다. 그러곤 그것을 문간에서 보여 주면 집에 들어갈 수 있는 권리의 상징이 되어 그 집의 모든 비밀을 알게 될 수 있을 것도 같았다. 그렇게 작은 믿음을 가질 수 있는 건 그 외양 때문이었다. 정말이지 유서 깊은 저택에는 한번 들어가 보고 싶은 마음이 들게

---

* 베르길리우스의 서사시 『아이네이스』에서, 아이네이스가 예언자 시빌레에게 받은 황금 가지를 가지고 지하 세계인 하데스로 들어간다.

하는 구석이 있어서, 벽난로 앞에서 들려주기에 좋은 그런 유쾌하면서도 단정하고 행복한 역사를 가졌으리라는 생각을 갖게 되는 것이다. 비스듬히 들어오는 햇빛에 창문이 생기 있게 빛났다. 여기저기에 줄지어 있거나 뭉텅이 진 푸른 이끼는 자연과의 친화성과 자매애의 서약인 듯했다. 마치 이 인간의 거주지가 너무나 오래된 덕에 그 시효로 인해 태곳적의 떡갈나무라든지, 다른 무엇이든 오래 지속되었기 때문에 품위 있는 삶의 권리를 얻은 것들의 부류에 포함될 자격을 얻은 것과도 같았다. 상상력이 풍부한 사람이라면 그 집 앞을 지나가다가 자꾸 돌아서서 그것을 찬찬히 볼 것이다. 중앙에 무리 지은 굴뚝과 화합을 이루는 많은 뾰족지붕과 맨 아래층 위쪽으로 툭 튀어나온 부분, 그리고 장대한 화려함까지는 아니어도 유서 깊은 고상함의 분위기를 전하는, 부서진 현관 위 아치형 창문과 문간 근처에 무성하게 자란 거대한 우엉, 그는 이 모든 것을 보면서 겉으로 보이는 것보다 심오한 어떤 것을 의식하게 될지도 모른다. 그 저택이 청렴결백하고 완고한 옛날 청교도인의 집이었을 것이고, 이제는 기억 속에서 사라진 시절에 그가 세상을 뜨면서 모든 방과 침실에 축복을 내렸을 것이며, 그 축복의 결과를 지금까지 후손들이 지녀 온 종교와 정직, 웬만한 자산이나 청렴한 가난함, 그리고 견실한 행복에서 찾아 볼 수 있다고 생각할 수도 있을 것이다.

다른 무엇보다도 하나의 사물이 특히 상상력 풍부한 관찰자의 기억에 깊이 박힐 것이다. 그것은 앞쪽의 두 박공 사이 모퉁이에 커다랗게 덤불을 이룬 꽃, 한 주 전이었다면 그저 잡초라고 불렀을, 진홍색이 점점이 박힌 꽃 무더기이다. 옛날 사람들은 아름다운 앨리스 핀천을 기려 그것을 앨리스의 꽃다발이라고 부르곤 했다. 그녀가 이탈리아에서 꽃씨를 가져왔다고들 믿었기 때문이다. 오늘 그 꽃 무더기는 활짝 피어나 화려한 아름다움을 뽐냈는데, 말하자면 집 안의 무엇인가가 완성에 이르렀다는 신비로운 표현처럼 보였다.

앞서 얘기했듯이 베너 아저씨가 거리를 따라 외바퀴 손수레를 밀며 나타난 것은 해가 뜬 지 얼마 지나지 않아서였다. 그는 알뜰한 동네 주부들이 습관적으로 따로 모아 두는, 돼지에게 먹이기에만 적합한 양배추 잎사귀라든지 순무 꽁지, 감자 껍질, 그리고 저녁 식사에서 나온 이런저런 음식 찌꺼기들을 수거하기 위해 이른 아침에 동네를 한 바퀴 돌고 있었다. 베너 아저씨네 돼지는 오로지 이렇게 공짜로 받는 음식물들만을 먹고 자랐고 건강 상태가 최고로 좋았다. 그래서 누더기 철학자는 자신이 은퇴해서 시골 농장으로 내려가기 전에 이 튼실한 꿀꿀이를 잡아 잔치를 벌일 것이고 모든 이웃들을 초대해서 그들이 살찌우는 데 기여한 고깃덩어리와 갈비를 함께 나누어 먹겠다고 약속하곤 했다. 클리퍼드가 일곱 박공의 집의 일원이 된 후 헵지바 핀천의 집안 살림은 엄청나게 나아졌기 때문에 그 잔치에서 헵지바가 차지할 몫도 무시하지 못할 정도였다. 따라서 일곱 박공의 집 뒷문 계단참에서 보통 그를 기다리고 있던, 음식물 찌꺼기들이 가득한 커다란 오지 냄비가 보이지 않자 베너 아저씨는 상당히 실망하지 않을 수 없었다.

"헵지바가 전에는 이렇게 까맣게 잊어먹은 적이 없었는데." 노인이 혼잣말을 했다. "분명 어제 저녁을 먹었을 거고, 그건 확실하잖아! 요즘에는 항상 저녁을 먹으니까 말이야. 그럼 도대체 삶은 국물이랑 감자 껍질 같은 건 어디 갔냐고? 문을 두들겨서 일어났는지 한번 볼까? 아니, 아니, 그건 안 돼지! 어린 피비가 집에 있으면 상관없이 문을 두들길 텐데. 하지만 헵지바는 아마도 창문을 열고 오만상을 찡그리며 나를 내다볼 거란 말이지. 기분이 좋아도 말이야. 그러니까 정오에 다시 와 봐야겠다."

노인은 이런 생각을 하며 작은 뒷마당의 문을 닫았다. 하지만 그 집에 딸린 다른 대문이나 문들이 다 그렇듯이 문이 닫힐 때 끼익 하는 소리가 났고 그 소리는 북쪽 박공에 사는 사람의 귀에 닿았다. 그곳의 창문 하나로는 뒷대문 쪽을 비스듬히 내다볼 수 있었다.

"안녕하세요, 베너 아저씨!" 은판 사진사가 창문 밖으로 몸을 내밀며 말했다. "누구라도 기척하는 소리가 들리나요?"

"전혀!" 누더기 노인네가 말했다. "이상한 일도 아닐세. 해가 뜬 지 겨우 삼십 분도 안 되었는걸. 그런데 홀그레이브 씨, 당신을 보게 되어 정말 기쁘이. 이 집의 이편에 좀 기이하고 적막한 기운이 있어. 그래서 왠지 모르게 염려가 되고 꼭 이 집에 산 사람이 아무도 없는 것 같은 느낌이 들거든. 집의 앞쪽은 훨씬 경쾌해 보이지만 말이야. 앨리스의 꽃다발도 아름답게 활짝 피었고. 홀그레이브 씨, 내가 당신처럼 젊었으면 꽃을 따려고 기어오르려다 목이 부러지는 한이 있더라도 내 연인의 가슴에 그 꽃을 따다 달아 줄 텐데 말이야! 어쨌든! 간밤에는 바람 때문에 잠을 설쳤나?"

"정말 그랬어요!" 예술가가 미소를 지으며 대답했다. "내가 과연 귀신을 믿는지 아닌지는 잘 모르겠지만 만약 믿는 사람이라면, 핀천 가문의 귀신들이 전부 아래층에 모여 술 마시며 난리법석을 친다고 단정했을 거예요. 특히 헵지바 아주머니가 있는 쪽에서 말이에요. 하지만 이젠 아주 고요하네요."

"그래, 밤새도록 그 난리 통에 잠을 설쳤을 테니 지금 늦잠을 잘 만도 하지." 베너 아저씨가 말했다. "하지만 만약 판사가 두 사촌을 다 데리고 시골로 간 거라면 이상한 일이겠지, 그렇지 않나? 어제 그가 가게 안으로 들어가는 걸 봤거든."

"몇 시에요?" 홀그레이브가 물었다.

"아, 오전 나절에." 노인에 대답했다. "자, 자, 난 내 외바퀴 손수레와 함께 할 일을 계속 해야겠군. 하지만 늦은 점심시간에 다시 와 봐야겠어. 내 돼지들은 아침만큼이나 늦은 점심도 좋아하니까. 어떤 식사 시간이든 어떤 종류의 음식이든 내 돼지들이 꺼리는 건 없을 테지만. 좋은 아침 보내게! 그리고 홀그레이브, 내가 자네처럼 젊다면 말이야, 앨리스의 꽃다발에서 꽃을 좀 꺾어 피비가 돌아오기 전에 꽃병에 꽂아 둘 걸세."

"제가 들은 바로는, 몰의 우물물이 그 꽃에 제격이라더군요." 은판 사진사가 머리를 창문 안으로 넣으며 말했다.

여기서 대화는 끝나고 베너 아저씨는 가던 길을 계속 갔다. 그리고 반시간 동안 일곱 박공의 평온함을 방해하는 것은 없었고 앞쪽 현관을 지나면서 신문을 던져 놓은 배달 소년 외에는 찾는 이도 없었다. 요즘 헵지바가 규칙적으로 신문을 받아들였던 것이다. 잠시 후에 뚱뚱한 여자 하나가 엄청난 속도로 달려와서는 가게 입구 계단을 뛰어 올라가다가 발이 걸려 비틀거렸다. 얼굴은 주방의 열기로 달아올라 있었다. 게다가 꽤나 더운 아침이었으므로 그녀는 굴뚝의 화덕 열기와 여름날의 열기로 인해, 그리고 그 몸집을 가지고 굉장한 속도로 뛰어온 탓에 말하자면 구워지듯 거품을 뿜으며 식식거렸다. 가게 문을 밀어 보았다. 굳게 닫혀 있다. 다시 열어 보았는데 얼마나 성을 내며 덜컹덜컹 흔들어 댔는지 가게 종이 마찬가지로 그녀에게 대고 화가 나서 울려 댔다.

"망할 노처녀 핀천!" 성마른 아낙이 중얼댔다. "구멍가게라고 차려 놓고는 정오가 되도록 침대에 자빠져 있는 꼴이라니! 이런 게 아마 저네들이 말하는 귀족들의 잘난 태도렷다! 내 그 귀족 부인을 깨우든지 이 문을 부숴 버리든지 할 테다!"

그렇게 다시 문을 흔들어 댔다. 그러자 나름대로 악의에 찬 성깔 있는 종도 난폭하게 울려 댔는데, 그 항의 소리는 들어야 할 사람이 아니라 거리 건너편의 착한 부인에게 가서 닿았다. 그녀는 집 창문을 열고 안달하는 손님에게 말을 걸었다.

"거기 아무도 없을 거예요, 거빈스 부인."

"하지만 난 여기 있는 사람을 꼭 찾아야 해요!" 거빈스 부인이 다시 한 번 종을 격렬하게 울려 대며 소리쳤다. "우리 남편의 아침으로 최고의 도다리를 튀겨 주기 위해 돼지고기 반 파운드가 꼭 있어야 한다고요. 귀족 집 부인이든 뭐든 노처녀 핀천은 당장 일어나서 나한테 그걸 줘야 할걸요!"

"하지만 정신 차리고 내 말을 좀 들어요, 거빈스 부인!" 반대편의 부인이 맞받았다. "그녀랑 그 오빠랑 모두 사촌인 핀천 판사네 시골 별장에 갔다고요. 그 집에는 북쪽 박공에서 자고 있는 젊은 은판 사진사 말고는 한 사람도 없어요. 어제 헵지바와 클리퍼드가 나가는 걸 봤다고요. 기이한 한 쌍의 오리들처럼 어쩌면 그렇게 진흙 웅덩이에서 철벅거리며 가던지! 내 확신하건대 그 사람들 거기 없어요."

"그 사람들이 판사네 집에 간 건 어떻게 알아요?" 거빈스 부인이 물었다. "그 사람은 부자이면서도 헵지바한테 먹고살 마련을 해 주지 않아서 요즘 자주 그와 헵지바가 다투었는데. 이 구멍가게도 그래서 차린 거잖아요."

"나도 그건 잘 아는데, 어쨌든 그 사람들은 가 버렸어요. 그거 하난 확실해요. 그리고 어쩔 수 없이 챙겨야 하는 친척이 아니면 도대체 그렇게 성질 사나운 노처녀와 끔찍한 클리퍼드를 받아 줄 사람이 또 누가 있겠어요? 그게 다니까 알아서 해요!" 이웃이 말했다.

거빈스 부인은 집에 없는 헵지바에 대한 격렬한 분노가 여전히 부글부글 끓어오르는 채로 가게 앞을 떠났다. 그 후 반 시간 동안, 아니면 그보다 좀 더 오래, 집 바깥쪽은 안쪽만큼이나 고요했다. 하지만 느릅나무는 다른 데서는 감지할 수 없는 산들바람에 감응해 유쾌하고 기분 좋고 밝게 살랑대는 소리를 냈다. 늘어진 가지의 그림자 밑에서 벌레 한 떼가 즐겁게 윙윙대다가 햇빛 속으로 쏜살같이 날아갈 때면 한 점의 빛이 되었다. 헤아릴 수 없는 나무의 어느 구석엔가 숨어서 매미가 한두 번 울었다. 그리고 밝은 황금색 깃털을 가진 고독한 작은 새가 와서 앨리스의 꽃다발 주변을 빙빙 돌았다.

드디어 우리가 아는 어린 친구인 네드 히긴스가 학교를 향해 거리를 터벅터벅 걸어 올라왔다. 그러고는 이십 일 만에 처음으로 1센트 동전을 갖게 되었으므로 일곱 박공의 구멍가게를 절대 그냥 지나칠 리 없었다. 하지만 문이 안 열렸다. 하지만 다시 한 번, 또 한 번, 어떤 중요한 대상을 갖겠다고 마음먹은 아이들이 보이는 굽히지 않는 끈덕짐으로 소년은 여남은 번 계속해서 문을 열어 보려 했다. 분명 코끼리를 사겠다고 마음을 먹었나 보다. 아니면 햄릿과 함께 악어를 먹어치울* 생각인지도 모른다. 간혹 아주 세게 흔들라치면 종이 어느 정도 큰 소리로 딸랑거리긴 했지만, 어린 녀석이 까치발을 한 채 조막손으로 아무리 애써 봐야 요란스러운 소리를 내게 할 수는 없는 노릇이었다. 문손잡이를 쥐고 커튼 사이의 틈으로 들여다보았더니 응접실로 이어지는 통로 안쪽 문이 닫혀 있는 게 보였다.

"헵지바 할머니!" 아이가 창문을 두드리며 소리를 질렀다. "코끼리 주세요!"

여러 번을 그렇게 불러도 아무런 대답이 없자 네드는 슬슬 성질이 나기 시작했다. 그래서 그 작은 성질이 금세 끓어넘치더니 창문을 향해 집어 던질 못된 생각으로 돌을 하나 집어 들

---

* 셰익스피어의 『햄릿』 5막 1장에서 햄릿이 레어티즈에게 하는 대사 중에 나오는 표현.

었다. 동시에 너무 화가 난 나머지 엉엉 울며 중얼중얼하며 말이다. 그때 마침 남자 두 명이 옆을 지나고 있었는데 한 사람이 꼬마의 팔을 잡았다.

"뭐가 문제냐, 꼬마 신사?" 그가 물었다.

"헵지바 할머니나 피비 누나나, 아무나 나오란 말예요!" 네드가 흑흑 울며 말했다. "문을 안 열어 주잖아요. 그러니까 내 코끼리를 가질 수 없잖아요!"

"학교에나 가라, 이 장난꾸러기 꼬마야!" 남자가 말했다. "모퉁이를 돌면 구멍가게가 또 있잖니. 참 이상도 하지, 딕시." 그가 같이 가던 남자에게로 말을 돌렸다. "핀천 가문 사람들이 다 어떻게 된 거냔 말이야! 말 보관소에서 일하는 스미스가 그러는데, 핀천 판사가 어제 저녁 시간이 한참 지나서까지 말을 거기에 묶어 두고 아직까지도 말을 찾아가지 않았다는 거야. 게다가 판사네 집의 하인 한 사람이 오늘 아침 들러서는 판사에 대해서 물어봤다잖아. 그들 말로는 좀처럼 습관에서 벗어나는 일을 하거나 밖에서 밤을 보낼 사람이 아니라는데 말이야."

"아, 멀쩡히 나타날 거야!" 딕시가 말했다. "그리고 내가 장담하는데 노처녀 핀천은 빚에 쪼들리다가 빚쟁이한테서 도망갔을 거야. 그녀의 무시무시한 오만상 때문에 손님들이 다 도망갈 거라고, 구멍가게를 차린 바로 그날 아침에 내가 예견했던 것 기억하잖아. 그 사람들이 그런 일을 참을 수나 있겠어!"

"나도 그 일을 잘해 내리라고는 절대 생각해 본 적 없지." 그의 친구가 말했다. "이 구멍가게 일은 여편네들이 너무 많이 한다니까. 내 집사람도 한번 해 봤다가 경비로만 5달러를 날렸다고!"

"안 되는 장사야." 고개를 절레절레 흔들며 딕시가 말했다. "안 되는 장사라고!"

발을 들여놓을 수 없는 이 조용한 저택에 살고 있으리라 생각되는 사람과 소통을 해 보려는 다른 시도들이 아침나절 내내 여러 번 있었다. 루트비어 판매상이 빈 병과 바꿔 갈 서른 병 남짓의 맥주병을 깔끔하게 색칠된 짐마차에 싣고 왔다. 빵집 주인은 헵지바가 가게에서 소매로 팔려고 주문한 크래커를 잔뜩 가지고 왔고, 푸줏간 주인은 헵지바가 클리퍼드를 위해 차지하고 싶어 할 거라고 생각하며 맛좋은 작은 고기를 가지고 왔다. 이러한 과정을 지켜본 사람 중 누구라도 집 안에 감추어진 무시무시한 비밀을 알고 있었다면, 인간 삶의 흐름이 주변에서 이렇게 소소한 소용돌이를 만들어 내는 걸 보면서 특이한 형태로 변한 공포에 휩싸일 것이다. 죽은 시체가 눈에 띄지 않은 채 누워 있는 거무칙칙한 심연 바로 위에서 나뭇가지며 지푸라기며 비슷한 사소한 것들이 빙글빙글 돌아가는 그 모습에.

푸줏간 주인은 양의 췌장인지, 뭐 다른 진미거리인지를 헵지바에게 몹시도 절실히 보여 주고 싶었기 때문에 일곱 박공의 대문이란 대문은 모두 열어 보다가 결국 한 바퀴를 돌아 그가 보통 드나들던 가게 문 앞으로 돌아왔다.

"이게 진짜 맛있는 부위라서 노부인이 반색을 하며 좋아할 것이 분명한데 말이야." 그가 혼잣말을 했다. "어디 갈 리 만무하잖아! 내가 십오 년 동안 핀천 거리를 따라 짐마차를 몰고 다녔지만 그녀가 집을 비우는 일을 한 번도 본 적이 없는걸. 아무리 하루 종일 문을 두들겨 대도 절대 문을 열어 주러 나오지 않은 적이 꽤 있었던 건 확실하지만. 하지만 그땐 그저 혼자서 먹고살 때였지."

푸줏간 주인이 바로 좀 전에 코끼리에 대한 식욕을 보이던 개구쟁이가 들여다본 바로 그 커튼 틈새로 안쪽 문을 보았더니, 아이가 보았을 때처럼 닫혀 있지 않고 열려 있었는데 그것도 거의 활짝 열려 있었다. 어떻게 그런 일이 생겼는지는 모르지만 그것이 사실이었다. 통로를 따라 어두운 전경이 쭉 펼쳐지면서 그보다는 밝지만 여전히 어둑한 응접실 내부로 이어졌다. 커다란 떡갈나무 의자에 남자가 앉아 있는데 나머지는 의자 등받이에 다 가려졌지만 푸줏간 주인은 검은 바지에 덮인 건장한 다리처럼 보이는 것을 아주 뚜렷하게 알아볼 수 있었다고 생각했다. 주의를 끌어 보려고 자신이 그렇게 수도 없이 노력을 했건만 그에 비해 집 안에 앉아 있는 사람은 이렇게 경멸하듯 평온을 유지하고 있다는 사실에 고기를 다루는 이 남자는 너무나 감정이 상해서 그만두고 돌아가기로 마음을 먹었다.

'그래. 난 이 생고생을 하는 동안 노처녀 핀천의 오빠라는 저 망할 인간은 저렇게 앉아 있었다, 이거지! 돼지 새끼가 저따위로 굴면 꼬챙이로 찔러 버릴 텐데! 저런 인간들하고 거래를 한다는 건 내 장사의 품위를 떨어뜨리는 일이야. 이제부터 저들이 소시지를 원하든 요만큼의 간을 원하든, 그걸 얻으려

면 내 짐마차 꽁무니를 쫓아다녀야 할 거다!'

그는 화가 치밀어 맛있는 고기 조각을 짐마차에 던져 넣고는 부루퉁해 마차를 몰고 가 버렸다.

이후 얼마 지나지 않아 모퉁이를 돌아 거리를 따라 내려오는 음악 소리가 들렸는데, 활달한 곡조가 사이사이 끊겼다가는 더 가깝게 다시 터져 나오곤 했다. 음악 소리와 조화를 이루며 앞쪽으로 움직였다가 멈췄다가 하는 한 무리의 아이들이 보였고, 음악 소리는 그 무리의 중앙에서 나오는 것 같았다. 그러니까 화음을 이루는 약한 가락에 아이들이 느슨히 한 무리로 묶여 노래에 사로잡힌 채 함께 끌려가는 것이다. 그와 함께 이따금씩 집 문 앞이나 출입구마다 깡충거리며 뛰어다니는, 앞치마를 두르고 밀짚모자를 쓴 어린 친구가 다가오는 게 보였다. 핀천 느릅나무의 그림자 아래에 이르러 보니 그것은 언젠가 아치형 창문 아래에서 원숭이와 꼭두각시 공연과 더불어 손풍금을 연주하던 바로 그 이탈리아 소년이었다. 피비의 상냥한 얼굴이, 그리고 그와 함께 물론 그녀가 던져 주었던 넉넉한 보수가 아직도 그의 기억에 남아 있었다. 일정치 않은 그의 삶에 있었던 이 사소한 사건이 우연히 일어났던 장소를 알아보고 표정이 풍부한 그의 얼굴이 확 밝아졌다. 그는 돼지풀과 우엉이 자라나 예전보다 더 무성해진 방치된 마당에 들어서서 중앙 현관의 계단에 자리를 잡더니 공연용 상자를 열고 연주하기 시작했다. 자동인형 마을의 개개인들이 각자 본연의 직업에 따라 움직이기 시작했다. 원숭이는 스코틀랜드풍 모자를 벗고 무척이나 아부하는 태도로 오른발을 뒤로 빼며 구경꾼들에게 인사를 하면서도 떨어진 동전이 없나 주변을 눈여겨보았다. 그리고 어린 외국인 소년 자신은 기계의 굽은 자루를 돌리는 동시에, 그의 음악을 더욱 생기 있고 아름답게 만들어 줄 사람이 나오길 기대하며 아치형 창문을 올려다보았다. 한 무리의 아이들이 가까이 서 있었다. 몇몇은 보도에 있고, 몇몇은 마당 안에 들어서 있었으며, 두서너 명은 아예 문간 계단에 자리를 잡았고 한 명은 문간에 쪼그려 앉아 있었다. 그동안 오래된 커다란 핀천 느릅나무에서는 계속 매미가 울어 댔다.

"집 안에 아무도 없는 것 같은데." 아이 중 하나가 다른 아이에게 말했다. "여기서 원숭이가 얻을 건 하나도 없을걸."

"집에 누군가 있어." 문간에 있던 꼬마가 주장했다. "발소리를 들었다고!"

어린 이탈리아 소년의 눈길은 여전히 비스듬히 위쪽으로 향해 있었다. 정말이지 대수롭지 않고 거의 장난기가 가득하긴 하지만, 어쨌든 진정한 감정이 약간 가미되자 메마르고 기계적인 노랫가락에 음유시인의 풍부한 감미로움이 전해진 것 같았다. 이러한 방랑자들은 길을 다니며 생활하다가 우연히 마주치는 자연스러운 친절함에 쉽게 감동받는다. 그것이 그저 한번 지어 보인 미소이거나, 알아듣지는 못해도 안에 따스함을 담은 말 한마디 정도일지라도 말이다. 마치 비눗방울 안에서 풍경을 반사해 비추는 정도의 짧은 순간이나마 그들 주변에 가정과 같은 안식처를 짓는 작은 마법을 부리기 때문에 그것들을 기억하는 것이다. 그러므로 오래된 그 집이 그의 악기의 생기발랄함을 막아 버리겠다고 작정이나 한 듯이 무거운 침묵으로 일관할지라도 이탈리아 소년은 낙심하지 않았다. 그는 음악을 통한 호소를 계속했다. 곧 피비의 환한 얼굴이 나타나 그 외국인의 가무잡잡한 얼굴을 환하게 밝힐 것이라 믿으며 여전히 위쪽을 올려다보았다. 또한 클리퍼드를 다시 보지 않고는 그 자리를 떠나고 싶지 않았다. 피비의 미소처럼 그의 감수성이 그 외국인에게 일종의 마음속 언어로 이야기를 전해 주었기 때문이다. 그는 청중들이 지겨워질 만큼 자신이 가진 음악 전부를 계속 반복했다. 공연 상자 안의 작은 나무 인형들도 그랬고 무엇보다 원숭이도 그랬다. 그러나 매미의 울음소리 말고는 어떤 반응도 없었다.

"이 집엔 아이들이 안 살아." 드디어 어린 학생 하나가 말했다. "나이 든 할머니랑 할아버지밖에는 안 산다고. 그러니까 여기서 받을 건 없어! 딴 데로 가지 그래?"

"야, 이 바보야, 그런 소리를 왜 해?" 싼 값에 들을 수 있다는 점 외에 음악에는 전혀 관심도 없는 약빠른 어린 양키가 속삭였다. "원하는 대로 계속 연주하게 내버려 둬. 돈을 낼 사람이 아무도 없으면 그거야 쟤 문제지!"

하지만 이탈리아 소년은 다시 노래를 한 순번 더 연주했다. 문의 이편을 비추는 햇빛과 음악만을 보고 들을 뿐 이 상황을 전혀 이해하지 못하는 보통의 구경꾼이라면 이 거리 연주가가 보이는 집요함이 놀라워 보일 것이다. 그는 성공할 것인가? 완고하게 닫힌 문이 갑자기 활짝 열릴 것인가? 그 집의 어린아이들, 그 명랑한 아이들이 춤을 추고 소리치고 웃으며 한

떼로 밖으로 몰려나와 공연 상자 주변에 옹기종기 모여들어서 정말로 즐거워하며 꼭두각시를 바라보고는 긴 꼬리 맘몬인 원숭이가 주워 가도록 동전을 던져 줄 것인가?

그러나 일곱 박공의 겉면만이 아니라 깊숙한 안쪽 사정도 아는 우리로서는 그 문간에서 반복되는 경쾌한 민속음악의 선율에서 소름 끼치는 느낌을 받지 않을 수 없다. 가장 아름다운 상태로 연주되는 파가니니의 바이올린에조차 손톱만큼도 관심이 없을 핀천 판사가 가슴에 피 묻은 셔츠 차림 그대로 거무스레하면서도 새하얀 얼굴을 무섭게 찡그리며 문간에 나타나 외국인 방랑자에게 저리 가라고 손을 휘휘 젓기라도 하면 정말이지 볼썽사나운 일이 아닌가! 춤출 마음이 나는 사람은 아무도 없는데 지그며 왈츠를 손풍금으로 저렇게 연주해 댄 적이 전에도 있었던가? 물론, 아주 자주 있었다. 비극과 환희가 이렇게 대조되거나 서로 뒤섞이는 일은 매일, 매시간, 매순간 일어난다. 모든 삶이 자리를 뜨고 끔찍한 죽음만이 혼자 엄숙하게 앉아 있는 음침하고 황량한 낡은 집은, 그럼에도 주변에서 벌어지는 세상의 유쾌함이 지저귀고 메아리치는 소리를 듣지 않을 수 없는 수많은 인간 마음의 상징이었다.

이탈리아 소년이 공연을 끝내기 전에 두 명의 남자가 저녁을 먹으러 집으로 가던 중 우연히 그 앞을 지나가게 되었다.

"이봐, 거기 어린 프랑스 녀석아!" 그중 한 남자가 소리쳐 불렀다. "그 집 문간에서 당장 나와, 그 바보짓은 딴 데 가서 하라고! 거기 핀천 가족이 사는데 지금쯤 아주 큰 문제가 생겼단 말이야. 오늘은 음악 들을 기분이 아니라고. 그 집의 소유자인 핀천 판사가 살해되었다고 온 동네에 소문이 퍼졌고, 그래서 시 집행관이 지금 조사를 할 참이야. 그러니까 당장 딴데로 꺼져!"

이탈리아 소년은 손풍금을 어깨에 둘러메다가 문간에 카드 하나가 떨어져 있는 것을 보았다. 그것은 아침 내내 신문 배달원이 던져 놓은 신문에 덮여 있다가 이제 밀려 나와 눈에 띄었던 것이다. 그는 그것을 집어서 연필로 적어 놓은 뭔가를 보고 남자에게 읽으라고 주었다. 사실 그것은 인쇄된 핀천 판사의 명함으로, 그 뒤에는 전날 동안 처리하고자 했던 많은 일들을 가리키는 메모가 연필로 적혀 있었다. 그것은 그날의 일정을 미리 요약해 한눈에 보여 주었다. 단지 실제 벌어진 일이 그 계획과 완전히는 맞지 않았을 따름이다. 그 카드는 판사가 먼저 그 집 중앙 현관으로 들어가려 하다가 조끼 주머니에서 빠져나온 게 분명했다. 비에 완전히 젖긴 했지만 부분적으로 알아볼 정도는 되었다.

"이거 봐, 딕시!" 그 남자가 소리쳤다. "이게 핀천 판사와 관련이 있어. 봐, 여기 그의 이름이 찍혀 있잖아. 그리고 이건 아마 그가 직접 쓴 것 같은데."

"집행관에게 그걸 가지고 가자!" 딕시가 말했다. "그가 원하는 단서를 줄지도 몰라. 어쨌거나," 하고 그가 동료의 귀에 대고 속삭였다. "판사가 그 문으로 들어갔다가 다시 못 나오는 것도 놀랄 일은 아니지! 그의 사촌이 옛날에 부렸던 술수를 또 썼겠지. 노처녀 핀천은 구멍가게 때문에 빚은 졌겠다, 판사의 주머니는 두둑하겠다, 게다가 그들한테는 이미 나쁜 피가 흐르잖아! 이것들을 다 짜 맞추면 어떤 결과가 나오겠어!"

"쉬! 쉬!" 다른 남자가 속삭였다. "그런 얘기를 먼저 꺼내는 건 죄악이야. 하지만 어쨌든 자네 말처럼 집행관에게 가는 게 좋을 것 같아."

"그래, 그렇다니까." 딕시가 말했다. "그 여자의 오만상에는 뭔가 악마 같은 게 있다고 내가 늘 말했잖아!"

그러면서 남자들은 몸을 돌려 거리를 따라 오던 길을 다시 되짚어 갔다. 이탈리아 소년 역시 서둘러 떠날 준비를 하면서 마지막으로 아치형 창문을 한 번 더 올려다보았다. 아이들로 말하자면 다들 하나같이 무슨 거인이나 도깨비가 쫓아오기라도 하는 듯 놀라서 걸음아 날 살려라 하고 달아났다. 그러다가는 집에서 한참을 떨어지자, 도망갈 때처럼 동시에 갑작스럽게 멈추어 섰다. 남자들이 하는 얘기를 엿듣고는 그들의 여린 신경이 말할 수 없이 겁을 집어먹었다. 오래된 저택의 괴기스러운 뾰족지붕과 어두컴컴한 구석을 돌아보니 어두운 기운이 그 주변을 감싸고 돌아 아무리 밝은 햇빛으로도 흩어 버릴 수 없는 것 같았다. 마치 헵지바가 동시에 여기저기의 창문에서 나타나 인상을 쓰며 그들을 향해 손가락을 마구 흔드는 것 같은 상상이 들었다. 클리퍼드가 알았다면 아주 깊이 상심했겠지만 그는 이 아이들에게 언제나 공포의 대상이었으므로 클리퍼드 역시 빛바랜 실내복을 입고 비현실적인 헵지바의 뒤에서 무시무시한 손짓을 해 대는 것이 보이는 것 같았다. 아이들은 어른들보다 더 쉽게(그게 가능하다면 말이다.) 엄청난 공포에 갑자기 전염될 수 있다. 그 이후 하루 종일 소심한 아이들은 일곱 박공의 집을 피하기 위해 마을을 빙 돌아서 다녔고 그중 대담한 부류는 친구들에게 전속력으로 그 집 앞을 지나 달리는 시합을 하자고 함으로써 자신들의 대담함을 보여 주었다.

이탈리아 소년이 어울리지 않는 음악과 함께 사라진 지 반 시간도 채 안 되어서 마차 하나가 거리를 따라 내려왔다. 마차는 핀천 느릅나무 아래에 멈췄고, 운전사가 마차 꼭대기에서 트렁크와 천 가방, 그리고 판지 상자를 내려서 낡은 집의 현관 계단에 놓았다. 밀짚모자가 먼저, 그러고는 어린 처녀의 예쁜 모습이 마차 안쪽에서부터 나와 시야로 들어왔다. 피비였다! 그동안 이 집에서 겪은 몇 주 동안의 경험으로 전보다 진지하고 더 여성스러워졌으며 마음이 자신의 깊이를 의심하기 시작했음을 나타내듯 눈길도 웅숭깊어졌기 때문에 그녀가 맨 처음 우리 이야기에 나타났을 때만큼 그렇게 화사하지는 않았지만, 여전히 그녀 주변에는 자연스러운 햇빛이 잔잔하게 빛나고 있었다. 또한 자신의 영역 안에서는 모든 것이 환상적이기보다는 실제적으로 보이게 만드는 그녀다운 재능 역시 아직 지니고 있었다. 그렇지만 바로 이 시점에서 일곱 박공의 집 문간을 넘어서는 것은 그녀에게도 미심쩍은 모험이 아닐까 하는 느낌이 든다. 그녀가 떠난 후 그리로 들어온 창백하고 끔찍스러운 한 떼의 죄 많은 혼령들을 쫓아낼 수 있을 만큼 그녀의 건강한 존재는 위력적일 것인가? 아니면 그녀 역시 빛을 잃고 병이 들며 슬픔에 잠겨 보기 흉하게 변해 버린 채 또 하나의 창백한 혼령이 되어, 소리 없이 계단을 오르내리고 창문에 멈춰 서서 아이들을 놀래게 될 것인가?

적어도 우리는 아무것도 모르고 있는 소녀에게 기꺼이 미리 알려 주고 싶다. 우리가 함께 긴 밤을 지새운 이래 여전히 비참한 광경이자 생각만 해도 무시무시한 모습으로 떡갈나무 의자에서 자리를 지키고 있는 핀천 판사의 모습 외에, 그 집에는 인간의 형태나 실체를 가진 존재로서 그녀를 맞아 줄 사람은 아무도 없다고 말이다.

피비는 먼저 가게 문을 열어 보았다. 문은 손이 미는 대로 열리지 않았다. 게다가 문 위쪽 창문에 커튼이 쳐져 있는 모습을 보고 지각 능력이 빠른 그녀는 뭔가 이상하다는 느낌을 퍼뜩 받았다. 그녀는 더 이상 그쪽으로 들어가 보려는 노력을 하지 않고 아치형 창문 아래 커다란 현관 쪽으로 갔다. 문이 굳게 잠겨 있었으므로 문을 두드렸다. 안쪽의 텅 빈 공간을 울리며 소리가 되돌아왔다. 그녀는 다시 문을 두드렸고, 세 번째 두드렸을 때는 가만히 들어 보니 헵지바가 그녀를 맞이하기 위해 평소처럼 발끝을 들고 가만가만 걸어오는 듯 마룻바닥이 삐걱거리는 소리가 들렸다고 생각됐다. 그러나 그렇게 들었다고 상상한 소리 다음에 너무나 죽음 같은 침묵이 뒤따랐기 때문에, 그녀는 그 외양이 아주 익숙하다고 생각했지만 사실은 집을 잘못 찾은 것이 아닌가 하는 의심이 들기 시작했다.

멀리서 어떤 아이의 목소리가 들려서 그녀는 이제 그쪽으로 주의를 돌렸다. 마치 그녀의 이름을 부르는 것 같았다. 소리가 나는 쪽을 돌아다보니 거리 저 아래쪽에 어린 네드 히긴스가 보였는데, 그는 발을 구르고 고개를 마구 가로저으며 양손으로 안 된다는 듯한 손짓을 하면서 목청껏 그녀를 향해 소리를 지르고 있었다.

"안 돼, 안 돼, 피비 누나!" 그가 새되게 소리 질렀다. "들어가지 마! 거기 뭔가 사악한 게 있다고! 안 돼, 들어가지 마, 들어가면 안 돼!"

그러나 그 꼬마가 제대로 설명을 할 수 있을 만큼 가까이 다가오려 하지 않았기 때문에, 피비는 그가 가게를 찾았다가 헵지바 아주머니 때문에 뭔가 겁을 집어먹은 일이 있나 보다 생각했다. 사실 그 착한 부인의 겉으로 드러나는 모습은 아이들이 정신 나갈 정도로 겁을 집어먹게 만들든지 어울리지 않게 웃음을 터뜨리게 만들 가능성이 똑같이 있기 때문이다. 하지만 이 때문에 피비는 더욱 집이 까닭을 알 수 없이 너무나 고요하고 불가해하다는 느낌을 받았다. 피비는 다음 수단으로 정원에 들어갔는데, 지금처럼 따뜻하고 화창한 날이라면 그곳 정자의 그늘에서 클리퍼드와, 어쩌면 헵지바도 함께 한가하게 한낮의 시간을 보내고 있을 것임이 분명하다고 생각했기 때문이다. 정원 출입구로 들어가자마자 닭 식구들이 반은 뛰듯이 반은 날듯이 하며 그녀에게 와서 반겼다. 그러는 사이 응접실 창문 아래에서 기웃거리던 요상한 고양이는 부리나케 달아나 황급히 울타리를 넘어 모습을 감췄다. 정자는 비어 있었고 그 바닥이며 탁자, 둥근 의자는 지난 폭풍으로 인해 모두 비에 젖은 채 나뭇가지가 흩어져 있는 등 어지럽혀 있었다. 정원 식물들은 너무나 무성하게 자라나 완전히 제자리를 벗어났고 잡초는 비가 오래 계속된 데다 피비가 없는 틈을 타서 꽃과 야채들 위로 마구 우거져 있었다. 몰의 우물물은 돌 경계석을 넘쳐흘러 정원 한 모퉁이에 만만찮은 크기의 웅덩이를 이루고 있었다.

전체적으로 정원의 모습은 며칠 동안, 아마도 피비가 떠난 후 줄곧 사람 발자국이 한 번도 들어선 적이 없었다는 인상을 주었다. 왜냐하면 피비는 정자의 탁자 아래에서 그녀와 클리퍼드가 거기 마지막으로 앉아 있던 며칠 전 오후에 떨어뜨렸을 것임이 분명한 자기의 빗 핀이 그대로 있는 것을 보았기 때문이다.

소녀는 그녀의 두 친척이 보여 주는 기벽으로 말하자면 지금처럼 낡은 집에 며칠 동안 틀어박혀 지내는 일 정도는 예삿일임을 알고 있었다. 그럼에도 뭔가 잘못된 것 같다는 불분명한 불안감과 딱히 뭐라고 짚어 얘기할 수 없는 염려가 가득한 채 그녀는 보통 집과 정원을 드나들 때 사용하는 문 쪽으로 다가갔다. 이미 열어 보았던 다른 두 문과 마찬가지로 그 문 역시 안에서 잠겨 있었다. 어쨌든 문을 두드려 보았다. 그러자 마치 그러기를 기다리기라도 했다는 듯이 바로 문이 열렸는데, 눈에 보이지는 않는 사람이 엄청나게 힘을 써서 열기라도 한 듯이, 활짝 열린 게 아니라 그녀가 몸을 옆으로 하여 겨우 들어갈 수 있을 만큼만 열린 것이었다. 헵지바는 항시 밖에서 자신이 눈에 띄지 않도록 그런 식으로 문을 열었기 때문에 피비는 당연히 지금 문을 연 사람이 헵지바일 거라고 단정했다.

그러므로 그녀는 주저하지 않고 문지방을 넘어 들어갔는데, 그녀가 들어가자마자 문이 등 뒤에서 닫혔다.

20
에덴동산의 꽃

밝은 햇빛에 있다가 갑자기 들어섰기 때문에 오래된 집의 통로 대부분에 내리깔린 짙은 어두움으로 인해 피비의 눈앞은 완전히 흐려졌다. 그녀는 처음에는 누가 자기를 안으로 들였는지 알지 못했다. 눈이 주변의 어두움에 미처 적응하기도 전에 누군가의 손이 그녀의 손을 붙잡았는데, 단단하면서도 부드럽고 따뜻하게 꽉 잡아 주면서 전해 주는 환영의 뜻에 그녀의 마음이 쿵쿵대며 뭐라 설명할 수 없는 기쁨의 전율로 떨렸다. 그 손이 자신을 이끄는데 그것은 응접실 쪽이 아니라 예전에 일곱 박공의 집의 대연회장이었던, 지금은 아무도 살지 않는 커다란 방 안이었다. 창문에 커튼이 달려 있지 않았으므로 햇빛이 온통 풍부하게 쏟아져 들어와 먼지 쌓인 마룻바닥을 비췄다. 그래서 사실 따뜻한 손이 잡아 주었을 때부터 안 일이긴 했지만, 자신을 집에 들인 사람이 헵지바나 클리퍼드가 아니라 홀그레이브였음을 피비는 확실히 볼 수 있었다. 어떤 미묘한 직관적인 소통, 아니면 뭔가 할 말이 있는 것 같다는 막연하고 어렴풋한 인상 때문에 그녀는 저항하지 않고 그가 하자는 대로 따랐던 것이다. 그녀는 손을 빼지 않은 채 그의 얼굴을 간절히 바라봤는데, 불행을 예견하는 데 재빠른 편은 아니었지만, 그녀가 떠난 이후 집안에 뭔가 변화가 생겼음을 의식하지 않을 수 없었으므로 그에 대한 설명을 너무나 듣고 싶었기 때문이다.

예술가는 평소보다 더 창백해 보였다. 깊은 생각에 빠진 듯 미간을 심하게 좁혀서 거기에 수직의 골이 깊게 팼다. 하지만 그의 미소는 진정한 따스함으로 가득했고, 피비가 지금까지 본 중 가장 생생하게 기쁨을 표현해, 자신의 마음 가까이에 놓인 것은 무엇이든 습관적으로 감추던 뉴잉글랜드식 과묵함을 뚫고 환하게 빛나는 것이었다. 그것은 황량한 숲 속이나 끝도 없는 사막에서 혼자 어떤 무시무시한 것에 대해 곰곰이 생각하던 남자가 가정에 속한 모든 평화로운 생각들과 일상의 잔잔한 흐름들을 불러일으키는 가장 친한 친구의 익숙한 모습을 알아봤을 때 보이는 그런 미소였다. 그렇지만 대답을 재촉하는 그녀의 표정에 답해야 할 필요성을 느끼자 미소는 사라졌다.

"당신이 돌아왔다고 기뻐해야 할지 모르겠어요, 피비! 정말 공교로운 때에 만나게 되었군요!" 그가 말했다.

"무슨 일이에요? 왜 집에 이렇게 아무도 없어요? 헵지바 숙모님과 클리퍼드 숙부님은 어디 갔어요?" 그녀가 외쳤다.

"가 버렸어요! 어디로 갔는지 전혀 종잡을 수 없어요! 이 집엔 우리뿐이에요!" 홀그레이브가 대답했다.

"헵지바 숙모님과 클리퍼드 숙부님이 떠났다고요? 그럴 리 없어요! 그리고 왜 저를 응접실이 아니라 이 방으로 데리고 왔나요? 아, 뭔가 끔직한 일이 벌어진 거죠! 내가 직접 가서 봐야겠어요!" 피비가 소리쳤다.

"안 돼, 안 돼요, 피비!" 홀그레이브가 그녀를 붙잡으며 말했다. "내가 말한 그대로예요. 그들이 떠나 버렸는데 어디로 갔는지 몰라요. 끔직한 일이 벌어진 건 사실인데, 그들한테 벌어진 것도 아니고, 내가 확실히 믿는 바로는 그들이 저지른 일도 아니에요. 피비, 내가 당신의 성품을 제대로 알고 있는 거라면" 하고 그가 부드러움과 뒤섞인 심각한 근심을 담아 그녀의 눈을 똑바로 바라보며 말했다. "당신은 정말 상냥하고 평범한 것들을 당신의 영역으로 삼긴 하지만 남다른 힘을 소유하고 있을 거라고 봐요. 놀라운 평정심을 지니고 있고, 실제 어떤 상황에 맞닥뜨렸을 때 통상적인 규칙과는 너무나 거리가 먼 일들에 충분히 대처할 수 있는 능력도 가지고 있죠."

"아, 아니에요, 난 정말 약한 사람이에요!" 피비가 떨면서 대답했다. "하지만 어쨌든 어떻게 된 일인지 말해 줘요!"

"당신은 강해요!" 홀그레이브가 고집했다. "당신은 강하고 현명해요. 왜냐하면 나야말로 어찌할 줄을 모르겠으니 당신의 도움이 필요하거든요. 당신이 이 상황에서 해야 할 딱 한 가지 일을 말해 줄 수 있을 것 같아요."

"말해 줘요! 말해 줘요!" 피비가 온몸을 부들부들 떨며 말했다. "이렇게 뭔지 모르는 상태가 너무나 내 가슴을 내리누르며 두렵게 해요! 차라리 다른 건 다 참을 수 있겠어요!"

예술가는 잠시 머뭇거렸다. 그가 지금 막 피비가 지닌 인상적인 평정심에 대해 그렇게 얘기를 했고 정말로 진지한 마음에서 나온 얘기였음에도, 어제의 그 끔직한 비밀을 그녀에게 알려 주는 것이 심지어 사악한 행동일 수도 있다는 느낌이 들었기 때문이다. 그것은 마치 집 안의 따뜻한 벽난로 앞 깔끔하고 기분 좋은 장소에 소름 끼치는 죽음의 형상을 끌고 들어가, 주변의 모든 것들이 서로 어울려 조화를 이루기 때문에 더욱 추해 보이는 모습을 적나라하게 드러내는 것과 같았다. 하지만 그녀에게서 그 사실을 감출 수는 없었다. 그녀도 알아야 할 것이었다.

"피비, 이거 기억해요?" 그가 말했다.

그는 그녀의 손에 은판 사진을 쥐어 주었다. 그들이 정원에서 처음 만났을 때 보여 준 바로 그것이자, 사진의 모델 자신의 매정하고 무자비한 특성을 몹시도 두드러지게 나타냈던 그 사진 말이다.

"이게 헵지바 아주머니나 클리퍼드 아저씨와 무슨 관계가 있다는 거예요?" 홀그레이브가 이런 때에 그녀와 장난을 친다는 사실에 참을 수 없다는 듯이 피비가 아연해 물었다. "핀천 판사잖아요! 그건 전에도 보여 줬잖아요!"

"하지만 여기 찍은 지 삼십 분이 안 된, 같은 얼굴이 있어요." 그녀에게 다른 사진을 내밀며 그가 말했다. "막 이 사진을 찍었을 때 당신이 문 두드리는 소리를 들었어요."

"이건 죽은 사람이잖아요!" 얼굴에서 핏기가 가시며 피비가 부들부들 떨었다. "핀천 판사가 죽었어요!"

"사진에 나온 그대로, 그가 옆방에 앉아 있어요. 판사는 죽고 헵지바와 클리퍼드는 어디론가 사라진 거죠! 더 이상은 나도 아는 바가 없어요. 그 이상은 다 추측일 뿐이에요. 간밤에 내가 내 방으로 돌아왔을 때 불빛이 전혀 없었어요. 응접실에도 그렇고 헵지바의 방에도, 클리퍼드의 방에도 말이에요. 집 안 전체에 움직이는 소리도 없고 발자국 소리도 안 들렸어요. 오늘 아침에도 마찬가지로 죽음처럼 고요했어요. 당신 친척이 어젯밤 폭풍이 몰아치는 와중에 집을 나서는 것을 보았다고 이웃 사람이 말하는 것을 창문 너머로 들었어요. 핀천 판사가 행방불명이라는 소문 역시 들렸지요. 딱히 뭐라 표현할 수 없는 느낌, 그러니까 뭔가 파국이랄까 완결에 이르렀다는 불확실한 어떤 느낌 때문에 이쪽으로 건너와 보지 않을 수 없었는데, 여기서 지금 당신이 보는 그 모습을 발견했던 거예요. 아마도 클리퍼드에게 소용이 될 일종의 증거이자 또한 내게도 소중한 기념물로서, 왜냐하면 피비, 그 사람의 운명을 나와 기이하게 엮어 주는 유전적인 이유가 있거든요, 핀천 판사의 죽음을 이렇게 사진으로 기록해 보존하기 위해 내가 쓸 수 있는 수단을 이용했지요." 홀그레이브가 말했다.

피비는 너무나 흥분한 상태에서도 홀그레이브의 차분한 태도를 주목하지 않을 수 없었다. 사실 그는 핀천 판사의 죽음이라는 사실의 끔찍함을 온전히 다 느끼면서도 그 사실에 대해 조금도 놀라는 기색이 없었는데, 마음속으로는 그것을 미리 예정된 사건으로, 그러니까 과거의 사건들과 아주 딱 들어맞아서 거의 예견까지 할 수 있었을 정도로 필연적으로 발생한 사건으로 받아들이는 듯했다.

"왜 문을 열어젖히고 증인들을 불러들이지 않았나요?" 그녀가 고통으로 가득해 몸서리를 치면서 물었다. "여기 혼자 있다니 너무 끔찍해요!"

"하지만 클리퍼드 아저씨를 생각해야죠!" 예술가가 상기시켰다. "클리퍼드 아저씨와 헵지바 아주머니를요! 그들을 위해 어떻게 하는 것이 가장 좋은 일일지 생각해야 해요. 그렇게 사라져 버렸다는 사실이 말할 수 없이 치명적이에요. 그렇게 도망가는 바람에 가뜩이나 받기 쉬운 편견 중에서도 최악의 편견이 이 사건에 덧씌워질 거예요. 하지만 그들을 아는 사람들에게야 얼마나 납득하기 쉬운 일인가요! 이 죽음이 클리퍼드에게 그렇게 비참한 결과를 가져온 예전의 죽음과 너무나 유사했기 때문에 당황하고 공포에 질려서 단지 이 자리를 떠야겠다는 생각 말고는 다른 아무 생각도 할 수 없었을 거예요. 얼마나 지독하게 불행한지! 헵지바가 크게 비명을 지르기만 했어도, 클리퍼드가 문을 활짝 열어젖히고 핀천 판사의 죽음을 크게 알리기만 했어도, 그 자체로는 아무리 참담한 사건이라 한들 이 사건이 그들에게는 좋은 결과를 가져왔을 거예요. 내가 보기에는 심지어 그것이 클리퍼드라는 사람에게 찍힌 검은 낙인을 지울 수도 있었을 텐데 말이에요."

"그런데 어떻게, 그렇게 무시무시한 일에서 좋은 결과가 나올 수 있다는 거죠?" 피비가 물었다.

"왜냐하면, 이 문제를 공정히 조사하고 공평하게 해석한다면 핀천 판사가 어떤 부당한 방식으로 종말을 고한 것이 아님이 분명해질 테니까요. 이런 방식의 죽음은 과거 세대부터 계속 그 집안의 특이성이었어요. 물론 자주 일어난 일은 아니었지만, 일어난다면 대개 핀천 판사의 나이 정도에 보통 어떤 정신적인 위기로 인한 긴장이나 격렬한 분노에 휩싸인 사람에게 나타나요. 그 옛날 몰의 예언은 아마도 핀천 가문의 이러한 신체적 질병의 소질을 알았던 데서 나왔을 거고요. 자, 어제 발생한 죽음과 삼십 년 전 클리퍼드의 숙부가 맞은 죽음에 대한 기록을 연결해서 함께 보면 그 모습에는 세세하고도 거의 똑같을 정도의 유사성이 있어요. 구구절절이 다시 얘기할 필요는 없겠지만, 물론 죽은 재프리 핀천이 타살을 당했고 그것도 클리퍼드 아저씨의 손에 그렇게 되었다고 생각하는 것도 가능하게, 아니, 어떻게 바라보느냐에 따라 그럴 법하거나, 심지어 확실하게 하는 어떤 정황이 있는 것은 사실이에요." 예술가가 말했다.

"그런 정황은 어떻게 생겼나요? 우리가 알다시피 그가 결백하다면 말이에요!" 피비가 외쳤다.

"만들어진 거죠." 홀그레이브가 말했다. "내가 오랫동안 확신해 왔듯이 적어도 그것은 숙부가 죽은 후, 그리고 그 죽음이 사람들에게 알려지기 전에 저기 응접실에 앉아 있는 사람이 조작한 거예요. 예전의 죽음과 너무 닮았지만 예전과 같은 의심스러운 정황은 하나도 없는 그 자신의 죽음은 마치 그의 사악함에 대한 처벌이자 클리퍼드 아저씨의 결백함을 밝히는 하느님의 일격과도 같아요. 그런데 그렇게 도망가 버리는 바람에, 모든 것을 망쳐 버렸어요! 그는 어쩌면 가까운 곳에 숨어 있을지도 몰라요. 핀천 판사의 죽음이 알려지기 전에 그를 데려올 수 있다면 잘못된 불행을 바꿔 놓을 수 있을 텐데."

"한순간이라도 더 이 사실을 숨길 수는 없어요! 우리끼리만 이것을 알고 있다는 건 너무 무시무시해요. 클리퍼드 아저씨는 결백해요. 그건 하느님께서 밝혀 주시겠죠! 당장 문을 열고 사람들을 불러 진실을 밝혀요!" 피비가 말했다.

"당신 말이 맞아요, 피비. 확실히 당신이 옳아요." 홀그레이브가 대답했다.

그러나 친절하고 순리를 원하는 성격에 알맞게도 자신이 사회와 대립하면서 일상의 규칙을 넘어서는 사건을 실제로 맞닥뜨리게 되었음을 알게 되면서 피비가 느끼는 공포감을 예술가는 알지 못했다. 또한 그녀와 달리 그는 서둘러 평범한 삶의 테두리 안으로 다시 들어가고 싶은 마음도 없었다. 오히려 반대로 그는 상궤를 벗어난 격렬한 기쁨을 만끽했다. 말하자면 황량한 허허벌판에서 바람을 맞고 자라는 기묘한 아름다움을 지닌 꽃과도 같은 순간적인 행복감을 지금 상황에서 맛보고 있었다. 그것은 자신과 피비를 세상으로부터 떼어 내, 핀천 판사의 불가사의한 죽음을 오직 그들만이 알고 있다는 사실과 그와 관련해 그들이 함께 주고받을 수밖에 없는 의견으로 두 사람을 함께 단단히 묶어 주었다. 비밀이란 그것이 비밀로 유지되는 동안은 어떤 주문의 원환으로 그들을 감싸, 많은 사람들 사이에서 홀로 바다 한가운데 떠 있는 섬처럼 완전한 고립의 상태에 놓는다. 비밀이 누설되고 나면 바닷물이 둘 사이로 밀려 들어와 그 둘은 멀리 떨어진 해변에 따로 서게 될 것이었다. 그때까지는 자신들이 처한 상황으로 인해 서로 가까워져서, 서로의 몸을 딱 붙인 채 손을 꼭 잡고 그림자로 어둑한 통로를 지나가는 두 명의 아이들과 같았다. 집 안을 가득 채운 끔찍한 죽음의 모습이 뻣뻣하게 굳은 손아귀로 그들을 꼭 붙어 있게 만들었다.

이러한 감응의 힘 때문에 다른 경우라면 그렇게 빨리 피어나지 않을 감정들이 더 빨리 자라났다. 사실은 그것들이 꽃피우지 못하고 죽게 내버려 두는 것이 지금까지 홀그레이브의 의도였을 수도 있다.

"왜 이렇게 지체하나요?" 피비가 물었다. "이 비밀 때문에 숨도 못 쉬겠어요! 문을 활짝 열자고요!"

"우리 평생에 이런 순간은 두 번 다시 오지 않을 겁니다! 피비, 두렵기만 한가요? 정말 두려움 말고는 없어요? 나처럼 이 순간을 삶의 목적이 될 만한 유일한 순간으로 만들어 주는 어떤 기쁨을 느끼지 못해요?" 홀그레이브가 말했다.

"그건 죄예요. 이런 순간에 기쁨을 생각하다니!" 피비가 떨면서 말했다.

"피비, 당신이 오기 전에 내가 어떤 상황이었는지 당신이 알 수 있다면!" 예술가가 외쳤다. "어둡고 춥고 비참한 시간이었어요! 저기 있는 죽은 자의 존재가 모든 것을 거대한 검은 그림자로 뒤덮었고, 내가 지각할 수 있는 만큼의 모든 우주가 죄의 장면이자 죄보다 더 무시무시한 응보의 장면이 되었죠. 그것을 느끼자 내 젊음이 몽땅 사라졌어요. 다시는 젊음을 느낄 수 없을 것 같았다고요! 세상은 낯설고 거칠고 사악하며 적대적으로 보였어요. 지나간 나의 삶은 너무나 고독하고 황량했고 형체 없는 암흑 같은 내 미래는 우울한 형체로 빚어지게 될 것 같았죠. 그런데 피비, 당신이 문지방을 넘어 들어선 거예요. 그리고 당신과 함께 희망과 따스함과 기쁨이 왔어요! 암흑과 같던 순간이 그 순간 축복으로 가득 차게 되었어요. 그래서 말로 표현하지 않고는 이 순간을 넘어갈 수가 없겠어요. 당신을 사랑해요!"

"어떻게 저처럼 평범한 여자를 사랑할 수가 있어요?" 그의 진지함에 무슨 말이라도 해야겠다는 생각으로 피비가 물었다. "당신은 정말로 수많은 생각들을 가지고 있는데, 난 그걸 이해해 보려고 아무리 애써 봐도 허사인걸요. 그리고 난, 내게도 마찬가지로, 내가 가지고 있는 많은 경향들을 당신은 거의 이해하지 못할 거고요. 그건 별 문제가 아닌데, 난 당신을 행복하게 해 줄 만한 여자가 못 돼요."

"당신이야말로 나를 행복하게 해 줄 수 있는 유일한 사람이에요! 당신이 내게 주지 않는 다음에야 난 행복에 대한 믿음이 없어요." 홀그레이브가 대답했다.

"그렇다면 난, 두려워요." 그에 대해 느끼는 의심스러운 부분들을 아주 솔직하게 얘기하는 와중에도 홀그레이브 쪽으로 움츠러들며 피비가 말을 이었다. "당신은 내가 가는 평온한 길에서 나를 벗어나게 할 거예요. 당신을 따라 길이 없는 곳으로 고생스럽게 가도록 할 거예요. 난 그렇게는 못해요. 내 천성에 맞지 않아요. 난 점점 쇠약해지다가 죽고 말 거예요!"

"아, 피비!" 거의 한숨을 쉬듯이, 홀그레이브가 생각이 가득한 미소를 지으며 외쳤다. "당신이 예상하는 것과는 아주 다를 거예요. 세상이 앞으로 나아가는 건 불안해서 한곳에 가만히 있지 못하는 사람들 덕이죠. 행복한 남자는 예로부터 내려오는 틀 안에 안주합니다. 나무를 짜서 울타리를 세우고, 아마도 때가 되면 심지어 후대를 위해 집을 짓는 일까지 이제부터의 내 운명이 아닐까 하는 예감이 들어요. 한마디로 규칙과 사회의 평화로운 작용에 나를 맞춘다는 거죠. 당신의 균형 감각이 요동치는 나의 어떤 경향보다 더 강력할 거예요."

"그렇게 되기를 절대 바라지 않아요!" 피비가 진심으로 말했다.

"날 사랑하나요?" 홀그레이브가 물었다. "우리가 서로 사랑한다면 이 순간은 다른 어떤 것도 들어올 여지가 없어요. 잠시 그것만 생각하며 만족해요. 나를 사랑하나요, 피비?"

"당신은 내 마음을 들여다볼 수 있으니" 하고 그녀가 눈을 내리깔며 대답했다. "내가 당신을 사랑하는 걸 알잖아요!"

그렇게 불확실함과 두려움으로 가득한 이 순간에 하나의 기적이 만들어졌다. 그것이 없다면 인간의 모든 존재는 공허할 뿐이다. 모든 것을 진실하고 아름답고 성스럽게 하는 축복이 청년과 처녀 주위를 비췄다. 슬프거나 낡은 것은 무엇이든 하나도 의식하지 않았다. 그들은 이 땅을 바꿔 그곳을 다시 에덴동산으로 만들었고 그들 자신은 그곳에 사는 한 쌍의 사람이 되었다. 아주 가까이 있었지만 죽은 자는 잊혔다. 그러한 중요한 순간에 죽음이란 없다. 왜냐하면 불멸성이 새롭게 모습을 드러내며 모든 것을 신성한 대기로 감싸 안기 때문이다.

그러나 얼마나 금세 무거운 지상의 꿈이 다시 자리 잡는지!

"잠깐! 거리 쪽 현관에 누가 왔어요!" 피비가 속삭였다.

"자, 이제 세상과 대면해 봅시다! 분명히 핀천 판사가 이 집을 방문했다는 소문과 헵지바와 클리퍼드가 도망갔다는 소문을 듣고 이 집을 조사하러 온 사람들일 거예요. 나가서 맞는 수밖에 없겠지요. 바로 문을 열어 줍시다!" 홀그레이브가 말했다.

그러나 놀랍게도 그들이 거리 쪽 현관에 다다르기도 전에, 심지어 앞선 얘기를 나누던 그 방을 나서기도 전에 멀리 떨어진 복도에서 발소리가 들렸다. 그러니까 단단하게 잠가 놓았다고 생각했던 그 문을, 홀그레이브가 확실히 잠가 두었고 피비가 열어 보려 했지만 허사였던 그 문을 누군가 밖에서 연 것이었다. 그 발소리는 자신들을 반기지 않는 집을 위압적으로 들어서는 낯선 사람들의 발걸음이 마땅히 그렇듯이 거칠고 불손하며 단호하고 주제넘게 나서는 그런 발소리가 아니었다. 연약하거나 지친 사람의 발걸음처럼 힘이 없었다. 그러곤 두 사람에게 아주 익숙한 두 갈래의 목소리가 중얼거리는 소리도 섞여서 들려왔다.

"혹시!" 홀그레이브가 속삭였다.

"그분들이에요! 하느님 감사합니다! 감사합니다!" 피비가 대답했다.

그러고는 마치 속삭이듯 내뱉은 피비의 말에 공명하기라도 하듯이 헵지바의 목소리가 더욱 또렷이 들렸다.

“감사합니다, 하느님. 오라버니, 이제 집에 왔어요!”

“그래, 그래, 신이여, 감사합니다!” 클리퍼드가 대답했다. “음울한 집에 왔구나, 헵지바! 하지만 나를 이리로 다시 데려온 것은 잘한 일이야! 잠깐! 응접실 문이 열려 있어. 난 그 앞을 지나갈 수 없어! 예전에, 아, 우리가 겪은 일을 생각하면 너무나 옛날 일인 것 같구나, 차라리 예전에 내가 어린 피비와 행복한 시간을 보내던 정자에 가서 쉬게 해 줘.”

그러나 집은 클리퍼드가 상상한 만큼 그렇게 완전히 음울하지는 않았다. 그들이 몇 걸음 걷기도 전에, 사실 그들은 목적을 이룬 다음에 무엇을 해야 할지 모른 채 멍해져서 여전히 입구에서 머뭇거리고 있었는데, 피비가 달려 나가 그들을 맞았기 때문이다. 그녀를 보자 헵지바는 울음을 터뜨렸다. 그녀는 슬픔과 책임감을 무겁게 지고서 그것을 내려놓아도 무방한 지금에 이르도록 있는 힘을 다해 비틀거리며 여기까지 왔던 것이다. 정말이지 그녀는 그것을 벗어 던질 힘도 없었다. 그저 더 이상은 그것을 지탱하지 못해 그것에 눌려 땅으로 내려앉았을 뿐이다. 클리퍼드가 그나마 그녀보다는 강한 편인 듯했다.

“우리의 어린 피비잖아! 아! 게다가 홀그레이브도 같이 있네!” 예리하고도 섬세하게 꿰뚫어보는 시선으로, 그리고 아름답고 상냥하면서도 우울한 미소와 함께 그가 소리쳤다. “거리를 걸어 여기로 올 때 앨리스의 꽃다발이 활짝 핀 것을 보고 두 사람 생각을 했는데. 마찬가지로 오늘 이 낡고 어둑어둑한 집에도 에덴의 꽃이 활짝 피었구나!”

21
출발

재프리 핀천 판사 나리처럼 그렇게 특출한 사교계 성원의 급작스러운 죽음은, 적어도 고인과 좀 더 직접적으로 관련이 있던 부류에서 큰 소동을 일으켰고 두 주가 지나도록 가라앉을 줄 몰랐다.

하지만 한 사람의 전기를 이루는 수많은 사건들 중에서 죽음만큼 세상이 그렇게 쉽게 감수할 수 있는 사건도 별로 없다는 사실은 짚고 넘어가야겠다. 다른 경우나 다른 우연적 사건들에 있어서는 그 개인 자신이 일상적인 사건의 굴곡과 뒤섞여 관찰할 수 있는 정확한 지점과 함께 우리 사이에 나타난다. 죽음의 경우에는 오직 빈 공허와, 집어삼켜진 대상의 거대한 겉모습과 비교했을 때 아주 보잘것없는 잠깐의 소용돌이와, 암흑의 저 깊은 곳에서 올라와 표면에서 터지는 한두 개의 거품 정도밖에는 없는 것이다. 핀천 판사와 관련해서 언뜻 보았을 때는 그가 마지막으로 세상을 떠난 방식이 유별나서 뛰어난 사람의 사후에 보통 따라오는 유행과도 같은 기억이 더 광범위하게 오래 갈 법도 했다. 그러나 아주 지위 높은 전문적 권위자에 의해 그 사건이 자연사이며, 약간의 특이성을 나타내는 몇몇 대수롭지 않은 점들을 제외하고는 결코 유별난 형태의 죽음이 아님이 밝혀지자, 세상 사람들은 통상 그렇듯이 아주 재빠르게 그가 존재했다는 사실까지 곧 잊게 되었다. 간단히 말해서 이 나라의 신문 절반 정도가 굳이 짬을 내서 그를 애도하는 사설을 싣고 지나치리만큼 찬사 일색의 부고 기사를 내기도 전에 훌륭한 판사는 식상한 주제가 되기 시작했던 것이다.

그럼에도 이 뛰어나신 분이 생전에 자주 다녔던 장소마다 음험하게 살금살금 뻗어 나가며 비밀스럽게 흘러 다니는 이야기들이 있었으니, 그것은 길모퉁이에서 큰 소리로 떠들어 대기에는 너무나 예절에 어긋나는 이야기들이었다. 한 사람이 죽었을 때, 좋은 쪽이건 나쁜 쪽이건 그가 살아서 사람들 사이에서 움직이며 살던 때보다 종종 더 진실하게 그의 사람됨을 이해하게 된다는 것은 얼마나 특이한 일인지 모른다. 죽음이란 너무나 진정한 사실이기 때문에 거짓은 배제되거나 그 빈 구석을 드러낸다. 그것은 금이 진짜임을 판정하고 질 나쁜 금속을 적나라하게 드러내는 시금석인 것이다. 누가 되었든 죽은 자가 만약 죽은 지 일주일 만에 다시 돌아올 수 있다면, 그는 거의 예외 없이 생전에 세상 사람들이 세운 가치판단의 단계에서 자신이 높아졌거나 낮아졌음을 알게 될 것이다.

그러나 우리가 지금 언급한 소문이나 논란은 삼사십 년 전, 살인이라고 추정된 죽은 핀천 판사의 숙부의 죽음까지 거슬러 올라갔다. 최근 그 자신의 안타까운 죽음과 관련한 의학계의 의견에 따르면 예전의 경우에도 그의 숙부가 살인을 당했다는 생각이 거의 완전히 배제되게 되었다. 그러나 기록에 따르면 윗세대 재프리 핀천이 죽을 당시나 그 가까운 시간에 그의 개인 서재에 누군가가 침입했음을 반박할 수 없이 확실히 보여 주는 정황이 있었다고 한다. 침실과 인접한 그 방 책상과 개인 서랍을 누군가 마구 뒤진 흔적이 있었고, 돈과 비싼 물건들이 사라졌으며 노인의 셔츠에 피 묻은 손자국이 있었다. 그리고 그렇게 강력하게 접합된 증거들을 추리해 따라가 본 결과, 살인으로 보이는 죄와 강도의 죄가 당시 숙부와 함께 일곱 박공의 집에 살고 있던 클리퍼드에게 씌워진 것이었다.

어디서 비롯했는지는 모르지만 이제 클리퍼드가 살인을 저질렀다는 사실을 배제하면서 이러한 정황들을 다음과 같이 설명하려는 이론이 생겨났다. 많은 사람들이 확언하는 바에 따르면 오랫동안 불가사의하기만 했던 이 사실들의 과거사와 그에 대한 해명은 은판 사진사가 최면술을 쓰는 예언가에게서 얻어 냈다고 하는데, 이들은 오늘날에는 너무나 이상야릇하게 사람 사는 면모를 혼란에 빠뜨리고, 눈을 감은 채 본다는 놀라운 광경들로 다른 모든 사람들의 자연적인 시선을 수치스럽게 만든다.

그 설명에 따르면 우리의 이야기에서 흠잡을 데 없는 모범적인 인물로 그려진 핀천 판사가 젊었을 때는 확실히 구제불

능의 망나니에 불과했다고 한다. 일반적으로 그러하듯이 그가 이후 두드러지게 나타낸 인격적 힘이나 지적 자질보다 잔인한 동물적 본능이 더 빨리 발달했다. 난폭하고 방탕하며 천한 쾌락에 빠져 살던 그는 성질이 불량배와 다를 바 없고 숙부가 아낌없이 주는 돈만 믿고 흥청망청 낭비하며 살았다. 이런 식의 행동이 계속되자 예전에 그에게 흔들림 없이 애정을 쏟아부었던 노총각 숙부의 마음이 그에게서 떠나기 시작했다. 법정에서 구할 수 있는 그런 권위에 따라 증언된 것인지까지 조사했다고는 할 수 없지만 이제 한편에서 주장하는 바에 따르면 그가 어느 날 밤 악마에 홀린 탓인지, 의심받지 않고 접근할 수 있었던 숙부의 비밀 서랍을 뒤지게 되었다는 것이다. 그렇게 범죄 행각에 몰두해 있는 중에 갑자기 방문이 열리는 바람에 그는 화들짝 놀랐다. 거기엔 잠옷을 입은 재프리 핀천이 서 있었던 것이다! 숙부는 그런 광경을 보고 너무 놀라고 흥분하고 경악하고 분노에 질린 나머지 유전적으로 걸릴 위험이 높은 그 질환의 위험 상태에 이르게 되었다. 그는 피가 솟구쳐 숨이 막힌 듯이 탁자의 모서리에 이마를 세게 박으면서 마룻바닥으로 쓰러졌다. 어떻게 해야겠는가? 노인은 분명 이미 죽었을 것이다! 도움을 청해 봐야 너무 늦을 것이다! 누군가 너무 일찍 도와주러 온다면 그것은 또 얼마나 불운이겠는가! 왜냐하면 그가 의식이 돌아오면 그가 목격했던 조카의 수치스러운 범행을 떠올리게 될 테니 말이다!

그러나 그는 결코 회생하지 못했다. 언제나 그에게 붙어 다니던 냉혹한 뻔뻔스러움으로 청년은 뒤지던 서랍을 계속 뒤졌고, 최근에 클리퍼드에게 유리하게 새로 작성한 유언장을 찾아내 그것을 없애 버리고 자신에게 유리한 예전의 유언장은 그대로 두었다. 그러나 방을 떠나기 전에 재프리는 엉망이 된 서랍이 누군가 나쁜 목적으로 방에 침입했다는 증거가 되리라는 생각이 들었다. 다른 쪽으로 돌려 놓지 않으면 의심은 진짜 범죄자에게 돌아올 수 있었다. 따라서 죽은 자를 바로 앞에 두고 그는 그 인격에 대해 경멸과 혐오를 동시에 느끼는 적수 클리퍼드에게 죄를 뒤집어씌우고 자신은 빠져나올 계책을 짰다. 굳이 말하자면 그가 클리퍼드를 살인죄에 연루시키겠다고 아예 작정하고 행동했을 것 같지는 않다. 그의 숙부가 어떤 폭력에 의해 죽음에 이르지 않았음을 알기 때문에, 위기 상황에서 허둥대는 그에게는 그런 결론이 나올 수 있으리라는 생각이 떠오르지 않았을 수도 있다. 그러나 사건이 이렇게 불길한 면모를 띠게 되자 재프리 자신이 이미 앞선 단계를 밟았기 때문에 이후 남아 있는 단계는 저절로 따라 나왔다. 얼마나 교활하게 정황을 조작했는지 클리퍼드의 재판에서 그의 사촌은 어떤 거짓된 증언도 할 필요가 없었다. 단지 바로 자신이 그 범행을 저질렀고 목격했다고 진술하지 않음으로써 단 하나의 결정적인 해명을 제공하지 않았을 뿐이었다.

그렇게 클리퍼드와 관련한 재프리 핀천의 내밀한 범죄 행위는 정말이지 사악하고 가증스러운 것이었다. 반면 그것의 겉으로 드러나는 면모와 적극적인 임무의 이행은 아마도 그렇게 엄청난 죄와 양립할 수 있는 것 중 가장 사소한 것이었다. 이는 누구보다 높은 지위에 있는 사람이 너무나 쉽게 처리해 버릴 수 있는 그런 종류의 죄였다. 유명하신 핀천 판사가 그 이후 오래도록 지속해 온 삶을 죽 살펴보았을 때 그것은 거의 눈에 띄지도 않거나 경미한 정도의 것이라고 여겨졌다. 그 자신은 그것을 이미 용서받고 잊힌 젊은 날의 과실들 중 하나라고 쓱 치워 버렸고 이후 다시는 머리에 떠올리지도 않았다.

이제 판사를 쉬게 내버려 두자. 죽음의 순간에 그는 복 받은 사람이라고 볼 수는 없었다. 하나밖에 없는 아들에게 물려줄 재산을 더욱 쌓기 위해 노력하는 동안 자기도 모르는 새 그는 자식 하나 없는 신세가 되어 버렸다. 그가 죽고 일주일도 채 안 되어 핀천 판사의 아들이 막 고향으로 돌아가려는 순간에 콜레라에 걸려 죽었다는 소식을 큐너드 증기선 하나가 전해 왔다. 이 불행으로 클리퍼드는 부자가 되었다. 헵지바도 그랬다. 우리의 어린 시골 처녀도 그랬으며, 재산과 모든 종류의 보수주의를 공공연하게 적대시하는 난폭한 개혁가인 홀그레이브도 그녀로 인해 부자가 되었다!

클리퍼드는 이미 나이가 꽤 들었기 때문에 공식적인 해명이라는 번거로움과 고통을 감수하면서까지 사회로부터 좋은 평판을 들을 생각은 없었다. 그에게 필요한 것은 알지도 못하는 많은 사람들의 찬사나, 심지어 존경도 아니고, 아주 적은 소수의 사랑이었다. 그가 기대하는 편안한 상태란 어떤 식으로든 망각의 고요함에 놓여 있음에도, 만약 그를 보호해야 할 임무를 맡게 된 사람들이 클리퍼드가 지나간 과거의 생각들을 참담하게 다시 살려내도록 하는 게 좋겠다고 생각했다면 많은 사람들의 찬사나 존경을 얻을 수도 있었을 것이다. 그가 겪은 것과 같은 그런 부당한 일을 당한 후 그에 대해 보상할 길은 없다. 세상이 아주 기꺼이 주려고 하는 보잘것없는 가짜 보상, 고통이 이미 사람을 망가뜨릴 대로 망가뜨리고도 한참이나 지난 후에야 이루어지는 가짜 보상은 너무나 쓰디쓴 웃음만을 자아내기에 딱 맞겠지만, 가련한 클리퍼드는 그것마저 할 수 없을 것이다. 우리 인간 세상에서 정말 잘못된 일은, 내가 행한 것이든 당한 것이든 진정으로 바로잡히지 못한다는 것이 진실이다. 그리고 그것이 더 고귀한 희망을 암시하지 않는다면 또한 아주 슬픈 진실이 되기도 할 것이다. 시간과, 끊임없이 변천하는 상황과, 항상 느닷없이 들이닥치는 죽음이 그것을 불가능하게 한다. 아주 오랜 세월이 흐른 후에 정당함을 찾을 수 있게 되었을지라도 그것을 끼워 넣을 마땅한 구석을 찾을 수 없게 된다. 그보다 나은 치유는 고통을 당한 사람이 돌이킬 수 없는 파멸이라고 여겼던 그것을 뒤로 한 채 앞으로 나아가도록 하는 것이다.

핀천 판사의 죽음으로 인한 충격은 클리퍼드에게 항시적으로 기운을 북돋우면서 궁극적으로 유리한 결과를 낳았다. 강하고 육중한 그 남자는 지금까지 내내 클리퍼드의 악몽이었던 것이다. 그렇게 악의에 찬 영향력이 작용하는 영역 안에서는 숨 한 번 자유롭게 쉴 수 없었다. 클리퍼드가 아무 목적도 없이 집을 뛰쳐나간 것에서도 확인한 바였지만, 자유로 인한 맨 처음 효과는 온몸이 떨리며 솟아나는 활력이었다. 그것이 가라앉고 난 후에도 그는 예전의 지적인 무기력에 빠지지 않았다. 그가 본래 발휘했을 능력을 거의 완전히 발휘할 정도까지는 결코 이르지 못한 게 사실이다. 그러나 일부분이나마 그의 인품을 밝혀 주고 그 안에서 피어나지 못한 놀라운 품위의 윤곽이나마 밖으로 드러내며, 또한 그를 예전보다 덜 침울하지만 그에 못지않게 심오한 관심의 대상으로 만들어 줄 만큼은 충분히 그 능력을 회복했다. 그는 확연히 행복했다. 잠깐 짬을 내어 그의 일상적인 삶을 담은 또 하나의 그림을 보여 주자면, 이제 그가 아름다움에 대한 자신의 본능을 충족시킬 온갖 기구들을 자유로이 쓸 수 있었기 때문에 그에게 그렇게 사랑스러웠던 정원 풍경이 그것들과 비교하자면 천하고 하찮게 보이곤 했다.

그들의 운명이 바뀌자마자 곧 클리퍼드와 헵지바, 그리고 어린 피비는 예술가의 찬동을 얻어 음울하고 낡은 일곱 박공의 집을 떠나 작고한 핀천 판사의 우아한 시골 별장에 잠시 동안 자리를 잡기로 결정했다. 수탉과 그의 가족은 이미 그쪽으로 옮겨졌다. 그곳에서 두 마리의 암탉은 바로 알을 낳는 작업에 쉬지 않고 몰두했는데, 자신들의 의무이자 양심에 따라 한 세기 전보다 더 좋은 조짐으로 부지런한 종족을 이어 가려는 분명한 의도를 가지고 있는 듯했다. 그들이 떠나기로 정해 놓은 날 베너 아저씨를 비롯해 우리 이야기의 주요 인물들이 응접실에 모여 앉았다.

"계획대로만 된다면 시골 별장은 확실히 아주 좋은 곳입니다." 다들 미래의 계획에 대해 논의하는 중에 홀그레이브가 말했다. "하지만 그렇게 풍족하고 자신의 자산을 후손에게 물려 줄 그럴 듯한 전망도 있었던 작고한 판사가 그렇게 탁월한 가택을 나무가 아니라 돌로 만드는 것이 타당하다고 생각하지 않은 게 이상해요. 그랬다면 집안의 각 후손들이 자신들의 취향과 편의에 따라 내부 수리는 하겠지만, 외면은 시간이 지날수록 원래의 아름다움에 고색창연함이 더해지면서 영원성의 인상을 줄 수 있었을 텐데 말이에요. 영원성이란 것이 어떤 한순간의 행복에도 꼭 필요하다고 생각하거든요."

"이런." 피비가 말할 수 없이 놀라 예술가의 얼굴을 빤히 들여다보며 외쳤다. "당신의 생각이 얼마나 놀랍게 변했는지 몰라요! 돌로 만든 집이라니요! 새의 둥지처럼 부서지기 쉽고 일시적인 그런 곳에서 사람들이 살아야 한다고 생각했던 게 겨우 두세 주 전이잖아요!"

"아, 피비, 그렇게 될 거라고 내가 이미 말했잖아요!" 예술가가 반쯤 처연하게 웃으며 말했다. "내가 벌써 보수적으로 변해 버린 걸 알겠죠! 그렇게 되리라고는 거의 상상도 해 본 적이 없는데. 대대로 내려오는 엄청난 불행을 안은 이 집에서, 그리고 바로 자신의 인물됨으로 인해 아주 오랫동안 스스로 이 집안의 악의 운명이 되었던 전형적인 보수주의자의 저 초상화가 내려다보는 여기서는 특히나 더욱 용서할 수 없는 일인데 말이죠."

"저 초상화!" 그 냉엄한 시선에 움츠러드는 듯 클리퍼드가 말했다. "저걸 볼 때마다 언제나 확실히 잡히지는 않으면서도 계속 떠오르는 아주 오래되고 어렴풋한 기억이 있어. 재산이야, 그렇게 말하는 것 같아. 엄청난 재산! 상상할 수도 없을 만큼 어마어마한 재산! 어렸을 때인지 젊을 때인지 저 초상화가 그렇게 말을 하면서 내게 비밀을 알려 줬거나, 아니면 손을 내밀어 숨겨진 재산이 기록된 문서를 내게 넘겨줬다는 상상을 했어. 하지만 그런 오래된 일들은 이제 너무나 가물가물하군! 그 꿈이 무엇이었을까!"

"그건 제가 기억할 수 있을 것 같네요." 홀그레이브가 대답했다. "보세요! 비밀을 알고 있지 않은 다음에야 이 용수철을 누군가 건드릴 가능성은 거의 없어요."

"비밀 용수철!" 클리퍼드가 외쳤다. "아! 이제 기억이 나! 아주 아주 오래 전 어느 날 오후에 내가 하릴 없이 몽상하며 집 안을 돌아다니다가 그걸 발견했어. 하지만 나로서는 그게 무엇인지 알 수 없었지."

예술가는 방금 언급한 고안 장치에 손을 갖다 댔다. 예전 같았으면 아마 그로 인해 그림이 앞으로 바로 튀어나왔을 것이다. 그러나 너무나 오랫동안 숨겨져 있었기 때문에 기계는 잔뜩 녹이 슬어 있었다. 그래서 홀그레이브가 누르는 힘으로 인해 초상화는 액자와 모든 것이 함께 있던 자리에서 갑자기 뚝 떨어져 바닥에 엎어졌다. 그러자 벽 안쪽에 우묵하게 들어간 공간이 나타났고, 거기에는 어떤 물건이 놓여 있었는데 한 세기의 먼지를 오롯이 뒤집어 쓴 탓에 접힌 양피지 문서임을 얼른 분간할 수 없었다. 홀그레이브는 그것을 열어서 오래된 문서를 보여 주었는데, 거기에는 핀천 대령과 그의 후손에게 동쪽 지역의 어마어마하게 넓은 땅을 영원히 넘겨 준다는 내용과 함께 몇몇 아메리카 원주민 추장의 그림문자 서명이 담겨 있었다.

"아름다운 앨리스 핀천의 행복과 생명을 모두 희생시킨 것이 바로 이 문서를 되찾기 위해서였죠." 예술가가 자신의 이야기를 암시하면서 말했다. "이것이 엄청난 금전적 가치가 있을 때 핀천 가문 사람들이 그렇게 찾았으나 허사였고, 보물을 찾은 지금에는 이미 쓸모가 없게 된 지 오래군요."

"불쌍한 재프리 사촌! 이것이 그를 현혹시켰군!" 헵지바가 외쳤다. "오라버니와 그가 어렸을 때 아마 클리퍼드 오라버니가 이것을 발견했던 일을 마치 동화처럼 얘기해 줬을 거야. 오라버니는 항상 몽상하며 집 안 여기저기를 돌아다녔고 아름다운 얘기를 만들어 어두운 구석들을 밝히곤 했으니까. 그리고 불쌍한 재프리 사촌은 모든 얘기를 마치 사실인 것처럼 받아들여서는 오라버니가 삼촌의 재산을 발견했다고 생각한 거지. 죽을 때까지 그 망상을 간직한 채 죽었으니!"

"그런데 당신은 어떻게 그 비밀을 알게 되었어요?" 피비가 홀그레이브에게 따로 물었다.

"사랑스러운 피비." 홀그레이브가 말했다. "당신이 결혼해서 몰이라는 성을 갖게 된다면 어떨 것 같아요? 그 비밀로 말하자면 그것은 내 조상들에게서 전해 내려온 유일한 유산이에요. 부당하게 저질러진 일과 그에 대한 응분의 처벌이라는 이 길고 긴 드라마에서 내가 그 옛날의 마법사를 대변하고 아마 그만큼이나 나 자신이 마법사였다는 사실을 당신에게 벌써 알려 줬어야 하지만, 단지 당신이 나를 무서워하며 멀리할까 봐 두려웠을 뿐이에요. 처형당한 매슈 몰의 아들이 이 집을 짓는 중에 기회를 잡아 몰래 저 비밀 장소를 만들었고 거기에 핀천 가문의 어마어마한 토지 권리가 달려 있는 아메리카 원주민의 증서를 숨겼죠. 그래서 그들이 몰의 정원과 동쪽의 토지를 바꿨던 거예요."

"그리고 이젠, 그 엄청난 소유권이 나의 저 시골 농장의 한 사람 몫만도 못하구먼!" 베너 아저씨가 말했다.

"베너 아저씨." 피비가 누더기 철학자의 손을 잡으며 말했다. "아저씨 농장 얘길랑은 이제 그만하시라니까요! 살아 계시는 동안 거기에 가실 일은 전혀 없을 거라고요! 새로운 우리 정원에 오두막이 하나 있어요. 정말 예쁘고 작은 황갈색의 오두막이에요. 장소도 너무 예쁜데요, 꼭 생강 과자로 만든 것처럼 보이거든요. 그래서 아저씨를 위해서 그 집을 손보고 가구를 들여놓을 거예요. 그러니까 아저씨는 하시고 싶은 일만 하시면서 하루 종일 즐겁게 지내시면 돼요. 그리고 항상 아저씨 입에서 술술 나오는 지혜와 유쾌함으로 클리퍼드 아저씨의 기운을 북돋워 주세요."

"아, 얘야." 착한 베너 아저씨가 감격해서 말했다. "네가 지금 이 늙은이에게 말하는 것처럼 젊은 총각에게 얘기한다면, 그가 단 한순간이라도 더 마음을 그냥 담아 둘 가능성이란 내 윗옷의 이 단추 하나만큼도 중요하지 않겠구나! 그래서 정말이지, 너로 인해 내가 내쉰 이 큰 한숨이 그 마지막 단추까지 다 뜯어내 버렸다니까! 하지만 신경 쓰지 마라! 내가 지금껏 내쉰 한숨 중에서 가장 행복한 한숨이니까. 게다가 그 한숨을 쉬기 위해 마치 천상의 숨결을 크게 한 모금 들이마신 것 같아. 자, 자, 피비! 사람들이 이제 나를 이 근처 정원이나 뒷문 근처에서 보지 못하겠지. 게다가 핀천 길은 이 늙은 베너 아저씨가 없으면 거의 예전 같지 않을 거야. 내가 이쪽의 풀밭에서 저쪽 일곱 박공의 정원까지 다 기억하니까. 하지만 이제 내가 당신들의 시골 별장으로 가든지 아니면 당신들이 내 농장으로 오든지, 둘 중 하나는 확실해. 어느 쪽을 선택할지는 당신들에게 맡겨 두지!"

"아, 당연히 우리랑 같이 가야죠, 베너 아저씨!" 그 노인의 온화하고 조용하며 소박한 분위기를 대단히 좋아하는 클리퍼드가 말했다. "아저씨가 언제나 내 의자에서 걸어서 오 분 거리 안에 있으면 해요. 아저씨는 내가 아는 철학자 중에서 저 밑바닥까지 단 한 방울의 신랄한 맛이 없는 지혜를 가진 유일한 분인걸요."

"세상에!" 자신이 어떤 부류의 사람인지 어느 정도 깨닫게 되면서 베너 아저씨가 소리쳤다. "내가 젊었을 적에도 사람들이 나를 소박하고 단순한 사람들의 부류에 집어넣었는데! 하지만 난 내가 록스버리 러셋*과 같다고 보는데. 오래 보관할수록 훨씬 더 맛이 좋아진다는 말이지. 그래, 당신과 피비가 얘기한 내 지혜의 말이란 금빛 민들레와 같아서 무더운 계절에는 절대 자라지 못하고 시든 풀 사이나 마른 낙엽 아래에서 반짝이며 빛나는데, 때로는 12월까지도 그렇게 눈에 띄거든. 그러니까 두 배는 더 있을 테니 여러분들은 덥수룩한 내 민들레

* 미국에서 지배한 지 가장 오래된 것으로 알려진 파란 사과 품종. 장기간 저장이 가능하다.

를 얼마든지 맛보시게!"

소박하지만 말끔한 청록색 사륜마차가 오래된 저택의 무너져 가는 정문 앞에 멈췄다. 모였던 사람들이 밖으로 나왔고, 며칠 후에 따라오기로 한 착한 베너 아저씨를 제외하고 모두 자리를 잡고 앉았다. 아주 유쾌하게 함께 웃고 떠들었다. 그러곤 클리퍼드와 헵지바는 조상 대대로 살던 집에 마지막 작별 인사를 고했는데, 풍부한 감정으로 가슴이 뛰어야 마땅할 때 종종 그렇듯이, 차 마시는 시간에 다시 돌아오기로 되어 있기라도 하듯 거의 감정이 실려 있지 않았다. 사륜마차와 한 쌍의 회색 말 같은 보기 드문 광경에 몇몇 아이들이 그곳 가까이 몰려들었다. 그중에 네드 히긴스가 있는 것을 보고 피비는 주머니에 손을 넣어서는 그녀에게 있어 최초의 고객이자 가장 충실한 고객인 그 개구쟁이 소년에게 노아의 방주로 들어갔던 네발짐승들만큼 다양한 종류의 네발짐승들을 돔다니엘*같이 거대한 동굴의 내부를 채우고도 남도록 사들일 만큼 은화를 건네주었다.

사륜마차가 막 떠나고 난 뒤 두 남자가 지나갔다.

"자, 딕시." 그중 한 사람이 말했다. "어떻게 생각해? 내 집사람은 세 달 전 구멍가게를 차렸다가 그 비용으로 5달러를 날렸어. 늙은 노처녀 핀천은 비슷한 기간 동안 똑같은 일을 했는데 이삼십만 달러의 돈을 가지고 마차를 타고 떠난단 말이

---

* 전설에 등장하는 장소로, 사악한 마법사들과 정령들, 난쟁이들이 모인다는 바다 밑의 동굴 연회장.

지! 그녀의 것과 클리퍼드, 그리고 피비의 것을 다 합치면 그렇다는 건데, 누구 말로는 그 두 배는 된다고도 하더군. 그걸 행운이라고 부른다면 좋다 이거야. 하지만 그걸 신의 섭리에 따른 것이라고 한다면, 글쎄, 난 도무지 그 속을 모르겠어!"

"아주 남는 장사지! 아주 남는 장사고말고!" 영리한 딕시가 말했다.

그동안 내내 몰의 우물은 홀로 남겨졌음에도 만화경 같은 그림을 계속해서 뽀글뽀글 뿜어 올렸는데, 선견지명을 지닌 눈이라면 그 속에서 헵지바와 클리퍼드, 그리고 이야기 속 마법사의 후손과 그가 마법으로 사랑의 거미줄을 친 시골 처녀의 운명이 예견되는 것을 볼 수 있었을 것이다. 더구나 9월의 돌풍 속에서도 살아남은 얼마 안 되는 잎을 달고 있는 핀천 느릅나무도 알아들을 수 없는 예언을 속삭였다. 그리고 현명한 베너 아저씨가 무너져 내릴 듯한 정문에서 천천히 멀어질 때 음악 소리가 들리는 듯했는데, 그것이 자신과 피를 나눈 인간들의 과거의 비통함과 지금의 행복함을 포함한 이 모든 일들을 지켜봐 온 사랑스러운 앨리스 핀천이 일곱 박공의 집에서 이제 하늘로 날아오르면서, 작별 삼아 기쁨에 찬 영혼으로 그녀의 하프시코드를 마지막으로 연주하는 것이라 상상했다.

작품 해설

『일곱 박공의 집』은 『주홍글자』를 비롯해 너새니얼 호손이 남긴 네 편의 장편소설 중 하나로 1851년에 처음 출판되었다. 호손은 『주홍글자』의 「세관」에서와 마찬가지로, 『일곱 박공의 집』에서도 짧은 서문을 붙여 자신의 작품이 소설이 아닌 로맨스임을 강조하는데, 이 작품 역시 자신의 작품을 가리켜 말한 로맨스로서의 특성을 잘 구현했다. 이 로맨스 형식이 영국이나 여타 유럽 소설과 다른 19세기 미국 소설의 특성을 지칭하는 대표적 개념의 하나로 자리 잡게 된 만큼 이 작품은 근대 미국의 시대상과 그 정신을 읽어 낼 수 있는 중요한 계기를 제공한다. 유럽 고딕소설의 영향을 받은 초현실적이고 어두운 분위기를 당대 사회에 대한 사실적 서술과 엮어 내는 『일곱 박공의 집』의 서사 방식에서 미국이라는 독특한 나라를 통사적으로 파악하려는 문학적 상상력의 한 유형을 찾아볼 수 있는 것이다.

호손이 이 소설을 구상하며 자신의 작업 공책에 "엄청난 유산을 상속받음. 엄청난 불운을 상속받음.(To inherit a great fortune. To inherit a great misfortune.)"이라고 적었듯이, 무엇보다 로맨스라는 형식은 과거의 유산이라는 호손 자신의 소설적 관심에서 비롯한다. 실질적인 차원에서 보면 당시의 낙관적이고 미래지향적인 시대 분위기와 달리 미국의 초창기 역사 여기저기에 묻힌 어두운 과거에 관심을 두었던 호손으로서는 우선 자신의 작품이 실제의 역사적 사건들이나 인물들과 직접 연결되는 일을 피할 필요가 있었을 것이다. 그러나 더 나아가 몇 세대 전의 과거와 그 과거가 현재의 삶에 물려준 유산에 대한 관심을 담아내기에는, 사실성이나 개연성에 중점을 두고 당대의 현실을 그리는 소설 형식보다는 과거와 현재, 사실성과 환상적 허구를 자유롭게 넘나들 수 있는 형식이 더 적절했다고 할 수 있다.

핀천 대령의 기이한 죽음에 대해 전해 내려오는 여러 이야기를 비롯해 작품 속에서 심심찮게 소개되는 구전 이야기들이야말로 사실성에 구애받지 않는 이야기 형식의 한 예라 할 텐데, 이러한 이야기 형식에서 중요한 것은 표면적인 사실성 여부가 아니라 그로부터 전달되는 인물과 사건에 대한 평가나 사태의 진면목, 호손 자신의 표현을 빌리자면 '인간 마음의 진실'이다. 핀천 대령의 죽음과 이후 벌어진 그것의 판박이 같은 핀천 판사의 죽음이 그 집안의 유전적인 질병 때문이라는 사실이 작품 후반에 밝혀짐으로써 그동안의 초현실적이고 기이한 사건들이 사실은 현실적인 근거를 지니고 있음이 드러나지만, 그렇다고 해서 죽음의 실제 원인을 모르던 사람들의 생각이나 이야기가 그저 허무맹랑하기만 한 것이 아니라 오히려 핀천 가문과 여러 세대에 걸친 사건의 진행 과정에 대한 적실한 판단임을 보여 준다고 할 수 있다.

한마디로 핀천 가문의 변천사라고도 할 수 있는 이 소설에서 일곱 박공의 집이라고 불리는 집은 하나의 등장인물이라 할 수 있을 정도로 중요한 위치를 차지한다. 이 집은 이야기의 중심에 놓인 핀천 가문과 몰 집안의 몇 세대에 걸친 갈등 관계가 표면으로 솟아오르기도 하고 깊이 파묻히기도 하면서 전개되는 장소일 뿐 아니라, 땅을 둘러싼 핀천 대령과 매슈 몰 사이의 싸움의 결과물로서 말 그대로 두 집안의 갈등에서 태어나 반목과 탐욕의 세월을 체현하며 살아가는 존재인 것이다. 따라서 작품 속에서 집의 중간에 자리 잡은 화덕과 굴뚝들은 심장으로 비유되고, 그 집에 거주했던 핀천 가문 사람들의 삶이 목재나 벽지 등에 깊이 침윤되어 집 전체가 살아 있는 존재처럼 그들과 함께 얽혀 부침을 겪는 것으로 그려진다.

저택이라 할 만한 일곱 박공의 집은 또한 핀천이라는 한 가문의 운명이자 소위 상류계급의 운명을 보여 준다. 실제 이야기가 시작되면서 맨 처음 등장하는 헵지바에 대한 길고 상세한 묘사와, 감옥에서 나온 클리퍼드의 면면에 대한 장황하고 긴 묘사는 급격한 사회 변화의 와중에 놓인 당대의 상류계급 자체에 대한 평가이기도 하다. 애초에 일곱 박공의 집을 지으면서 핀천 대령이 의도한바 몇 세대가 지나도 건재할 저택이란, 곧 타고난 귀족 신분이나 그와 함께 주어지는 재산처럼 자신의 존재를 규정하는 과거의 유산이다. 이렇게 과거로부터 내려오는 것에 의해 좌우되는 상류계급은 육중한 저택이 대부분 쓸모를 잃은 채 쇠락해 가듯이 사회의 변화에 적응하지 못한 채 무능력함만을 보여 준다.

헵지바는 우리식으로 치자면 양반집 부인(lady)임에도 생계를 위해 구멍가게를 다시 내는데 그런 일에 전혀 적합하지 않아 무능력함만을 드러내고, 클리퍼드는 예술적인 감식력만 뛰어날 뿐 실제적인 삶의 과정에는 젬병이어서 줄곧 돌봐 줘야만 하는 어린아이와도 같다. 하지만 이들을 묘사하는 호손의 시선은 비판적이라기보다는 안쓰러움에 가깝다. 이는 물론 탐욕과 무자비함의 화신인 핀천 판사와 극단적으로 대립하기 때문이기도 한데, 핀천 판사는 어떤 면에서는 자본주의화하는 세계에 성공적으로 적응한 상류계급으로서 말할 수 없이 사악하고 냉혹한 인물이다. 정치를 위해서는 유권자로서 동등한 권리를 가지는 시민들을 의식해야만 하는 민주주의 사회에 맞춰 그는 자신의 본질을 숨기면서 덕망 있고 자비로운 인물로 발 빠르게 변신했다. 그에 비해 헵지바와 클리퍼드는 물려 내려오는 집안 재산과 돌봐 줄 하인들이 없으면 살아가는 일 자체가 막막한 상류계급으로, 사회와 단절된 채 예전 그대로의 면모를 고수하는 시대착오적 특성으로 인해 오히려 귀족이니 가문이니 하는 개념 자체가 어울리지 않게 된 사회적 변화를 부각시킨다. 그리고 작가는 그들에게 연민 어린 시선을 보냄으로써 과거의 상류계급과 그들이 몰락해 가는 사회적 변화에 대해 긍정이냐 부정이냐 식의 일면적인 판단을 유보하도록 한다.

일곱 박공의 집이나 핀천 가문이라는 세습 질서로 대표되는 과거의 질서와 대립되는 지점에 몰의 후손인 은판 사진사 홀그레이브와 기차의 상징성이 놓여 있다. 예술 형식에 있어서 그림과 달리 사진술이라는 것이 함축하는 근대적 면모도 그렇거니와, 무엇보다 홀그레이브는 일곱 박공의 집이 대표하는 가계나 전통을 완전히 거부하고 끝없이 변화하는 역동성으로서의 근대성을 전적으로 받아들인다. 그는 자신의 집안과 핀천 가문의 분쟁이 결국 한 가문을 뿌리내려 계속 이어지게 하겠다는 핀천 대령의 터무니없는 욕망과 탐욕에서 비롯되었다고 보고, 시체처럼 현재 위에 얹혀 현재를 내리누르고 지배하는 전통이나 과거야말로 모든 해악의 근원이라고 주장한다.

다른 한편 핀천 판사가 일곱 박공의 집에서 급작스럽게 죽은 뒤 헵지바와 클리퍼드가 별다른 대책도 없이 집을 뛰쳐나와 기차를 잡아탔을 때, 클리퍼드가 기차 안에서 노신사 승객을 앞에 두고 찬미하는 기차와 전신의 근대성도 홀그레이브의 생각과 공명한다. 19세기 초 처음 등장한 증기기관차는 멀리 떨어진 장소를 빠르게 이동할 수 있다는 특성으로 생활 방식뿐 아니라 공간과 시간 개념까지 혁신적으로 바꾸어 놓았다. 클리퍼드가 예로 드는 전신도 마찬가지로 멀리 떨어져 있는 사람과의 의사소통을 가능하게 해 삶의 터전을 엄청나게 확장했다. 기차 안에서 벌어지는 풍경이 축소된 작은 사회이면서 그 삶이 장소에 구애받지 않고 빠르고 쉽게 옮겨 다닐 수 있다는 점에서, 클리퍼드는 거기에서 고정되지 않고 자유로운 유목민의 삶 같은 유동적인 근대적 삶의 방식을 발견한 것이다.

사실 과거의 신분 사회에 속한 클리퍼드가 이렇게 근대적인 삶의 방식을 환영하는 데는 그의 성격적 특성과 함께 일곱 박공의 집과 핀천 가문에 대한 반감이 작용한다. 그것은 세습되는 귀족 가문에 대해 극단적인 반감을 나타내는 홀그레이브의 경우도 마찬가지이다. 클리퍼드가 기차 안에서 한 발언이 재프리 핀천의 죽음으로 인한 해방감과 일시적인 흥분 상태에서 쏟아져 나온 비현실적인 말이었던 것처럼, 홀그레이브의 생각 역시 핀천 가문에 유전되는 이상한 질병처럼 정체되어 썩어 가는 가문에 대한 집착을 혐오하면서 반대편 극단으로 나아간 것이다.

한편으로 고인 물처럼 정체되어 후손에게 불운으로 대물림되는 과거의 전통이나 가계에 대한 집착, 다른 한편으로 모든 뿌리내린 삶을 거부하고 떠돌아다니는 유목민의 삶, 이 둘의 대립 사이에 자리해 모든 갈등을 화해로 이끄는 인물이 바로 이 소설의 중심인물이라 할 피비이다. 마법을 지닌 듯한, 혹은 천사의 능력을 지닌 듯한 피비라는 인물은, 선과 악의 뚜렷한 대비나 권선징악적 요소, 그리고 이후 그녀가 주도하게 될 행복한 결말과 함께 이 소설이 지니는 동화적 요소의 중심에 놓여 있다.

핀천 가문의 귀족 아버지와 가난한 평민 출신 어머니 사이에서 태어난 피비는 출신부터 귀족 계급과 평민 계급의 연결, 혹은 화해를 마련할 수 있는 인물로 그려진다. 맨 처음 등장해 하룻밤을 일곱 박공의 집에서 지낸 바로 다음 날부터 피비는 자신의 방을 정돈하고 아침 준비를 하는 주부로서의 능력은 물론이고 구멍가게를 맡아 장사를 하는 일에 이르기까지 못 하는 일이 없는 놀라운 면모를 보여 준다. 피비는 당시 이상적인 여성상으로 여겨지던 '집안의 천사' 유형을 따르는데, '집안의 천사'라는 개념은 가정이라는 사적 영역이 여성의 자리이고 '돌봄'이 여성의 일임을 나타낸다. 여기서 '천사'의 특성인 '돌봄'은 집안을 돌보는 실제적이고 실용적인 능력만이 아니라 집안 식구들을 정서적으로 감싸 주는 일도 포함한다. 감옥에서 나온 클리퍼드에게 정서적 안정감을 준다든지, 극단적이고 회의적인 홀그레이브를 가정으로 안착시키는 것이 바로 그러한 일이다.

피비가 대표하는 거의 두 세기 전의 이상적 여성상, 예를 들어 주전자와 냄비를 문질러 닦는 일처럼 "실제로 해야 할 일상적인 일들을 하면서도 그 모든 일을 사랑스러움과 기쁨의 분위기로 꾸미는 일, 그것이 여성의 일"이라는 대목에서 보이는 이상적 여성상은 지금 우리에게는 시대착오적인 것으로 느껴져 불편하거나 거슬릴 수도 있다. 하지만 이 부분 역시 피비의 여성적 측면과 함께 그녀의 계급적 기반이 가지는 의미를 고려할 필요가 있다. 실제 생활력에서는 무능력하기 짝이 없는 헵지바는 일상적인 집안일에 능숙한 피비를 보면서 그것이 평민인 피비의 엄마에게서 온 능력이라고 슬쩍 폄하하며 귀족으로서의 핀천 가문의 모습이 없음을 아쉬워한다. 그에 대해 작품의 화자는 핀천 가문의 집안사가 보여 주듯이 어차피 예전 같은 귀족 계급이 이제 존재하지 않는다면 헵지바처럼 피비가 귀족 계급이냐 아니냐를 따지는 것은 무의미하다고 말한다. 그보다는 소위 '귀족 부인'이 더 이상 존재하지 않는 사회에서 여성적 품위와 유용성이 결합된 예로 피비를 평가해야 한다는 것이다. 말하자면 피비를 특징짓는 이상적 여성성이란 몰락해 가는 귀족 계급의 어떤 면모를 변화하는 사회에 맞춰 새롭게 규정하는 방식이라고도 할 수 있다.

결국 이 작품이 그리는 것은 일곱 박공의 집이 상징하는 핀천 가문이 귀족이라는 이름에서 보자면 완전히 몰락하는 과정이면서 동시에 핀천이라는 성을 지니고 있기는 하되 평민의 피가 섞여 평민으로 자라난 피비가 가정의 중심이 되어 새로운 가치의 공동체를 이루는 과정이다. 피비는 세상과 단절된 클리퍼드와 헵지바에게 현실 세계와 잇는 끈을 쥐여 주고, 세상과 냉소적 거리를 유지하면서 그 안에 안착하기를 거부하는 홀그레이브와 함께 가정을 이루어 정착하는데, 이렇게 이루어진 공동체는 핀천이라는 귀족 가문과 몰이라는 평민 집안의 화해이자, 고택에 갇혀 대물림되는 가계와 뿌리 뽑힌 근대적 삶의 화해이다. 그렇게 일곱 박공의 집, 아니, 그 이전의 집터에 대한 소유권을 둘러싼 두 집안의 반목과 대립의 역사는 과거의 무게가 켜켜이 쌓인 그 저택을 떠남으로써 마무리된다. 일곱 박공의 집에 대한 소유권은 여전하지만, 조상들과는 달리 저택과 땅에 대한 물질적인 소유와 그에 대한 집착을 벗어 버릴 수 있는 인물들과 함께 그것은 이전과는 다른 방식으로 전승되는 것이다.

악한이 돌연히 세상을 뜨고 그 외아들마저 병에 걸려 죽음으로써 모든 재산이 피비와 헵지바, 클리퍼드에게 넘어오고, 피비와 홀그레이브는 결혼을 하고, 선한 인물인 그들 모두가 베너 아저씨와 함께 시골 저택에 안착하는 결말은 위에서 언급한 동화적 특성을 그대로 보여 준다. 하지만 어떻게 보면 최초의 폭력적인 대립에서 시작되어 몇 세대에 걸쳐 지속된 두 집안의 갈등은 초현실적인 힘을 빌린 듯한 동화적인 방식이 아니라면 해결되기 힘든 면도 있다. 앞으로 살날이 얼마 남지 않았을 베너 아저씨를 비롯한 클리퍼드와 헵지바라는 윗세대와, 앞날이 창창한 피비와 홀그레이브 부부가 함께 이룬 공동체는 시체처럼 현재를 짓누르는 과거가 아닌 좀 더 조화로운 상태의 과거와 현재의 공존을 나타내기에 적합하다고 하겠다.

인물이나 상황에 대한 다소 장황한 묘사나 빈번한 비유적 표현 등이 두드러지는 『일곱 박공의 집』은 간결한 표현과 빠른 진행 등을 선호하는 우리 시대의 독서 취향에 비추어 보자면 다소 지루한 면도 없지 않을 것이다. 그러나 핀천 가문 사람들의 의문의 죽음이라든지, 홀그레이브의 정체, 그리고 핀천 가문에서 여러 세대 동안 줄곧 찾아 헤매면서도 내내 의문으로 남아 있던 모종의 토지 문서의 행방이 밝혀지는 과정 등은 독자들의 흥미를 불러내기에 충분할 것이다. 또한 동화적이기도 하고 초현실적이기도 한 작품의 특성 덕에 오히려 우리 시대의 사실성에 구애받지 않고 작품의 세계 속에 빠져들어 그 상상의 세계를 즐기기 쉬운 면도 있을 것이다. 그 세계에 기꺼이 빠져들어, 어둑하고 위압적이면서도 고풍스럽고 웅장한 일곱 박공의 집과 철마다 모습을 바꿔 가며 집 앞을 지키는 느릅나무, 모퉁이의 한 무더기 장미와 샘물이 솟아나는 몰의 우물, 그리고 집 안을 돌아다니거나 뒤뜰 정자에 모여 앉은 소설 속 인물들의 모습을 독자 여러분 각자의 화폭에 나름대로 그려 보기 바란다.

2012년 3월

정소영

작가 연보

1804년	7월 4일, 미국 매사추세츠 주 세일럼에서 너새니얼 호손과 엘리자베스 매닝 호손의 1남 2녀 중 외아들로 태어남.
1808년	외항선 선장인 아버지가 바다에서 황열병으로 사망하자, 어머니가 세 자녀를 데리고 친정으로 이사.
1813년	11월, 공놀이를 하다가 다리를 다쳐 학교를 쉬고 삼 년 가까이 집에서 요양하며 독서에 열중함.
1818년	10월, 메인 주 레이먼드로 이사해 아홉 달 동안 거주. 이때 윌리엄 셰익스피어와 존 버니언의 작품에 심취함.
1819년	7월, 세일럼에 있는 외가로 돌아와 학교를 다님.
1820년	7월, 라틴어 공부 시작. 8월, 동생과 함께 마을 신문인《스펙테이터》발행.

1821년 3월, 보스턴에서 『리어 왕』을 읽고 감동해 작가가 되기로 결심함. 10월, 메인 주 브런즈윅에 있는 명문 사립학교인 보든 대학에 입학. 대학 시절부터 소설을 쓰기 시작해 이 무렵 「내 고향의 일곱 이야기(Seven Tales of My Native Land)」라는 일련의 단편소설들과 첫 장편소설 『팬쇼(Fanshawe)』를 집필.

1825년 9월, 대학을 졸업한 뒤 세일럼에 있는 외가로 돌아와 1837년까지 무려 십이 년여에 걸쳐 '고독의 시대'를 보내면서 창작 공부에 매진.

1828년 익명으로 『팬쇼』를 자비 출판하지만 문단에서 별로 호평을 받지 못함. 이때부터 뉴잉글랜드 지방을 두루 여행하기 시작. 이 무렵 성을 'Hathorne'에서 'Hawthorne'으로 바꿈.

1930년 세일럼에서 발행하던 《세일럼 가제트》에 처음으로 스케치와 단편소설을 싣기 시작.

1931년 「얌전한 아이(The Gentle Boy)」를 비롯한 단편소설을 《토큰》에 익명으로 발표. 1837년까지 《토큰》에 스물두 편의 단편소설을 익명으로 발표.

1936년 보스턴에서 발행하는 《아메리카 매거진》의 편집자가 되나, 발행인이 파산하는 바람에 곧 그만둠.

1837년 3월, 대학 친구인 호레이쇼 브리지의 재정 지원으로 첫 번째 단편집 『두 번 들은 이야기(Twice-Told Tales)』 출간. 에드거 앨런 포가 이 작품집을 높이 평가하는 서평을 씀. 이 작품집과 더불어 비로소 작가로서 세상의 관심을 끌기 시작.

1938년 《민주주의 리뷰》에 일련의 단편소설 발표. 7~9월, 매사추세츠 주 노스 애덤스를 비롯해 버크셔 지방과 뉴욕 북부 지방, 버먼트, 코네티컷 등을 여행.

1939년 1월, 보스턴 세관의 계량사로 취직. 단편집 『얌전한 아이 — 세 번 들은 이야기(The Gentle Boy: A Third-Told Tales)』 출간. 소피아 피바디와 약혼.

1940년 어린이를 위한 역사적 스케치인 『할아버지의 의자(Grandfather's Chair)』 출간.

1841년 1월, 보스턴 세관을 그만두고 세일럼으로 돌아옴. 4~11월, 매사추세츠 주 웨스트 록스베리에 초월주의자들이 만든 공동체 농장인 '브룩 농장'에 참가하나 곧 탈퇴. 어린이를 위한 스케치인 『유명한 노인들(Famous Old People)』, 『자유의 나무(Liberty Tree)』 등 출간.

1842년 1월, 『두 번 들은 이야기』의 개정판 출간. 7월, 화가인 소피아와 결혼해 매사추세츠 주 콩코드의 '옛 목사관(Old Manse)'에서 신혼살림을 차림. 이 무렵 헨리 데이비드 소로, 엘러리 채닝, 마거릿 풀러, 루이저 메이 앨콧 등과 친교를 맺음.

1844년 3월, 딸 유너가 태어남.

1845년 1~4월, 호레이쇼 브리지의 아프리카 여행기인 『한 아프리카 순항자의 일기(Journal of an African Cruiser)』 출간. 10월, 콩코드를 떠나 세일럼으로 돌아감.

1846년 4월, 세일럼 세관의 수입품 검사관에 임명됨. 6월, 아들 줄리언이 태어남. 두 번째 단편집 『옛 목사관의 이끼(Mosses from the Old Manse)』 출간.

1849년 6월, 세일럼 세관 자리를 물러남. 7월, 어머니 사망. 9월, 『주홍 글자(The Scarlet Letter)』 집필 시작.

1850년 8월, 피츠필드에 살고 있던 허먼 멜빌과 교제 시작.

1851년 4월, 장편소설 『일곱 박공의 집(The House of the Seven Gables)』을 출간해 찬사를 받음. 단편집 『눈 이미지 및 다른 두 번 들은 이야기(The Snow-Image and Other Twice-Told Tales)』, 『기적의 책(The Wonder Book)』 출간. 5월, 둘째 딸 로즈가 태어남.

1852년 5월, 콩코드에 있는 앨콧의 집을 구입해 '웨이사이드'라고 이름 지음. 7월, 장편소설 『블라이스데일 로맨스(Blithedale Romance)』 출간. 9월, 동창생 피어스가 대통령 후보로 추대되자 선거용 자서전인 『프랭클린 피어스의 삶(The Life of Franklin Pierce)』 출간.

1853년 어린이를 위한 단편을 묶은 『탱글우드 이야기(Tanglewood Tales)』 출간. 7월, 피어스가 대통령에 당선되자 영국 리버풀과 맨체스터 영사로 취임.

1857년 9월, 피어스 대통령이 퇴임하자 영사직 사임.

1858년 1월, 가족과 함께 영국을 떠나 로마로 이주. 10월, 한 차례 병석에 눕게 됨.

1859년	5월, 로마를 떠나 제네바에서 지내다가 6월에 런던으로 돌아옴.
1860년	3월, 이탈리아를 무대로 한 장편소설 『대리석 목양신(Marble Faun)』 출간.(이보다 한 달 앞서 영국에서 '변형(Transformation)'이라는 제목으로 출간.) 6월, 귀국하여 콩코드의 웨이사이드로 돌아옴.
1861년	남북전쟁 발발. 『그림쇼 박사의 비밀(Dr. Grimshaw's Secret)』, 『조상의 발자국(The Ancestral Footstep)』, 『셉티미어스 펠튼(Septimius Felton)』, 『돌리버 로맨스(The Dolliver Romance)』 등의 장편소설을 집필하기 시작하지만 모두 미완성으로 남음.
1862년	《어틀랜틱 먼슬리》에 논평 「주로 전쟁 문제에 관하여」 발표.
1863년	9월, 영국에 관한 인상기 『우리의 고향(Our Old Home)』 출간.
1864년	5월 19일, 프랭클린 피어스와 여행 중 뉴햄프셔주 플리머스에서 사망. 5월 23일, 콩코드의 슬리피 할로우 묘지에 매장됨.

세계문학전집 282

일곱 박공의 집

1판 1쇄 펴냄 2012년 3월 23일
1판 13쇄 펴냄 2024년 7월 18일

지은이 너새니얼 호손
옮긴이 정소영
발행인 박근섭, 박상준
펴낸곳 (주)민음사

출판등록 1966. 5. 19. (제 16-490호)
서울특별시 강남구 도산대로1길 62(신사동) 강남출판문화센터 5층 (우편번호 06027)
대표전화 02-515-2000 팩시밀리 02-515-2007
www.minumsa.com

© 정소영, 2012. Printed in Seoul, Korea

ISBN 978-89-374-6282-5 04800
ISBN 978-89-374-6000-5 (세트)

* 잘못 만들어진 책은 구입처에서 교환해 드립니다.

세계문학전집 목록

1·2 변신 이야기 오비디우스·이윤기 옮김 서울대 권장도서 100선
3 햄릿 셰익스피어·최종철 옮김 서울대 권장도서 100선 | 미국대학위원회 선정 SAT 추천도서
4 변신·시골의사 카프카·전영애 옮김 서울대 권장도서 100선
5 동물농장 오웰·도정일 옮김 미국대학위원회 선정 SAT 추천도서 | 《타임》 선정 현대 100대 영문소설
6 허클베리 핀의 모험 트웨인·김욱동 옮김 《뉴스위크》 선정 100대 명저
7 암흑의 핵심 콘래드·이상옥 옮김 미국대학위원회 선정 SAT 추천도서 | 《뉴스위크》 선정 10대 명저
8 토니오 크뢰거·트리스탄·베네치아에서의 죽음 토마스 만·안삼환 외 옮김 노벨 문학상 수상 작가
9 문학이란 무엇인가 사르트르·정명환 옮김
10 한국단편문학선 1 김동인 외·이남호 엮음 국립중앙도서관 선정 청소년 권장도서
11·12 인간의 굴레에서 서머싯 몸·송무 옮김
13 이반 데니소비치, 수용소의 하루 솔제니친·이영의 옮김 노벨 문학상 수상 작가
14 너새니얼 호손 단편선 호손·천승걸 옮김
15 나의 미카엘 오즈·최창모 옮김
16·17 중국신화전설 위앤커·전인초, 김선자 옮김
18 고리오 영감 발자크·박영근 옮김
19 파리대왕 골딩·유종호 옮김 노벨 문학상 수상 작가 | 《타임》 선정 현대 100대 영문소설
20 한국단편문학선 2 김동리 외·이남호 엮음
21·22 파우스트 괴테·정서웅 옮김 서울대 권장도서 100선 | 미국대학위원회 선정 SAT 추천도서
23·24 빌헬름 마이스터의 수업시대 괴테·안삼환 옮김
25 젊은 베르테르의 슬픔 괴테·박찬기 옮김 논술 및 수능에 출제된 책(1998~2005)
26 이피게니에·스텔라 괴테·박찬기 외 옮김
27 다섯째 아이 레싱·정덕애 옮김 노벨 문학상 수상 작가
28 삶의 한가운데 린저·박찬일 옮김
29 농담 쿤데라·방미경 옮김
30 야성의 부름 런던·권택영 옮김
31 아메리칸 제임스·최경도 옮김
32·33 양철북 그라스·장희창 옮김 노벨 문학상 수상 작가 | 서울대 권장도서 100선
34·35 백년의 고독 마르케스·조구호 옮김 노벨 문학상 수상 작가 | 서울대 권장도서 100선
36 마담 보바리 플로베르·김화영 옮김 서울대 권장도서 100선
37 거미여인의 키스 푸익·송병선 옮김
38 달과 6펜스 서머싯 몸·송무 옮김
39 폴란드의 풍차 지오노·박인철 옮김
40·41 독일어 시간 렌츠·정서웅 옮김
42 말테의 수기 릴케·문현미 옮김
43 고도를 기다리며 베케트·오증자 옮김 노벨 문학상 수상 작가 | 서울대 권장도서 100선
44 데미안 헤세·전영애 옮김 노벨 문학상 수상 작가
45 젊은 예술가의 초상 조이스·이상옥 옮김 서울대 권장도서 100선
46 카탈로니아 찬가 오웰·정영목 옮김
47 호밀밭의 파수꾼 샐린저·정영목 옮김 《타임》 선정 현대 100대 영문소설 | 미국대학위원회 선정 SAT 추천도서 | 《뉴스위크》 선정 100대 명저 | BBC 선정 꼭 읽어야 할 책
48·49 파르마의 수도원 스탕달·원윤수, 임미경 옮김
50 수레바퀴 아래서 헤세·김이섭 옮김 노벨 문학상 수상 작가 | 국립중앙도서관 선정 청소년 권장도서

51·52 **내 이름은 빨강 파묵·이난아 옮김** 노벨 문학상 수상 작가
53 **오셀로 셰익스피어·최종철 옮김** 서울대 권장도서 100선
54 **조서 르 클레지오·김윤진 옮김** 노벨 문학상 수상 작가
55 **모래의 여자 아베 코보·김난주 옮김**
56·57 **부덴브로크 가의 사람들 토마스 만·홍성광 옮김** 노벨 문학상 수상 작가
58 **싯다르타 헤세·박병덕 옮김** 노벨 문학상 수상 작가
59·60 **아들과 연인 로렌스·정상준 옮김** 《뉴스위크》 선정 100대 명저
61 **설국 가와바타 야스나리·유숙자 옮김** 노벨 문학상 수상 작가 | 서울대 권장도서 100선
62 **벨킨 이야기·스페이드 여왕 푸슈킨·최선 옮김**
63·64 **넙치 그라스·김재혁 옮김** 노벨 문학상 수상 작가
65 **소망 없는 불행 한트케·윤용호 옮김** 노벨 문학상 수상 작가
66 **나르치스와 골드문트 헤세·임홍배 옮김** 노벨 문학상 수상 작가
67 **황야의 이리 헤세·김누리 옮김** 노벨 문학상 수상 작가
68 **페테르부르크 이야기 고골·조주관 옮김**
69 **밤으로의 긴 여로 오닐·민승남 옮김** 노벨 문학상 수상 작가 | 미국대학위원회 선정 SAT 추천도서
70 **체호프 단편선 체호프·박현섭 옮김**
71 **버스 정류장 가오싱젠·오수경 옮김** 노벨 문학상 수상 작가
72 **구운몽 김만중·송성욱 옮김** 서울대 권장도서 100선 | 국립중앙도서관 선정 청소년 권장도서
73 **대머리 여가수 이오네스코·오세곤 옮김**
74 **이솝 우화집 이솝·유종호 옮김** 논술 및 수능에 출제된 책(1998~2005)
75 **위대한 개츠비 피츠제럴드·김욱동 옮김** 《타임》 선정 현대 100대 영문소설
76 **푸른 꽃 노발리스·김재혁 옮김**
77 **1984 오웰·정회성 옮김** 《타임》 선정 현대 100대 영문소설 | 《뉴스위크》 선정 100대 명저
78·79 **영혼의 집 아옌데·권미선 옮김**
80 **첫사랑 투르게네프·이항재 옮김**
81 **내가 죽어 누워 있을 때 포크너·김명주 옮김** 노벨 문학상 수상 작가
82 **런던 스케치 레싱·서숙 옮김** 노벨 문학상 수상 작가
83 **팡세 파스칼·이환 옮김**
84 **질투 로브그리예·박이문, 박희원 옮김**
85·86 **채털리 부인의 연인 로렌스·이인규 옮김**
87 **그 후 나쓰메 소세키·윤상인 옮김**
88 **오만과 편견 오스틴·윤지관, 전승희 옮김** 미국대학위원회 선정 SAT 추천도서
89·90 **부활 톨스토이·연진희 옮김** 논술 및 수능에 출제된 책(1998~2005)
91 **방드르디, 태평양의 끝 투르니에·김화영 옮김**
92 **미겔 스트리트 나이폴·이상옥 옮김** 노벨 문학상 수상 작가
93 **페드로 파라모 룰포·정창 옮김**
94 **차라투스트라는 이렇게 말했다 니체·장희창 옮김** 국립중앙도서관 선정 청소년 권장도서
95·96 **적과 흑 스탕달·이동렬 옮김** 국립중앙도서관 선정 청소년 권장도서
97·98 **콜레라 시대의 사랑 마르케스·송병선 옮김** 노벨 문학상 수상 작가 | BBC 선정 꼭 읽어야 할 책
99 **맥베스 셰익스피어·최종철 옮김** 서울대 권장도서 100선 | 미국대학위원회 선정 SAT 추천도서
100 **춘향전 작자 미상·송성욱 풀어 옮김** 서울대 권장도서 100선
101 **페르디두르케 곰브로비치·윤진 옮김**
102 **포르노그라피아 곰브로비치·임미경 옮김**
103 **인간 실격 다자이 오사무·김춘미 옮김**
104 **네루다의 우편배달부 스카르메타·우석균 옮김**

105·106 이탈리아 기행 괴테·박찬기 외 옮김
107 나무 위의 남작 칼비노·이현경 옮김
108 달콤 쌉싸름한 초콜릿 에스키벨·권미선 옮김
109·110 제인 에어 C. 브론테·유종호 옮김 BBC 선정 꼭 읽어야 할 책
111 크눌프 헤세·이노은 옮김 노벨 문학상 수상 작가
112 시계태엽 오렌지 버지스·박시영 옮김 《타임》 선정 현대 100대 영문소설 | 《뉴스위크》 선정 100대 명저
113·114 파리의 노트르담 위고·정기수 옮김 미국대학위원회 선정 SAT 추천도서
115 새로운 인생 단테·박우수 옮김
116·117 로드 짐 콘래드·이상옥 옮김 《뉴스위크》 선정 100대 명저
118 폭풍의 언덕 E. 브론테·김종길 옮김 미국대학위원회 선정 SAT 추천도서
119 텔크테에서의 만남 그라스·안삼환 옮김 노벨 문학상 수상 작가
120 검찰관 고골·조주관 옮김
121 안개 우나무노·조민현 옮김
122 나사의 회전 제임스·최경도 옮김 미국대학위원회 선정 SAT 추천도서
123 피츠제럴드 단편선 1 피츠제럴드·김욱동 옮김
124 목화밭의 고독 속에서 콜테스·임수현 옮김
125 돼지꿈 황석영
126 라셀라스 존슨·이인규 옮김
127 리어 왕 셰익스피어·최종철 옮김 서울대 권장도서 100선 | 《뉴스위크》 선정 100대 명저
128·129 쿠오 바디스 시엔키에비츠·최성은 옮김 노벨 문학상 수상 작가
130 자기만의 방·3기니 울프·이미애 옮김
131 시르트의 바닷가 그라크·송진석 옮김
132 이성과 감성 오스틴·윤지관 옮김
133 바덴바덴에서의 여름 치프킨·이장욱 옮김
134 새로운 인생 파묵·이난아 옮김 노벨 문학상 수상 작가
135·136 무지개 로렌스·김정매 옮김
137 인생의 베일 서머싯 몸·황소연 옮김
138 보이지 않는 도시들 칼비노·이현경 옮김
139·140·141 연초 도매상 바스·이운경 옮김 《타임》 선정 현대 100대 영문소설
142·143 플로스 강의 물방앗간 엘리엇·한애경, 이봉지 옮김 미국대학위원회 선정 SAT 추천도서
144 연인 뒤라스·김인환 옮김
145·146 이름 없는 주드 하디·정종화 옮김
147 제49호 품목의 경매 핀천·김성곤 옮김 《타임》 선정 현대 100대 영문소설
148 성역 포크너·이진준 옮김 노벨 문학상 수상 작가 | 퓰리처상 수상 작가
149 무진기행 김승옥
150·151·152 신곡(지옥편·연옥편·천국편) 단테·박상진 옮김 《뉴스위크》 선정 100대 명저
153 구덩이 플라토노프·정보라 옮김
154·155·156 카라마조프가의 형제들 도스토옙스키·김연경 옮김
157 지상의 양식 지드·김화영 옮김 노벨 문학상 수상 작가
158 밤의 군대들 메일러·권택영 옮김 퓰리처상 수상 작가
159 주홍 글자 호손·김욱동 옮김 서울대 권장도서 100선 | 미국대학위원회 선정 SAT 추천도서
160 깊은 강 엔도 슈사쿠·유숙자 옮김
161 욕망이라는 이름의 전차 윌리엄스·김소임 옮김
162 마사 퀘스트 레싱·나영균 옮김 노벨 문학상 수상 작가
163·164 운명의 딸 아옌데·권미선 옮김

165 **모렐의 발명** 비오이 카사레스·송병선 옮김
166 **삼국유사** 일연·김원중 옮김 서울대 권장도서 100선
167 **풀잎은 노래한다** 레싱·이태동 옮김 노벨 문학상 수상 작가
168 **파리의 우울** 보들레르·윤영애 옮김
169 **포스트맨은 벨을 두 번 울린다** 케인·이만식 옮김
170 **썩은 잎** 마르케스·송병선 옮김 노벨 문학상 수상 작가
171 **모든 것이 산산이 부서지다** 아체베·조규형 옮김 《타임》 선정 현대 100대 영문소설
172 **한여름 밤의 꿈** 셰익스피어·최종철 옮김 미국대학위원회 선정 SAT 추천도서
173 **로미오와 줄리엣** 셰익스피어·최종철 옮김 미국대학위원회 선정 SAT 추천도서
174·175 **분노의 포도** 스타인벡·김승욱 옮김 노벨 문학상 수상 작가 | 《타임》 선정 현대 100대 영문소설
176·177 **괴테와의 대화** 에커만·장희창 옮김
178 **그물을 헤치고** 머독·유종호 옮김 《타임》 선정 현대 100대 영문소설
179 **브람스를 좋아하세요...** 사강·김남주 옮김
180 **카타리나 블룸의 잃어버린 명예** 하인리히 뵐·김연수 옮김 노벨 문학상 수상 작가
181·182 **에덴의 동쪽** 스타인벡·정회성 옮김 노벨 문학상 수상 작가
183 **순수의 시대** 워튼·송은주 옮김 《뉴스위크》 선정 100대 명저 | 퓰리처상 수상작
184 **도둑 일기** 주네·박형섭 옮김
185 **나자** 브르통·오생근 옮김
186·187 **캐치-22** 헬러·안정효 옮김 《타임》 선정 현대 100대 영문소설
188 **숄로호프 단편선** 숄로호프·이항재 옮김 노벨 문학상 수상 작가
189 **말** 사르트르·정명환 옮김
190·191 **보이지 않는 인간** 엘리슨·조영환 옮김 《타임》 선정 현대 100대 영문소설
192 **왑샷 가문 연대기** 치버·김승욱 옮김 퓰리처상 수상 작가
193 **왑샷 가문 몰락기** 치버·김승욱 옮김 퓰리처상 수상 작가
194 **필립과 다른 사람들** 노터봄·지명숙 옮김
195·196 **하드리아누스 황제의 회상록** 유르스나르·곽광수 옮김
197·198 **소피의 선택** 스타이런·한정아 옮김 퓰리처상 수상 작가
199 **피츠제럴드 단편선 2** 피츠제럴드·한은경 옮김
200 **홍길동전** 허균·김탁환 옮김
201 **요술 부지깽이** 쿠버·양윤희 옮김
202 **북호텔** 다비·원윤수 옮김
203 **톰 소여의 모험** 트웨인·김욱동 옮김
204 **금오신화** 김시습·이지하 옮김
205·206 **테스** 하디·정종화 옮김 미국대학위원회 선정 SAT 추천도서 | BBC 선정 꼭 읽어야 할 책
207 **브루스터플레이스의 여자들** 네일러·이소영 옮김
208 **더 이상 평안은 없다** 아체베·이소영 옮김
209 **그레인지 코플랜드의 세 번째 인생** 워커·김시현 옮김 퓰리처상 수상 작가
210 **어느 시골 신부의 일기** 베르나노스·정영란 옮김
211 **타라스 불바** 고골·조주관 옮김
212·213 **위대한 유산** 디킨스·이인규 옮김 서울대 권장도서 100선 | BBC 선정 꼭 읽어야 할 책
214 **면도날** 서머싯 몸·안진환 옮김
215·216 **성채** 크로닌·이은정 옮김
217 **오이디푸스 왕** 소포클레스·강대진 옮김 서울대 권장도서 100선
218 **세일즈맨의 죽음** 밀러·강유나 옮김
219·220·221 **안나 카레니나** 톨스토이·연진희 옮김 서울대 권장도서 100선

222 **오스카 와일드 작품선** 와일드 · 정영목 옮김
223 **벨아미** 모파상 · 송덕호 옮김
224 **파스쿠알 두아르테 가족** 호세 셀라 · 정동섭 옮김 노벨 문학상 수상 작가
225 **시칠리아에서의 대화** 비토리니 · 김운찬 옮김
226·227 **길 위에서** 케루악 · 이만식 옮김 《타임》 선정 현대 100대 영문소설 | 《뉴스위크》 선정 100대 명저
228 **우리 시대의 영웅** 레르몬토프 · 오정미 옮김
229 **아우라** 푸엔테스 · 송상기 옮김
230 **클링조어의 마지막 여름** 헤세 · 황승환 옮김 노벨 문학상 수상 작가
231 **리스본의 겨울** 무뇨스 몰리나 · 나송주 옮김
232 **뻐꾸기 둥지 위로 날아간 새** 키지 · 정회성 옮김 《타임》 선정 현대 100대 영문소설
233 **페널티킥 앞에 선 골키퍼의 불안** 한트케 · 윤용호 옮김 노벨 문학상 수상 작가
234 **참을 수 없는 존재의 가벼움** 쿤데라 · 이재룡 옮김
235·236 **바다여, 바다여** 머독 · 최옥영 옮김
237 **한 줌의 먼지** 에벌린 워 · 안진환 옮김 《타임》 선정 현대 100대 영문소설
238 **뜨거운 양철 지붕 위의 고양이 · 유리 동물원** 윌리엄스 · 김소임 옮김 퓰리처상 수상작
239 **지하로부터의 수기** 도스토옙스키 · 김연경 옮김
240 **키메라** 바스 · 이운경 옮김
241 **반쪼가리 자작** 칼비노 · 이현경 옮김
242 **벌집** 호세 셀라 · 남진희 옮김 노벨 문학상 수상 작가
243 **불멸** 쿤데라 · 김병욱 옮김
244·245 **파우스트 박사** 토마스 만 · 임홍배, 박병덕 옮김 노벨 문학상 수상 작가
246 **사랑할 때와 죽을 때** 레마르크 · 장희창 옮김
247 **누가 버지니아 울프를 두려워하랴?** 올비 · 강유나 옮김
248 **인형의 집** 입센 · 안미란 옮김
249 **위폐범들** 지드 · 원윤수 옮김 노벨 문학상 수상 작가
250 **무정** 이광수 · 정영훈 책임 편집 서울대 권장도서 100선
251·252 **의지와 운명** 푸엔테스 · 김현철 옮김
253 **폭력적인 삶** 파솔리니 · 이승수 옮김
254 **거장과 마르가리타** 불가코프 · 정보라 옮김
255·256 **경이로운 도시** 멘도사 · 김현철 옮김
257 **야콥을 둘러싼 추측들** 욘존 · 손대영 옮김
258 **왕자와 거지** 트웨인 · 김욱동 옮김
259 **존재하지 않는 기사** 칼비노 · 이현경 옮김
260·261 **눈먼 암살자** 애트우드 · 차은정 옮김 《타임》 선정 현대 100대 영문소설
262 **베니스의 상인** 셰익스피어 · 최종철 옮김
263 **말리나** 바흐만 · 남정애 옮김
264 **사볼타 사건의 진실** 멘도사 · 권미선 옮김
265 **뒤렌마트 희곡선** 뒤렌마트 · 김혜숙 옮김
266 **이방인** 카뮈 · 김화영 옮김 노벨 문학상 수상 작가 | 미국대학위원회 선정 SAT 추천도서
267 **페스트** 카뮈 · 김화영 옮김 노벨 문학상 수상 작가 | 국립중앙도서관 선정 청소년 권장도서
268 **검은 튤립** 뒤마 · 송진석 옮김
269·270 **베를린 알렉산더 광장** 되블린 · 김재혁 옮김
271 **하얀 성** 파묵 · 이난아 옮김 노벨 문학상 수상 작가
272 **푸슈킨 선집** 푸슈킨 · 최선 옮김
273·274 **유리알 유희** 헤세 · 이영임 옮김/노벨 문학상 수상 작가

275 픽션들 보르헤스·송병선 옮김 서울대 권장도서 100선
276 신의 화살 아체베·이소영 옮김
277 빌헬름 텔·간계와 사랑 실러·홍성광 옮김
278 노인과 바다 헤밍웨이·김욱동 옮김 노벨 문학상 수상 작가 | 퓰리처상 수상작
279 무기여 잘 있어라 헤밍웨이·김욱동 옮김 미국대학위원회 선정 SAT 추천도서
280 태양은 다시 떠오른다 헤밍웨이·김욱동 옮김 《타임》 선정 현대 100대 영문 소설
281 알레프 보르헤스·송병선 옮김
282 일곱 박공의 집 호손·정소영 옮김
283 에마 오스틴·윤지관, 김영희 옮김
284·285 죄와 벌 도스토옙스키·김연경 옮김 미국대학위원회 선정 SAT 추천도서
286 시련 밀러·최영 옮김
287 모두가 나의 아들 밀러·최영 옮김
288·289 누구를 위하여 종은 울리나 헤밍웨이·김욱동 옮김 노벨 문학상 수상 작가
290 구르브 연락 없다 멘도사·정창 옮김
291·292·293 데카메론 보카치오·박상진 옮김
294 나누어진 하늘 볼프·전영애 옮김
295·296 제브데트 씨와 아들들 파묵·이난아 옮김 노벨 문학상 수상 작가
297·298 여인의 초상 제임스·최경도 옮김 미국대학위원회 선정 SAT 추천도서
299 압살롬, 압살롬! 포크너·이태동 옮김 노벨 문학상 수상 작가
300 이상 소설 전집 이상·권영민 책임 편집
301·302·303·304·305 레 미제라블 위고·정기수 옮김
306 관객모독 한트케·윤용호 옮김 노벨 문학상 수상 작가
307 더블린 사람들 조이스·이종일 옮김
308 에드거 앨런 포 단편선 앨런 포·전승희 옮김 미국대학위원회 선정 SAT 추천도서
309 보이체크·당통의 죽음 뷔히너·홍성광 옮김
310 노르웨이의 숲 무라카미 하루키·양억관 옮김
311 운명론자 자크와 그의 주인 디드로·김희영 옮김
312·313 헤밍웨이 단편선 헤밍웨이·김욱동 옮김 노벨 문학상 수상 작가
314 피라미드 골딩·안지현 옮김 노벨 문학상 수상 작가
315 닫힌 방·악마와 선한 신 사르트르·지영래 옮김
316 등대로 울프·이미애 옮김 《타임》 선정 현대 100대 영문소설 | 《뉴스위크》 선정 100대 명저
317·318 한국 희곡선 송영 외·양승국 엮음
319 여자의 일생 모파상·이동렬 옮김
320 의식 노터봄·김영중 옮김
321 육체의 악마 라디게·원윤수 옮김
322·323 감정 교육 플로베르·지영화 옮김
324 불타는 평원 룰포·정창 옮김
325 위대한 몬느 알랭푸르니에·박영근 옮김
326 라쇼몬 아쿠타가와 류노스케·서은혜 옮김
327 반바지 당나귀 보스코·정영란 옮김
328 정복자들 말로·최윤주 옮김
329·330 우리 동네 아이들 마흐푸즈·배혜경 옮김 노벨 문학상 수상 작가
331·332 개선문 레마르크·장희창 옮김
333 사바나의 개미 언덕 아체베·이소영 옮김
334 게걸음으로 그라스·장희창 옮김 노벨 문학상 수상 작가

335 코스모스 곰브로비치 · 최성은 옮김
336 좁은 문 · 전원교향곡 · 배덕자 지드 · 동성식 옮김 노벨 문학상 수상 작가
337·338 암 병동 솔제니친 · 이영의 옮김 노벨 문학상 수상 작가
339 피의 꽃잎들 응구기 와 시옹오 · 왕은철 옮김
340 운명 케르테스 · 유진일 옮김 노벨 문학상 수상 작가
341·342 벌거벗은 자와 죽은 자 메일러 · 이운경 옮김 퓰리처상 수상 작가
343 시지프 신화 카뮈 · 김화영 옮김 노벨 문학상 수상 작가
344 뇌우 차오위 · 오수경 옮김
345 모옌 중단편선 모옌 · 심규호, 유소영 옮김 노벨 문학상 수상 작가
346 일야서 한사오궁 · 심규호, 유소영 옮김
347 상속자들 골딩 · 안지현 옮김 노벨 문학상 수상 작가
348 설득 오스틴 · 전승희 옮김
349 히로시마 내 사랑 뒤라스 · 방미경 옮김
350 오 헨리 단편선 오 헨리 · 김희용 옮김
351·352 올리버 트위스트 디킨스 · 이인규 옮김
353·354·355·356 전쟁과 평화 톨스토이 · 연진희 옮김
357 다시 찾은 브라이즈헤드 에벌린 워 · 백지민 옮김
358 아무도 대령에게 편지하지 않다 마르케스 · 송병선 옮김
359 사양 다자이 오사무 · 유숙자 옮김
360 좌절 케르테스 · 한경민 옮김 노벨 문학상 수상 작가
361·362 닥터 지바고 파스테르나크 · 김연경 옮김 노벨 문학상 수상 작가
363 노생거 사원 오스틴 · 윤지관 옮김
364 개구리 모옌 · 심규호, 유소영 옮김 노벨 문학상 수상 작가
365 마왕 투르니에 · 이원복 옮김 공쿠르상 수상 작가
366 맨스필드 파크 오스틴 · 김영희 옮김
367 이선 프롬 이디스 워튼 · 김욱동 옮김 퓰리처상 수상 작가
368 여름 이디스 워튼 · 김욱동 옮김 퓰리처상 수상 작가
369·370·371 나는 고백한다 자우메 카브레 · 권가람 옮김
372·373·374 태엽 감는 새 연대기 무라카미 하루키 · 김난주 옮김
375·376 대사들 제임스 · 정소영 옮김
377 족장의 가을 마르케스 · 송병선 옮김 노벨 문학상 수상 작가
378 핏빛 자오선 매카시 · 김시현 옮김
379 모두 다 예쁜 말들 매카시 · 김시현 옮김
380 국경을 넘어 매카시 · 김시현 옮김
381 평원의 도시들 매카시 · 김시현 옮김
382 만년 다자이 오사무 · 유숙자 옮김
383 반항하는 인간 카뮈 · 김화영 옮김 노벨 문학상 수상 작가
384·385·386 악령 도스토옙스키 · 김연경 옮김
387 태평양을 막는 제방 뒤라스 · 윤진 옮김
388 남아 있는 나날 가즈오 이시구로 · 송은경 옮김
389 앙리 브륄라르의 생애 스탕달 · 원윤수 옮김
390 찻집 라오서 · 오수경 옮김
391 태어나지 않은 아이를 위한 기도 케르테스 · 이상동 옮김 노벨 문학상 수상 작가
392·393 서머싯 몸 단편선 서머싯 몸 · 황소연 옮김
394 케이크와 맥주 서머싯 몸 · 황소연 옮김

395 **월든** 소로·정회성 옮김
396 **모래 사나이** E. T. A. 호프만·신동화 옮김
397·398 **검은 책** 오르한 파묵·이난아 옮김 노벨 문학상 수상 작가
399 **방랑자들** 올가 토카르추크·최성은 옮김 노벨 문학상 수상 작가
400 **시여, 침을 뱉어라** 김수영·이영준 엮음
401·402 **환락의 집** 이디스 워튼·전승희 옮김
403 **달려라 메로스** 다자이 오사무·유숙자 옮김
404 **아버지와 자식** 투르게네프·연진희 옮김
405 **청부 살인자의 성모** 바예호·송병선 옮김
406 **세피아빛 초상** 아옌데·조영실 옮김
407·408·409·410 **사기 열전** 사마천·김원중 옮김 서울대 권장도서 100선
411 **이상 시 전집** 이상·권영민 책임 편집
412 **어둠 속의 사건** 발자크·이동렬 옮김
413 **태평천하** 채만식·권영민 책임 편집
414·415 **노스트로모** 콘래드·이미애 옮김
416·417 **제르미날** 졸라·강충권 옮김
418 **명인** 가와바타 야스나리·유숙자 옮김 노벨 문학상 수상 작가
419 **핀처 마틴** 골딩·백지민 옮김 노벨 문학상 수상 작가
420 **사라진·샤베르 대령** 발자크·선영아 옮김
421 **빅 서** 케루악·김재성 옮김
422 **코뿔소** 이오네스코·박형섭 옮김
423 **블랙박스** 오즈·윤성덕, 김영화 옮김
424·425 **고양이 눈** 애트우드·차은정 옮김
426·427 **도둑 신부** 애트우드·이은선 옮김
428 **슈니츨러 작품선** 슈니츨러·신동화 옮김
429·430 **세계의 끝과 하드보일드 원더랜드** 무라카미 하루키·김난주 옮김
431 **멜랑콜리아 I–II** 욘 포세·손화수 옮김 노벨 문학상 수상 작가
432 **도적들** 실러·홍성광 옮김
433 **예브게니 오네긴·대위의 딸** 푸시킨·최선 옮김
434·435 **초대받은 여자** 보부아르·강초롱 옮김
436·437 **미들마치** 엘리엇·이미애 옮김
438 **이반 일리치의 죽음** 톨스토이·김연경 옮김
439·440 **캔터베리 이야기** 초서·이동일, 이동춘 옮김
441·442 **아소무아르** 졸라·윤진 옮김
443 **가난한 사람들** 도스토옙스키·이항재 옮김
444·445 **마차오 사전** 한사오궁·심규호, 유소영 옮김

세계문학전집은 계속 간행됩니다.